CW00428622

Stefan Frey

»Was sagt ihr zu diesem Erfolg«

Franz Lehár
und die Unterhaltungsmusik
des 20. Jahrhunderts

Insel Verlag

Erste Auflage 1999

Satz: Hümmer GmbH, Waldbüttelbrunn
Druck: Offizin Andersen Nexö Leipzig
Printed in Germany
1 2 3 4 5 6 – 04 03 02 01 00 99

Inhalt

»Was sagt ihr zu diesem Erfolg«

Franz Lehár
und die Unterhaltungsmusik
des 20. Jahrhunderts

»Lehár ist besser«[1]

Vorwort

Später mache ich
eine Lehár-Renaissance mit.
Karl Kraus[2]

Als Kurt Tucholsky 1931 in einem Londoner Kino saß, widerfuhr ihm Erstaunliches: »Und plötzlich, mitten in London, was wär denn jetzt dös? Da hätten wir den Herrn Lehár ... Da saß also ein ziemlich dicker, gemütlicher Mann an einem Klavier und die Wochenschau sprach mit seiner Stimme: ›Ich freie mich, daß mich, daß meine Melodien in der ganzen Welt gespielt werden, und ich heere, daß man mich nun auch mal sehen mechte ... und daher...‹. Und daher spielte er uns zunächst ... je ein paar Takte aus seinen alten Operetten, von denen ja die *Lustige Witwe* wirklich hübsche Musik enthält. Und dann spielte er dieses, und dann spielte er jenes, und warum soll er nicht...« Die unverhoffte Begegnung zeitigte das verhängnisvolle Bonmot: »Puccini ist der Verdi des kleinen Mannes, und Lehár ist dem kleinen Mann sein Puccini.«[3] Tatsächlich waren sich die so Verbundenen in herzlicher Freundschaft zugetan, worüber ein Richard Strauss sich zeitlebens erbosen konnte. Als sein zeitweiliger Librettist Stefan Zweig im brasilianischen Exil dem Diktator Getulio Vargas seine Aufwartung machte, erkundigte der sich ausgerechnet »nach Wien und Lehár«[4] – keineswegs überraschend für den Emigranten, war doch Lehár längst eine Attraktion des Fremdenverkehrs geworden und Wien zur »Stadt mit dem Prater, der Schatzkammer, dem Apfelstrudel, dem Lehár und den schönen Mädchen«.[5] So war es selbst Carl Sternheim undenkbar, im März 1907 »Wien – mit Thea L. [Löwenstein] (incognito: Dr. Christian Solden mit Frau)« zu besuchen, ohne »Franz Lehár *Die Lustige Witwe*«[6] gesehen zu haben. Koryphäen der Avantgarde wie James Joyce, der »seine musikalischen Bedürfnisse auf der Stufe von Franz Lehár durchaus befriedigt«[7] fand, oder Gottfried Benn, der 1936 in Hannover *Zarewitsch* und »*Die Blaue Mazur* im Mellini-Theater«[8] genoß, blieben taub für

Strindbergs Warnung: »Man hört eine Operette nicht ungestraft, denn sie ist suggestiv wie das Böse, man wird ein Medium für den … Komponisten, fühlt Tanzschritte im Leib.«[9] Selbst Adorno konnte sich lockenden Weisen wie »Dein ist mein ganzes Herz« nicht völlig entziehen und mußte eingestehen: »Wir kommen unter Autos, weil wir's unachtsam summen, beim Einschlafen verwirrt es sich mit den Bildern unserer Begierde.«[10] Zumindest als kurze Notiz durchzieht Lehár Tagebücher, Briefe, Rezensionen, Essays, Romane und Anekdoten seiner heute berühmten Zeitgenossen von der Hochkultur. An Lehár kam keiner ungestraft vorbei. Bei Karl Kraus wuchs sich dies zu einer wahren Verfolgungsmanie aus. Einem bösen Schatten gleich, folgte er Lehárs Spuren durch die Geschichte und traf ihn damit besser als die jubelnde Mitwelt, die fast ein halbes Jahrhundert der Lehár-gie verfiel. Eine Unzahl journalistischer Dokumente belegt es. Selbst ein Stummfilm über sein Leben wurde 1929 gedreht, in dem er die Hauptrolle übernahm und dessen Premiere im Prater »eine riesige Menschenmenge … zu nicht enden wollenden Ovationen«[11] hinriß, welchen der Gefeierte nur mit Mühe in sein Auto entkommen konnte. Solcher Rummel war das alltägliche Abbild einer bis dahin unbekannten quantitativen Verbreitung. Die Operette hatte, zu Beginn des 20. Jahrhunderts zu einem modernen Massenmedium geworden, die Unschuld ihrer Vorgänger des 19. Jahrhunderts längst verloren. Und Lehárs *Lustige Witwe* war ihr Sündenfall.

Solange Franz Lehár der »innerhalb seiner Lebensgrenzen am meisten aufgeführte Komponist aller Zeiten«[12] war, polarisierte er seine Mitwelt. Der Nachwelt war er hingegen bald zum Inbegriff des süßen Kitsches, zum Synonym für Schund schlechthin geworden. Während Jacques Offenbach und Johann Strauß zu Klassikern wurden, harrt die gesamte moderne Operette ihrer fälligen Renaissance. Die durch fragwürdige Kriterien tabuisierte Grenze zur Unterhaltungsindustrie versperrt noch immer den Abstieg in die verschüttete Unterwelt unserer Kultur. In diesem Reich thront Lehár nach wie vor als unbestrittener Olympier der Banalität. Als gleichsam negatives Phänomen der Moderne gewinnt er gerade im Kontrast zur Avantgarde seine Bedeutung, wie sie ihm gar Adorno im Entwurf seiner *Philosophie der Neuen Musik* zugesteht: »Das Komplement der radikalen Musik war von Anbeginn die für den Markt angefertigte standardisierte Massenmusik. Der Kontrast zu ihr ist gesellschaftlich und technologisch von entscheidender Bedeutung für die Formulierung der neuen Kompositionsziele gewesen, und die Neue Musik stellt in ihrer Geschichte sowohl die Fluchtbahn vorm [sic!] Banalen der Massenmusik wie den Versuch der Adaption an deren Markterfolg dar. Daher ist die musikalische Unterwelt in die Betrachtung explizit hereinzuziehen. Gleichgültig sind mittlere, gehobene Komponisten; wichtig dagegen sind hier Schönberg, Webern und Berg, dort Lehár und Oscar Straus.«[13]

Freilich sah sich Lehár selbst keineswegs als Orpheus der musikalischen Unterwelt, vielmehr strebte er zeitlebens nach olympischen Höhen. Immerhin war er, wie die meisten seiner Kollegen, als seriöser Komponist mit einer Oper an die Öffentlichkeit getreten. Blieb auch sein ›ernstes‹ Schaffen, das erst seit kurzem durch die Einspielungen des Labels cpo verdiente Aufmerksamkeit findet, immer durch seine Operetten verdeckt, schlugen seine Ambitionen stets in ihnen durch und stempelten ihren Schöpfer zum tragikomischen Don Quixote der Vermittlung von U- und E-Musik. Erfüllt von dieser Mission, stilisierte er sich selbst schon bald zum Veredler der Operette und ließ sich die Anrede ›Meister‹ nur allzugern gefallen. Auch als Theoretiker der Operette – produktiv wie keiner seiner pragmatischeren Kollegen – betrieb er sein hehres Anliegen in zahllosen Feuilletons, die eine unvergleichliche Quelle darstellen, auch wenn, wie er selbst eingestand, »die böse Fama behauptet, daß die meisten von mir gezeichneten Zeitungsartikel nicht von mir, sondern von meinen Librettisten verfaßt sind«.[14] In dem fixen Bewußtsein, er sei nicht so sehr der Mit- als der Nachwelt verpflichtet, wurden sie von Lehár selbst akribisch gesammelt, von Max Schönherr in seiner umfangreichen Bibliographie aufgelistet und von Otto Schneidereit für seine verdienstvolle Biographie erstmals verwertet, ohne allerdings anzugeben, daß er seine Informationen aus dem noch von Lehár angelegten Archiv seines Glocken-Verlags bezog. Gab sich Lehár zu Beginn seiner Karriere noch kämpferisch, wurde er spätestens 1924, mit Erscheinen der ersten Biographie, von Ernst Decsey amüsant feuilletonistisch geschrieben, sich selbst zur Legende.

Über keinen Operettenkomponisten seiner Generation wurde entsprechend viel geschrieben. Abgesehen von unzähligen Rezensionen und Reportagen, kam bereits 1930 die zweite Auflage von Decseys Buch heraus, 1935 eine französische Biographie von Ga-

1 *»Der Nachwelt verpflichtet«*
Paul Mathias Padua porträtiert Franz Lehár 1940

ston Knosp und 1940 eine weitere von Stan Czech. Noch kurz vor seinem Tod diktierte der kranke ›Meister‹ Maria von Peteani seinen Werdegang in die kongeniale Feder, so daß die in gewissem Sinn authentischste Biographie in unnachahmlich meisterlicher Diktion zustande kam. Sie erschien 1950, drei Jahre später die englische Lebensbeschreibung von MacQueen-Pope und Murray mit dem vielsagenden Untertitel ›Fortune's Favourite‹. 1970 folgte in deutsch und englisch Bernard Grun mit *Gold und Silber*, die den unschätzbaren Vorteil hat, noch von einem Kollegen und Zeitgenossen zu stammen. Schließlich brachte 1984 Otto Schneidereit in der DDR die vorerst letzte Biographie heraus, die er allerdings nicht mehr selbst fertigstellen konnte. Mit Ausnahme der von Peteani, von der noch einzelne Exemplare beim Glocken-Verlag lagern, sind sämtliche Biographien vergriffen. Da nicht einmal Otto Schneidereit ernstlich versuchte, hinter den Kulissen der Lehár-Legende zu stöbern, lebt sie gespenstisch weiter und verstellt den Blick auf ein ungeschminktes Porträt, an welchem dem Komponisten leider wenig gelegen war, denn – wie's da drin aussah, ging niemand was an. So ist ihm auch weitgehend gelungen, zahlreiche Spuren seines Lebens zu verwischen, und da kaum noch Zeitzeugen leben, ergeben neuerdings aufgetauchte Dokumente nur ein fragmentarisches, wenn auch etwas anderes Bild. Nahm er die Geheimnisse seines – gerüchteweise – ausschweifenden Liebeslebens wohl mit ins Grab, enthüllt bedauerlicherweise die jetzt erst zugängliche Personalakte des Berlin Document Center eine engere Verstrickung in die Politik des Dritten Reichs, als die bisherigen Biographien eingestehen wollten.

Durch den Lauf der Geschichte wurde Lehár schon zu Lebzeiten zum Fossil eines einst blühenden Operettenbetriebs, der zuvor maßgeblich von Juden bestimmt war. Die entscheidende Rolle von Librettisten, Darstellern und Direktoren beim Entstehungsprozeß einer Operette war bisher außer in Martin Lichtfuss' *Ausverkauf der Operette* und Moritz Csákys *Ideologie der Operette* kaum beachtet worden, wurde nach ihrer Vertreibung durch die Nazis jedoch eklatant. Das Fehlen dieser prägenden jüdischen Persönlichkeiten mit ihrem ironischen Witz hat das Bild der Operette seit dem Dritten Reich und besonders in den fünfziger Jahren verzerrt, als sie, im falschen Licht des bunten Wunschkonzerts zum eigenen Klischee erstarrt, eine gespenstische Blüte erlebte. Dieses Bild hat das Genre bis vor kurzem diskreditiert, von einzelnen Ausnahmen wie Béjarts, Savarys, Crankos oder Wernickes Inszenierungen abgesehen. Erst Volker Klotz' *Operette. Porträt und Handbuch einer unerhörten Kunst* erinnerte Anfang der neunziger Jahre an den vitalen Hintergrund dieser theatralischen Untoten. Neben den wichtigen Werkanalysen von Carl Dahlhaus, Ingrid Grünberg und Dieter Zimmerschied wiesen bereits Adornos Veröffentlichungen der zwanziger und frühen dreißiger Jahre im Verein mit Karl Kraus' lebenslanger, beinahe manischer Polemik gegen Franz Lehár jenen Weg. In der angelsächsischen Welt war diese Tradition nie völlig vergessen, wie die ausführliche, bei Wiener Operetten erstaunlich präzise *Encyclopedia of Musical Theatre* von Kurt Gänzl belegt, bezeichnenderweise Sohn eines jüdischen Emigranten.

Totgesagte leben länger, und so ist vielleicht gerade in Abgrenzung gegen das Monopol des Musicals die Zeit wieder reif für den unergründlichen Zauber der wahren leichten Muse. Denn die frivole Auflösung von Emotionen in rauschhafte Choreographien, verbunden mit Texten von bodenloser Skurrilität haben, wie nicht nur die jüngsten Publikationen zeigen, die Operette erneut ins Blickfeld gerückt. Schließlich war sie zu Beginn unseres Jahrhunderts das, was heute das Musical nur noch ansatzweise ist: eine globale Theaterepidemie. Im Unterschied zu diesem repräsentierte sie den modernen Stil der Unterhaltungsmusik ihrer Zeit. Und sie betrieb mit einer gewissen Lust am Untergang ein doppelbödiges Spiel: die Scheinwelt der Operette, so überschwenglich sie sich präsentierte, blieb stets ironisch in der Schwebe. In ihr kam selbst der Kitsch noch augenzwinkernd daher. Galant tänzelte die Operette über ihre eigenen Untiefen hinweg. Auch das läßt sich vom Musical selten behaupten. Das Musical tanzt – die Operette tänzelt.

Franz Lehár war zweifellos der Andrew Lloyd-Webber seiner Zeit – mehr noch: sein lebenslanger Zwiespalt zwischen der Sehnsucht nach künstlerischer Anerkennung und dem kommerziellen Erfolg prädestiniert ihn zum Repräsentanten des allgemeinen ästhetischen Umbruchs zu Beginn des Jahrhunderts. Weist der versunkene Operettenbetrieb mit seinen allzu bekannten Begleiterscheinungen: dem Starkult, der regelrechten Vorgabe aktueller Modetrends und einer Vermarktungsstrategie, die von millionenfach verkauften Noten bis zur Nutzung der damals noch jungen technischen Medien wie Grammophon, Rundfunk und Film reichte – alle Merkmale künftiger Popkultur auf, präsentierten Lehárs Operetten zunehmend den Glanz des Gestrigen als Ausdruck der Gegenwart. Das Spätwerk der zwanziger Jahre scheint als krasser Anachronismus alle ästhetischen Einwände zu bestätigen, stellt den Kritiker noch immer vor das Rätsel eines eklatanten Mißverhältnisses von Zweck und Mitteln – »aus süßem Holz quillt süßer Klang«.[15] Doch die prekäre Schräglage einer veroperten Operette hat ihren betörenden Reiz gerade in ihrer grellen Unangemessenheit, die mit schlechtem Geschmack nur unzureichend beschrieben wird. Ihrem ungeschminkten Pathos ist angesichts der Banalität ihres Gegenstands die eigene Parodie bereits eingeschrieben. Einen Gipfel in dieser Hinsicht stellt zweifellos die weitgehend vergessene *Friederike* dar, deren Wiederentdeckung dem Goethe-Jahr gut anstünde, selbstverständlich mit jenem Respekt, wie ihn schon damals Ernst Bloch in seiner Glosse *Lehár-Mozart* aufbrachte: »Glücklicher Lehár – glückliche Zeit, die einen solchen Jüngling im grauen Haar besitzt! ... Lehár, der ewige Jüngling, wie ihn Hegel nannte, als er aus Weimar kam.«[16]

Eine Würdigung Franz Lehárs aus dem kulturellen Kontext der ersten Hälfte des 20. Jahrhunderts gewinnt durch die historische Entwicklung ihre dialektische Dimension. Sowohl Werk als auch Biographie des Operettenkomponisten entziehen sich so der oft unangebrachten Polarisierung pauschaler Verdammung und verzuckerter Glorifizierung, deren leichte Beute sie sind. Das Wesentliche steht zwischen den Zeilen. Ist nach Adorno »leichte Kunst ... das gesellschaftlich schlechte Gewissen der ernsten«,[17] so wäre die Operette Lehárs, als negatives Phänomen der Moderne ernst genommen, das ästhetisch schlechte Gewissen der leichten Musik. »Sie läßt sich nicht verteidigen, so wie sie's meint, aber sie läßt sich retten, so wie sie, transparent wider ihren Willen, gemeint ist.«[18]

»Möcht's jubelnd in die Welt verkünden...«
Vom Wunderkind zum Militärkapellmeister

> Ich sehe ... daß ich spannend gelebt habe,
> daß die Abenteuer meines Lebens eigentlich
> eine Operette ... sind. Mein Gott, ich staune:
> was da alles vorgekommen ist!
> Wie viele Flammen, wieviel Asche...
> Franz Lehár[1]

Operettenchinesisch

Dieser Operettenkomponist war keiner, wie er im Buche steht. Als 1924 die erste Lehár-Biographie erschien, äußerte der ›Meister‹ kokett, er sähe darin »einen anderen, einen zweiten, einen unbekannten Lehár« ihm entgegenzwinkern und er müsse »brav sein, damit der Franz Lehár nicht den ›Franz Lehár‹ desavouiert«.[2] Dieser Franz Lehár in Anführungszeichen war schon zu Lebzeiten Legende geworden. Ihm hat der andere Lehár unzählige Artikel gewidmet, ihm hat er im Dachgeschoß seines Wiener Hauses und später in seiner Ischler Villa ein Museum errichtet, durch das er Journalisten zu führen liebte. Einer davon berichtete 1920 befremdet: »wie ein vom Ruhm seines Ebenbildes beglückter und etwas melancholischer Doppelgänger seines Ichs zeigt er dem Besucher die fünf- oder zehntausend Bilder Franz Lehárs.«[3] Das Markenzeichen der Lehár-Legende war jenes berühmte Lehár-Lächeln, das den einen Erfolgs-, den anderen Routine-Lächeln schien, für diese ein Schutz, für jene eine Unverbindlichkeit darstellte. Schon 1903, nach seinen ersten Operettenerfolgen, wird Lehár im Neuen Wiener Journal als der Mann porträtiert, der sich nicht verstimmen läßt. Was auch geschehe – »das breite, zufriedene Lächeln wird nicht eine Sekunde von seinem Gesichte weichen«.[4] Seitdem wurde der Komponist zum Chinesen der Operette stilisiert, der im »Land des Lächelns« schließlich seine Heimat fand. Zwar weiß man seither, warum er lächelt – »denn wie's da drin aussieht, geht niemand was an« – doch noch lange nicht, was niemand was angeht. Eine Mona Lisa des Privatlebens, hat es der Komponist verstanden, aus diesem ein Geheimnis zu machen, wo immer es den Franz Lehár in Anführungszeichen desavouieren könnte.

Ein Name wie ein Jubelschrei

Lehár! Schon der Name gibt Rätsel auf. Und so rankt sich bereits um ihn die erste Legende, die vom französischen Offizier Marquis Le Harde, der in den napoleonischen Kriegswirren als russischer Gefangener 1799 auf die romantische Schloßruine Brünnles in Nordmähren fliehen konnte und dort von einer drallen Bauerndirne versorgt und schließlich geheiratet wurde. Die einzig verbürgte Quelle dieser Geschichte ist ein Onkel des Komponisten, der sie der Mutter anvertraut haben soll. »Er hat noch seine Papiere aufgehoben. Ein Dokument ist sogar eingerahmt. Er versprach uns die Papiere zu schicken.«[5]

Die Papiere erreichten nie ihr Ziel, doch nahm sich Ernst Decsey der Geschichte in seiner Lehár-Biographie an, von wo sie seitdem die Runde machte. Daß Le Harde im Französischen ›der Kühne‹ bedeutet, muß ihm entgangen sein, als er später dem ›Meister‹ vorwarf, er lasse »eines vermissen: Mut und Härte«.[6] Nicht nur diese unfreiwillige Ironie straft die Legende Lügen, auch die Kirchenbücher der nordmährischen Gemeinden, aus denen die Familie stammt. Müßte jener Franzose doch der Urgroßvater des Komponisten sein. Der wirkliche Urgroßvater, Johannes Lehar, wurde aber 1782 in Brünnles (Brnicko) geboren, wohin sein Vater, ebenfalls ein Johannes, vor 1777 zugewandert war. »Dessen Heimatort ist noch nicht bekannt. Namensvorkommen weisen auf die Dörfer Rovens (Rowenzko), Lesnitz (Lesnika) und Koleschau (Kolsoff)«, wo der Name 1767 auch in der Form Lechar vorkommt. Bedenkt man, daß diese Orte bei der Volkszählung 1900 eine fast rein tschechische Bevölkerung hatten, liegt es nahe, daß »der Name ursprünglich offenbar tschechisch oder slowakisch war«,[7] obwohl die Lehars, soweit überliefert, deutschsprachig waren. Der Großvater, Josef Lehar, wie all seine Vorfahren ›Häusler und Glaser‹, war von Brünnles nach Schönwald (Sumwald) gekommen und hatte dort im Jahre 1829 die Bauerntochter Anna Polach geheiratet. Sie brachte laut Familiensaga »Wohlstand und Musikalität« in die Familie. Von den drei Söhnen, die aus dieser Ehe hervorgingen, wurden zwei Musiker. Einer davon war Franz Lehar, geboren 1838 in Schönwald, der Vater des Komponisten.

Bereits mit zehn Jahren wurde er zum Stadtkapellmeister Heydenreich nach Sternberg (Sternberk) zur musikalischen Ausbildung geschickt und lernte hier sein Handwerk von der Pike auf. Neben Violine und Waldhorn, die er trefflich beherrschte, noch Cello, Kontrabaß, Klarinette, Trompete und sämtliche Schlaginstrumente – mithin alles quer durch die gesamte Stadtpfeiferei. Mit siebzehn Jahren saß er bereits als Hornist im Orchestergraben des Theaters an der Wien, mußte sein schmales Salär jedoch durch Klavierstunden aufbessern, wurde 1857 zum 5. Infanterieregiment als Musiker eingezogen, machte zwei Jahre später den italienischen Feldzug mit und wurde 1863 beim 50. Infanterieregiment mit 25 Jahren jüngster Militärkapellmeister der Monarchie. Er blieb vorerst in Italien stationiert, nahm 1866 auch am zweiten italienischen Feldzug und der Schlacht bei Custozza teil, bei welcher Gelegenheit er den *Oliosi-Sturmmarsch* verfaßte, später aufgenommen unter die historischen Märsche Österreich-Ungarns. Sein Regiment wurde kurz darauf zum Krieg gegen Preußen nach Böhmen verlegt und dort bei Königgrätz eingesetzt. »Geschlossen ging das Regiment zum Angriff vor, begleitet von der Musik, die unaufhörlich Märsche spielen mußte. Das Feuer der preußischen Zündnadelgewehre riß bereits tiefe Lücken in unsere ... Kolonnen. Neben mir fiel der Hoboist, hinter mir der Tambour. Aber es hieß im Takt bleiben, die Truppe mit klingendem Spiel anzufeuern«, wie ein Augenzeuge Franz Lehár senior zitierte. Die Kapelle geriet in preußische Gefangenschaft. »›Meine Herren‹, sagte mit Genugtuung der deutsche Major zu seinen Offizieren, ›wir haben da eine der berühmten österreichischen Militärmusiken jeschnappt‹.«[8]

Die Niederlage Österreichs führte 1867 zum Ausgleich mit Ungarn, in dessen Verlauf das 50. Infanterieregiment 1868 nach Komorn (slowakisch Komárno, ungarisch Komárom) versetzt wurde. In Komorn war der ungarische Aufstand von 1849 noch nicht vergessen, als die Stadt von den Österreichern bombardiert worden war. Trotz des schweren Standes eines österreichischen, deutschsprachigen Militärkapellmeisters gelang es Franz Lehár senior durch seine Promenadenkonzerte im Frühjahr 1869 nicht nur die Sympathie der Stadt, sondern auch die der zwanzigjährigen

2 Der Vater, Franz Lehár senior, 1870,
im Geburtsjahr des Komponisten

Christine Neubrandt zu gewinnen. Am 4. Mai wurde nach vierwöchiger Bekanntschaft geheiratet. »Es war ... unbedingt eine Liebesheirat«, weiß Anton Lehár, der jüngere Bruder des Komponisten, zu berichten, »und es muß dabei romantisch zugegangen sein, denn die damalige ungarische Gesellschaft war scharf gegen alles K. K. eingestellt, die Neubrandts aber waren schon völlig magyarisiert; trug doch der Großvater ausschließlich die ungarische Nationaltracht jener Zeit ... als die Mutter ... heiratete, konnte sie sich in der deutschen Sprache, die ihre Eltern noch vollständig beherrschten, kaum ausdrücken. Mein Vater sprach dagegen fast gar nicht Ungarisch.«[9] Dafür legte er sich, wohl als Zugeständnis an die Familie seiner Frau, den ungarischen Akzent auf dem ›a‹ zu. Die Neubrandts selbst waren deutscher Herkunft und ebenso wie die Familie der Mutter Christine Neubrandts, einer geborenen Goger aus Igmánd, als Kolonisten nach Ungarn gekommen.

So wurde Franz Christian Lehár als Sohn eines wahrscheinlich tschechischstämmigen Deutsch-Mähren und einer deutschstämmigen Ungarin in der heutigen Slowakei, Komorn, Nádorgasse, am 30. April 1870 gegen 22 Uhr geboren. Viel prägender als diese Genealogie dürfte für ihn sein Schicksal als ›Tornisterkind‹ gewesen sein: »So bezeichnet ja der Armeewitz in Österreich-Ungarn jene Soldatenkinder, die ihren Eltern bei den zahlreichen Transferierungen von Garnison zu Garnison folgen, also gleichsam im Tornister überall mitgeschleppt werden und eigentlich nur diesen als ihre Heimat anerkennen.«[10] Die Familie Lehár hatte in der Folge nicht weniger als 22 Garnisonswechsel mitzumachen: bereits 1872 von Komorn nach Preßburg, drei Jahre später von Preßburg nach Oedenburg, dann ins siebenbürgische Karlsburg und Klausenburg, schließlich nach Budapest, von wo Franz junior seine eigenen Wege ging. Da die Armee selbst aus verschiedenen Nationalitäten zusammengewürfelt war, dürfte Lehárs berühmter Kosmopolitismus, der sein künftiges Schaffen bestimmen sollte, von Kindheit an eine Selbstverständlichkeit gewesen sein. So bekannte er nach dem Zusammenbruch des Habsburgerreichs, »daß ich die ungarische, die slawische und die Wiener Musik so intensiv in mir aufgenommen habe, daß ich unbewußt in meiner Musik eine Mischung all dieser Nationen wiedergebe. Dies ist eben meine Marke ... denn die moderne Wiener Operette hat ihre Kraft aus allen Völkern der einstigen österreichisch-ungarischen Monarchie gesogen und was durch die politischen Umwälzungen getrennt wurde, bleibt durch die Künstler der jetzigen Generation absolut und untrennbar verbunden.«[11]

›Lanzi‹

Daß dies schon im Wien der Jahrhundertwende angesichts zunehmender Nationalitätenkonflikte nicht immer selbstverständlich war, sollte der Komponist erfahren, als er wegen des slowakischen Kolorits seines *Rastelbinder* sogleich mit dem Etikett ›slawisch‹ versehen wurde. Er hat dem nicht widersprochen, fühlte sich als »Abkömmling wertvoller Mischrassen«[12] dennoch bemüßigt, wie Karl Kraus überliefert, zu betonen, zwar »slawischen Ursprungs ... zu sein, zugleich aber das Feuer der ungarischen Rasse, der ... er gleichfalls angehöre«,[13] zu besitzen. So will er bis zum Alter von zwölf Jahren kein Wort deutsch, ausschließlich ungarisch gesprochen haben.[14] Dem widerspricht zwar zum einen der Spitzname ›Lanzi‹, der, laut Peteani, nach ersten mißglückten Sprechversuchen seines deutschen Vornamens Franz entstanden sein soll, zum anderen die Legende um sein erstes Lied, zu dem ihn eines der Gedichte inspirierte, die seine Mutter, zur Vervollkommnung ihrer Deutschkenntnisse, oft laut deklamierte. »Es begann mit den Worten: ›Ich fühl's, daß ich tief innen kranke, und Trauer zieht in mein Gemüt ...‹ ... Ich fand zu den Worten eine Melodie, die in G-Dur begann, um nach drei Takten ganz sinngemäß in Moll überzuleiten. Das war meine erste Komposition!«[15]

Franz Lehár liebte später zu erzählen, er habe sein Opus 1 mit sechs Jahren verfaßt und nicht gewußt, was er sich »hierbei gedacht habe«; doch ist seine eigene Version von 1903 wahrscheinlicher, das Lied sei aus erstem Liebeskummer als Elfjähriger entstanden.[16] Er sprach in diesem Zusammenhang gar von den »ersten Motiven zu den Opern und Operetten meines Lebens«. Im Garten des Budapester Hauses der geliebten und vermögenden Großmutter Neubrandt saß er demnach mit einem Mädchen auf einer Laubenbank. »Wir sahen uns in die Augen. Ich war maßlos glücklich. Bis die Großmutter kam. Sie trieb uns auseinander. Ich weinte bitterlich. Als das Heulen kein Ende nehmen wollte, fand meine gute Mutter einen rettenden Ausweg: sie gab mir ein Vierkreutzerstück, mit dem ich dem Mädel eine Tüte Zuckerl kaufen durfte. Doch die falsche teilte mein Geschenk mit einem Nebenbuhler: Beide haben sich daran den Magern verdorben – und ich schrieb mein erstes Lied…«[17] In der späteren Version wurde die Mutter zur ersten Liebe und Muse des Komponisten erklärt. Wie auch immer, der junge ›Lanzi‹ zeigte beachtliche Ansätze zum Wunderkind, obwohl man »von einem Wunderkind … in der Familie nur dann gesprochen hätte, wenn ich nicht Musiker geworden wäre. Der Musikunterricht, den mir mein Vater gab, hat allem Anschein nach nicht lange nach meinen ersten Gehversuchen begonnen. Er war aber von Haus aus sehr streng und auf Systematik abgestellt. So forderte mein Vater schon bei den ersten Klavierstücken mit starrer Pedanterie das genaue Einhalten der Tempi. Zu schnelles Spiel bei leichten Stellen nannte er ›hudeln‹. Hudeln war ihm ein Greuel.«[18] Durch solch familiäre Umstände war dem aufstrebenden Talent entsprechende Pflege vergönnt, und so fand man bereits den Vierjährigen am Klavier. »Ich konnte als vierjähriger Knabe am Klavier zu jeder Melodie die richtige Begleitung, selbst in schwierigen Tonarten, finden, konnte auf verdeckten Tasten und im finsteren Zimmer spielen; ich wußte auch ein gegebenes Thema kunstvoll zu variieren.«[19] Zu Weihnachten schenkte der Vater dem Zehnjährigen die Klavierauszüge zu *Carmen*, *Faust* und *Lohengrin*. Unter ihrem Eindruck schrieb er seine ersten Kompositionen. Ein weiterer Beleg für die spätere Datierung jenes Liedes. Bei allem altersbedingten Nachahmen großer Meister läßt sich schon beim Elfjährigen der Hang zu romantischer Schwermut und jene reizvolle Dur/Moll-Mischung beobachten, die ihn dereinst so berühmt machen sollte. Auch jener militärisch-straffe Dirigierstil noch zur seligen Operettenzeit scheint im frühen väterlichen Unterricht angelegt. In diese Zeit fiel ein Erlebnis, das ihm erst die Augen öffnete für den wahren Horizont seiner Begabung. Franz Liszt dirigierte in Klausenburg ein Domkonzert, bei dem der Militärkapellmeister Lehár freiwillig als Geiger mitwirkte. Sein Sohn Franz saß neben ihm in einer Ecke. »Als Liszt nach Beendigung des Konzerts meinen Vater verabschiedete, beugte sich dieser über die Hand des Meisters, um sie zu küssen. Da erwachte in meiner kindlichen Seele zum erstenmal das Bewußtsein, daß Musik, ›die Urform aller Künste‹, mehr ist als bloße Unterhaltung oder Broterwerb.«[20] Ein Bewußtsein, das selbst den Operettenkomponisten nie verließ.

3 »Lanzi«, 1875 mit seiner Mutter

Wie sein ganzes Leben, war seine Kindheit von der Musik bestimmt. Den Ausgleich zum strengen Regiment des Vaters bildete die Mutter, die ihren Erstgeborenen um so mehr mit Liebe überschüttete, als sie die beiden nächsten Kinder im Kindbett verlor und erst fünf bzw. sechs Jahre nach Franz die Tochter Maria Anna, genannt Marischka, und den zweiten Sohn Anton gebar. Wie ›Lanzi‹ unter seiner Strenge, so hatte die Mutter unter den oft nächtlichen Dienstzeiten ihres Mannes zu leiden, nicht weniger unter den häufigen Umzügen und dem geringen Verdienst. »Das Wirtschaftsgeld wurde am ersten jedes Monates in ›Sackerln‹ tagweise verteilt. Vorzeitiges Entleeren eines ›Sackerls‹ war ausgeschlossen. Mutter war eine seltene Sparmeisterin. Sie gab aber das Ersparte gern und ohne Zögern wieder aus, wenn es sich um ihre Kinder handelte.«[21] Die später oft kolportierte Sparsamkeit Lehárs dürfte hier eine ihrer Wurzeln haben. Doch durch das Wanderleben der Familie litten naturgemäß auch die schulischen Leistungen, so daß sich ›Lanzi‹, als er 1880 in das Budapester Piaristengymnasium eintrat, dort nur durch Übernahme des Harmoniumspiels in der Gesangsstunde halten konnte. Da er überdies als fauler Schüler galt, hatte der Vater für ihn seit langem die Musikerlaufbahn vorgesehen. »Als elfjähriger Knabe mußte ich, so wie einst mein Vater, das Elternhaus verlassen und an das deutsche Gymnasium in Sternberg in Mähren gehen. Damit hat meine glückliche Kinderzeit wohl zu rasch ein Ende gefunden.«[22] Verschämt verdrängt hier der Siebenunddreißigjährige die Tatsache, daß er in Sternberg, einer deutschsprachigen Kleinstadt von 12000 Einwohnern, deren Musikdirektor ein Bruder des Vaters war, aufgrund seiner mangelhaften Deutschkenntnisse noch einmal zurück in die Volksschule mußte. Schließlich war er nicht zuletzt deswegen zu Onkel Anton geschickt worden. Der erteilte ihm auf Geheiß des Vaters weiterhin systematischen Musikunterricht. Wie dieser geigte er jetzt bei der Stadtpfeiferei. Der Vater war derweil nicht müßig. Gezwungen durch seine beschränkten finanziellen Möglichkeiten, sah er sich nach kostenlosen Freiplätzen an den Musikhochschulen um. In Budapest, wo ›Lanzi‹ 1880 bei Professor Istvan Tomka extern studiert hatte, waren sie bereits vergeben, in Wien erst für Vierzehnjährige zugelassen, in Prag aber nur durch eine äußerst schwierige Aufnahmeprüfung zu erlangen. Franz Lehár bestand sie mit Bravour.

Ungeliebte Violine

So wurde Lehár 1882 mit zwölf Jahren Instrumentalzögling am Prager Konservatorium. Sein Lehrer im Hauptfach Violine war der Direktor des Instituts, Anton Bennewitz, in Musiktheorie Josef Förster. Von Komposition dagegen war vorerst keine Rede. Nach dem unbeugsamen Willen des Vaters sollte er zum Geigenvirtuosen ausgebildet werden. Als Koststudent lebte er von 10 Kreutzern täglich in wechselnden Quartieren. Graute ihm bei der einen Wirtin vor der schmuddeligen Küche, fror er bei der nächsten am Fußboden an, denn sein Zimmer lag über einem Eiskeller, so daß er seine Fingerübungen tagsüber im Bett machte. »Das Kostgeld, das meine Eltern schickten, kam mir nur zum geringen Teil zugute, und so geschah es, daß ich einmal auf der Gasse vor Hunger zusammenstürzte. Als mich einmal meine Mutter in Prag besuchte, hatte ich doch die Kraft, nicht zu klagen. Erst als sie wieder wegreiste und der Zug sich in Bewegung setzte, brach sich das trotzig bekämpfte Leid gewaltsam Bahn. Ich schrie: ›Mutter! Mutter!‹ und lief dem Zug eine Strecke weit nach. Nur schwer konnten die Mitreisenden die arme Frau daran hindern, aus dem Coupé zu springen. Sie fiel in Ohnmacht und man hatte Mühe, sie wieder ins Leben zurückzurufen.«[23]

Nach zwei Jahren hatte das Elend ein Ende. Das Regiment des Vaters, mittlerweile das 102. der Infanterie, wurde nach Prag versetzt. Der Vierzehnjährige kehrte in den Schoß der Familie zurück. Geblieben war der Groll gegen den Hauptgegenstand seines Studiums: »Die Violine … war mir ob der stundenlangen Fingerübungen geradezu verhaßt, nur Harmonielehre und Kontrapunkt war das einzige mich interessierende Fach.«[24] Noch mehr freilich Komposition, was als Fach aber für einen Instrumentalzögling nicht vorgesehen war. Er mußte sich also anders behelfen. Heimlich nahm er bei Zdenko Fibich Privatunterricht, der, damals erst Mitte Zwanzig, für den Triangelschläger im Hochschulorchester tieferes Interesse faßte und ihn, so die Lehár-Legende[25], aus eigenem Antrieb Komposition lehrte. Heimlich, da es den Konservatorianern nicht gestattet war, zu komponieren, um nicht ihr eigentliches Fach zu vernachlässigen. Daß dies beim Violinstudenten Franz L. der Fall war, konnte dem Direktor nicht entgehen, und er stellte ihn vor die Wahl, entweder Fibich oder das Konservatorium aufzugeben. Er hatte keine Wahl und mußte, wie in ferner Zukunft sein ›Paganini‹, der Leidenschaft zugunsten der Geige entsagen. Es blieb eine Hoffnung: Antonin Dvořák, »der Wilde, wie man ihn nannte«.[26] Er hatte die Gewohnheit, sobald ein neues Streichquartett vollendet war, einige Hochschüler einzuladen, es bei ihm zu spielen. So lernte Lehár sowohl die Kompositionen bereits im Manuskript als auch den Komponisten persönlich kennen. »1887 legte ich Dvořák zwei Kompositionen vor: eine Sonate ›Al' Antique‹ in G-Dur und eine Sonate in d-Moll. Dvořák sah sich die Arbeiten an und sagte mir: ›Hängen Sie die Geige an den Nagel und komponieren Sie lieber!‹ Das war mir aus der Seele gesprochen. Ich wollte sofort aus dem Konservatorium austreten und ausschließlich bei Fibich Unterricht nehmen. Aber dieser Plan scheiterte an dem festen Widerstande meines Vaters. Er beharrte darauf, daß ich als absolvierter Konservatorist ein Instrument, die Violine, vollkommen beherrsche. Wenn bei mir Talent zum Komponieren sei, so werde es sich später schon Bahn brechen. Von meinen zwei ... Sonaten schien mein Vater nicht gerade entzückt.«[27] Dennoch führte er ihn, kurz vor Ablauf seiner Studienzeit, zur nächst höheren Instanz, Johannes Brahms. »Auch ihm habe ich meine Sonate vorgespielt. Brahms äußerte sich sehr wohlwollend über mich und gab mir eine Empfehlungskarte an Professor Mandyczewski; von der ich keinen Gebrauch machen konnte, denn ich mußte wieder nach Prag zurückkehren. Die Empfehlung hatte folgenden Wortlaut: ›Herrn M. D. (Musikdirektor) Lehár empfehle angelegentlich und bitte wegen seines Sohnes freundliche Rücksprache zu nehmen – die Beilagen sprechen und empfehlen weiter.‹«[28] Lehár hat diese Empfehlung aufbewahrt und ihr hinter Glas im Museum seines Lebens einen Ehrenplatz zugewiesen. Daß ihn die Prager Jahre musikalisch geprägt haben, steht auch in der Lehár-Legende außer Zweifel. Ob er Gustav Mahlers einjähriges Engagement am Ständetheater und insbesondere dessen Wagnerinterpretationen bewußt erlebte, scheint fraglich, war sein Geschmack doch deutlich vom Konservatorium und dessen tschechischen Protagonisten Smetana, Dvořák und Fibich bestimmt, wie seine frühen Kompositionen zeigen. Das Violinkonzert h-moll, von Max Schönherr 1956 orchestriert und auf die letzten Prager Jahre datiert, verrät deutlich diesen stilistischen Einfluß, wenn es auch wahrscheinlich erst später entstanden ist. Lehár selbst, sonst nicht zurückhaltend mit Zeugnissen seiner Frühreife, erwähnte kein solches Werk für Prag, wohl aber für Losoncz. Noch die Symphonische Dichtung für Klavier und Orchester *Il Guado* von 1895 steht hörbar im Banne der *Moldau*. Selbst *Tatjana*, die Überarbeitung der ersten aufgeführten Oper *Kukuška*, hat nach einer Wiener Kritik von 1906 »das Richard Wagnersche Kunstprinzip … so gut wie verschlafen«.[29] Dabei ist zu bedenken, daß Franz Lehár tatsächlich außer den wenigen heimlichen Stunden bei Fibich keine Kompositionsausbildung genossen hat und gerade achtzehn Jahre zählte, als er das Konservatorium verließ. Trotz seiner fundierten Kenntnisse in Musiktheorie durch den Unterricht bei Josef Förster muß er als Autodidakt gelten. Sein lebenslanges Ringen um Anerkennung als seriöser Komponist hat auch in dieser mangelhaften Ausbildung seine Wurzeln. Immerhin hatten seine Konkurrenten Oscar Straus und Eduard Künneke bei Max Bruch in Berlin oder Emmerich Kálmán bei Hans Koessler in Budapest regelrecht Komposition studiert. So fällt das Resümee des Komponisten über sein Studium entsprechend ernüchternd aus: »Ich kann mir die Bemerkung nicht versagen, daß das künstlerische Resultat meiner Konservatoriumszeit kein überwältigendes war. Wirklich verwerten konnte ich später fast nur das, was ich außerhalb der Schule gegen den Wunsch meiner Lehrer und meines Vaters gelernt habe. Das Opfer unzähliger Übungsstunden, ja ganzer Nächte, habe ich vollkommen nutzlos gebracht.«[30]

Auf der Flucht

Nachdem er am 12. Juli 1888 das Konservatorium nach sechs Jahren beim Abschlußkonzert der Instrumentalzöglinge mit Max Bruchs Violinkonzert in d-moll absolviert hatte, begannen Franz Lehárs eigentliche Lehr- und Wanderjahre, deren erste Station zwei Monate später die ›Vereinigten Stadttheater Barmen-Elberfeld‹ im heutigen Wuppertal waren. Als ›Primgeiger‹ trat er sein Engagement an, spielte sich jedoch bald durch die damalige Konzert- und Opernliteratur zum Konzertmeister hoch. Dies erwarb ihm unschätzbare Theaterkenntnisse, die mit täglich zwei Diensten und einem Monatslohn von nur 150 Mark teuer verdient waren. Der Konzertmeister fühlte sich bald ausgebeutet, bat Direktor Ernst Gettke wiederholt um Entlassung, die wiederholt verweigert wurde, bis er 1889 bei Nacht und Nebel die Flucht ergriff. Der Freiheitsdrang, in Prag noch unter dem Druck des Vaters gebändigt, brach sich Bahn. Ein Reflex, der in Leben und Werk zum Thema wird. Bis Lehár nach langen Jahren die Selbständigkeit erlangte, durchzog es seine Biographie. Im Werk wird es gerade dort, wo es am ambitioniertesten ist, zum zentralen Motiv: in *Kukuška* der desertierende Wachsoldat Alexis, in *Giuditta* der Offizier und Deserteur Octavio. Die Zorika der *Zigeunerliebe* entzieht sich den Zwängen ihrer Umgebung ebenso durch Flucht wie Lisa im *Land des Lächelns*, oder Eva, Paganini und der Zarewitsch. Selbst Danilo ist ein verdeckter Deserteur, der lieber sein Vaterland verrät als sich selbst.

Ironischerweise führte die Flucht, die eigentlich der väterlichen Autorität und dem durch sie vorgegebenen Lebensweg galt, geradewegs zum Vater zurück. Der suchte nämlich einen Sologeiger für seine Kapelle beim 50. Infanterieregiment in Wien. Franz Lehár junior ließ sich zum Militär einberufen und entging so den gerichtlichen Folgen seines Kontraktbruchs. Zehn Monate geigte er im Orchester seines Vaters. Sein Pultnachbar war der sechzehnjährige Leo Fall, ebenfalls Sohn eines Militärkapellmeisters und ehemaliger Instrumentalzögling; allerdings hatte er sein Studium in Wien aus finanziellen Gründen abbrechen müssen. Er war der einzige seiner späteren Konkurrenten, zu dem Lehár ein engeres Verhältnis hatte. »Freundschaften werden in der Jugend leichter geschlossen als im Alter, und so blieb er mir in allen weiteren Jahren stets der gleiche gute Kamerad, der zwar seinen Weg ging, aber immer wieder die alten Beziehungen erneuerte, wenn sich unsere Lebenswege kreuzten.«[31] Franz Lehár genoß die neue Freiheit, komponierte zwei Märsche und einen Walzer für die väterliche Kapelle, zur Einweihung des Grillparzer-Denkmals im Volksgarten eine Hymne und eine Violinromanze, in der »merkwürdigerweise Santuzzas ›Höre, Turriddu, reize mich nicht…‹ Note für Note vorkommt. Das war zu einer Zeit, als Mascagnis *Cavalleria Rusticana* kaum geschrieben war.«[32] Eine Affinität, die noch jahrelang bei seinen Kompositionen durchschlug. Ansonsten tat er sich mit Violinsoli vor allem bei der Wiener Damenwelt hervor und vertrat gelegentlich den Vater als Dirigenten wohl so gut, daß er im

Sohn, nach dessen eigenem Bericht von 1903, »eine Gefahr für sich sah und ... ihm eines Tages sagte: ›Schau, daß du weiterkommst, suche dir eine eigene Capelle.‹«[33] Später hat der ›Meister‹ diese Wiener Zeit als rührende Idylle zwischen Vater und Sohn geschildert. Durch Empfehlung seines damals prominenten Fürsprechers Karl Komczáks wurde er jedenfalls Kapellmeister beim 25. Infanterieregiment in Losoncz (Lucenec), mit zwanzig Jahren jüngster k. u. k. Militärkapellmeister, den Rekord des Vaters um fünf Jahre unterbietend.

Jüngster Militärkapellmeister der Monarchie

Losoncz (Lucenec), in der damals ungarischen Ostslowakei gelegen, war mit ungefähr 8000 Einwohnern eine jener Garnisonen am Rande des Habsburger Imperiums, die ihrer Langeweile wegen bei der Armee berüchtigt waren. Dem jungen Dirigenten stand ein Orchester mit bescheidenen Mitteln zur Verfügung, zu dem, wie in Österreich-Ungarn üblich, auch Streicher zählten. Mit Enthusiasmus nutzte er seine Freiheiten. »Ich hielt vormittags tüchtig Proben und gab nachmittags musiktheoretischen Unterricht und hatte bald die Freude, daß die Aufführungen eine achtenswerte Höhe erreichten. Ich gründete ein Quartett, Kammermusik wurde eifrig betrieben, musikalische Messen und Oratorien kamen in der Kirche zur Aufführung, kurz, der Betätigungsdrang der Jugend kannte keine Grenzen.«[34] An Grenzen stieß er jedoch, als ihm sein Oberst, Baron Fries, auftrug, seiner Tochter Gesangsunterricht zu erteilen. Lehár, in völliger Unkenntnis der Gesangstechnik, wagte nicht abzulehnen, zumal die siebzehnjährige Baronesse Vilma eine reizende Erscheinung war. Es war nur eine Frage der Zeit, daß seine Unfähigkeit auffliegen würde. »Ich ... lebte in einer ständigen Todesangst und aus ihr heraus, um die Oberstentochter zu versöhnen, komponierte ich Lieder, die ich ihr widmete. Sie verstand dies zu würdigen, verriet mich nicht bei ihrem Vater, sondern erschien pünktlich zu den Gesangsstunden, während ihre Stimme von Mal zu Mal heiserer wurde. Als sie schließlich keinen Ton aus der Kehle brachte ... verstand sie es, ein für mich glimpfliches Ende der Unterrichtsstunden herbeizuführen.«[35] Ob dies auch das Ende ihrer Bekanntschaft war, ließ er offen. Eines der besagten Lieder trug den vielsagenden Titel *Vorüber*, Text: Emanuel Geibel, andere hatten Gedichte der Baronesse selbst zur Vorlage, wie *Aus längst vergangener Zeit*, *Möcht's jubelnd in die Welt verkünden* und *O schwöre nicht*, vom unfreiwilligen Gesangslehrer am 20. September 1891 ›lebhaft‹ vertont:

O schwöre nicht! Ich weiß es doch,
daß nimmer, nimmer du mir treu,
denn leicht und flüchtig ist dein Sinn,
wie duft'ger Windeshauch im Mai.

Du liebst mich und das ist mein Glück;
Nicht will ich bangend in die Ferne seh'n!
Aus Furcht es klänge dann zurück;
auch dieser Traum, er wird vergehn.

Und wenn die Stunde kommt, wo du dich abgewandt,
dann will ich leise, leis mir sagen,
er hat dich ja geliebt, das war dein Glück,
nun mußt du stille, still es tragen.

Eine frühe Feier Lehárschen Abschiedsschmerzes und ›chinesischer‹ Gefaßtheit. Ungewohnt freizügig muß er »mit einem kleinen Geständnis herausrücken. Ich war schon mit zwanzig kein Feind von Frauen.« Er fährt fort: »Manches Lied aus jener Zeit … verdankt seine Entstehung meiner – ›ersten Liebe‹. Ich will darüber den Schleier des Vergessens legen.« Ein Kavalier nennt keine Namen, auch wenn der ersten bald eine nicht minder vornehme zweite Liebe in Gestalt der Comtesse Rosa Cebrian folgte. Doch »mein leicht entzündliches Temperament, ein lustiges in den Tag Hineinleben riß mich fort von der Seite meiner Angebeteten und mitten hinein in die … genießende Gesellschaft«. Hier ergriff ihn zum ersten Mal eine Art Operettentaumel. »Daraus erwuchsen mir Verpflichtungen, mit denen meine geringe Gage nicht in Einklang stand.«[36] So finden die Losonczer Ausschweifungen ein rasches Ende. »Schlecht gestellt/ist ein Held/ohne Geld.«

Der Operettenkomponist wurde auf seine Bestimmung zurückgeworfen, es entstanden »sechsundzwanzig Tonstücke aller Art:

Lieder, Violinkonzerte ... und Märsche«[37], darunter wohl das erwähnte Concertino, aber sein stilles Verlangen galt der Oper. Wahllos griff er nach dem nächstbesten Textbuch. Der wackere Bahnbeamte Gustav Ruthner, späterer Bahnhofsvorsteher am Wiener Ostbahnhof, bot ihm den *Kürassier* an. Über einige Szenen geriet das Opus nicht hinaus. Im Jahre 1893 schrieb der Herzog von Coburg-Gotha einen Wettbewerb für Operneinakter aus, in der Hoffnung, ein zweiter Sonzogno, den deutschen Mascagni zu entdecken. Franz Lehár war Feuer und Flamme und griff zum nächsten Libretto, *Rodrigo*, einer angeblich aus der Zeitung stammenden Angelegenheit um ein frisch vermähltes Ritterehepaar, dessen weibliche Hälfte, Angela, vom finsteren Räuber Fernando entführt wird. Listig willigt sie ein, seine Geliebte zu werden unter der Bedingung, sich erst von ihrem Gemahl Rodrigo verabschieden zu dürfen. Der tumbe Räuber ist einverstanden, und Angela läßt sich, ganz Emilia Galotti, von ihrem Gatten kurzerhand meucheln. »Tausend Dank« sind die ergreifenden letzten Worte. »Ein Kamerad, Oberleutnant Mlčoch, ein etwas wirrer, aber genialer Kopf, schrieb den Text, eine romantische wahre Räubergeschichte. Ich war mit heller Begeisterung bei der Sache und arbeitete Tag und Nacht. Kaum war eine Szene fertig, wurden auch schon die Stimmen herausgeschrieben und jede Stelle vom Orchester probiert.«[38] Dies wurde die wahre Schule des Autodidakten Lehár. Früh eignete er sich die Kenntnis des Klangkörpers an und setzte diese sogleich in die Praxis um – ein Verfahren, das auch der reife Komponist beibehalten sollte. »Wenn andere am Klavier komponieren, komponiert Lehár am Orchester.«[39] Angesichts des geringen Niveaus seiner Militärkapelle lernte der Dreiundzwanzigjährige mit kleinen Mitteln große Wirkungen zu erzielen. Auf die sind die 118 Partiturseiten für 3 Sänger und Chor denn auch ganz gestellt. Ungeniert frönte er einem Verismus à la Mascagni, dessen *Cavalleria* ihn bei einem Wien-Besuch tief beeindruckt hatte, bis hin zu einem ›Preludium religioso‹ in der Nachfolge des berüchtigten Intermezzos aus der gleichen Oper. »Wie empfunden, so geschrieben«,[40] notierte der junge Komponist naiv unter die Arbeit. Es liest sich wie das Motto für sein gesamtes Schaffen. Der Oper war kein Preis beschieden; Lehár erhielt die Partitur ohne Kommentar zurück. Damit erging es ihm nicht anders als dem späteren Freund Puccini beim Concorso Sonzogno mit seinem Erstling *Le Villi*.

Es war ausgerechnet die nicht sonderlich geliebte Geige, die den Deserteur im Militärkapellmeister provozierte und für die er in Losoncz Virtuosenstückchen wie *Magyar dalok*, *Magyar ábránd*, *Magyar noták*, *Magyar egyveleg* schrieb. »Nie gewann ich die Herzen meines zumeist ungarischen Publikums so sehr, als wenn ich die Geige selbst zur Hand nahm und, von der Kapelle begleitet, die bald melancholischen, bald feurigen ungarischen Weisen ganz nach Zigeunerart zum Vortrag brachte. An einem Abend, es war im November oder Dezember 1893, setzte ich mich gegen 12 Uhr nachts, nach einem längeren Konzert ermüdet, an einen Tisch, um zu nachtmahlen, während die Musik noch einige Märsche als Schlußmusik spielte. Da ließ mich ein Stabsoffizier durch einen Kellner auffordern, ein Violinsolo, sein Lieblingslied, vorzutragen. Ich fühlte mich durch die Form und den Inhalt dieses Ansinnens in meinem Künstlerstolz tief verletzt. ›Ich bin kein Zigeunerprimas, und wenn der Herr etwas haben will, dann möge er selbst kommen‹, so lautete meine heftige Antwort. Es kam zu einem Konflikt, und trotzdem die Sympathie des Offizierskorps auf meiner Seite war, wurde ich doch als der jüngere aufgefordert, dem Stabsoffizier Abbitte zu leisten. Ich beantwortete diese Zumutung mit der Kündigung meiner Stellung.«[41] Daß sich Lehár dem militärischen Ehrenkodex verweigerte, der ihn, so recht er hatte, ins Unrecht setzte, war ein Skandal und machte ihm die mißliche Stellung eines österreichischen Militärkapellmeisters schlagartig klar. Als Zivilist innerhalb des Offizierskorps hatte er diesem zur Verfügung zu stehen, sein Status hing vom Wohlwollen seiner Vorgesetzten ab. Zwar trug er die gleiche Uniform, war aber nur seiner Kapelle gegenüber weisungsberechtigt. Er konnte dafür jederzeit kündigen, ohne erst fahnenflüchtig werden zu müssen – ein Vorrecht, von dem Kapellmeister Lehár reichlich Gebrauch machte. Der Vater, seit dreißig Jahren Militärkapellmeister, stand der Auflehnung des Sohns gegen das militärische Pflichtgefühl verständnislos gegenüber. Der Sohn hatte Glück. Ausgerechnet jetzt wurde die begehrte einzige Dirigentenstelle bei der Marine ausgeschrieben. Es gab über 120 Bewerber. Franz Lehár junior erhielt sie.

Marinekapellmeister

Die österreichische Marine, heutigen Ohren ein Paradoxon, war in Pola (Pula) stationiert, dem großen Kriegshafen in Istrien mit italienisch-kroatischer Bevölkerung, einer eleganten Uferpromenade und prächtigem Kasino, malerisch an der Adria gelegen. Ein anderes Milieu als das provinzielle Losoncz. Im März 1894 trat Franz Lehár seine neue Stelle an und fand das mit 103 Mann größte Militärorchester der Monarchie vor. In voller Besetzung ein veritables Sinfonieorchester, mit gut ausgebildeten Musikern, von denen stets kleine Abteilungen für die Kriegsschiffe bereitgestellt werden mußten. Sein erster Erfolg war im Monat darauf ein Konzert, hauptsächlich mit »Streichinstrumenten«, vor dem deutschen Kaiser Wilhelm II., der ihn für sein »merkwürdig begabtes«[42] Dirigat auszeichnete und sich noch vier Jahre später bei einem weiteren Besuch nach dem jungen Kapellmeister von damals erkundigte. Als im Jahr darauf zur Eröffnung des Nord-Ostsee-Kanals ein Geschwader von Pola abgehen sollte, setzte Lehár alles daran mitzureisen, obwohl der Marinekapellmeister in Pola bleiben mußte, wenn seine Musiker auf See gingen. Auf dieser Seereise sollte er den späteren ungarischen Reichsverweser Nikolaus von Horthy, der als Fähnrich bei der Marine diente, kennenlernen. Wieder hatte ihm die Geige die Pforten geöffnet, diesmal beim »Kommandanten Admiral Karl Stephan … Ich hatte nun täglich … ungarische Violinsoli … zu spielen, ob schön, ob Regen, ja selbst bei Sturmgebraus … Was ich auf der Reise sonst sah? Ich kann es nur in Schlagworten wiedergeben. Von Gibraltar ging's mit der Eisenbahn nach Ronda … mit seinen schaurigen Schluchten, dann nach Linea zu einem Stiergefecht … Auf der Seefahrt sahen wir fliegende Fische und einmal einen Haifisch … Dann will ich noch die Luftspiegelungen erwähnen, wo wir am Horizont alle Schiffe verkehrt, mit deren Segeln und Rauchschloten nach unten gerichtet sahen. In Kiel waren … Kriegsschiffe aller Nationen … und auf Kommando begannen die Salutschüsse, die in einem das Gefühl erweckten, die ganze Welt müsse untergehen.«[43] Diese Vorboten künftigen Schreckens hinterließen noch keine Spuren, dennoch fühlte sich Lehár als neuer Mensch. Mit Feuereifer stürzte er sich in die Komposition seiner zweiten Oper.

Doch schon vorher war er als seriöser Komponist hervorgetreten. Beim »Großen Concert der k. u. k. Marine-Musik im Politeama Ciscutti am 5. Jänner 1895«[44] erklang die erwähnte »Symphonische Dichtung … für Pianoforte mit Orchesterbegleitung« *Il Guado* (Die Furt), »frei nach Lorenzo Stecchettis gleichnamigen Gedicht«, zum ersten Mal. Auch das Gedicht selbst handelt vom ›ersten Mal‹; als erotische Metapher dient das Durchschreiten eines Flusses, eingefangen in einer illustrativ-fließenden Orchestermalerei, ein flirrender Klavierpart liegt verspielt darüber. Nach langsamem Anschwellen brechen die Orchesterfluten über das Klavier herein, ertränken es förmlich, fließen ab, und wieder flirrt es unschuldig wie zuvor. Die frivole Vorlage dieser Programmusik, die keineswegs parfümiert, sondern geradezu naturhaft daherkommt, war ein Poem , in dem Verse vorkommen wie: »Quei profumi di carne e di salute/Che vanno al cor per vie non conosciute.« (Jene Parfüme des Fleisches und des Heils,/die ins Herz gehen auf unbekannten Wegen), »Io mi sentii fuggir su per le reni/ La voluttà come una lana diaccia;« (Ich fühlte mir in die Lenden schießen/die Wollust wie ein eisiges Schwert) oder »Finchè mi vinse amor … Caddi a ginocchi,/La baciai sulla bocca e chiusi gli occhi./ /Che cosa avenne poi? Vide ed intese/L' acqua del fiume cristallina e cheta« (Bis die Liebe mich besiegte … ich fiel auf die Knie,/küßte sie auf den Mund und schloß die Augen./Was dann geschah? Es sah und verstand/das Wasser des Flusses, kristallen und klar). Auf dem Programm dieses Konzerts standen unter anderem die Vorspiele der Oper *Cornelius Schutt* von Antonio Smareglia, eine Huldigung Lehárs an den istrischen Meister des Verismo, der sich seiner angenommen und ihn in seinen Opernplänen bestärkt hatte. Im früh verstorbenen Korvettenkapitän Felix Falzari fand der durch *Rodrigo* Verunsicherte endlich auch einen gleichgesinnten Librettisten. »Dieser Falzari, gebürtiger Venezianer und um elf Jahre älter als Lehár, war ein poetischer Mann. Weite Seereisen hatten seine Phantasie beflügelt«,[45] wie Maria von Peteani treffend bemerkte. Also der richtige Mann. Als Probe lieferte er die Gedichte zu den *Karst-Liedern*, 1894 zuerst unter dem Titel *Weidmannsliebe* publiziert, Lehárs erstem und ambitioniertestem Liederzyklus, von dem später sein Bruder Anton behaupten wird, er könnte »ruhig neben den Mörikeliedern Hugo Wolfs bestehen«.[46] Angeregt durch George Kennans damals populäre Reiseschilde-

PROGRAMM

am 5. Jänner 1895

1.	*Litolff:*	Ouverture zu Griepenkerl's Trauerspiel „**Maximilian Robespierre**".
2.	*Rossini:*	Arie der Rosine aus der Oper „**Der Barbier von Sevilla**", Flügelhorn-Solo.
3.	*S. M. Wilhelm II.:*	„**Sang an Aegir**".
4.	*Smareglia:*	Vorspiele zum I., II. und III. Act aus der Oper „**Cornelius Schut**".
5.	*Beethoven:*	Adagio und I. Satz aus der **V. Symphonie.**

PAUSE.

6.	*Humperdinck:*	Ouverture zum Märchenspiel „**Hänsel und Gretel**".
7.	*Lehár:*	„**Il Guado**" symphonische Dichtung (Frei nach Stecchetti's gleichnamigem Gedicht) für Pianoforte mit Orchesterbegleitung.
8.	*Popper:*	**Romanze** für Violoncello mit Pianofortebegleitung.
9.	*Liszt:*	„**Rákóczy-Marsch**" symphonisch bearbeitet.

Anfang 8 Uhr Abends.

4 Programm eines Symphoniekonzerts des Marineorchesters unter Lehárs Leitung in Pola (Uraufführung von *Il Guado*)

rungen *Durch Sibirien*, schrieb er das Buch zum »Lyrischen Drama in drei Aufzügen« *Kukuška*. Lehár vertonte es »innerhalb zehn Monaten in einem wahren Begeisterungstaumel, in den mich Falzari zu versetzen und in dem er mich auch zu erhalten wußte«.[47] Im Mai 1895 ist der Klavierauszug fertig, ein Jahr später die Partitur vollendet. Weit mehr als bei seinem Erstling bot das Potential seines Orchesters Lehár die Möglichkeit, die Instrumentation original in die Praxis umzusetzen, hatte er doch hier die große Besetzung eines Opernorchesters zu Verfügung. Hier erst eignete er sich jene Technik des ›auf Zuruf Instrumentierens‹ an, für die er nachmals berühmt werden sollte und die darin bestand, einen notierten Orchesterklang auf der Probe zu überprüfen und gegebenenfalls ›auf Zuruf‹ der entsprechenden Instrumentalisten zu korrigieren. Auf diese *Kukuška* konzentrierte sich des k. u. k. Marinekapellmeisters Streben völlig. Er vernachlässigte dabei zwangsläufig seinen Dienst, es kam zu »andauernden Zwistigkeiten«,[48] und er fand einen Verleger. Zwar waren schon seit 1890 Gelegenheitsstücke wie Märsche, Walzer und Violinpiècen in Leipzig bei Röder und bei Cranz oder bei Schmidl im nahen Triest erschienen, doch erst Hofbauer in Wien, der ein Jahr zuvor die Dvořák und Brahms vorgespielte Sonate à l'antique für 30 Gulden erworben und damit des Komponisten erstes Honorar gezahlt hatte, war bereit gewesen, ein ernstes Werk, zumal eine Oper zu übernehmen. Als sie von Direktor Max Staegemann für das Leipziger Neue Theater zur Uraufführung angenommen wurde, verabschiedete sich Lehár genialisch von Pola, der Marine und seinem bisherigen Dasein mit den prophetischen Worten (an die Eltern): »Ich tauge nicht zum Militärkapellmeister, ich habe zuviel Ehrgefühl dazu! ... Wollt Ihr es Eurem Kinde nicht verzeihen, wenn es seine Knechtschaft endlich einmal abschüttelt! Ich kann nicht mehr dienen, ich will frei sein ... Ich fühle mich seit der Stunde, wo ich diesen Entschluß ausführte, wie neugeboren! Es kommt schon die Zeit, wo Ihr mich verstehen werdet!«[49]

»Wie empfunden, so geschrieben«
Der Opernkomponist Franz Lehár

Durchfälle führen den Komponisten
nicht immer ab.
Franz Lehár[1]

»Franz ist nicht ganz gesund«

Der Militärkapellmeister Franz Lehár senior fiel aus allen Wolken, hatte er doch, wie Frau von Peteani versicherte, seinem Sohn folgende Lehre mit auf den Lebensweg gegeben: »Schau, Franz, ein ordentliches Einkommen braucht der Mensch, keine Schlösser im Mond.«[2] Er hat die Zeit nicht mehr erlebt, in der er seinen Sohn verstehen würde, der vorderhand die glänzendste Stellung der gesamten k. u. k. Militärmusik wegen eines solchen Schlosses im Mond und allen väterlichen Ratschlägen zum Trotz verlassen hat. Der Vater stand nach 40 aufreibenden Dienstjahren mit 58 Jahren kurz vor der Pensionierung. Zwar war 1889 als Nachzügler die Tochter Emmy geboren worden, doch sein Liebling Marischka war, gerade frisch verlobt, zwei Jahre zuvor in Sarajevo gestorben. Der zweite Sohn, Anton, bewährte sich nach der Kadettenschule als Leutnant in Kronstadt (Brasov). Ihm schrieb die Mutter besorgte Briefe über den kurz vor der Leipziger Premiere von *Kukuška* zu den Eltern nach Budapest heimgekehrten Bruder: »Er ist immer voller Zuversicht oder will uns dies nur einreden. Aber wenn man ihn gründlich studiert, dann wird einem bange. Mit einem Wort: Franz ist nicht ganz gesund. Denn es ist undenkbar, daß ein gesunder Mensch nicht mehr Selbstbeherrschung haben sollte. Es ist dringende Arbeit gekommen. Die Aufführung in Leipzig hängt davon ab, ob die Stimmen rechtzeitig korrigiert und in Druck gegeben werden. Und was tut Franz? Er steht um 8 Uhr vormittag auf. Badet. Liest die Zeitung. Dann frühstückt er. Arbeitet dann kaum eine halbe Stunde. Gabelfrühstück. Dann liest er wieder. Etwas Arbeit. Mittagessen. Dann schläft er bis 4 Uhr nachmittags. Tuschbad. Arbeit ganz ohne Animo. Einmal schreibt er die Nächte durch. Dann bekommt er einen Anfall von Starrkrampf in den Fingern und hat wüste Träume und wacht mit furchtbaren Kopfschmerzen auf. Dann kommen wieder Zeiten, wo er gar nicht arbeitet. Franz will weder dem Direktor der Budapester Oper, Kaldy, schreiben, noch nach Wien zum Verleger Hofbauer gehen. Es soll alles von selbst kommen. Er träumt von 100 000den, da wird er sich aber sehr täuschen. Daß er leichtsinnig gewirtschaftet hat, kannst Du Dir denken. Er hat sein Klavier und die Violine verkauft und Schulden! Alles ist daraufgegangen. Nun ist Franz in Wien. Was wird er ausrichten? Der Verleger Hofbauer hat ihm noch nichts gegeben. Wir wissen nicht, ob er einen Kontrakt mit ihm abgeschlossen hat. Franz meint, das ist alles Nebensache. So steht es also mit ihm ... Vater möchte am liebsten schon in Pension gehen. Er wartet nur, bis Franz ein sicheres Brot hat.«[3] Dieser Brief gibt eines der wenigen ungeschminkten Porträts des jungen Lehár. Ist der geschilderte Tagesablauf mitsamt Nachtarbeit auch für den reifen Operettenkomponisten denkbar – zumal das, für die Zeit doch sehr ungewöhnliche, zweimalige tägliche Baden die spätere Eitelkeit geradezu parodistisch vorwegnimmt – wollen Lethargie und Leichtsinn nicht ins Bild des später auch geschäftlich Erfolgreichen passen, der im Gegensatz zu den meisten Operettenkollegen sein Geld mit an Geiz grenzender Sparsamkeit zusammenhielt. Es ist der Lehár ohne Anführungszeichen, der hinter dem nachmals so gepflegten offiziellen zum Vorschein kommt: der Künstler, den der Bürger später erfolgreich versteckte und den nur noch seine Musik verriet. Eine Musik, die sich an diesem Zwiespalt von Leidenschaftlichkeit und Beherrschung entzündete und gerade darin ihre Epoche wie keine andere einfing. Der Leichtsinn des Sechsundzwanzigjährigen ist auch die Naivität des Siebzigjährigen, seine Lethargie Lehár-gie – die Passivität des lächelnden Chinesen.

Freilich tobt in der Partitur der *Kukuška* sich die Leidenschaft noch ungebrochen aus. Sie weiß noch nichts von jenem Zwiespalt. Schon im Textbuch rächt sich das an den Figuren. Sie fallen ihren eigenen Emotionen zum Opfer. Mühelos läßt sich die Geschichte autobiographisch lesen. Allein, daß der Protagonist, ein russischer Soldat, Alexis mit Namen, aus Liebe zum Wolgafischermädchen Anuška seine Pflicht im Wachtdienst versäumt und deshalb nach Sibirien verbannt wird, thematisiert die eigene Situation. Der

Konflikt kulminiert, als Alexis die aufgebrachte Menge hindert, Anuška und ihren Vater in die Wolga zu werfen. Im Straflager versöhnt er sich in einem Anfall von Edelmenschentum mit seinem kirgisischen Rivalen Saša, der ihn eben noch erdolchen wollte. Der revanchiert sich und verhilft ihm zur Flucht. Dem trügerischen Frühlings- und Freiheitsruf »General Kukuškas« folgend – wie der Kuckuck auf russisch heißt und dem das Werk seinen Titel verdankt – findet er die Geliebte statt in Frühlingsblumen in schneebedeckter Taiga, wo sie sich im Liebestod vereinen. Dies Schlußbild der getäuschten Frühlingshoffnung erinnert nicht zufällig an jene »unermeßliche Ebene an der fernsten Grenze von New Orleans«, in der Puccinis Manon Lescaut »sola, perduta, abbandonata ... in landa desolata«[4] den Tod findet, war doch das Werk Lehár von der Budapester Aufführung 1894, der ersten außerhalb Italiens, geläufig.

Ungebremst ließ der junge Komponist seinen Pegasus vom Zügel. Um so deutlicher wurde das Dilemma des Autodidakten. Es fehlte ihm an Technik für die große Form. Er machte aus der Not eine Tugend, indem er motivische Arbeit durch melodische Einfälle ersetzte. Die standen ihm im reichen Maß zu Verfügung, und so reihte er sie unbekümmert in veristischer Manier aneinander, steigerte sie in abrupten Blechbläserexplosionen, wie der in c-moll im Vorspiel zum I. Akt. Die Melodik bleibt durchweg homophon, ohne leitmotivische Ausdeutung und Verschränkung, stets der Handlung folgend. »Man wartet fortwährend auf ein gesteigertes Zusammenfassen all dieser Einfälle – aber man wartet vergebens, und so kommt es, daß all diese Themen, deren musikalischer Reiz an sich ebensowenig zu unterschätzen ist als ihr quantitativer Reichtum, nur so wirken, als hätte der Komponist, ohne lange zu grübeln, die Blätter seines Skizzenbuchs der Reihe nach aneinandergefügt«, bemängelte Richard Specht anläßlich einer späteren Wiener Aufführung und bescheinigte dem Komponisten, er habe damit den Beweis erbracht, daß »er sogar einen Anschlagzettel in Töne zu versetzen vermag«.[5] Sprach er von »Mißverstehen Wagnerscher Intentionen«, dürfte trotz des *Lohengrin*-Klavierauszugs, den er als Kind von seinem Vater erhielt, zweifellos Ludwig Karpaths bereits zitiertes Urteil zutreffender sein, Lehár habe »Wagner verschlafen«. Dafür sprächen sowohl akademisches und militärisches Milieu, das ihn prägte, als auch die Naivität seiner

5 *Zwei Meister*
Späte Begegnung Franz Lehárs mit Pietro Mascagni,
dem Idol seiner Jugend, 1923 in Venedig

unreflektierten Produktionsweise dieser Zeit: »Wie empfunden, so geschrieben«. Aber gerade darin besteht der Reiz des ›Lyrischen Dramas‹, dessen Höhepunkte lyrische Momente wie das große Abschiedsduett im und die Orchestereinleitung zum letzten Akt, der russisch gefärbte Strophenchor in a-moll: »Scheidend von den goldumglänzten Höhen« im I. oder Alexis' sehnsüchtiges Kuckuckslied im II. Akt darstellen. Auch 1940 brauchte sich der mittlerweile Hochberühmte »der Partitur nicht zu schämen«.[6] Angesichts der Stilvielfalt der zeitgenössischen Opernszene scheint es unangemessen, wenn Julius Korngold, der Kritikerpapst der Neuen Freien Presse, der es bei seinem Sohn Erich Wolfgang nicht so genau nahm, pedantisch »französische Einflüsse (Gounod, Bizet, Massenet)... auch jene russischen Opernpartituren, insbesondere Tschaikowskys, dann die des Südslawen Smareglia«[7] hervorhob. Dennoch mußte auch er einige lyrische Schönheiten zugestehen: »Aber was vermögen angesichts der Grundgebrechen des Werkes vereinzelte Melodienblüten? ›Die Blüten waren – Schnee‹, sagen wir, die Oper überschauend, mit der sterbenden« Anuška. Diese Worte sollten zum Menetekel des Werkes werden.

»Ein Lockruf für die Opernbesucher«

1903 antwortete der frischgebackene Operettenkomponist auf die Frage nach seinem schönsten Theatererlebnis ohne Zögern: »Die Premiere in Leipzig! Denken Sie sich, ich komme als blutjunger Mensch in die große Stadt, sehe alles bei den Proben beschäftigt und höre meine Musik, sehe das Werk lebend, von dem ich bis dahin nur geträumt habe. Das war wohl meine glücklichste Stunde.«[8] Immerhin war das Stadttheater Leipzig eine der größeren deutschen Opernbühnen. Lehár hatte mit Falzari den Vorbereitungen beigewohnt, zur Uraufführung am 27. November 1896 kam sein Bruder aus Kronstadt angereist. Um entsprechend aufzutreten, versetzte er seine Preziosen, bezahlte dem Bruder die Rückfahrt und lud ihn großartig zum Essen ein. Die Aufführung war ein Erfolg. Nach anfänglicher Zurückhaltung ging das Publikum mit. Textdichter und Komponist wurden etliche Male auf die Bühne gerufen. Die Kritiken entsprachen zunächst diesem Hochgefühl. Der Berliner Börsen-Courier war überzeugt: »der Lockruf des General Kukuška ... wird auch, so glauben wir, ein Lockruf für die Opernbesucher werden.«[9] Die Leipziger Gerichtszeitung raunte gar prophetisch: »Nach dem Leipziger Erfolg wird *Kukuška* seinen Weg über die Bühnen machen.«[10] Daß mit seinem Opus der spätere Operettenkomponist den Operngeschmack der Zeit traf, belegt geradezu überschwenglich die Dresdner Zeitung: »Die mit ungewöhnlicher Spannung erwartete Erstaufführung des Werks endete mit vier- oder fünfmaligem Hervorrufe des von Triest gekommenen Componisten. Das gefüllte Haus war mehr und mehr von dem starken eigenartigen Talent des Künstlers überzeugt worden und dieser kann mithin auf einen bedeutenden Erfolg befriedigt hinweisen... Das Schlußbild, die sibirische Eiswüste, von Kautzky wunderbar schön gemalt, und ein ganz erstaunlich gut gemachter täuschender glitzernder (durch elektrisches Licht)

Schneefall, waren für das Auge des Publikums Überraschungen ... Lehárs Musik könnte an Adel und Empfindung *Tristan und Isolde* und alles Größeste illustrieren und würde ein eminentes Talent beweisen. Entzückend ist das Vorspiel des dritten Actes, entzükkend das melancholische Frühlings-Vögelgezwitscher in jenen erschütternd einsamen Landwüsten, wo der Kuckuck, die Lerche und das Blatt der weißen Birke das Einzige sind, was den kurzen Frühling manifestiert. Voll Reiz die kleinen humoristischen Liedansätze des armen Verbannten. Warum dies abbrechen? Warum das Volksgemäße so vermeiden ... Dieses Manco abgerechnet, ist die erste Oper Lehár's eine stärkste Talentprobe. Er ist kein Compilator, sondern besitzt Schaffensgenie, denkt und fühlt heißblütig musikalisch ... Wie sehr das Werk ... fesselt, mag der fremde Leser daraus entnehmen, daß man die Oper am liebsten gleich noch einmal hören möchte, und bei dem hinreißend nervösen Liebesduo in der sibirischen Wüste vergessen, daß die Leute alle weit über ihren Stand gelehrt und nicht ukränisch, sondern meist westliche geistreiche Musik singen.«[11]

Zwischen elektrischem Licht und *Tristan und Isolde* also wurde des Sechsundzwanzigjährigen ›westliche geistreiche Musik‹ angesiedelt. In einer Epoche wilhelminischer Superlative, die im *Tiefland* den *Fernen Klang* vernahm, durfte ›alles Größeste‹ nicht fehlen. Auffallend der Vorwurf geringer Volkstümlichkeit bei einem Komponisten, dem man später das Gegenteil vorzuhalten pflegte. Von weniger ›Adel und Empfindung‹ ist für die Leipziger Zeitung hingegen die Faktur des Werkes, die ›Gelehrsamkeit‹ entpuppt sich als »Mascagnitis ... man wird erdrückt von jenen unmotivierten vulkanischen Wutausbrüchen des Orchesters, durch die sich die modernen Veristen feiner empfindenden musikalischen Gemütern so unbeliebt gemacht haben ... außerdem die Singstimme immer lustig mit den Orchesterinstrumenten unisono geführt ... Jedenfalls ist das Buch besser als die Musik.« Eine Meinung, der übrigens Jahre später auch Gustav Mahler war. Dem Premierenerfolg schien dies nicht geschadet zu haben. Übereinstimmend wird festgestellt: »sobald der Komponist auf national-russisches Gebiet überschwenkt – bei dieser Gelegenheit wohl auch Originalthemen benutzend ... bekommt sein künstlerisches Schaffen einen gewissen frischen Zug; stellenweise hat er es auch verstanden, wirklich Stimmung zu machen, z. B. in den Chören der Verbannten im zweiten Akt.«[12] Wie sehr solches Stilkonglomerat im Zug der Zeit lag, rückt in den Leipziger Neuesten Nachrichten der ansonsten äußerst kritische Musikgelehrte Prof. Bernhard Vogel eindrucksvoll ins rechte Licht:

»Auf den theatralischen-operistischen Effekt versteht sich Lehár bei diesem Erstling schon besser als mancher, der auf eine längere Praxis zurückzublicken vermag; das zeigt der wirksame Zuschnitt vieler Szenen. Ein nicht geringer Vorzug ist in der Eindringlichkeit seiner Stimmungsmalerei zu finden; man wird durch sie mitten hineinversetzt in die jeweilige Situation und gleichsam zum Zeugen aller aufregenden Vorgänge. Das Lokalkolorit ist von überraschender Treffsicherheit, die Orchesterbehandlung bisweilen zwar überladen, meist aber üppig farbenprangend im Sinne der modernsten Technik … Am kräftigsten schlug der letzte Akt ein, der Komponist wurde fünfmal hervorgejubelt. Ohne Zweifel ein ansehnlicher Erfolg.«[13]

»Wie ein echter Künstler«

Berauscht vom ersten Theaterglück kehrte der Komponist nach Budapest zurück. Die Mutter berichtete dem Bruder von seiner Ankunft: »Als wir in der größten Sorge um ihn waren, da kam er auf einmal daher. Wie ein echter Künstler. Krawatte verdreht. In seinem Fledermausmantel. Ohne Ringe, ohne Uhrkette, ohne Busennadel. Wie gesagt, wie ein echter Künstler. ›Was sagt Ihr zu diesem Erfolg‹, war sein erstes Wort. Zum Glück fand ich noch rechtzeitig das Wort ›ich gratuliere‹, denn ich konnte den Blick von den zerknitterten Kleidern gar nicht abwenden. Und dann ging es los: ›O, Ihr werdet noch sehen‹, ›Ihr habt es mir nie glauben wollen‹ und so dergleichen mehr. Seither geht alles wie früher. Franz macht eine Ballett-Einlage fertig, hofft und träumt.

Fortsetzung: Am 8ten kommt der Briefträger. Er bringt Franz 51 Gulden Tantiemen von den ersten 2 Vorstellungen. Nun muß er einen Monat bis zur nächsten Abrechnung warten. Das ist der erste große Erfolg! 41 hat sich Franz behalten. 10 Gulden gab er mir. Davon habe ich gleich Holz gekauft. Franz hat in Leipzig 170 Gulden ausgegeben und alles versetzt. Nun ist Prag in Aussicht. Franz will einen Monat dort bleiben und alles selbst einstudieren. Was wird das kosten? Wird es überall so sein, wo Franz aufgeführt wird, daß er dreimal soviel ausgibt als er einnimmt? Also das ist das beneidete Los eines Künstlers? Lebe wohl. Es ist spät. Ich muß noch Deine Wäsche hier in Ordnung bringen.«[14]

Daß ein Künstler im Hause Lehár keinen leichten Stand hatte, spricht deutlich aus dem beinahe schockierten Ton des Briefs. Die erwähnte Balletteinlage war in Leipzig vermißt worden und wurde in *Kukuška* letztlich als *Russische Tänze* aufgenommen. Zwar zerschlug sich die Aussicht auf Prag, dafür hatte Königsberg zugesagt. Dort verschwand das Werk jedoch nach vier Vorstellungen ebenso folgenlos wie zuvor nach sieben in Leipzig. Die bisher zielstrebige Karriere nahm nun einen konfusen, zwischen Hoffnung und Enttäuschung schwankenden Verlauf, in dessen Zentrum nach wie vor *Kukuška* stand. Da der so hart errungenen künstlerischen Autonomie nicht die erhoffte wirtschaftliche folgte, sah sich der junge Tonsetzer gezwungen, die Lehre seines Vaters zu beherzigen und den Fledermausmantel mit der Uniform zu vertauschen. 1897 nahm er eine Stelle beim 87. Infanterieregiment in Triest an, das nach sieben Monaten ausgerechnet nach Pola versetzt wurde. Als kleiner Dirigent einer Kapelle von 42 Mann kehrte er an den Ausgangspunkt seiner hochfahrenden Künstlerträume zurück. Diese Grimasse des Schicksals war zuviel für den Glücklosen, er kündigte und trat die für ihn mit Wirkung zum 1. April 1898 freigehaltene Stelle des Vaters beim bosnisch-herzegowinischen Infanterieregiment Nr. 3 in Budapest vorzeitig an. Inmitten der Krisenzeit seines Sohnes war Franz Lehár sen. im Dienst an einer Lungenentzündung erkrankt, der er am 11. Februar 1898 erlag. Inwieweit sich Vater und Sohn noch versöhnt haben, verliert sich im Dunkel der Lehár-Legende, der zufolge der Vater noch auf dem Totenbett, »in seinen Fieberträumen den Taktstock in der Hand zu haben glaubte, um das Werk des Sohnes zum Sieg zu führen ...«[15]

Inzwischen trieb sein Verleger Hofbauer dem sicheren Konkurs entgegen und verlangte die Erstattung der Druckkosten. Zudem war *Kukuška* in der Spielzeit 1897/98 von keiner Bühne angenommen worden. Lehár sah sich gezwungen, sein Werk für 1500 Gulden von Hofbauer zurückzukaufen. Seine sparsame Mutter nahm zu diesem Zweck eine Hypothek auf das von der Großmutter geerbte Haus auf. Als sein eigener Verleger versuchte nun der Komponist, sein Werk an der Budapester Oper unterzubringen.

Ein schwieriges Unterfangen, wie er berichtete: »Direktor Kaldy war mir persönlich sehr freundlich gesinnt, hielt aber nichts von dem Werk, glaubte überhaupt nicht an mein Talent und suchte mich mit Worten zu vertrösten. Aber Raoul Mader, damals erster Kapellmeister, hielt von mir etwas und schlug mir vor, kurzen Prozeß zu machen und einfach auf die Probentafel für den nächsten Tag eine Probe von *Kukuška* aufzuschreiben und derart den Direktor zu überrumpeln. Als ich dann mit Kaldy im Kaffeehaus zusammentraf, gratulierte er mir zur Annahme meiner Oper und teilte mir mit, die Proben hätten bereits begonnen. Die Budapester Aufführung brachte dem Werk einen starken Erfolg, so daß ich sofort wieder meine Kapellmeisterstelle aufgab.«[16]

Schon nach den ersten zwei Akten wurde er »ein halbes dutzendmal hervorgerufen«. Wieder wurde dem Euphorisierten der Ruf des Kuckucks zum »ersehnten Signal abenteuerlicher Fluchtversuche. Ein heißes Fieber nach Freiheit« bemächtigte sich seiner noch in der Premierennacht. Und am nächsten Morgen sollte die Frühjahrsparade in Anwesenheit des Kaisers stattfinden. Wie eine letzte Auflehnung gegen die Prinzipien des Vaters verweigerte sich der Sohn auch dem k. k. Übervater. Die Freunde bestärkten ihn, die Premierenfeier uferte aus, und zur Frühjahrsparade rückte ausgerechnet der Kapellmeister nicht aus, dem der Kaiser zum Erfolg seiner Oper beglückwünschen wollte. »Meine Bequemlichkeit siegte...«, wie der Komponist sich später herausredete. Die Legende besagt, daß Lehár für Franz Joseph I. zeitlebens mit diesem Erlebnis verbunden blieb. »Aha, das ist ja der Lehár, der bei der Frühlingsparade ... nicht ausgerückt ist.«[17]

Belagerung der Wiener Oper

Seit dem 2. Mai 1899 also erlebte das Königliche Opernhaus Budapest glänzende Aufführungen von *Kukuška* in der ungarischen Fassung von Sándor. Wieder war die Presse gewogen, lobte »prägnante Leitmotive, Leitmelodien könnte man sagen, wegen ihrer langen Gliederung ... sein Orchester ist durchaus modern, nirgends verrät sich der Anfänger ... der Trivialität weicht er im großen Bogen aus.«[18] Er bemühte sich als sein eigener Verleger, den Erfolg auszunutzen. Wie, belegt ein Brief an Karl Muck, damals Kapellmeister der Königlichen Oper Berlin, den der Komponist, wie von der Mutter erwähnt, bereits in Prag besucht hatte, wo Muck Nachfolger Mahlers am Ständetheater gewesen war.

»Euer Hochwohlgeboren werden sich vielleicht zu erinnern wissen, daß ich seinerzeit vor beiläufig 3 Jahren mir die Freiheit nahm in Ihrer Wohnung vorzusprechen und sie um das Urteil um meine Oper zu befragen. Euer Wohlgeboren äußerten sich sehr lobend über das Werk und hauptsächlich über die Instrumentierung ... Ich ließ die Oper drucken, jedoch arbeitete ich die ganze Oper nochmals durch und sie wurde in Leipzig und Königsberg mit schönem Erfolg aufgeführt ... Private Angelegenheiten mit meinem Verleger brachten es mit sich, daß die Oper sich keine weitere Bühne eroberte. Endlich entschloß ich mich, mein Werk vom Verleger zurückzukaufen ... *Kukuška* wurde am 2. Mai hier in Budapest aufgeführt und ist seither 5 mal in Scene gegangen ... Ich habe für die Budapester Aufführung ein Ballett ›Russische Bauerntänze‹ in den 1. Akt eingelegt und ebenso den 3. Akt mit einer größeren Gesangsnummer verlängert (Raissa). Die Oper hat hier sehr gut gefallen und beabsichtigt Herr Direktor Mahler die Oper in Wien aufzuführen. Ich bitte Euer Hochwohlgeboren innigst, die Oper nochmals gütigst durchzusehen, um so mehr als Herr Direktor Pierson sich auch dafür interessiert und sich vom hiesigen Kapellmeister einen Bericht zukommen ließ.«[19]

Die Zusage Mahlers war nur ein frommer Wunsch. Telegrafisch ersuchte ihn Lehár: »Erbitte inständigst die Anwesenheit Euer Hochwohlgeboren bei der Aufführung meiner Oper, die ich selbst dirigieren werde. In der Hand Euer Hochwohlgeboren liegt das Schicksal meines Werkes.«[20] Da der so ehrfürchtig Titulierte nicht nach Budapest fuhr, kam der Komponist eben nach Wien – als Militärkapellmeister des 26. Infanterieregiments ›Großfürst von Rußland‹. Am 1. November 1899 nahm er seine Tätigkeit auf, allerdings unter der Bedingung, einen Garnisonswechsel nicht mehr mitmachen zu müssen und mit dem festen Vorsatz, sich in Wien einen Namen zu machen, in seinem nachmals so geliebten Wien, und tatsächlich: »hier entschied sich mein Schicksal«.[21]

Allerdings anders als geplant, denn weiter galt all sein Ehrgeiz der Eroberung der letzten Bastion im Kampf um künstlerische Anerkennung, der k. u. k. Hofoper. Nun hatte es mit deren Direktor seine eigene Bewandtnis. Man erzählte sich die wildesten Geschichten über ihn: »Er stand in Kampfstellung gegen seine zahlreichen Widersacher, galt als exaltiert, als Fanatiker. Erst kürzlich war eine Militärkapelle an der Oper vorübermarschiert und hatte dabei einen flotten Marsch mit Motiven aus den *Nibelungen* gespielt. Es wurde behauptet, Mahler hätte über diese Blasphemie an Wagner einen Wutanfall bekommen und geschworen, niemals einem Militärkapellmeister Zutritt zur Oper zu gewähren.« Wieder einmal stieß dem Komponisten sein Brotberuf bitter auf. Wie nur konnte er »diesen genialen Vollblutmusiker« überzeugen? Partitur und Textbuch lagen ihm ja bereits vor, aber die erwartete Reaktion blieb aus. Auch war es ihm bisher nicht gelungen, persönlich vorzusprechen. Da wollte es der Zufall, laut einer vom reifen Meister überlieferten Legende, daß er auf der kurzen Bahnfahrt von Wien nach Baden vis-à-vis eines Herrn Platz genommen hatte, der eben noch in die Zeitung vertieft, diese plötzlich beiseite legte: »Durch scharfe Brillengläser mustern mich die forschenden Augen Gustav Mahlers … Ich trug Uniform. Die goldene Lyra am Kragen sagte Mahler, daß ihm ein Musiker gegenübersitzt. Sein Blick, mit dem er mich fast ununterbrochen detaillierte, war – oder schien es mir nur so? – spöttisch, feindselig, herausfordernd. Sollte ich mich vorstellen … Sollte ich Mahler direkt nach dem Schicksal meines Werkes fragen? und was dann, wenn er mir eine seiner bekannten sarkastischen Antworten gab, wie sie seine Feinde – wahrscheinlich übertrieben – damals so gerne in Umlauf brachten. Ich hatte mich damals noch nicht so in Gewalt wie heute! So schwankte ich zwischen Ansprechen und Verzichten … Die harten, abwehrbereiten Züge Mahlers begannen sich etwas zu mildern, ich hatte schließlich den Entschluß gefaßt, mich wenigstens vorzustellen und die weitere Unterhaltung meinem guten Musikantenstern zu überlassen. Eben begann ich: ›Gestatten Sie…‹, da knirschten die Bremsen – Baden – ich mußte aufspringen, grüßte wie im Traum und verließ ganz benommen das Abteil – ohne Mahler gesprochen zu haben.«[22]

Lehár schickte statt dessen den mit Mahler befreundeten Journalisten Ludwig Karpath ins Rennen. Der kannte ihn von Budapest her und schildert seine Bemühungen 1923 dem Neuen Wiener Journal unter dem Titel *Wie Franz Lehár wurde. Aus meinen Erinnerungen* wie folgt: Im Café Imperial fragte Mahler »mich … eines Abends, ob ich einen Herrn Franz Lehár kenne. Als ich die Frage

6 Franz Lehár, der Komponist der Oper *Kukuška*, um 1900

bejahte, erzählte er mir, daß dieser Herr Lehár, von dem er noch nie etwas gehört habe, die Oper *Kukuška* bei ihm eingereicht hat und daß er das Textbuch auch schon gelesen habe. Wenn die Musik so gut ist, wie das Buch ... so wird er die Oper aufführen« – mit dem traurigen Resultat: »Der vom Libretto sehr begeisterte Hofoperndirektor war enttäuscht, als er die Musik Lehárs kennenlernte, die ihm noch als eine Anfängerarbeit schien.« Wenn man Herrn Karpath Glauben schenkt, war »Franz Lehár ... ein geknickter Mann. Noch war sein Ehrgeiz zu groß, als daß er daran gedacht hätte, in der Operette sein Heil zu suchen ... Er war trotz aller Volkstümlichkeit (als Wiener Militärkapellmeister) unbefriedigt und sehnte sich in eine künstlerische Atmosphäre.«[23]

Jahre später, als allen Sehnsüchten zum Trotz der Opern- ein Operettenkomponist geworden war, besann sich der »exaltierte« Mahler, nach dem Zeugnis Julius Sterns, denn doch und soll seinem Ballettmeister Josef Haßreiter mitgeteilt haben, »er wolle den Operettenkomponisten Franz Lehár einladen, für die Hofoper ein Ballett zu komponieren; die heutige Operette und der Tanz seien ja geradezu innig miteinander verwandt. Er glaube, Lehár werde auch in der Oper Zugkraft üben, namentlich, wenn er feinere Musik und eigenartige Rhythmen biete.«[24] Die prophetischen Worte sollten sich späterhin beeindruckend erfüllen. Doch bis dahin mußte der Komponist sich anderweitig betätigen. Er ließ seine *Kukuška* vom renommierten Übersetzer italienischer Libretti und ersten Brahms-Biographen, Max Kalbeck, zur *Tatjana* umarbeiten, die im Februar 1905 in Brünn zur Aufführung kam, und ein Jahr später an Rainer Simons Volksoper im Jubiläumstheater zu Wien damals eine Art ›Salon der Zurückgewiesenen‹ – mit der *Lustigen Witwe* eines aufstrebenden Operettenkomponisten konkurrierte. Lehár aber gab nicht auf. Ohne aufzuhören, »sich in eine künstlerische Atmosphäre« zu sehnen, wandte er seine Gabe einem Genre zu, mit dem er bisher noch nicht in Berührung gekommen war und das seit dieser Berührung sich fortwährend veredeln sollte.

»Blindlings in die Wiener Operette geraten«

Operettenkomponist wider Willen

Art in the operetta plays
with itself and laughs with itself.
Franz Lehár[1]

»Jetzt geht's los!«

Hatte der Komponist im Budapester Schriftstellerverein ›Othon‹ noch nach einem Opernstoff gesucht, war er in Wien bereits auf der Suche nach einem Operettenbuch. Ausgezogen, sich hier einen Namen zu machen, mußte er bald erkennen, daß dies als Militärkapellmeister nur auf eine Art möglich war: »der Wiener will... wirklich gute Musik hören. Er will alle seine gerade aktuellen Lieblingsmelodien. Und jedes Konzert muß auch etwas Neues bringen. Umstände, die den ohnehin überbürdeten Kapellmeister zu zahlreichen Proben zwingen, ihn aber auch zu Konzessionen an den Geschmack des Publikums bemüßigen, will er sich nicht in der kürzesten Zeit unmöglich machen. Dies Tag für Tag betreiben müssen und dabei nicht Handwerker werden, ist wahrhaftig keine geringe Zumutung«[2] für einen Opernkomponisten, möchte man ergänzen. Dies ist die zweite Schule des Autodidakten. Er lernte die Bestie Publikum kennen und bezwingen, lernte sein Handwerk, ohne Handwerker zu werden. Der Schwerpunkt seiner Tätigkeit verlagerte sich von militärischen Pflichtübungen zu öffentlichen Promenadenkonzerten, deren berühmteste im Volksgarten oder im 3. Caféhaus des Praters stattfanden. So hießen die Podien erster Wiener Erfolge; beispielsweise fand »viel Beifall ... der Walzer *Jugend-Ideale* von Capellmeister Lehár«.[3] Der holte aus der Militärkapelle das Äußerste heraus. Sein ehemaliger Konzertmeister erinnerte sich mit Grausen:

»Wir wurden geschunden, daß Gott erbarm, Proben auf Proben, aber trotzdem gab es in diesem ganzen Orchesterkörper immer nur eine wahre Gier nach dieser Probenarbeit... Lehár war rücksichtslos, wenn es um die Kunst ging ... Seine Art einzustudieren ließ erkennen, daß er … bis in die letzten Möglichkeiten deliziösester Klangwirkungen … hineinstrebte … die Musiker hingen in fanatischer Aufmerksamkeit an seinen subtilen Gesten, an den zierlich zuckenden Bewegungen seiner Hände, an dem beherrschten Spiel seiner Augen. Rauschte der Erfolg um sein Podium, dann vergaß er wohl auch mitunter unsere Nerven, so wie er ja gegen sich selbst unerbittlich war und ist, wenn er arbeitet. Er brachte es zuwege, auf die ›glänzend‹ hingelegte *Tannhäuser*-Ouvertüre die *Preludes* von Liszt als kleine ›Draufgabe‹ zu spielen … Die ›Sechsundzwanziger‹-Musiker waren gar bald eine berühmte Angelegenheit, das Lehár-Orchester war in kurzer Zeit Stadtgespräch … daß die Wiener Frauen und Mäderln das Ihrige dazu beitrugen … weiß die Welt.«[4]

Eine davon, die zwölfjährige Felicitas, ein ›süßes Mädel‹, wie es bei Schnitzler im Buche stand, Lizzy mit Kosenamen und Tochter des renommierten Librettisten und Oberregisseurs am Carl-Theater Victor Léon gab den Ausschlag. Sie soll schon 1901 Schlittschuh laufend auf dem Eisplatz zwischen Konzerthaus und Stadtpark vom dazu aufspielenden feschen Militärkapellmeister so begeistert gewesen sein, daß sie ihrem Vater keine Ruhe ließ, bis er ihm eine Chance gab. Besonders angetan hatte es ihr ein Marsch mit dem prophetischen Titel *Jetzt geht's los!*, bereits 1894 in Sarajewo komponiert und Lehárs erster Wiener Schlager. Unvergessen blieben dem Vater ihre Worte: »Ich sag dir, Papa, der Marsch … also der ist einfach gottvoll, himmlisch, totschick! Ich sag dir, die Leute sind wie verrückt auf den … In allen deinen Operetten ist nicht ein Marsch, der so … der so … ich weiß gar nicht, was … der so, sagen wir, comme il faut wäre, wie der! Komm doch einmal auf den Eislaufplatz und hör ihn dir an.«[5]

Blech und Silber

Victor Léon kam vorerst nicht auf den Eislaufplatz, und Lehár mußte sich weiter gedulden, ein gutes Buch zu finden. Im Laufe des Jahres 1900 vertonte er als op. 68 drei Vorspiele zu *Fräulein Leutnant*, Arthur Kolhepps dramatischer Bearbeitung einer »historischen Begebenheit aus Österreichs Ruhmestagen in der Zeit 1794-1801«, und für die Operette *Die Kubanerin* (*Arabella*), Text: Gustav Schmidt, ein Duett, dessen Refrain er später in der Ouvertüre zu *Wiener Frauen* übernahm. Noch in Budapest will er »von einem Hausdichter des Etablissements Ronacher um 50 Gulden«[6] das Buch zum Operettenentwurf *Die Spionin* erworben haben, der immerhin bis zum Vorspiel des 3. Aktes gedieh. Wie dieses Vorspiel das gekürzte ›Preludium religioso‹ des *Rodrigo* war, ging das Duett »Johannestrieb« in die *Wiener Frauen* ein, findet sich gar in *Endlich allein* ein Thema als Vorstrophe von »Jung und frei dabei« wieder. In seinem ersten Operettenversuch hat der Komponist Couplets mit dem Refrain »Der Krieg, der ist kein Saufplaisier«[7] zu vertonen. Über den Librettisten ist nichts Weiteres bekannt.

Am 16. November 1901 betrat Lehár zum ersten Mal die Bretter des zwischenzeitlich verwaisten Theaters an der Wien – zusammen mit Frank Wedekind, der dort ebenfalls sein Debüt feierte. Felix Salten, der Dichter von *Bambi* und mutmaßlicher Verfasser der *Geheimen Memoiren der Therese Mutzenbacher*, hatte es für seine Wiener Version des Überbrettl, ›Zum lieben Augustin‹, gemietet und ein wahrhaft buntes Programm auf die Beine gestellt. Lehár hatte ein Duett geschrieben mit dem Romancier Rudolf Hans Bartsch, nachmals bekannt als Verfasser des Schubert-Romans *Schwammerl*, der wiederum dem *Dreimäderlhaus* den Stoff lieferte. Ein wahres Klassentreffen der Epoche und ihrer divergierenden Richtungen. Zwischen des *Sängers Fluch* von Schumann und Wedekinds Bänkelsang erschien Lehárs *Windiger Schneider*, windig deshalb, weil er nach Verlust seiner Schere, die ihm das nötige Gewicht verliehen hatte, vom Winde verweht wurde. Ein witziger Wechselgesang mit eingelegtem Zwischentanz. Felix Salten erinnerte sich ungern an den grandiosen Durchfall dieses Experiments. Es sei gescheitert, »weil Frank Wedekind, der zum ersten Mal mit seinen Bänkeln vor ein Wiener Publikum trat, erst ein Dezennium später verstanden wurde«, nicht aber wegen Lehárs *Schneider*. »Dieses Duett zwischen einem Landstreicher und seiner Gefährtin wurde von zwei jungen Künstlern in Kostümen, die Kolo Moser entworfen hatte, gesungen. Es hatte neben den alten Volksliedern und einem Couplet von Julius Bauer, die ich der Niese anvertraut hatte, den stärksten Beifall. So gelangte Franz Lehár zum erstenmal im Theater an der Wien zur Aufführung, das er dann von der *Lustigen Witwe* angefangen, lange Jahre beherrschen sollte.«[8]

Das Jahr 1902 brachte die Wende, zunächst auf leisen Sohlen.

Aufgrund seiner Popularität als Kapellmeister erhielt Lehár den Auftrag, für die berühmte Redoute der Fürstin Pauline von Metternich-Sandor, die seinerzeit Wagner zum Pariser *Tannhäuser* verhalf, den Titelwalzer *Gold und Silber* zu schreiben und mit seinem Orchester daselbst zum Tanz aufzuspielen. Der neue Walzer ging im Ballgetümmel unter, »das in der Reihe der Wiener Faschingsveranstaltungen dieses Jahres einen bisher nicht erreichten Höhepunkt bezeichnet«,[9] und der Komponist war froh, ihn für 50 Gulden verkaufen zu können. Innerhalb kurzer Zeit wurde die klassische Walzerfolge, bestehend aus fünf Teilen mit Introduktion und Coda, in England und Amerika für den Verlag Bosworth zum Geschäft. Der ahnungslose Komponist hatte nach etlichen Versuchen (*Stadtparkschönheiten*, *Jugendideale*, *Klänge aus Pola*) den Walzerton gefunden, der ihn berühmt machen sollte. Daß nicht Wien, sondern Amerika Ohren dafür hatte, ist symptomatisch.

»Der fesche Kapellmeister vom Eislaufplatz«

Auch an Victor Léons Ohr drang im Sommer 1901 endlich dieser Klang. Es war im Salzkammergut, in seiner Unteracher Villa, die er, wie er nie müde wurde zu betonen, bereits vor der *Lustigen Witwe* besaß, und es regnete. »Hausarrest. Ich höre Klavierspiel. Lizzy. Was spielt sie nur da? Smetana? Dworzak? Tschaikowsky? Das hört sich ja so slawisch an. Und unverfälscht ... Na, was kann denn das sein? Ich geh ins Klavierzimmer ... und frage:

›Von wem? Und woher?‹

›Aus *Kukuška*, von Lehár!‹

›Was ist *Kukuška*? Wer ist Lehár?‹

›Aber, Papa, das ist doch der fesche Kapellmeister vom Eislaufplatz! Weißt du nicht mehr?‹

Ich fand keine Zusammenhänge in dieser offenbaren Selbstverständlichkeit. Lizzy stellte sie her...

›Weißt du, Papa, ich hab' so die Impression: der kann viel. Mit dem solltest du etwas schreiben!‹

›Eine Oper?...‹

›Der kann doch auch Operette komponieren... denk doch nur an den Marsch *Jetzt geht's los!* Das wär ja ein richtiger Operettenschlager!‹«[10]

Tatsächlich hatte Lehár, als er dem Librettisten *Kukuška* zukommen ließ, um ein »Opernbuch gütigst gebeten«. Der Marsch hingegen schien Léon von einem anderen Zusammenhang, den seine Tochter hergestellt hatte, überzeugt zu haben. Zurück in Wien, empfing er den damals schon lächelnden Komponisten im Herbst mit dem *Klub-Baby*, einem Vaudeville, das diesem gar nicht zusagte. Wieder soll es die Tochter gewesen sein, die auf Lehárs slawische Eigenart hinwies, und so schrieb Léon für ihn den *Rastelbinder*, dessen Vorspiel er ihm probeweise zum Komponieren überließ, wohl weniger aus Mißtrauen, wie die Legende will, als aus dem schlichten Grund, daß die Idee des Buchs, wie das Resultat zeigt, hauptsächlich auf diesem beruhte. Der Noch-Kapellmeister vertonte es zur Zufriedenheit des Meisterlibrettisten; der stellte den Text fertig und versuchte das Werk überzeugt von seinen Erfolgsaussichten, in seiner Eigenschaft als Oberregisseur beim Carl-Theater, unterzubringen. Immerhin waren seine letzten sechs Arbeiten durchgefallen. Doch Direktor Müller sprach das sprichwörtliche Wort: »Lassen S' mi aus mit die Militärkapellmeister!...«[11]

»Nechledil, du schöner Mann!«

Inzwischen war der Militärkapellmeister bei der Konkurrenz nicht müßig, dem Theater an der Wien, dessen neue Direktoren nach einjährigem Gastspielbetrieb ihre erste Spielzeit vorbereiteten. Einer davon, dessen Direktion untrennbar mit dem Namen seiner Entdeckung verbunden blieb, bewies schon in dieser Phase den richtigen Riecher und engagierte Franz Lehár, den er bei einer Wohltätigkeits-Matinée im Theater schätzen gelernt hatte, als ersten Kapellmeister. Es war Wilhelm Karczag, ebenso am Anfang seiner Karriere und Ungar wie der Tonsetzer. Der »keineswegs übermäßig Selbstbewußte« nahm an. Vertragsgemäß war er durch die Verlegung seines Regiments nach Raab (Györ) vom Dienst demissioniert worden. Unter den vielen Angeboten, die ihn daraufhin erreichten, bot das ehrwürdige Haus, in dem *Fidelio* und *Die Fledermaus* aus der Taufe gehoben worden waren, ihm die sichere Aussicht auf die Aufführung seiner Werke. Karczag gab ihm sogleich ein Buch für ein solches. Es hieß *Wiener Frauen* und war nach altem Muster auf das Zugpferd des Theaters zugeschnitten: Alexander Girardi, selbst schon Operettengeschichte. Er sollte die neue Saison mit seiner Paraderolle Zsupan im *Zigeunerbaron* eröffnen, für ihn sollte Planquette seine *Beiden Don Juans* und *Rip-Rap* dirigieren, für ihn wurden die Novitäten *Der Fremdenführer* von Ziehrer, *Bruder Straubinger* von Eysler und besagte *Wiener Frauen* angesetzt.

So trafen der letzte Repräsentant einer bereits verlöschenden und der einer erst kommenden Epoche zusammen, ohne daß der eine den andern kannte, was für den einen peinlicher war als für den andern und ihn geradezu in Panik versetzte: »Ich sollte für den großen berühmten Girardi eine Rolle schreiben und hatte ihn noch nie in meinem Leben gesehen! Wunderdinge wurden mir von diesem herrlichen Künstler erzählt. Ich aber durfte meine Unbildung – sie hatte ihren Grund in meiner ständigen dienstlichen Verwendung – um Gottes willen nicht merken lassen. Denn ich hatte ja so Angst, daß man mir das Buch wieder wegnehmen könnte.«[12] Das Buch selbst war solche Qualen nicht wert, viele Köche verdarben diesen Brei, auch wenn einer der endgültigen Autoren, Redakteur beim Neuen Wiener Journal namens Ottokar Tann-Bergler vor der Premiere die sehr zeittypische Entstehung richtigstellte: »Im Juni dieses Jahres brachten mir die beiden Direktoren des Theaters an der Wien ein Libretto, das Herr Emil Norini nach der … Vaudeville-Comödie *Der Schlüssel zum Paradies* bearbeitet und dessen (aus anderer Feder stammende, nach allgemeiner Auffassung unverwendbare) Texte Franz Lehár vertont hatte. Die Herren Direktoren fügten bei, daß Alexander Girardi von der Musik entzückt und unter der Bedingung bereit sei, in dem Stück zu spielen, daß der Schreiber dieser Zeilen eine bestimmte, nur rudimentär vorhandene Figur für ihn ausgestalte … So ist die Handlung verwienert worden und die sämtlichen Liedertexte sind von mir, bis auf zwei, deren Autor mein Compagnon Herr Emil Norini ist.«[13]

Als der Militärkapellmeister Lehár im März 1902 die Uniform endgültig ausgezogen hatte, fand er sich als doppelten Operettenkomponisten wieder. Léon war es inzwischen doch gelungen, den *Rastelbinder* am Carl-Theater unterzubringen. Karczag sah dadurch den Vertrag und die Interessen des Theaters an der Wien verletzt, und Lehár gab die Kapellmeisterstelle auf, ehe er sie an-

7 *»Nechledil, du schöner Mann, du hast es allen angetan...«*
Alexander Girardi als Willbald Brandl inmitten *Wiener Frauen*
(Theater an der Wien 1902)

treten konnte. Die Zeitungen vermerken dazu: »Kapellmeister Lehár hat auf gütlichem Wege seinen Vertrag ... gelöst, sich aber auf fünf Jahre verpflichtet, seine Kompositionen dem Theater an der Wien zur Aufführung zu überlassen.«[14] Schon wird »als Ersatz für Herrn Lehár Herr Alexander von Zemlinsky, der bisher als erster Capellmeister am Carl-Theater tätig war«,[15] angekündigt, aber es sollte anders kommen. Unterbrochen durch Gastdirigate im Vergnügungspark ›Venedig in Wien‹, bei dessen berüchtigten Monstre-Konzerten u. a. auch Richard Strauss auftrat, konnte sich Lehár nun ausschließlich der Komposition widmen. Er zog sich ins bayerische Bad Hals bei Passau zurück, danach zum ersten Mal nach Bad Ischl. Als er zurückkam, konnte er endlich Alexander Girardi auf der Probe erleben, allerdings mit einer Nummer, die ursprünglich gar nicht für ihn vorgesehen war, sondern für eine Neuverpflichtung Oskar Sachs mit Namen. »Aber da hatte man die Rechnung ohne Girardi gemacht. Der gute Xandl hätte es keinesfalls mit seinem künstlerischen Gewissen vereinbar gefunden, eine Nummer, in der er den Schlager witterte, von einem anderen singen zu lassen. ›Weißt du was‹, sagte er mit überströmender Herzlichkeit zum armen Sachs, ›du setzt dich da in den schönen Fauteuil, ich komm herein und sing dir den Marsch vor!‹ Der Librettist murmelte zwar etwas von Logik, die da etwas zu kurz kommen würde. Aber vor Textdichtern hatte der große Girardi keinen übertriebenen Respekt. ›Was brauchen wir a Logik‹, sprach er verachtungsvoll, ›wenn ich einen Schlager hab!‹«[16] Es war der *Nechledil-Marsch*, der tatsächlich zum Schlager werden und leicht abgewandelt noch 1914 *A long way to Tipperary* vor sich haben sollte. Wie Lehár berichtete, war es bei jener Probe um ihn geschehen: »Girardi war so hinreißend, daß ich – heute kann ich es wohl sagen – zu Tränen gerührt war. Das war der Beginn meiner Laufbahn.«[17]

Dieser Beginn mit Tränen brachte bei der Premiere am 21. November 1902 einen Girardi-Erfolg – »er hat seit Jahren nichts Gleichwertiges geboten«[18] – und mit besagtem *Nechledil-Marsch* einen Lehár-Schlager »von hinreißender Gemeinverständlichkeit, dem nur gichtige Beine zu widerstehen vermöchten«,[19] der aber noch wenig von der Eigenart ihres Schöpfers verriet. Aus dem ängstlichen Bemühen, eine Girardi-Operette zu schreiben, konnte keine Lehár-Operette entstehen. Wenn bescheinigt wurde, »nach so vielen Scheinerfolgen, Mißerfolgen und Achtungserfolgen in den letzten Jahren sah das Theater an der Wien ehrliche Begeisterung, wirkliches Entzücken«,[20] warf dies ein bezeichnendes Licht auf die damalige Theatersituation. Lehár wurde sogleich »in die erste Reihe der Wiener Operettenkomponisten gestellt«.[21] Die *Wiener Frauen* brachten es bis 14. Januar 1903 en suite zum 50. Jubiläum.

»Der Xandl und der Franzl«

Das Libretto von Lehárs Erstling im leichten Genre ist symptomatisch für die Wiener Operette der Zeit. Nachdem mit Strauß und Millöcker die Giganten des ›Goldenen Zeitalters‹ ein Jahr vor der Jahrhundertwende gestorben waren, wurde das Vakuum spürbar, das sich bereits im letzten Jahrzehnt des 19. Jahrhunderts durch Ausnahmen wie Zellers *Vogelhändler* (1891) und Heubergers *Opernball* (1898) nur schwer verbergen ließ. Dieses Vakuum wurde mit jener Wiener Selbstverliebtheit auszufüllen versucht, die sich am nicht zufällig synthetischen *Wiener Blut* (1899), noch gespeist vom sterbenden Walzerkönig, berauscht hatte, in den Folgejahren Reinhardts *Süßes Mädel* (1902) und Eyslers *Bruder Straubinger* (1903) hervorbringen sollte, noch im *Walzertraum* (1907) fröhliche Urständ feierte und bis in die Heurigenlieder späterer Zeiten als Gespenst der eigenen Gemütlichkeit umging. Schon damals ein Selbstzitat und von der Kritik als »widerliches Verhimmeln des Wienertums in den Operettentexten neueren Datums«[22] konstatiert. Lehárs späterer Konkurrent Oscar Straus machte denn auch »die falsche Sentimentalität, das Kokettieren mit dem ›goldenen Wiener Herzen‹ ... bei einer stereotyp gewordenen Verherrlichung der Wiener Nachtlokale« für den Niedergang der Gattung verantwortlich, nicht weniger jedoch »das Überhandnehmen des Starwesens ... Man fing an, für die ›Lieblinge‹ ›Rollen‹ zu schreiben. Das Werk wurde zur Nebensache. Um eine sogenannte ›Bombenrolle‹ herum wurde alles gruppiert.«[23]

Für beide Tendenzen stand Alexander Girardi, der Repräsentant des Wienertums auf der Bühne und sein unumstrittener Star. In ihm feierte Wien sich selbst. Sein Klavierlehrer Willibald Brandl in *Wiener Frauen* ist die typische ›Bombenrolle‹ und nicht frei von nachträglicher Ironie. Dieser echte Wiener kehrt nämlich aus dem unfreiwilligen amerikanischen Exil, wo er sich u. a. als Abnormität durchgeschlagen hat, nach Wien zurück und stimmt in der Hochzeitsnacht seiner ehemaligen Schülerin und Jugendliebe den ihr gewidmeten Walzer von den Wiener Frauen an. In ihr erwacht mit der Erinnerung die alte Liebe, und sie sperrt ihren neuen Gatten aus. Bis die Ehe vollzogen werden kann, muß der eine Ersatzfrau für den Klavierlehrer besorgen. Ein Vorgang, der die Ablösung

Girardis im Theater an der Wien vorwegzunehmen scheint. Grund dazu war jener neue Mann der *Wiener Frauen*, der mit Girardi zwar 1904 noch eine *Juxheirat* einging, in der er ausgerechnet einen ruinierten Wiener Aristokraten gab, der sich als Autochauffeur in Amerika verdingt und dort »den Affenmenschen von Java tanzt«,[24] doch dieser Ehe war keine Dauer beschieden. Vor solchem Hintergrund nimmt sich folgende wenig bekannte Anekdote wie eine prophetische Intuition des Schauspielers aus, der später einmal über Lehárs Operetten sagen wird, sie seien gehupfte Seelendramen.

»Girardi dirigiert... zum Schlusse des zweiten Actes auf der Bühne als Tambourmajor eine Compagnie von Trommlerinnen. Das Orchester setzt zum Finale ein, da stürzt Girardi bis hart vor die Rampe, schwingt den Tambourstab über dem Haupt des erschreckten Dirigenten, daß dieser ängstlich unter den Sessel taucht – und ruft: ›Aufhören, ich hab ja noch was zu reden. Erst muß ich ein' Abgang haben!‹ – Dann marschiert er weiter und nun erst durfte das Orchester einsetzen. Der Scherz, aus dem Moment heraus geboren, wirkte so heiter auf die Anwesenden, daß man sofort den Beschluß faßte, ihn in den Text aufzunehmen. Wenn also Girardi am Abend der Premiere Miene machen wird, Herrn Lehar zu hauen, darf Niemand erschrecken. Es kommt nicht soweit.«[25]

»A einfache Rechnung«

Seine adäquaten Darsteller fand Lehár erst beim *Rastelbinder* im Carl-Theater: Louis Treumann und Mizzi Günther. Sie sollten für das nächste Jahrzehnt seine Rollen kreieren und wechselten mit Victor Léon zur Spielzeit 1905/06 ins Theater an der Wien. Im Gegenzug ging Girardi zum Carl-Theater. Mit dem *Rastelbinder* fand der Komponist auch den adäquaten Stoff und mit Viktor Léon den adäquaten Librettisten. Die Koordinaten der Lehár-Operette trafen erstmals zusammen. Die Geschichte der Titelfigur, des armen Slowaken Janku, der als Kind in die Fremde zieht, um seinen Lebensunterhalt mit dem Flicken zerbrochenen Geschirrs zu verdienen, schließlich in Wien, zum feschen Schani naturalisiert, sein Glück findet, ist Lehárs eigene. Was das Libretto

8 *»Auch Wohltun trägt Zinsen, das ist der rechte Profit…«*
Louis Treumann als Wolf Bär Pfefferkorn
mit den *Rastelbinder*-Kindern (Carl-Theater 1902)

mit der slowakischen Kinderverlobung im Vorspiel verspricht, vom Komponisten poetisch zum slawischen Abschiedston gestimmt, hält es in den folgenden Akten leider nicht. Der 1. Akt frönt ungeniert dem biederen Wiener Lokalpatriotismus, »so wie's im Bücherl steht«, und den der Komponist sich nicht zu überbiedern scheut; der 2. Akt verkommt unmotiviert zur Verkleidungsorgie im Kasernenhof, mit dem einzigen pikanten Vorwand, die Damen in Uniformen zu stecken, denn »Soldatenhosen/haben Reiz gar großen«. Diese Stilbrüche sind nicht, wie es später für die moderne Operette charakteristisch werden sollte, raffiniert durchkreuzt, sondern stehen unvermittelt nebeneinander – Vorspiel: Rührstück; 1. Akt: Lokalposse; 2. Akt: Militärklamotte.

Aber Léon war auf der Suche nach neuen Formen. Ebensowenig wie der Komponist gab er sich mit Erreichtem zufrieden. Auch wenn ihr nächstes Projekt, *Der Göttergatte*, eine Amphitryon-Paraphrase auf den Spuren Offenbachs, in eine Sackgasse führte, ergänzten sich ihre Ideen. Vor allem aber erkannte Léon die Eigenart seines Komponisten, seine Bereitschaft, trotz aller Konzilianz der *Wiener Frauen*, das nie Dagewesene zu wagen. Schon der dramaturgische Aufbau des *Rastelbinder* war neu, die slawische Lokalfarbe unbekannt auf der Palette der Operette. Ein Wagnis war auch die zentrale Figur des Hausierjuden Wolf Bär Pfefferkorn »zu einer Zeit, als antisemitische Attitüden zu den allgemeinen Umgangsformen der Wiener Gesellschaft zu zählen schienen«[26] und der antisemitische Bürgermeister Dr. Karl Lueger auf dem Gipfel seiner Popularität stand. Lehár hatte in Pfefferkorns berühmtem Lied: »Das is' a einfache Rechnung,/mei Kind, mei Kind, vergeß die nit,/auch Wohltun trägt dir Zinsen,/das is' der rechte Profit« – jüdische Melodik verwendet, was ihm sogar von seiten seines *Kukuška*-Förderers Karpath angelastet wurde. Wie wohl die Mehrzahl der assimilierten Juden fand er die ganze Figur »widerlich ... Schon sein Auftrittslied, eine unerquickliche Imitation jener schwermütig-schönen Gesänge, deren Intervallverhältnis ein anderes ist, wie das der abendländischen Musik, löscht in diesem Milieu in dem Hörer Empfindungen aus, die ungünstig auf das Kommende vorbereiten. Dies um so mehr, als in der Musik des Vorspiels auch noch das slawische Element vorwaltet.«[27] So der Tenor fast der gesamten liberalen Presse; weniger ein ästhetisches Urteil als die Befürchtung, die Figur könne als Vorwand für antisemitische Reaktionen benutzt werden. »In der Operette wird übermäßig viel gepatscht, gepfiffen, gejodelt und – leider! – auch gejüdelt ... Die Leopoldstädter Bühne kann mit ihrem neuesten Stück in der That jeder *Klabriaspartie* erfolgreich die Spitze bieten«,[28] wie Julius Bauer hinsichtlich der überwiegend jüdischen Bevölkerung des Stadtbezirks fürchtete. Kein Wunder, wenn dem Juden Treumann geraten wurde, die Rolle abzugeben. »Wenn Sie den Juden singen, sind Sie in Wien erledigt. Sie können sich einen Revolver geben.«[29] Der Librettist, selbst Jude, ließ sich nicht beirren und Treumann hatte seinen ersten großen Triumph.

Wie ein Ausgleich zum gewagten Hausierjuden mutet das aufdringlich Wienerische vieler Nummern an, unter denen sich wahre Perlen finden – so z. B. »dort, wo's picksüße Holz,/dieser Altwiener Stolz,/aufspielt so Liedeln/von echt Weaner Klang: Dui du, Dui, du,/weanerische Hölzelweis« – und von denen die Kritik vermerkte: »Diese ›picksüßen‹ und ›patzwachen‹ Melodien sind ja nicht mehr zum Anhören.« Der Komponist wurde in dieser Hinsicht geschont. »Der Fall Lehár kann ein Glücksfall für die Wiener Operette werden ... leider muß auch er der bekannten wienerischen Banalität schnöde Opfer bringen. Aber er nimmt es dann auch mit allen Rivalen auf ... Der Text ... von Victor Léon, der relativ gut anfängt, entwickelt sich schlecht und endet miserabel.«[30] Léon soll sich bei Lehár nach Lektüre der Zeitungen am nächsten Morgen für das schlechte Buch entschuldigt haben. Der verkaufte den *Rastelbinder* für 2000 Kronen kurzerhand an Weinberger, der allein an den Musikalien in den nächsten fünf Jahren 160 000 Kronen verdient haben soll.

Beim Publikum war die Premiere am 20. Dezember 1902, dirigiert von Zemlinsky, der doch nicht Lehárs Nachfolger am Theater an der Wien geworden war und »alle Schönheiten der reizvoll instrumentierten Partitur richtig hervorzuheben«[31] verstand, dennoch ein Erfolg. Damit trat »zum erstenmal seit Menschengedenken ... in Wien der Fall ein, daß die beiden konkurrierenden Operettenbühnen zugleich Werke eines und desselben Komponisten aufführten«.[32] Ein weiterer Rekord war laut Richard Specht am 18. September 1903 zu vermelden – »das ungewöhnliche und seit vielen Jahren keinem Operettenwerke beschiedene Jubiläum«[33] der 150. Vorstellung. Bis zur nächsten Lehár-Premiere im Carl-Theater, dem *Göttergatten* am 20. Januar 1904, beherrschte der

Rastelbinder mit 225 Aufführungen das Repertoire, in dem er noch lange verblieb und am 27. Juni 1920 mit 500 Vorstellungen Lehárs in Wien erfolgreichstes Werk wurde. Viele Bühnen in Österreich-Ungarn und Deutschland spielten das Werk nach, und sein Schöpfer konnte fortan endlich als in jeder Hinsicht autonomer Künstler leben. Damit endete der Roman einer Künstlerlegende, keineswegs jedoch der Traum »des Mannes, der ausging, Symphonien zu suchen, und den *Nechledil-Marsch* fand«.[34]

Ein Parsifal der Operette

Wenn dieser Mann bekräftigte, er sei »sozusagen ganz ahnungslos und blindlings in die Wiener Operette hineingeraten, ohne eine nähere Kenntnis des Genres zu haben«,[35] so scheinen, mit der einen Ausnahme des *Rastelbinder*, seine ersten Operetten das zu bestätigen. Nach dem Marsch-Motto *Jetzt geht's los!* vertonte er die unterschiedlichsten Texte, als wolle er Schuberts angebliche, bereits von Richard Specht zitierte Forderung einlösen, »ein guter Musiker müsse auch den Anschlagzettel komponieren können«.[36] Unbekümmert um die Gesetze des Genres, wollte er ihm seine eigenen geben. Beim fünften Anlauf gelang es. Ein Parsifal der Operette, erlöste er die seit Jahren siechende Gattung – durch Unkenntnis wissend, ein reiner Tor. War er blindlings in den Zauberwald der Operette hineingeraten, so fand er nicht mehr ohne weiteres heraus. Der Ausweg konnte nur heißen: Erlösung dem Erlöser. Doch die Erlösung durch die Oper ließ auf sich warten. Noch nach dem *Rastelbinder*-Erfolg war er indes zuversichtlich, es sei »sein Zukunftsplan ... die große Oper. Er hat schon ein romantisches Sujet in Arbeit (mit dem Titel *Georg Stromer*, eine altdeutsche Angelegenheit) und will auch nicht nachgeben, bis *Kukuška*, sein Erstlingswerk, an der Wiener Oper ersteht.«[37] Nachdem das Werk zwar nicht an der Hofoper erstand, aber an der Volksoper von der Kritik zerrissen worden war, äußerte sich sein Schöpfer diesbezüglich vorsichtiger und scheinbar »von dieser Leidenschaft geheilt ...: ›Ich denke gar nicht daran, zu erzählen, eine Oper zu schreiben, die Operette genügt mir als Gebiet vortrefflich. Denn ich bin der Ansicht, daß jeder, der eine ordentliche Operette schafft, auch die Kraft für eine Oper haben muß.‹«[38] Das Verhältnis von Komponist und Genre blieb weiter dialektisch und bezog seine Produktivität nicht zuletzt daher. 1910 schließlich war noch einmal von einem Opernplan die Rede. Aus Hamburg tat der Meister seine Absicht kund: »Wenn mein nächstes Werk wieder eine Oper ist, ein Einakter *Soldatenspiel* nach einem Text von Dr. Willner, so tue ich es nicht, um zu zeigen, daß ich das auch kann, sondern weil mir der Stoff behagte. Die Uraufführung dieser Oper ist bereits Budapest zugesichert.«[39]

Dies blieb das letzte Zeugnis seiner Sehnsucht. Musikalisch hatte der Komponist schon anläßlich des 400. Jubiläums der *Lustigen Witwe* mit einem auf über hundert Mann vergrößerten Orchester die Bilanz seiner Künstlerträume gezogen. In der symphonischen Dichtung *Eine Vision. Meine Jugend* schilderte Lehár sein ›Heldenleben‹ – »ein immer unruhigeres Bild von den Träumen des jungen Künstlers. Der Frühling des Lebens, das Erwachen der ersten Liebe zeigt sich. Im vollen Orchesterglanz rauscht die aufblühende Vision … (Moderato molto cantabile), von den hohen Streichern getragen, von den Bläsern festlich ausgeschmückt, vorüber. Doch in all dem Überschwang tönt wieder der Ruf der Arbeit«[40] – ein Lebensmotiv in den Kontrabässen.

»Musik sich den Reigen erzwingt«
Die Entstehung eines Welterfolgs

> Mit der Stunde ihrer glorreichen Geburt
> begann das goldene Zeitalter der Operette.
> Victor Léon[1]

»Exotik und Erotik«

Wie Lehár nur auf Umwegen zur Operette fand, fand die Operette erst auf Umwegen zu ihm. Seit dem Tod von Johann Strauß gleichsam verwitwet, zehrte sie lustig von ihrem reichen Erbe. Es hatte lange gedauert, bis der vermeintliche Opernkomponist Lehár ihr seine Liebe gestand. Was in *Wiener Frauen* schüchterne, im *Rastelbinder* schon beherztere Annäherung angedeutet hatte, blieb er in den folgenden zwei Werken schuldig. Weder wollte er sich als Offenbachscher *Göttergatte* erweisen, noch sich zu mehr als einer *Juxheirat* entschließen. Die leichte Muse strafte ihn mit Mißerfolg. Daß sie ihm dann sein rückhaltloses Liebesgeständnis mit ihren Millionen lohnen sollte, war keinem der Beteiligten klar, am wenigsten den Stiftern dieser Verbindung, Victor Léon und Leo Stein.

Die Herren hatten nämlich ein Libretto »teilweise nach einer fremden Grundidee« verfaßt, die aber, in Wien keineswegs fremd, schon bei der Premiere als Meilhacs *L'Attaché d'ambassade* von 1861 erkannt wurde, und in Hackländers Bearbeitung mit Sonnenthal und der kaiserlichen Geliebten Katharina Schratt ein beachtlicher Burgtheatererfolg gewesen war. Als Meilhacs Erben 1909 anläßlich der Pariser Aufführung der späteren Operette einen Plagiatsprozeß anstrengten, bei dem der spätere französische Präsident Raymond Poincaré die Autoren verteidigte und die Erben mit einer einmaligen Beteiligung an den Pariser Tantiemen abfinden konnte, legte Leo Stein seinem Partner Victor Léon folgende Entstehungsgeschichte nahe: »Wir haben uns an eine Operette gemacht und in einigen Konferenzen … die montenegrinischen Farben, die Rollen des Zeta, der Hanna, des Danilo und Njegus, das Kolorit mit den Nationaltänzen, das Milieu des 3. Aktes frei erfunden ... Im Lauf der Arbeit kamen wir erst darauf, daß ein Stück existiere, das eine ganz kleine Ähnlichkeit mit unseren Grundideen besitzt. Wir sind der Sache nachgegangen: haben herausgefunden, daß dieses Stück der *Attaché* ist... Zur Bezeichnung ›teilweise nach einer fremden Grundidee‹ haben wir uns entschlossen, um allen Verdächtigungen mit etwaigen Schicanierungen seitens der Presse von vorneherein die Spitze abzubrechen.«[2]

Diese kleine Ähnlichkeit beruhte auf nichts weiter als der tragenden Intrige der Komödie: Der Gesandte des deutschen Kleinstaates Birkenfeld in Paris, Graf Prachs, soll verhindern, daß Baronin Palmer, eine junge und reiche Witwe aus seiner Heimat, einem Pariser Mitgiftjäger in die Hände fällt. Beide verlieben sich, wie geplant, doch er weigert sich plötzlich, nach Plan um ihre Hand anzuhalten – angewidert vom schnöden Handel, auf den er sich einließ. Erst als sein skrupelloser Rivale Frondeville durch gezielte Verleumdung das Vermögen der Baronin an sich reißen will, bekennt er im Duell mit ihm Farbe. Bis auf diese melodramatische Zuspitzung übernahmen Léon und Stein das Handlungsgerüst als Grundidee. So dürften Steins um dieselbe Zeit veröffentlichten Verse eher unfreiwillig die Entstehung des Librettos verraten:

> Man lese recht fleißig manch Büchelein,
> Dann fällt einem ›plötzlich‹ die Idee schon ein,
> Dann nehm' einen Vorschuß man von der Direktion,
> Und alles andere, das findet sich schon...[3]

Aufgrund der nach dem *Göttergatten* aufgetretenen Spannungen und in Erinnerung des *Opernballes* boten die Librettisten das Buch nicht Franz Lehár an, sondern jenem Mann, der ihn nach einem Probedirigat für den Konzertverein als Walzerinterpret abgelehnt hatte – Richard Heuberger. Nach Komposition einiger Nummern bestellte Victor Léon seinen Hauptdarsteller zur ersten Präsentation der Musik. Louis Treumann folgte nach eigenem Zeugnis der Einladung, hörte aufmerksam zu, erklärte jedoch nachher aufrichtig, daß »Heuberger bei aller Begabung und bei allem bedeutenden technischen Können gerade zwei Elemente, die für diese Komposition notwendig seien, vermissen lasse: die Exotik und die Erotik«.[4]

Der beides besaß, soll dann von ihm selbst vorgeschlagen worden sein: Franz Lehár; ein Verdienst, das nach übereinstimmender Aussage der Librettisten auch der musikalische Sekretär des Theater an der Wien, Emil Steininger, für sich beanspruchen konnte. Heuberger wurde jedenfalls von Léon mit dem Opernbuch zu *Barfüßele* abgefunden, und Lehár mit der Komposition der Operette beauftragt, die damals noch keinen Titel hatte. Der Komponist will ihn ihr aufgrund eines Hörfehlers gegeben haben, als er Steininger über die Freikartenwünsche einer lästigen Witwe schimpfen hörte. So wurde aus einer lästigen eine *Lustige Witwe*.

Komposition am Telefon

Nichts charakterisiert die Zeit ihrer Entstehung so sehr wie die Tatsache, daß die erste vertonte Nummer der *Lustigen Witwe*, der »Dumme Reitersmann«, dem Librettisten vom Komponisten durchs Telefon vorgespielt wurde. Ist Johann Strauß am Telefon schwer vorstellbar, so scheinen Lehárs Kompositionen mit ihrer technischen Vermittlung bereits während ihrer Entstehung verbunden. Das Bild des telefonierenden Operettenkomponisten, so zufällig es hier sein mag, nimmt die Möglichkeiten eines industrialisierten Zeitalters vorweg, welche die plötzliche Massenrezeption überraschend einlösen sollte.

Der angerufene Librettist indes, Victor Léon, schrieb Lehár einige Monate später zu dessen Entsetzen: »Nach meiner Empfindung muß textlich einiges geändert werden. Aber auch – und jetzt erschrick nicht! – musikalisch. Soll ich ganz offen sein? Mir fehlt die starke und eigenartige Musik, das absolut Zwingende. Vertröste mich nicht auf Orchestrieren, das ist in dieser Beziehung Nebensache. Ich habe es mir lange überlegt, ehe ich Dir das schreibe ... Und dabei bitte ich Dich, mich nicht mißzuverstehen. Ich reflektiere nicht auf Schlager à la ... ich perhorresziere diese Art Bradymusik. Ich suche aber etwas Besonderes, das musikalisch Zwingende, bei dem irgendeine Originalität hervorleuchtet. Deine Walzer zum Beispiel gehen die allerbreiteste Heerstraße. Gerade bei Walzern muß man besonders auf neuartigen Rhythmus und neuere melodische Wendungen gehen, sonst lieber nicht! Ich bitte Dich inständig, nimm mir das nicht übel, ich bin eben keine Ja-Maschine.«[5] Lehár hat nach eigenem Bekunden keine Note mehr

9 *»Nimmt uns Männer verteufelt auch her…«*
Die Schöpfer der *Lustigen Witwe* 1906:
Franz Lehár, Leo Stein und Victor Léon (von links)

geändert, wohl aber der bewußt einfach gehaltenen melodischen Linie eine instrumentale Ausmalung angedeihen lassen, die seiner Musik ihre raffinierte Originalität erst verlieh. Daß sich Léon nicht aufs Orchestrieren vertrösten lassen wollte, mithin die typische Ambivalenz Lehárs Musik nicht wahrnahm, macht deutlich, wie neu sie damals war, hatten ihr doch seine bisherigen Operetten vom *Rastelbinder* zum *Göttergatten* noch kaum Entfaltungsmöglichkeiten geboten. Und so dürfte der spätere *Walzertraum*-Librettist Leopold Jacobson das damals in Fachkreisen schwankende Urteil über Lehár getroffen haben, wenn er anläßlich der *Lustigen Witwe* schrieb: »Hat er einmal irgendwo eine banale Melodie gefunden, die an den Gassenhauer streift, dann untermalt er sie so lange und so gründlich im Orchester, daß sie plötzlich zu strahlen beginnt; damit behält der Musiker in ihm recht, aber die ›Reisser‹-Wirkung wird manchmal beeinträchtigt.«[6] Um so überraschender der völlig konträre Eindruck Karl Wallners, Co-Direktor des Theaters an der Wien, von dem das Werk blind angenommen worden war, als es ihm Lehár nach sechsmonatiger Arbeit zum ersten Mal am Klavier vorstellte: »Das ist ein Vaudeville und keine Operette!«[7]

»Das is ka Musik...«

Um dieses Vorspiel der *Lustigen Witwe* in Lehárs Wohnung in der Mariahilfstraße ranken die Legenden. Anders als die Reaktion seines Mitdirektors wurde die Wilhelm Karczags zur berühmtesten Lehár-Anekdote überhaupt. Auf die heftigen Einwände Victor Léons, der beim Vorspielen die Noten umgeblättert hatte, während die Direktoren im Nebenzimmer auf und ab gegangen waren, entgegnete dieser mit ungarischem Akzent und »völliger Ruhe: ›Regen Sie sich nicht auf, lieber Léon, das is ka Musik!‹ Dies ist eine der wahren Wahrheiten über *Die Lustige Witwe*.«[8] Die Wahrheit dieser Wahrheit blieb umstritten, auch wenn Karczag, der solche durchaus werbewirksamen Geschichten liebte, niemals dementierte und den Spruch zur 300. Aufführung der *Lustigen Witwe* gar auf eine Gedenkmünze prägen ließ. Der ebenfalls anwesende Louis Treumann modifizierte die Léonsche Wahrheit dahingehend, daß er sie Lehárs Diener in den Mund legte, der nach dem Verschwinden der Herren »erklärte, sie hätten sich mit den Worten entfernt: ›Das kann man sich doch nicht anhören, das ist doch keine Musik!«[9] Karl Wallner wiederum versuchte in einem Zeitungsartikel 1931, Karczags Verhalten als reine Geschäftstüchtigkeit hinzustellen, um das Werk günstig für seinen Verlag zu ergattern. Victor Léon widerlegte in der zitierten Gegendarstellung dies Argument, indem er darauf hinwies, daß *Die Lustige Witwe* bereits vor ihrer Entstehung von Bernhard Herzmansky für den Musikverlag Doblinger erworben worden war. Zudem war Karczag nicht bereit gewesen, für den an sich risikolosen Bühnenvertrieb, an dem der Leiter seines Verlags, Emil Berté, interessiert war, einen Vorschuß von 600 Kronen zu zahlen, so daß sein Berliner Rivale Adolf Sliwinski seinem Verlag, Felix Bloch Erben, billig die Aufführungsrechte sichern konnte und ein Millionengeschäft machte. Dieser größte finanzielle Reinfall seiner Laufbahn wäre Karczag kaum unterlaufen, hätte es sich so zugetragen, wie es Lehár, eigenen anderslautenden Äußerungen widersprechend, einer ungarischen Zeitung weismachen wollte. Die Schauspieler nämlich, überzeugt von einem Mißerfolg, konnten demnach »den stets zuversichtlichen Karczag … für einen Moment irremachen. Schließlich aber behielt sein sicheres Urteil recht…«[10]

»Die letzte Wahrheit über *Die Lustige Witwe*«

Daß es gerade die Schauspieler, allen voran die Protagonisten Mizzi Günther und Louis Treumann, waren, die verhinderten, daß die Autoren ihr Opus zurückzogen, stand auf einem anderen Blatt. Auf diesem Blatt stand freilich auch geschrieben, daß die Ausstattung aus dem Fundus bestritten werden mußte; die Grisetten trugen, wie Louis Treumann auffiel, keine Goldlackstiefeletten, von denen sie doch zu singen hatten. Für das pontevedrinische Fest im 2. Akt, dekoriert mit ein paar lumpigen Lappen, kaufte Léon gar aus eigener Tasche Lampions. Ein Grund dafür dürfte zweifellos die überstürzt angesetzte Premiere gewesen sein. Die Direktion sah sich genötigt, nach der Pleite der zwei vorangegangenen Produktionen, Leo Aschers *Vergelt's Gott* am 14. Oktober und Leo Falls bereits nach fünf Vorstellungen abgesetztem *Rebell* am 25. November 1905, ein neues Stück herauszubringen und behalf sich bis dahin mit einer Reprise der *Geisha* von Sidney Jones. Es blieb der

Lustigen Witwe also knapp ein Monat Vorbereitungs- und Probenzeit bis zum Premierendatum 30. Dezember. Die Gereiztheit Karczags ist also durchaus verständlich, zumal er mit Léon einen neuen Regisseur, mit Treumann und Günther neue Hauptdarsteller von der Konkurrenzbühne verpflichtet hatte, zu der sein Zugpferd Girardi gewechselt war. Einen neuerlichen Mißerfolg hätte das neue Team kaum verkraftet. Daß die letzte Lehár-Aufführung am Theater an der Wien, jene unselige *Juxheirat*, ebenfalls ein Durchfall war, machte die Sache nicht besser. Und so erklärt sich schließlich die allgemeine Nervosität, der die kontroversen Versionen über den Werdegang der *Lustigen Witwe* zuzuschreiben sind, und von der nur einer nicht berührt schien: Lehár selbst.

Mizzi Günther und Louis Treumann stellten sich, nachdem die Direktion abgelehnt hatte, die Vorstellung der *Geisha* zugunsten einer Bühnenprobe ausfallen zu lassen, und die Autoren das Werk schon zurückziehen wollten, »zu einer Nachtprobe (nach der *Geisha*) zur Verfügung, sie nahmen es auf sich, auch die übrigen Mitwirkenden, ja das ganze Personal dazu zu bewegen ... Die Probe dauerte von 1/2 11 Uhr nachts bis nach 4 Uhr früh ... Lehár jammerte darüber, daß er nicht einmal Zeit gefunden hätte, sich die Stichworte in die Partitur zu schreiben. Und mit dem Tanzen ging es auch nicht zusammen trotz allen Fleißes. So fand am nächsten Morgen noch eine feste Tanzprobe mit Klavier statt bei heruntergelassenem eisernen Vorhang, damit wir nicht die gleichzeitig stattfindende Orchesterprobe störten ... anschließend fand noch eine ganze Probe mit Orchester statt und dann kam – die Generalprobe. Es war die vollendetste Generalprobe, die es je gegeben hat ... Dies ist die letzte wahre Wahrheit über die *Lustige Witwe*.«[11]

Denkwürdige Premiere

Obwohl von Karczag hinausgeworfen, war Ludwig Karpath, der einstige *Kukuška*-Förderer, von Lehár dazu überredet, als einziger Kritiker bei dieser Generalprobe anwesend. Er wurde zum Propheten des großen Erfolgs und schrieb im Neuen Wiener Tagblatt über die Premiere von einem »enthusiastischen Erfolge ... Endlich eine Operette, wie sie sein soll, ein feines, sauberes und doch ungemein amüsantes Buch, dazu eine geistreiche, entzückende Musik ... die in kürzester Zeit in ganz Wien populär sein wird.«[12] Julius Stern vom Fremden-Blatt hingegen stellt zwar gerade dies dahin – »ob sie populär wird, kann man nicht wissen« – aber »das Publikum ... unterhält sich ... famos«.[13] Übereinstimmend ist in den Kritiken die Rede von »animierter Stimmung, die sich immer mehr steigerte und der Novität zu einem Triumphe verhalf ... Die Aufführung gehört zu den besten, die seit langem in diesem Theater geboten wurden.«[14] Trotz dieses positiven Echos bei Presse und Publikum verkauften sich die Vorstellungen anfangs nur schleppend. Nicht zuletzt darin mag jene hartnäckige Legende vom Premierendurchfall der *Lustigen Witwe* begründet sein, die von den Autoren später mit Freuden verbreitet wurde.

Die Direktion behalf sich vorerst mit Ausgabe von Freikarten. »Im Durchschnitt mußten wir damals 200 bis 300 Kronen als Freikarteneinnahmen bei etwa 2000 bis 3000 Kronen Gesamteinnahmen buchen.«[15] (Ein ausverkauftes Haus brachte circa 5000 Kronen.) Ungefähr ab der 50. Vorstellung Mitte Februar 1906 änderte sich das schlagartig. Der Dirigent der Aufführungen, Robert Stolz, gab an, daß ab der 41. Vorstellung *Die Lustige Witwe* ausverkauft war. In der Sommerpause siedelte das Ensemble in die Volksoper über, um u. a. die glücklose *Tatjana* abzulösen. Die Jubiläen überschlugen sich fortan und der »Kassier des Theaters an der Wien bekam für Reservierungen von Karten so ansehnliche Trinkgelder, daß er sich zwei Jahre nach der Premiere ein Wiener Zinshaus kaufen konnte. Als man Karczag fragte, was er zu dieser Transaktion seines Kassiers sage, meint er lächelnd: ›Habe nichts dagegen. Ich habe mir in der Zeit zwei Häuser gekauft.‹«[16]

Außerdem hatte er zu ihrem 300. Bühnenauftritt der häuserspendenden Witwe eine neue, standesgemäße Dekoration spendiert und Léon ein weiteres Bonmot geliefert, dem zufolge eine wirklich gute Operette keine besondere Ausstattung benötige. Am 27. April 1907 wurde dann das in der Wiener Theatergeschichte noch niemals zuvor erreichte 400. Jubiläum gefeiert, »eine Aufführungsziffer, von der man in der großen klassischen Operettenzeit nicht zu träumen gewagt hätte. Sie konnte nicht weniger als vierhundertdreißigmal en suite gegeben werden.«[17] – laut Karl Wallner gar 455mal – und wurde erst am 2. November 1907 von Leo Falls *Dollarprinzessin* abgelöst, die es gerade einmal auf 56 Wiederholungen brachte, wiederum gefolgt von einem neuen Lehár, dem *Mann mit den drei Frauen*, der jedoch kaum erfolgreicher war als seine Vorgängerin. Daß diese *Dollarprinzessin* nach der Berliner Premiere ein weiterer Welterfolg der Wiener Operette werden sollte, machte ihrem Namen zu Recht alle Ehre. Schließlich waren es vor allem die Dollars, die im Sog der *Lustigen Witwe* aus dem Genre Wiener Provenienz ein internationales Geschäft machten.

Der Danilo, der nicht singen konnte

Als erste deutsche Bühne brachte am 3. März 1906 das Hamburger Neue Operettentheater unter Max Montis Direktion *Die Lustige Witwe* heraus. Kaum zwei Monate später gastierte das Hamburger Ensemble in Berlin. Die Premiere im Berliner Theater am 1. Mai 1906 mit Gustav Matzner als Danilo, Marie Ottmann als Hanna und Lehár am Pult war ein lärmender Erfolg. Besonders der Walzer schlug zum Leidwesen des Kritikers des Berliner Lokalanzeigers derart ein, daß er »ungezählte Male gesungen und vom Orchester vorgetragen werden mußte. Das Publikum wollte sich nicht beruhigen und verlangte ihn immer wieder, bis das ganze Haus ihn mitsummen konnte. Es war das zuviel des Guten; zuletzt hatte man das leise Gefühl, als wäre die hübsche Melodie ein abgeleiertes Stück, das man wieder zu vergessen sich bemühen müßte…«[18] Die Produktion siedelte später ins Theater des Westens über und brachte es in Berlin en suite auf über 600 Vorstellungen und ihrem Direktor Max Monti das Neue Operettentheater am Schiffbauerdamm.

Der Welterfolg aber ging erst von der Londoner Aufführung aus. Deren Vorgeschichte erinnert in fataler Weise an die der Wiener. Nur durch Zufall konnte hier der entscheidende Mann gewonnen werden: George Edwardes, »the Guvnor« der englischen Musical Comedy. Er hatte diesen Begriff in Abgrenzung zur alten Comic opera geprägt, als Mischung drastischer Komik und musikalischer Romanze. Mit Sidney Jones' *Geisha* und *San Toy* begründete er den neuen Stil und mit deren Erlös ein Theaterimperium, dessen Stützen das Gaiety, zuständig für burleske, und das Daly's, zuständig für mondäne Unterhaltung, waren. Nachdem er mit französischen Stücken kein Glück hatte, machte ihn der Musikverleger William

Boosey auf Betreiben seines Kollegen Sliwinski auf Wien aufmerksam. Im Jahr 1906 sah Edwardes dort die *Lustige Witwe* und erwarb, keineswegs völlig überzeugt, von Sliwinski die Rechte, ebenso die für Falls noch unvollendete *Dollarprinzessin*, die er zuerst bringen wollte. Doch nach dem Flop von Hugo Felix' *Les Merveilleuses* sah er sich gezwungen, schnell zu handeln, und entschied sich für die fertige *Lustige Witwe*. Capitain Basil Hood mußte das Libretto nach englischem Geschmack gründlich umarbeiten. Pontevedro hieß jetzt Marsovia, Hanna Glawari – Sonia, Valencienne – Natalie, Rosillon – Jolidon, dem der »Zauber der Häuslichkeit« als Solonummer zufiel, Njegus hieß Nisch, für dessen Darsteller William Berry schrieb Lehár eine Einlage, auf den Text: »I was born by cruel fate/in a little Balkanstate...«. Schließlich wurde aus Zeta – Popoff, dessen Rolle für den großen Komiker George Graves erweitert wurde, der unter anderm über seine Lieblingshenne Hetty und ihre Neigung, gebogene Eier zu legen, extemporierte.

Als Lehár mit seinen Librettisten, von Edwardes nur »the Troupe« genannt, in London ankam und der ersten Probe beiwohnte, war er entsetzt. Im Orchester saßen nur 28 Musiker. Lehár verlangte mindestens sechs mehr. Edwardes tat ihm den Gefallen, aber im Orchestergraben war nicht genügend Platz vorhanden, die Musiker konnten sich nicht mehr bewegen, so daß es bei den 28 blieb. Hinzu kam, daß George Graves die Bühne ausgiebig mit fremdsprachigen, unverständlichen Späßen, mit ihrer Stimme hingegen Lily Elsie nur ungenügend ausfüllte. Die Darstellerin der Titelfigur war von Edwardes sogar nach Wien geschickt worden, um Mizzi Günther zu studieren, worauf sie beinahe die Rolle abgegeben hätte, mit dem Kommentar, sie erfordere eine Opernstimme, die sie bei Gott nicht habe. Konnte die strahlende Erscheinung der Einundzwanzigjährigen den Komponisten noch versöhnen, verblüffte ihn Joseph Coyne als Danilo vollends. Bei den Klavierproben übersprang er die Musiknummern, was Edwardes mit einer Erkältung entschuldigte. Als bei der Kostümprobe Gesang nicht mehr zu vermeiden war, erhob Coyne die Stimme und – sprach seine Lieder. »When this happened Lehár was horrified. He stopped the rehearsal; he put down his baton. ›What was this?‹ he demanded. No chance for pleas of a cold or other evasions now! Edwardes assured Lehár that Mr. Coyne was a very funny man. ›But I have not written funny music‹, retorted

10 *»Lippen schweigen…«*
Lily Elsie als Sonia und Joseph Coyne als Danilo
in *The Merry Widow* 1907 (Daly's Theatre, London)

Lehár. Edwardes was stung to answer. He had faith in Joe; he would show Lehár and the rest that he was right! ›Herr Lehár‹, he said, ›that man will put a fortune in your pocket, even if he does not sing your beautyful music.‹«[19] Dieser Danilo, der nicht singen konnte, fühlte sich vor der Premiere wie ein Verbrecher vor der Hinrichtung. Was dann geschah, war nach den eben zitierten Augenzeugen Macqueen-Pope und Murray »Success – sucess of the biggest and brightest kind – success one seldom sees in theatre. It was a triumph; it was more, it was the birth of a new era in musical plays«. Über eine Million Londoner sahen die Produktion und Coyne sprach die Rolle, die er trotz aller Popularität, die sie ihm brachte, bis zur letzten Vorstellung am 31. Juli 1909 nicht mochte, 778mal, bis er und Lily Elsie nach Lehárs Meinung erklärten, »sie seien schon zu müde und könnten nicht mehr weiter«.[20]

Geradezu eine Operettentat

Die Sensation, die der Text der *Lustigen Witwe* bei ihrem Erscheinen machte, gibt heute Rätsel auf. Daß die Grundidee des *Attaché* dabei nur ein, wenn auch wirksames, Vehikel darstellte, lag bereits den Zeitgenossen auf der Hand. Zwar fand die Gattung nach langer Krise »das gesuchte Rezept. Es hieß: Einführung eines ernsten, gefühlvollen Konflikts, ohne daß der Witz dabei zu Schaden kam.«[21] Zwar waren, wie Paul Bekker schlüssig folgerte, »mit beispiellos glücklichem Geschick… all die Motive zusammengetragen, welche Massentriebe zu reizen vermögen, Publikumsinstinkten schmeicheln. Hier sind Lolo, Dodo, Frou-Frou, dort ist eine ›anständige Frau‹, hier ist Maxim, dort der ›Zauber stiller Häuslichkeit‹. Ballsirenen, Pontevedriner, Grisetten, trottelhafte Gesandte, heiratslustige Männer und verschmitzte, gut pomadisierte Kanzlisten feiern einen bunten Karneval.«[22]

Doch was machte gerade die Trotz- und Zähmungsgeschichte der Hanna Glawari und des Danilo Danilowitsch so epochal? Lehár beantwortete die Frage schlicht und nicht weniger rätselhaft: »Man hat nach langer Zeit wieder natürliche Menschen auf der Bühne gesehen, Menschen, mit denen wir täglich in Berührung kommen.«[23] Für Felix Salten hingegen war die Handlung »in exotische, varietéhafte, dekolltierte und heiße Sinnlichkeit getaucht. In jene Sinnlichkeit, wie wir sie heute darstellen: das volle Herausschlagen des Begehrens und der Begierde; bis an die Grenze des Taumels. Enthüllung des Triebhaften.«[24] Doch jeder Enthüllung geht eine Verhüllung voraus. Schon die erste Begegnung der Protagonisten eröffnet dieses Spiel der Emotionen: »They met. And there was a thrill for everyone in that meeting ... Danilo covered his embarrassment – and the widow took the initiative ... it was now evident that something new in musical plays (if not in Shaw's) had arrived. In this one the women was to be the pursuer.«[25] Die emanzipierte Hanna Glawari und der ihre Unabhängigkeit nur schwer ertragende Danilo, beide unfähig, ihre Gefühle zu zeigen, trafen den Nerv einer neuen Generation. Hier war eine moderne Frau, finanziell und gesellschaftlich unabhängig, von Männern umschwärmt; dort ein leichtsinniger, stolzer Mann mit den lässigen Allüren eines Dandys, erschöpft von den Frauen im Maxim. Und es gab eine gemeinsame Vorgeschichte, von den Librettisten neu erfunden, eine alte Operettengeschichte von unglücklicher, erster Liebe dieses Mannes zu einem armen Mädchen namens Hanna, die er wegen Vermögens- und Standesschranken nicht heiraten konnte. Das bemerkenswerte an der *Lustigen Witwe* jedoch ist gerade, daß solche sozialen Hindernisse keine Rolle mehr spielen. Vielmehr will die Gesellschaft die Verbindung von Hanna und Danilo um jeden Preis. Immerhin steht der pontevedrinische Staat auf dem Spiel. Ungeniert werden angesichts kapitalistischer Notwendigkeiten alle bürgerlichen Moralbegriffe vorerst verabschiedet. Nicht mehr die Gesellschaft verhindert die Liebe, sondern die Liebenden selbst.

Beim erwähnten unverhofften Wiedersehen flammt beider Leidenschaft aufs neue heftig auf, aber es ist der Widerspruch zu ihrer jetzigen, ungebundenen Lebensweise, der es unmöglich macht, es dem anderen einzugestehen. Provozierend bietet das Mädchen Hanna dem Grafen Danilo an, woran die damalige Verbindung gescheitert ist: Geld. Damit dreht sie die Geschlechterkonstellationen um. Die Kühnheit dieser Umkehrung war eine der Sensationen dieser Romanze und konnte von Danilo nur mit einer weiteren Umkehrung beantwortet werden: Verweigerung – ein Geschlechterkampf mit umgekehrten Vorzeichen. Dabei ist den Gefühlen nicht mehr zu trauen: die echten geben sich falsch, die falschen echt. Während ihre Sehnsucht nur die falschen Worte findet,

11 *»Eine Operettentat!«*
Louis Treumann faßt Mizzi Günther am Hals
und tänzelt epochal (1906)

spricht die Musik um so beredter davon, wenn auch in der Maske des Märchens. Hannas Vilja-Lied, Danilos Ballade von den Königskindern sind verschlüsselte Botschaften. Erst im Tanz aber enthüllt sich das Triebhafte wirklich. Als Treumann den berühmten Walzer tanzte, wurde er als Ausdruck einer Ekstase empfunden, »die ihn über das Wort, über den Gesang hinaus zum Tanz fortreißt. Er schleudert sich in den Tanz, wie einer, der von Gluthitze versengt ist, sich in ein kühlendes Bad wirft ... Er scheint auch alles zu riskieren, Sturz oder Fall, oder jähen Verlust des Gleichgewichts ... Charakteristisch wie die blonde Behaglichkeit der Günther an seiner Glut in Brand gerät.«[26]

Wenn Danilo im ersten Finale die tanzende Gesellschaft von der Operettenbühne vertrieb, war das symptomatisch für den neuen Operettenstil. Der Tanz galt nicht mehr wie bei Johann Strauß einem tanzenden Kollektiv, sondern der Zwiesprache zweier Individuen, die sich mit Worten nicht mehr verständigen können. Was

»alle Schritte sagen«, wird zum eigentlichen Dialog. Im Schlußwalzer der *Lustigen Witwe* fand der Sprachskeptizismus der Epoche eine glücklichere Lösung als sich Hofmannsthal träumen ließ – Danilo, *Der Schwierige* der Operette. Bei seinem ersten Auftauchen ist der Walzer »gerade darum beredt, weil er textlos bleibt; und der Text, den er als Duett im dritten Akt erhält (›Lippen schweigen...‹), besteht nicht aus Worten, die Hanna und Danilo sagen, sondern aus einem Kommentar über den Inhalt ihres Schweigens. Bereits mit seinen ersten Worten verleugnet der Text, paradox genug, sich selbst.«[27] Die Sensation der *Lustigen Witwe* kulminierte damals in dieser »ersten zum dramatischen Moment arrangierten Tanzszene ... als zum ersten Mal Herr Treumann Frau Günther beim Halse faßte und so mit ihr freischwebend kreiselnd tanzte, da war das geradezu eine Operettentat«.[28]

»Von der Epoche gemodelt«

Daß gerade diese berühmteste Nummer der *Lustigen Witwe*, das Walzerduett »Lippen schweigen«, bei der Premiere noch gar nicht existierte, gibt einigen Aufschluß über den Werkcharakter einer Operette. An seiner Stelle stand ursprünglich »ein köstliches, lyrisch gehaltenes Duett zwischen Treumann und Frau Günther, die mit besonders gefälligen Akzenten den ›Zauber der Häuslichkeit‹ besingen«.[29] Das Duett, im jetzigen Klavierauszug als Nr. 5 Valencienne und Camille zugeteilt, eine Verlegenheit, die in den meisten Inszenierungen zu seiner Streichung führt, verlieh der Liebesgeschichte Hannas und Danilos ironisch einen bürgerlichen Abschluß. Aber nicht der »Zauber der stillen Häuslichkeit«, sondern die »Tanzszene mit dem Walzer, eigentlich ist es nur ein Walzerfragment, begleitete die Premierengäste nach Hause«.[30] Obwohl ohne Worte in einer pantomimischen Nummer versteckt, wurde der Walzer schon bei der Premiere dreimal zur Wiederholung verlangt – vom Publikum fast gegen die Autorenintentionen zum Schlager erkoren. Wenn Felix Salten den Librettisten der *Lustigen Witwe* konzidierte, es sei ihre »biegsame anschmiegsame Mimikrynatur ... halt von der Epoche langsam gemodelt worden ... wie man einen Bleistift spitzt«,[31] so wird er durch die Entstehung von »Lippen schweigen« bestätigt. Überrascht vom Erfolg des Walzers, ergriffen die Autoren den gespitzten Bleistift und gaben ihm nachträglich einen Text. Wie Lehár in einer schwachen Stunde gestand, »wurden die Worte zu meinem Hauptwalzer in der *Lustigen Witwe* ... erst nach der hundertsten Aufführung verfaßt«.[32]

Auch das nicht minder populäre Vilja-Lied wurde erst im nachhinein mit dem endgültigen Text versehen. Die hemmungslose Suche nach dem Reißer, die jenen Walzer noch übersehen hatte, führte laut Emil Steininger dazu, daß Karczag Lehár nahelegte, »zu der fast vollendeten Operette noch eine besonders wirkungsvolle Nummer hinzuzukomponieren ... Vor allem vermißte er den großen Schlager ... er spielte Karczag ein Lied vor, das er ursprünglich für *Wiener Frauen* geschrieben hatte«[33] und das im *Göttergatten* als Gebet des Chores mit den Worten »Juno, o Juno, wir beten dich an ...« bei der Generalprobe gestrichen worden war. Die scheinbar naive Melodie, deren Anfang Note für Note »Lippen schweigen« entspricht, war also keineswegs folkloristisch gemeint, so authentisch sie daherkommt, sondern ist zitiert. Den innigen südslawischen Volkston gewann das Vilja-Lied erst in Kontrast zu Leo Steins nachträglich unterlegter grausamer Märchenerzählung von der dalmatinischen Sagengestalt, die den Jägersmann in ihr felsiges Haus zieht.

Wie der Theaterbetrieb und die Reaktionen des Publikums wirkte auch dessen Befindlichkeit auf das Werk zurück. Während später in London, Paris oder Amerika der 3. Akt im echten Maxim spielte, arrangiert im Original Hanna Glawari ein Pseudo-Maxim, »weil wir in Wien damals noch nicht soweit waren, eine vornehme Gesellschaft mit Damen in ein ausgesprochenes Kokottenlokal kommen lassen zu dürfen«,[34] wie Victor Léon einräumte. Das zeitgenössische Wiener Publikum durchschaute diese Verabredung ebenso wie im fiktiven Pontevedro des Librettos das durch »die Albernheit unserer Zensur«[35] schlecht verborgene reale Montenegro. Auch in den Bühnenvorgängen war eine Travestie der eigenen Zustände leicht erkennbar. Die in der *Lustigen Witwe* angeschlagenen Themen des »Wahlrechts«, des »Dreibunds« oder des »europäischen Gleichgewichts« standen in der politischen Diskussion. Im Spott auf den balkanischen Kleinstaat war die aktuelle Satire Österreichs gut erkennbar versteckt.

Schließlich ist die Rolle des Danilo ohne einen Darsteller wie Treumann nicht denkbar, der aus ihm eine balkanisch radebrechende Figur machte und ihm durch die Mischung von Weltläufigkeit und Provinzialität seine eigene Realität verlieh. Noch im hohen Alter verwies er stolz auf seine Art der Autorenschaft: »Die Rolle des Danilo war in hochdeutscher Sprache geschrieben, den Dialekt habe ich mir selbst zurecht gelegt«[36] – und war noch Jahrzehnte für alle Darsteller der Rolle verbindlich: Ein Danilo hatte so zum Beispiel statt Hanna stets »Channa« zu radebrechen, auch wenn das konkrete Vorbild längst vergessen war. Ähnlich verbindlich wurde seine Interpretation der »Königskinder«, wie sie Felix Salten festhielt: »Er packt die ganze, schöne Einlage, die Ballade von der treulosen Prinzessin, und sprengt sie mit seiner Eifersucht auseinander, zerfetzt sie und wirft sie der Geliebten keuchend, stückweise abgerissen ins Gesicht. Er singt keine Ballade... er macht seiner Channa eine Szene.«[37]

Noch entscheidender für den Werkcharakter dürfte gewesen sein, daß Danilo für Treumann im Unterschied zu künftigen Operettenhelden und heutiger Aufführungspraxis noch als Komikerrolle konzipiert war. Als Treumann, vom Carl-Theater als Komiker zum Theater an der Wien gekommen, mit seinem Rollenfach in der Nachfolge Girardis haderte, beruhigte ihn Victor Léon hinsichtlich der Zuschauer uneigennützig. »Später wirst Du ihnen auch zeigen – so ganz bestimmt in der *Lustigen Witwe* – daß Du auch als Komiker berufen bist, in allererster Reihe zu stehen. Sei also gescheit... Vertrau mir! Und sei überzeugt, daß ich es hier nicht auf Tantiemen abgesehen habe.«[38] Daß Treumanns Interpretation als stolz-lässiger Lebemann dann Schule machte und den Danilo zum tenoralen Bonvivant, sollte nicht darüber hinwegtäuschen, daß die klassische Tenorrolle mit dem Lehár-typischen pathetischen Lied (»Wie eine Rosenknospe ...«) in der *Lustigen Witwe* Camille de Rosillon zugedacht ist. Die stimmlichen Ansprüche, die der Komponist an den Darsteller des Danilo stellt, sind von denen kommender Lehár-Partien noch weit entfernt. Und so entgegnete er zu Recht dem Einwand, »der Liebhaber wird den Danilo nicht spielen und der Komiker wird ihn nicht singen können ... – Wenn es heute keinen Danilo gibt, so werden sie zu Dutzenden heranwachsen.«[39]

»Oh, ihr verfluchten Millionen!«
Konjunktur und Kult der *Lustigen Witwe*

»Welch ein eigenwilliger Moderner!«
Karl Kraus [1]

London – New York – Paris

Die Londoner *Merry Widow* war der Beginn eines Welterfolgs von bisher unbekanntem Ausmaß. Bereits am 28. November 1907 brachte das New Amsterdam Theater *Die Lustige Witwe* mit Ethel Jackson und Donald Brian in New York heraus, am 2. Dezember folgte Chicago. Der Produzent Colonel Henry W. Savage schickte sie als Tournee durch die Vereinigten Staaten und erreichte in kurzer Zeit 5000 Aufführungen. Auch George Edwardes organisierte mit verschiedenen Theater-Kompanien Gastspiele in den britischen Kolonien – in Südafrika, Indien, Ceylon und Australien, selbst in Fernost, in China, Japan und am Rande der damaligen Zivilisation. So machte der italienische Afrikaforscher Kapitän D'Alberti »eine epochemachende Entdeckung ... Bei einer Expedition nach den Victoria Falls wunderte der Afrikareisende sich nicht wenig, als im Urwaldhotel nach aufgehobener Tafel eine Bühne improvisiert ward, auf der eine Afrika durchziehende europäische Operettengesellschaft die *Lustige Witwe* aufführte! Ein Extrazug brachte aus ganz Nord-Rhodesien die Farmer und ihre Damen herbei, die sich an dem lang entbehrten Kunstgenuß ungeheuer erbauten.«[2]

Noch 1907 erschien sie als *Viuda alegre* in ganz Lateinamerika – von Manaus, dem Opernhaus am Amazonas, bis Buenes Aires, wo sie in fünf Theatern in fünf verschiedenen Sprachen herauskam –, eroberte Stockholm, Kopenhagen, Moskau, Mailand. Diese einhellige weltweite Verbreitung einer Operette war neu. Im 19. Jahrhundert hatte die Operette als eine milieugebundene Gattung noch stark nationalen Charakter. Die europäische Offenbach-Begeisterung der sechziger Jahre führte bald zu eigenen, lokalen Varianten. In England dominierte die Savoy-Opera, im

Monsieur ALPHONSE FRANCK
Directeur du Théâtre Apollo &
LES AUTEURS de "LA VEUVE JOYEUSE"
prient Monsieur Franz Lehar et Madame
de leur faire le plaisir d'assister au BAL COSTUMÉ qu'ils
donneront au Théâtre Apollo, le Vendredi 26 Novembre 1909,
à l'occasion de la Cent Cinquantième Représentation
de l'Opérette de M. FRANZ LEHAR.

Le Costume d'Opérette ou d'Opéra-Comique sera de rigueur.

R. S. V. P.
au Théâtre Apollo

La présente Invitation, absolument personnelle,
sera exigée à l'entrée.
Les portes s'ouvriront à Minuit trois quarts.

Imp. Marcel Picard

12 Einladung Lehárs zum 150. Jubiläum
der *Lustigen Witwe* 1909 in Paris

deutschsprachigen Raum die Wiener Operette, ein Austausch wie im Fall des *Mikado* fand selten statt. So war selbst die *Fledermaus* außerhalb der deutsch-österreichischen Grenzen kaum populär geworden, und wenn sie aufgeführt wurde, nahmen sich ihrer die Opernhäuser und nicht die großen Unterhaltungstheater an. Auch Offenbachs außereuropäische Wirkung war zu Lebzeiten eher bescheiden, wenngleich er den ersten Impuls zur Verbreitung des Genres gab. Nicht zufällig ist Paris die letzte Station des Triumphzugs der *Lustigen Witwe*. Das lag nicht allein am erwähnten Urheberrechtsstreit, sondern vor allem an der großen französischen Operettentradition, die ausländische Werke kaum aufkommen ließ. Sie fiel als letzte Bastion. Als Zugeständnis an sie kam hier die Titelheldin aus Amerika, war auf dem Balkan aufgewachsen und hieß Missia Palmieri, in Anlehnung an die Baronesse Palmer in Meilhacs *Attaché* und Danilo, ein durch seine Spielleidenschaft ruinierter Graf, über Jahre vom Bariton Henry Defreyn verkörpert, sang im Maxim-Lied »C'est tout un demi-monde/Où jamais on n' dit non«. Der Verleger Sliwinsky, der schon die Londoner und New Yorker Produktionen protegiert hatte, mietete das Théâtre Apollo, wo unter der Direktion Alphonse Francks *La Veuve Joyeuse* am 28. April 1909 erst skeptisch aufgenommen wurde, ehe sie auch hier ihre Serienerfolge fortsetzte. Mit der *Lustigen Witwe* war die Operette eines der ersten modernen, internationalen Massenmedien geworden.

Marktlücke *Lustige Witwe*

Daß mit einem Schlage die damalige Operettenkrise überwunden und zugleich ein neues Modell bis zum Verlöschen des Genres etabliert wurde, kam einer Revolution gleich. Wie 1907 Marconis erste drahtlose transatlantische Telefonverbindung die Kontinente näherrückte, verknüpfte auch *Die Lustige Witwe* die Kulturen. Mit erstaunlicher Absichtslosigkeit traf ihr Schöpfer den Nerv der Zeit. Felix Salten, der schon früh das Phänomen erkannte, verglich ihn denn auch mit Kindern, die zu sprechen beginnen: »Sie treffen den Zeitton von selbst. Lehár trifft ihn; bewußtlos ... Lehár ist mehr allgemein modern als wienerisch, er ist mehr durch die Zeit als durch einen Ort zu bestimmen. Er ist von 1906, von jetzt, von heute ...«[3]

Daß die neue Sprache nicht mehr das alte Wiener Idiom war, fiel auf und erklärt gewiß zum Teil die anfangs laue Aufnahme des Werks in Wien. Doch war das Wien von 1906 längst nicht mehr das eines Johann Strauß, mit dem es musikalisch nach wie vor identifiziert wurde. Zählte Wien im Jahre 1880 noch 704760 Einwohner, war es 1910 mit 2030850 Einwohnern hinter London (4,8 Millionen), New York (4,3 Millionen), Paris (2,7 Millionen), Chicago (2,5 Millionen) und Berlin (2,1 Millionen) sechstgrößte Stadt der Erde. Dies war nicht nur Ergebnis der umfangreichen Eingemeindungen, sondern vor allem großer Einwanderungsschübe, so daß bereits 1890 der Anteil der auswärts Geborenen mit 55,3% den der in Wien Geborenen deutlich übertraf. Aus allen Teilen des Habsburger Reiches waren Tschechen, galizische Juden, Bosnier, Slowaken und Ungarn in die Hauptstadt geströmt, um über rasche Assimilation an deren Glanz teilzuhaben. Nicht umsonst wurde Lehár als ›Slawe‹ nach dem *Rastelbinder*, der auch noch ein Einwandererschicksal thematisierte, sogleich mit ihnen assoziiert. Als ›Tornisterkind‹ kannte er den Vielvölkerstaat und seine Musik wie kein zweiter und war geradezu zum Sprachrohr dieses Völkergemischs prädestiniert. Daß diese Prägung einerseits und »sein noch halbbewußtes Gespür für die Bedürfnisse eines anbrechenden Medienzeitalters andererseits eine Marktlücke ausfüllen halfen, die 1905 erst im Begriff war zu entstehen«,[4] verleiht dem scheinbaren Zusammentreffen glücklicher Zufälle ihren höheren Sinn.

Jahre später äußerte Lehár auf englisch eine Utopie: »I believe it is beginning to form a new human race, the ›Operetta race‹, the race of people who are always happy, always in good humour.«[5] Tatsächlich begann sich mit Aufkommen der *Lustigen Witwe* wenn nicht eine neue Rasse, so doch ein neues, nicht mehr homogenes Publikum zu bilden, dessen Rezeptionsverhalten sich vom früheren großbürgerlichen Publikum des Theaters an der Wien, das jene ersten 50 Vorstellungen nur schlecht besuchte, grundlegend unterschied. Wie Wien mit einem Male zur Millionenstadt geworden war, hatte sich weltweit ein Markt gebildet, der unersättlich schien. Schon ein gutes Jahr nach der Uraufführung, also bereits vor dem internationalen Durchbruch, meldete Sliwinski seinem Komponisten 3970 Vorstellungen allein in Österreich-Ungarn und Deutschland. Die folgenden Jahre vor dem Ersten Weltkrieg wurden zur Zeit der ersten, mitunter jahrelangen Serien, die Lehárs *Lustige Witwe* eröffnete – ein Phänomen, das man bisher nur aus London oder Paris kannte. Und es ist die große Zeit der Operettenbühnen, so daß beispielsweise »in Berlin ... ein halbes Dutzend Theater von der Operette leben könnte, während ihr in Wien vier Musentempel ganz, die Volksoper sowie zwei Varietés wenigstens teilweise geweiht sind«.[6] Genügten noch in der klassischen Ära Carl-Theater und Theater an der Wien der Nachfrage, dominierte nun die Operette über Jahre das Repertoire der meisten Bühnen. Dabei wurde keineswegs mehr komponiert als zu jener Zeit – im Gegenteil –, das Repertoire beschränkte sich, aufgrund langlaufender Serien, eher auf einige Zugstücke. So wurden Lehárs »*Zigeunerliebe*, *Fürstenkind* und *Graf von Luxemburg* ... in drei Wiener Theatern im gleichen Jahr (1910) je 200mal gegeben«.[7] Dieser quantitative Zuwachs der Nachfrage ist nicht nur durch ein breiteres, großstädtisches Publikum, sondern vor allem durch dessen verändertes Rezeptionsverhalten zu erklären. Wenn eine Operette »ziehen soll, muß es in den ersten 50 Aufführungen Leute geben, die sechs-, sieben- bis achtmal hineingehen«.[8] Schönberg erwähnte gar einen Mann, der »*Die Lustige Witwe* mehr als hundert Mal gehört habe«.[9] Die Operette wurde zum Ritual ihrer Zeit.

»A smash Hit«

Die Lustige Witwe löste eine der größten Theaterepidemien der Geschichte aus. Das Ausmaß ihrer Rezeption war bereits das echter Massenkultur, sowohl die geographische als auch die quantitative Ausbreitung innerhalb kurzer Zeit ist bezeichnend. Sie stellte den »Durchbruch zur internationalen Operette und ihren internationalisierten Rezeptionsbedingungen«[10] dar. Sie zeigte sich darin als Vorläuferin technischer Medien wie des Grammophons und des Films, mit denen sie sich bald verband, und ihrer internationalen Wirkung. *Die Lustige Witwe* erlebte allein bis zum Mai 1909 über »18000 Aufführungen in 422 deutschen, 135 englischen und 154 amerikanischen Städten«.[11] Es ist kein Zufall, daß gerade der amerikanische Erfolg entscheidend für den internationalen wurde. Während in Europa sich kulturelle Traditionen und soziale Bindungen durch Migration der Bevölkerung zu lösen begannen, waren sie in Amerika Resultat dieser Umwälzungen. Das amerikanische Publikum entsprach darin dem des Vielvölkerstaats, das in der Operette die adäquate, von Bildungsballast befreite, für alle Strömungen offene Theaterform gefunden hatte. Daher riß, wie Leonard Bernstein konstatierte, eine moderne »Operette wie die *Lustige Witwe* von Lehár das Broadway-Publikum zu Begeisterungsstürmen hin und war der Anfang einer ganzen Reihe ähnlicher Operetten«.[12] Eine eigene Unterhaltungsindustrie war erst im Entstehen und wie das Publikum noch an Europa orientiert.

»The American musical theater, as it existed on Broadway prior to World War I, was dominated by the importation of European operetta... The *Merry Widow* has proven to be the most popular of any of the Central Europe operettas and has been revived successfully on numerous occasions ... In it's initial New York presentation, *The Merry Widow* ran impressively for 416 performances and grossed a million dollars – a smash hit by anybody's standards in those days.«[13]

Lehár ist selbst nie nach Amerika gereist, trotz verlockender Angebote, wie dem einer Tournee mit »hundert Konzerten in drei Monaten, für jedes Konzert … tausend Dollar. In drei Monaten eine runde halbe Million Kronen – er mußte ablehnen. Er hatte einfach keine Zeit.«[14] Neben den $ 150 000, die Colonel Savage dem Komponisten allein 1908 überwies, belegen zahlreiche Anekdoten und Karikaturen die Popularität des Werkes in Amerika, wie die einer Menschenmenge, die einem Mann hinterherläuft. Wer ist das? Als ein Passant diese Frage stellt, wird ihm geantwortet, dort laufe ein Mann, der *Die Lustige Witwe* noch nicht gesehen hat. Der New York Herold wiederum berichtete von einem Polizisten in Brooklyn, der, als er den berühmten *Witwen*-Walzer vor sich hinpfeift, von einem Fremden wegen seiner Pfeifkünste gelobt wird. Der Mann stellt sich als Komponist des Walzers vor und dem Polizisten zum Dank einen Gutschein für 2 Freikarten im New Amsterdam Theater aus. Der leiht sich sofort einen Frack, spendiert seiner Freundin ein neues Kleid, doch als er frohgemut an der Theaterkasse erzählt, Lehár habe ihm zwei Freikarten hinterlegt, bricht schallendes Gelächter aus. Um sich nicht vor seiner Freundin zu blamieren, muß er die ihm angebotenen teuren Karten kaufen. Der Artikel schließt mit dem Rat: »Pfeifen Sie nichts aus der *Lustigen Witwe* auf der Straße, besonders in Brooklyn nicht.«[15] Gewiß reihte sich besagter Polizist unter die Männer, die Lehár hinter einer Ecke auflauern, um ihn dafür büßen zu lassen, daß er die ganze Familie verrückt gemacht hat. Die Karikatur ist mit folgenden Versen untertitelt:

> There was a composer named Lehár,
> Who wrote the Merry Widow, by gar!
> But after you'ven heard
> It whisteled a thousend times
> You'd like to meet Lehar on a dark night in an alley.[16]

Die Lustige Witwe machte in Amerika richtiggehend Mode. Es gab *Merry Widow*-Schuhe, -Korsetts und -Cremes, ja *Merry Widow*-Hotels und -Restaurants, mit *Merry Widow*-Cakes, -Schnitzeln und -Likör auf der Speisekarte, nach denen man sich die *Merry Widow*-Cigar gönnte. Der Gipfel dieser Mode aber war der wagenradgroße *Merry Widow*-Hat, den Lily Elsie in London für den 3. Akt

13 *»Oh, say no more…«*
Danilo (Donald Brian), Sonia (Ethel Jackson) und Popoff im New Yorker Jugendstilambiente (New Amsterdam Theatre, 1907)

kreiert hatte und den Ethel Jackson in New York übernahm: »... a hat? no, a HAT – the sight of which sent every woman into ecstasy and the quick resolve to have one just like that at the earliest possible moment«.[17]

Neben solch offensichtlicher Vermarktung machte vor allem der große Walzer Furore, der sich schnell die ganze Welt erobert hatte und zum Walzer schlechthin wurde. Es war »ein bekannter ausländischer Theaterdirektor«, vermutlich George Edwardes, der Lehár, nach eigener Aussage, darauf aufmerksam machte, welche ungeheuere Verführungskraft in ihm liege: »Dieser Walzer verkörpert alle Wünsche der weiblichen Psyche, ihre Sehnsucht nach einem Gefährten und Gatten; und tatsächlich haben zur Zeit der Aufführung dieser Operette in allen Teilen der Erde ungeheuer viele Menschen geheiratet. Dieser Theaterdirektor kannte sein Publikum und hatte beobachtet, daß sich junge Paare diese Operette wiederholt angesehen hatten und ihm schließlich die Einladung zu ihrer Hochzeit geschickt haben. Das war aber nicht etwa ein Einzelfall, sondern ereignete sich häufig.«[18] Dieser Einbruch der Operette in den Alltag markiert einen Wendepunkt. Der Walzer und das Paar, das ihn tanzte, weckten ungeahnte Identifikationsbedürfnisse, deren Befriedigung einem Massenpublikum im Alltag selten vergönnt war. Die Operette wurde zum Aufputz der Wirklichkeit, wenn z. B. Tanzwettbewerbe stattfanden, um das beste Danilo-Sonia-Paar preiszukrönen. Diese Phänomene einer veränderten Rezeption, mit ihrer engen Verknüpfung künstlicher und realer Welten und ihrer fortschreitenden Kommerzialisierung, machte die Operette für Wien bald zu dem, »was heute der Film für Hollywood ist«.[19]

Exkurs: Hollywood

Nicht von ungefähr erinnert Jérôme Savary »*Die Lustige Witwe* ... in erster Linie an Hollywood«,[20] kann sie doch in vieler Hinsicht als Vorläuferin des internationalen Films gelten, der zu ihrer Blütezeit noch in den Kinderschuhen steckte. Zwar wurde schon 1907 die Operette stumm in Schweden verfilmt, 1908 folgten Pathé und Edison, doch erst als das neue Medium das entsprechende technische Niveau erreicht hatte, entstanden die bemerkenswertesten

Verfilmungen – in Hollywood. Paradoxerweise war es Erich von Stroheims Stummfilm von 1925 mit Mae Murray und John Gilbert in den Hauptrollen, der »zu einem der größten Erfolge des amerikanischen Kinos überhaupt wurde«.[21] Stroheim hat die Handlung stark verändert, aus Danilo einen Prinzen gemacht und ihm wie im *Attaché* einen Rivalen samt finalem Duell zur Seite gestellt. Aus Sonia wurde die amerikanische Tänzerin Sally O'Hara, wogegen deren Darstellerin Mae Murray, »the girl with the bee-stung lips«, die später den entzückten Lehár in Wien besuchen sollte, bei Studioboß Louis B. Mayer protestierte. »Stroheim, darauf angesprochen, erklärte: ›She is playing Sonia, and Sonia is a whore.‹ Woraufhin ihn Mayer niederschlug und fristlos entließ.«[22] Dennoch konnte er dank eines Streiks der Komparserie *The Merry Widow* im Gegensatz zu vielen seiner Filme selbst fertigstellen, wenngleich der scharfen Satire ein pompöses Happy-End angehängt wurde und die gewagtesten Szenen herausgeschnitten waren. Lehár selbst, der das große Orchester der europäischen Erstaufführung in Paris dirigierte, war dennoch vom Ergebnis angetan. »Die Amerikaner haben aus dem Libretto der Operette einen starken, großen Spielfilm gemacht ... Man hat wohl selten im Film so starke Charakterdarsteller gesehen ... Auch an Ausstattung haben die Amerikaner bei diesem Film sicher nicht gespart, und was sie in dieser Richtung hin geleistet haben, ist ungemein eindrucksvoll.«[23]

Doch erst im Tonfilm konnten Operette und Hollywood ihre adäquate Verbindung eingehen. Dem Vorhaben, das vor allem von Louis B.s Gattin Mrs. Mayer protegiert wurde, einer passionierten Anhängerin der *Merry Widow* und schon beim Stummfilm treibende Kraft, stellten sich einige Hindernisse in den Weg. Bereits 1928 plante Irving Thalberg für MGM eine Tonfilmversion, die aufgrund juristischer Schwierigkeiten mit den Autoren und mit Stroheim, der ein neues Drehbuch vorbereitet hatte, ebensowenig realisiert werden konnte wie vier Jahre später die in Technicolor. Das größte Problem aber war, Ernst Lubitsch, den seit *Love Parade* führenden Mann der Tonfilmoperette, und dessen Traumpaar Jeanette MacDonald und Maurice Chevalier von der Paramount zu gewinnen. Die beiden hatten sich mittlerweile zerstritten, und da Lubitsch auf MacDonald bestand, konnte Chevalier nur mit 200 000 Dollar bewogen werden, seinen geplanten Wechsel ins

14 Maurice Chevalier als Danilo mit Jeanette MacDonald als Sonia in *The Merry Widow* von Ernst Lubitsch (1934)

ernste Fach zu verschieben. Vor Beginn der Dreharbeiten hatte er geäußert: »Ich habe es satt, ewig nur den dummen, bis über die Ohren verliebten Jungen zu spielen, den Playboy von Paris, London und Hollywood. Wenn ich die *Lustige Witwe* fertig habe – fange ich von vorne an ... Den Danilo in Lehárs Meisterwerk werde ich aber noch mit allem Schmiß ausstatten, der mir zur Verfügung steht.«[24] Tatsächlich endete die Hollywood-Ära des Operettenfilms mit Lubitschs *Merry Widow* auf ihrem Höhepunkt. »La double version (française et anglaise) dirigée par Ernst Lubitsch en 1934 avec le couple mythique formé par Maurice Chevalier et Jeanette MacDonald rend justice à l'operette de Lehár.«[25] Die Handlung, wie bei Stroheim mit der Vorgeschichte, hier in Marsovia, beginnend, wird in eine bezwingende Choreographie aufgelöst, deren Höhepunkt ein Walzerreigen durch verspiegelte Saalfluchten bildet, getanzt von dunkelhaarigen, schwarz gekleideten Herren und entsprechend blonden Damen – sinnig mit Sonia und Danilo korrespondierend. Zwingend leitet die auf die Hauptnummern beschränkte Musik Umschwünge ein, durchzieht als klingender Hintergrund die Handlung und hält den Film so in der Schwebe – »ein grandioses Prunkfilmwerk, ein amerikanischer Spitzenfilm ersten Ranges«,[26] wie die zeitgenössische Presse jubelte. Lubitsch bemerkte zu seiner Version, man müsse »bei Operetten ... eine Geschichte erzählen, die ein Stück von der Realität entfernt ist, in der die Menschen reine Fiktion sind. In dem Fall kann man die Handlung kurz unterbrechen, um die Darsteller kurz singen zu lassen ... da muß man schon von vorneherein für eine unwirkliche Atmosphäre sorgen.«[27] 1952 realisierte Hollywood eine letzte, auf Lana Turner zugeschnittene Adaption in Farbe und mit Musicalanklängen. Bedauerlicherweise wurde die 1977 von Ingmar Bergman projektierte Verfilmung mit Barbra Streisand unter Herbert von Karajans Leitung nie realisiert.

Der neue Stil

Im großen Walzer aus der *Lustigen Witwe* sah Theodor W. Adorno »exemplarisch den neuen Stil statuiert«[28] – für die Unterhaltungsmusik der ersten Jahrhunderthälfte. Im Gegensatz zur klassischen Operette begann sich das Rezeptionsverhalten zugunsten solcher Schlager zu beschleunigen. Die rasante Verwertung derselben als Gebrauchsmusik nahm hier ihren schwunghaften Anfang. Ein zeitgenössischer Kritiker wirft denn auch der Operette vor, »daß die Schlager darin mit einer Schnelligkeit Gemeingut werden, die dem Zeitalter der Kilometerfresserei alle Ehre macht«.[29] Diese Beschleunigung der Rezeption ging einher mit ihrer Verbreitung und Internationalisierung. Das Zeitalter der »Kilometerfresserei«, als Bild der technisierten Welt, ist für Karl Kraus der Grund, weshalb Offenbachs Operette »nicht entfernt das Entzücken verbreitet hat, das heute ein bosniakischer Gassenhauer findet«.[30] Gerade *Die Lustige Witwe* ist Beispiel dafür. Allein »jene berüchtigte Vilja« war bis 1909 über dreimillionenmal verkauft worden und hat, wieder Karl Kraus zufolge, »als Waldmägdelein des Okkupationsgebietes uns Erwachsenen fünf Jahre lang den Aufenthalt in jedem Nachtlokal verleidet«.[31] Karl Kraus wurde geradezu zum Chronisten der *Lustigen Witwe*. Allein anhand der in der *Fackel* veröffentlichten Beiträge ließe sich ihre Rezeptionsgeschichte verfolgen. So berichtet er von einem Kapitän P., der in Peking auf verzweifelter Suche nach Original-Chinesischem ein Lokal betrat, das seinen Vorstellungen zu entsprechen schien. »Endlich etwas Nationales hoffte er. Aber was bekam er zu hören? Den Walzer aus der *Lustigen Witwe*.«[32]

»Immer modern«

Die Lustige Witwe wurde als moderne Operette rezipiert, als deutlicher Bruch mit der Wiener Tradition der klassischen Operette. Wie aus der ästhetischen Kategorie »modern« ein aktuelles Etikett wurde, zeigen die sechs »Szenen aus dem modernen Pariser Leben« von Henri Laredeau, die das Theater in der Josefstadt im Jahr der *Lustigen Witwe* herausbrachte – mit dem paradigmatischen Titel: *Immer modern*. Nicht umsonst spielt die Handlung in der Gegenwart. So treten für Ernst Decsey in der *Lustigen Witwe* »zum ersten Mal auf Operettenboden moderne Menschen ... auf ... alles vibriert von Wirklichkeit ... Der Naturalismus des neuen Dramas auf die Operette übertragen.« Der Verweis auf den Naturalismus überrascht ebenso wie der, »daß man Intelligenzler genannt wurde, wenn man sie besuchte«.[33] Doch hinter der verqueren Zeitgebundenheit solcher Assoziationen verbirgt sich mehr. Was der modernen Literatur, mithin auch dem Naturalismus, nur unzureichend gelang, nämlich alle Schichten gleichermaßen zu erreichen, löste die moderne Operette spielend ein. Karl Kraus, der die literarische Moderne ebenso heftig ablehnte wie die der Operette, kommentierte deren Koalition bissig als Demokratisierungstendenz: »Was mich an dem Enthusiasmus für die Operettenschande am tiefsten berührt hat, ist die demokratisierende Wirkung, die von ihr auszugehen scheint.«[34] Diesen Enthusiasmus zuerst formuliert hatte ein Feuilleton Felix Saltens, selbst Mitglied der Wiener literarischen Moderne und Freund Bahrs, Schnitzlers und Hofmannsthals, das mit dem Titel ›Die neue Operette‹ emphatisch diese und sich selbst feierte: »... unsere Melodie. In der *Lustigen Witwe* wird sie angestimmt. Alles, was so in unseren Tagen mitschwingt und mitsummt, was wir lesen, schreiben, denken, plaudern und was für moderne Kleider unsere Empfindungen tragen, das tönt in dieser Operette, klingt in ihr an.« – um sogleich bescheiden einzuschränken, es wäre »gar nicht notwendig, daß Lehár etwa wirklich gelesen hat, was wir schreiben, oder auf das, was wir denken, aufpaßt«. Denn in ihr »schäumen und stäuben ... zehntausend kleine Echtheiten von heute ... Lehár ... gibt den Takt an zu unseren Schritten ... Lehárs Musik ist heiß von dieser offenen, verbrühenden Sinnlichkeit; ist wie erfüllt von geschlechtlicher Wollust ... man könnte moderne Verse zu ihr singen.«[35]

Nicht ohne Ironie verarbeitete Thomas Mann solch »geheime Ursprünge des Gefälligkeitszaubers« im fünften Kapitel der *Bekenntnisse des Hochstaplers Felix Krull* – und was anderes konnte ihm Gegenstand dieser Wirkung sein als *Die Lustige Witwe*, »ein Werk der leichtgeschürzten Muse, wie man wohl sagt, eine Operette, deren Namen ich zu meinem Leidwesen vergessen habe. Die Handlung begab sich zu Paris (was die Stimmung meines armen Vaters sehr erhöhte), und in ihrem Mittelpunkt stand ein junger Müßiggänger oder Gesandtschaftsattaché, ein bezaubernder Schwerenöter und Schürzenjäger, der von dem Stern des Theaters, einem überaus beliebten Sänger namens Müller-Rosé, zur Darstellung gebracht wurde ... Allein wie er damals die Menge und mich zu blenden, zu entzücken verstand, das gehört zu den entscheidenden Eindrücken meines Lebens ... Bei seinem ersten Auftritt war er schwarz gekleidet und dennoch ging eitel Glanz von ihm aus. Dem Spiele nach kam er von einem Treffpunkt der Lebewelt und war ein wenig betrunken, was er in angenehmen Grenzen, auf eine verschönte und veredelte Weise vorzutäuschen verstand ... sozusagen nicht von dieser Welt ... Elastisch taumelnd, wie man es in der gemeinen Wirklichkeit an Betrunkenen nicht beobachten wird, überließ er Hut und Stock einem Bedienten, entglitt seinem Mantel und stand da im Frack, mit reich gefältelter Hemdbrust, in welcher Diamantknöpfe blitzten. Mit silberner Stimme sprechend und lachend, entledigte er sich auch seiner Handschuhe, und man sah, daß seine Hände außen mehlweiß und ebenfalls mit Brillanten geziert, ihre Innenflächen aber so rosig wie sein Antlitz waren. An der einen Seite der Rampe trällerte er den ersten Vers eines Liedes, das die außerordentliche Leichtigkeit und Heiterkeit seines Lebens als Attaché und Schürzenjäger schilderte, tanzte alsdann, die Arme selig ausgebreitet und mit den Fingern schnalzend, zur anderen Seite und sang dort den zweiten Vers, worauf er abtrat, um sich vom Beifall zurückrufen zu lassen und vor dem Souffleurkasten den 3. Vers zu singen. Dann griff er mit sorgloser Anmut in die Geschehnisse ein.«[36]

Operetten-Kult

Die selbstverständliche Verknüpfung von Modernität und Sinnlichkeit war signifikant für die zeitgenössische Rezeption, der »die schwüle Erotik ... Kennzeichen des zwanzigsten Jahrhunderts ist«. In diesem Sinn hat Lehár »mit der *Lustigen Witwe* dem zwanzigsten Jahrhundert seine Operette gegeben«,[37] in diesem Sinn wurde sie zur erotischen Operette und in diesem Sinn wurden Hanna und Danilo zum mythischen Paar ihrer Epoche, zum Idol der zahlenden Darsteller, die das Publikum stellte. Diese Möglichkeiten der Identifikation gewann die *Lustige Witwe*, indem ihre Figuren zu Repräsentanten des Publikums selbst wurden, das in der Entsprechung des modernen Zeittypus seine erotischen Phantasien bestätigt fand. Ob New York, London oder Kopenhagen, überall wurden Hanna und Danilo, wie auch immer sie dort heißen mochten, zu Idealgestalten, deren Manier bis hin zu ihren Marotten Mode machte. Es gab »damals sehr viele, sonst normale Menschen, die ... in Zitaten und Melodien daraus sprachen, dachten und empfanden«.[38] Schon bei der Uraufführung sprang der Funke über. Die Konstellation der werbenden Frau und des Mannes, der, »durch drei Akte in die kußlichsten Situationen gebracht ... standhaft jede Zärtlichkeit« verweigert, traf den Nerv der Zuschauer, vor allem der Zuschauerinnen. »Sie redet ihm so nett mit den Augen, in der wilden Zärtlichkeit slawischer Tänze zu, daß er sie endlich küsse, das Haus applaudiert ermunternd«[39] – doch er vermag die erotische Spannung stets aufs neue zu steigern.

Ein Darsteller wie Louis Treumann ließ die Wunschträume seines Publikums zumindest auf der Bühne Wirklichkeit werden. In ihm personalisierte sich, schenkt man Felix Salten Glauben, die Rolle des Danilo geradezu sensationell. »Er ist fein, und schlank und biegsam und ein wenig feminin ... so lyrisch, daß sich alle Mädchen in ihn verlieben müssen ... so bis in die Fingerspitzen künstlerisch, daß er auch auf alle Männer wie eine Erquickung wirkt. Er ist mit dieser vibrierenden Nervosität, mit der karessanten

15 *»Europas Gladaste Enkor«* – Europäische »Witwen«: Emma Vecla (Mailand), Emma Meisner (Stockholm), Marie Ottmann (Berlin) u. a.

Sinnlichkeit, mit diesem leichten Anhauch von Laster und Hysterie einfach der junge Mann up to day... Er ist ein Menschendarsteller. Freilich, er ist nicht naturalistisch, Gott sei Dank. Er stilisiert das Menschliche, steigert es bis zu einem Grade, wo dann das Singen und Tanzen einfach natürlich, einfach notwendig wird ... Er gibt nur einen erhöhten Zustand des Menschlichen. Vom Psychologischen läßt er nicht ... dieser bewegliche, fieberhafte, vor Temperament in den Flanken bebende Mensch bohrt sich einem unvergeßlich ins Gedächtnis und in die Nerven ... Und hat man's nur einmal von ihm gehört, dann sagt man's ihm tagelang alle Augenblicke unwillkürlich nach: Njegus ... Ge ... lieb ... ter...«[40]

Diese ersten Anzeichen eines lärmenden Starkults, in denen sich die künftige Unterhaltungsindustrie ankündigte, provozierten Karl Kraus zu seinen ›Grimassen über Kultur und Bühne‹. Wenn er sarkastisch erklärte: »In Herrn Treumann gar tanzte Dionysos selbst über die Bretter«[41] – wird die Dimension solchen Kultes in einer Epoche erster Nietzsche-Rezeption und Sigmund Freuds sichtbar. So versicherten die Autoren der *Lustigen Witwe*, wiederum Karl Kraus zufolge, es sei ihnen »nicht so sehr um die Tantiemen, als um die ›Enthüllung des Triebhaften‹ zu tun gewesen«.[42] Klaus Pringsheim, Thomas Manns Schwager, berichtete anläßlich der 400. Aufführung der *Lustigen Witwe* in Wien von einer »Jubelfeier von wahrhaft heidnisch-religiösem Charakter; damals als orgiastische Begeisterungswut sich aller Teilnehmer bemächtigt hatte ... war die künstlerische Herrschaft der Operette besiegelt«. Seine Schilderung gibt ein beeindruckendes Bild der damaligen Situation. Er beschreibt den ›Lehártaumel‹ wie folgt: »Keiner, der nicht in spontanen Enthusiasmus ausbrach, und jeder, vom Schauspiel des allgemeinen Jubels gepackt, überwältigt, zu immer erneuten Kundgebungen hingerissen; und der schlichte, bescheidene Meister, umtost von so elementaren Beweisen des Dankes und Vertrauens: jedermann fühlte, dies waren seltene, unvergeßliche Stunden.«[43]

Die Operette ist in einer Zeit der Renaissance ritueller Theaterformen der wirklich »letzte Rest kultischen Theaters geworden, dem eine gänzlich entgötterte Welt noch frönen darf«.[44] Angesichts solcher Wirkung riet 1910 Ludwig Thoma dem mit dem Bau des ›Großen Schauspielhauses‹ beschäftigten Max Reinhardt samt Theaterreformbewegung abzuwarten, »ob Sophokles oder Lehár der Stärkere ist«.[45] Die Ironie der Geschichte wollte es, daß dies der Wiedergeburt der Antike gewidmete, größte Theater Berlins in den zwanziger Jahren tatsächlich zur Operettenbühne wurde, auf der 1930 auch die *Lustige Witwe* in der Gestalt Trude Hesterbergs Einzug hielt.

»Verinnerlichung zum Ausdruck gebracht« Lehár als Operettenerneuerer

Es ist viel gefährlicher, seine Komposition, als seine Frau im Negligé vorzuführen.
Franz Lehár[1]

Die Lustige Witwe steht auf der Grenze

Ambivalent wie der ironisch-romantische Liebeshandel zwischen Hanna und Danilo, bei der Uraufführung »als köstliche Persiflage«[2] wahrgenommen, spielt die Musik zwischen Sentiment und Parodie. Weder die Csárdás-Attacke im Reiter-Duett, noch der naive Balladen-Gestus der »zwei Königskinder« sind gemeint, wie sie klingen. Es sind Stilzitate, die, musikdramaturgisch motiviert, dem Werk sein spielerisches Gepräge verleihen. Der Galopp »Das hat Rass«, den Hanna in scheinbarem Triumph im zweiten Finale anstimmt, rast über ihre wahren Gefühle hinweg, wie der gewagte Septimsprung, ausgerechnet auf »so lalalalala-l a«, verrät. Trumpft der rezitativische Ausbruch der Pavillonszene opernhaft auf, so gilt er keineswegs hehren, sondern höchst handgreiflichen Gefühlen, auch wenn die gestopften Hörner noch so geheimnisvoll zum »Stelldichein« locken. Wenn die folgende Romanze des Rosillon dann im zweiten Finale als Reminiszenz wieder auftaucht, durchläuft sie im neuen Kontext eine Bedeutungsverschiebung: sie gilt nicht mehr intim der Geliebten Valencienne, sondern öffentlich der ertappten Hanna Glawari. Schließlich kulminiert die Zitattechnik des zweiten Finales im leitmotivischen Gebrauch prägnanter Melodiezeilen, so wenn das Solocello zum bevorstehenden Abgang Danilos das Maxim-Lied gleichsam als Wegweiser intoniert oder Hannas Entréezeile »Hab in Paris...« Danilo in den Mund gelegt wird, seine Worte entlarvend, für ihn sei die »Ehe ... ein Standpunkt, der längst überwunden«. Das Orchester entfaltet eine zweite emotionale Spielebene, wie sie bisher in der Operette neu war. Seine Transparenz, von den Zeitgenossen überschwenglich als impressionistisch empfunden, erschöpft sich weder im expressiven Wohlklang noch in solchen Querverweisen, sondern wird zur strukturellen Qualität. In einer gleichsam kommentierenden Instrumentation setzt Lehár dem Text der melodischen Linien einen Subtext der Mittelstimmen entgegen. So wird die harmlose Phrase von der »anständigen Frau« durch die Triolentriller der Klarinette raffiniert hinterfragt oder das Weiberseptett mit seinem »so niederträchtigen Schmiß, daß man ihm nicht widerstehen kann«,[3] wird durch höhnische Holzbläserläufe ironisiert – »Franz Lehár parodiert in diesem jüngsten Werk mit seiner ganzen bestechenden Eleganz.«[4]

So ausgeklügelt dieser Subtext daherkommt, so schlicht und ergreifend der melodische Text. Das Schlußduett »Lippen schweigen« ist in seiner verführerischen Eingängigkeit ein Muster für Lehárs Personalstil, dessen Wirkung der Walzertext am besten beschreibt: »bei jedem Walzerschritt/tanzt auch die Seele mit« – von einer bezaubernden Gegenmelodie nachgerade in Schwingung versetzt. Die Melodik selbst, in ihrer stereotypen Gliederung vier- bzw. achttaktiger Phrasen, wie in der Operette seit jeher unauslöschlich dem »Zauberbann der Symmetrie«[5] verfallen, bleibt einerseits durch rhythmische, harmonische und instrumentale Pointen in der Schwebe, andererseits durch die stilistische Vielfalt abwechslungsreich. Auch ihr Charakter ist ambivalent; raffiniert und einfach zugleich. Unbekümmert um traditionelle Stilhöhe lebt *Die Lustige Witwe* von solchen Kontrasten: vom buffonesken Couplet bis zur sentimentalen Romanze reicht das bunte Spektrum ihrer Stile, als wolle sie ihre starren Stereotypen zum Tanzen bringen. Auch darin ist sie, weit über musikalische und dramaturgische Belange hinaus, treuer Spiegel ihrer Epoche – einer »Zeit in Bewegung: Anschwellen von Themen, Chaos von Stilgebärden«.[6] Lehár gelang es, dies Chaos – von der Trivialmusik hin zum Musikdrama – in seinem Personalstil produktiv zu bändigen. So taucht zwischen all den Walzern, Mazurken und Can-Cans unvermittelt ein hochmoderner Cake-Walk auf, ein Grotesktanz, den nach damaligem Glauben »die Nigger ersonnen haben, um die Weißen zu verhöhnen«.[7] Seismographisch fing der Komponist die Schwingungen seiner Zeit ein. Selbst das Maxim-Lied scheint bereits zu swingen. Nicht zufällig sind in der *Lustigen Witwe* fast allen Nummern Tanzrhythmen unterlegt. Wie die stilistische, hat die rhythmische Vielfalt für Kontraste zu sorgen, die mit Rücksicht auf

16 *»Das hat Rass…«*
Mizzi Günther als Hanna Glawari und Louis Treumann als Danilo »ganz nach Pariser Art« in *Die Lustige Witwe* (Theater an der Wien 1906)

Faßlichkeit in der Operette formal kaum noch herzustellen waren. Sie markierte damit einen Wendepunkt in der Operettengeschichte, die seitdem unter ihrem Bann stand.

Für Adorno stand demnach »*Die Lustige Witwe* ... auf der Grenze: eine der letzten Operetten, die noch etwas mit Kunst zu tun hat und eine der ersten, die sie unbedenklich verleugnet. Sie lebt noch nicht von Sequenzen, sondern von melodischen und auch rhythmischen Profilen ... sie hat eine gewisse individuelle Haltung und im leise angedeuteten südslawischen Ton sogar Geschmack; sie hat einen dramatischen Augenblick, wenn der enteilende Danilo das Maxim-Lied zitiert: dies Maxim-Lied, ein sonderbares Denkmal aus der Liebeswelt des Frou-Frou, das treuer die Züge seiner Epoche bewahrt als irgend einer der gegenwärtigen Schlager. Auch die Romanze der Glawari, so sentimental sie ist, läßt sich hören und vor allem: nicht verwechseln; es ist noch nicht am laufenden Band gemacht, sondern von einem Menschen; mögen auch die menschlichen Gehalte nicht der erlesensten Art sein: nämlich herabgesunkene Motive des Jugendstils. Von dessen Pathos geistert manches in dem sonderbaren Text, der einmal – Rätsel des Vergangenseins – Sensation machte.«[8]

»Unbewußt mit Opernmitteln kommen«

Die Lustige Witwe machte Schule: das widerspenstige Liebespaar, das sich tanzend anzieht und abstößt, sich im zweiten Finale dramatisch und mit großem musikalischem Aufwand überwirft, um sich im 3. Akt ganz unaufwendig endlich doch zu finden, wurde zum eisernen Bestand der Operette über fast drei Jahrzehnte. Nicht weniger die musikalische Stilmischung von reißerischem Schlager und effektvoller Zitattechnik. Selbst der innige Walzerton von »Lippen schweigen« wirkte stilbildend. Der weltweite Siegeszug, den *Die Lustige Witwe* angetreten hatte, tat ein übriges. Lehár hatte schlagartig eine ganze Komponistengeneration im Gefolge, und die Wiener Operette dominierte in der Dekade vor dem Ersten Weltkrieg die Bühnen der Welt. 1907 war Leo Fall mit dem *Fidelen Bauer* der Durchbruch gelungen, mit der *Dollarprinzessin* bezeichnenderweise schon nicht mehr in Wien, sondern zwei Jahre später in London und New York. Ebenfalls 1907 erschien Oscar

Straus mit dem *Walzertraum* als dritter im Bunde. Er hatte die Operette nach seinem gescheiterten Versuch, mit den *Lustigen Nibelungen* und *Hugdietrichs Brautfahrt* die satirische Offenbachiade wiederzubeleben, spekulativ geschrieben – »in der bewußten Absicht, den Weltrekord der *Lustigen Witwe* zu erreichen, womöglich ihn zu übertreffen!«[9]. Bereits 1908 legten Fall mit der *Geschiedenen Frau* und Oscar Straus mit dem *Tapferen Soldaten*, der erst als *Chocolate-Soldier* im anglo-amerikanischen Raum Karriere machte, weitere internationale Erfolge vor. Auch Emmerich Kálmán, damals noch seriöser Musiker in Budapest, lockte der Triumph seines Landsmanns aufs Wiener Operettenparkett, wo er 1909 seinen ungarischen Erstling *Tatárjárás*, ein Jahr zuvor in Budapest uraufgeführt, als *Herbstmanöver* im Theater an der Wien erfolgreich herausbringen konnte. Lehár selbst, auf den Zusammenhang des Wiener Operetten-Wunders mit seiner Person angesprochen, antwortete einer amerikanischen Zeitschrift verwundert: »I deny that I had the intention of starting a new school, nor do I admit that such is the case. The old forms had to go. New forms had to be invented. I was simply the first to do it. The fact … that I have so many imitators … only implies the flooding of the market with sameness …«[10]

Während die meisten Kollegen samt ihren Librettisten diesem Bedürfnis des Marktes nach Gleichem nachkamen, schien Lehár davon eher irritiert. Was er bei der *Lustigen Witwe* ohne Intention gefunden hatte, wurde mit der Zeit zum Klischee, das er fortan beinahe ängstlich, wenn auch nicht immer erfolgreich, zu meiden bemüht war. Nach dem unerwarteten Erfolg der *Lustigen Witwe* sah sich Lehár plötzlich zum Repräsentanten eines Genres gestempelt, in das er unversehens geraten war. Noch 1907 gestand er dem Neuen Wiener Journal, »daß er sich eine Zeitlang ordentlich geschämt hat, ein Operettenkomponist zu sein«.[11] Nachdem das Jahr 1906 mit der Wiener Aufführung der *Tatjana* und der Komposition von *Eine Vision. Meine Jugend* im Zeichen alter Ambitionen gestanden hatte, flüchtete er sich Ende des Jahres in das Märchenspiel *Peter und Paul im Schlaraffenland*, einer Gelegenheitsarbeit für die Weihnachtszeit, am 1. Dezember im Theater an der Wien uraufgeführt. Einen Monat darauf persiflierte Lehár seinen Grafen Danilo als *Mitislaw, der Moderne* in der ›Hölle‹, dem Kabarett im Souterrain des Theaters an der Wien, »schon mehr als frivol«,[12] als wolle er sich von ihm distanzieren. Die nächste abendfüllende Operette schließlich, die zwei Jahre nach der *Lustigen Witwe* wiederum im Theater an der Wien herauskam, *Der Mann mit den drei Frauen*, war noch einmal ein Rückfall in das alte Dilemma der *Juxheirat*, nämlich eine verquere Possenhandlung, verbunden mit einer anspruchsvoll spielopernhaften Musik. Dieser unglückliche Widerspruch ist nur mit Lehárs Unschlüssigkeit über die weitere Entwicklung der Operette zu erklären.

Nach dem Mißerfolg des *Manns mit den drei Frauen* begann Lehár seine grundlegende und lebenslange ästhetische Auseinandersetzung mit dem Genre, dessen possenhafte Tradition einem Komponisten wie ihm seit jeher mißfallen hatte. Er »grübelte darüber nach« – warum, denn er hatte sich »in den Kopf gesetzt, den Rahmen der Operette zu sprengen«. Sein erklärtes »Ziel ist es, die Operette zu veredeln«. Am Ende seines Lebens hielt er in einer *Bekenntnis* betitelten Schrift die Summe seiner gewonnenen Einsichten fest. Seine Kritik setzte zunächst am Libretto an. Bisher, in der traditionellen Operette, befand der längst zum ›Meister‹ Erkorene, waren »die Menschen auf der Bühne ... lieb und nett, aber es fehlte ihnen das Herz, die Seele«. Den Operettenfiguren fehlte Psychologie als Anlaß für die gestiegenen Ansprüche des Komponisten, der also folgerte: »Natürlich mußte ich diese Verinnerlichung in der Musik zum Ausdruck bringen. Ich mußte unbewußt, wenn es die Handlung forderte, mit Opernmitteln kommen.«[13] Der Verinnerlichung mit Opernmitteln zu kommen, bringt die Lehársche Operettenästhetik auf ihren fragwürdigen Nenner. Deren erstes Resultat, das *Fürstenkind* von 1909, löste seine Intentionen im nicht zufällig »Resignation« genannten Entsagungsmonolog des Hadschi-Stavros vielsagend ein: »Schweig, zagendes Herz!« Schon von Anfang an war das Entsagungs- und Abschiedsmotiv für Lehár mit seinen vermeintlichen Veredelungsabsichten eng verbunden.

Wie kein zweiter Operettenkomponist vor und nach ihm reflektierte Lehár in unzähligen Zeitungsartikeln über die Gattung. Zuerst schwur er auf englisch seiner alten Leidenschaft ab. »Will I ever write an opera? I would like to; but I would much rather do good and original work in the field of the operette than climb upon the pedestal of an operatic composer and remain but an imitator of others.«[14] Diese schmerzlich gewonnene Einsicht des eigenen Epigonentums in der Oper einerseits und andererseits seiner Originalität in der Operette führte ihn zu dem utopischen Schluß, »daß es zwischen Oper und Operette, was die künstlerische Qualität anlangt, keine Scheidewand mehr geben wird«.[15] Eine Position, die er zu seiner Zeit nicht allein vertrat und die selbst sein Operettenantipode Oscar Straus teilte, als er die Zukunft des Genres »mit einem Wort« beschreiben sollte: »Eine Verwischung der – unberechtigterweise – zwischen Oper und Operette gezogenen scharfen Grenzlinie, eine Rückkehr zu dem Genre, aus dem die Operette hervorgegangen ist: zur komischen Oper!«[16]

»Trainierte Ohren«

Der Zwiespalt, in dem sich Lehár nach der *Lustigen Witwe* befand, war signifikant für die ganze Epoche. Während die Hochkultur durch zunehmende Radikalisierung ein immer kleineres Publikum erreichte, hatte die Operette eine Massenbasis wie nie zuvor. Die damalige Kritik sah gar einen »Operettenmoloch« am Werk: einerseits habe »die allgemeine Hast in der Erledigung der Geschäfte im Verkehr der Menschen untereinander ... das Geistesleben zersetzt«, andererseits »begann die Kunst, den Zusammenhang mit dem Volke zu verlieren. Ihrer Impotenz müde, wendet es sich denen zu, die an Bekanntes anknüpfend, ihm entgegenkommen.«[17] Lehár erkannte zwar diese Zeichen der Zeit durchaus, indem er seine Opernpläne aufgab, doch wollte er damit keineswegs jenem »Moloch« das Feld überlassen. Seine Sehnsucht nach künstlerischer Anerkennung und sein kommerzieller Erfolg prädestinierten ihn geradezu zum Repräsentanten des kulturellen Umbruchs der Jahrhundertwende.

Noch im 19. Jahrhundert war nach Adorno »die Divergenz der beiden musikalischen Produktionssphären zureichend beherrscht«,[18] galten Operetten wie *Bettelstudent* oder *Zigeunerbaron* ihren Zeitgenossen als legitime Nachfolger der komischen Oper, die ihrerseits spätestens seit *Carmen* der großen Oper nachgefolgt war. »Durch den energischen Ruck, den die komische Oper ... nach der großen Oper hin macht, entsteht eine empfindliche Lücke. Und diese Lücke füllt ganz folgerichtig die ... Operette aus.«[19] Wie die klassische Operette es verstanden hat, »die Elemente, die die ernstgemeinte Kunst sich entgleiten ließ ... (Melodik, Natürlichkeit des musikalischen Gedankens, Logik der Formgebung) aufzufangen«,[20] so verstand es die moderne Operette, ohne diese Elemente aufzugeben, vom Musikdrama und der zeitgenössischen Oper neue Ausdrucksmittel zu übernehmen. »Die moderne Operette stammt sozusagen von derselben Mutter ab wie die Oper von Richard Strauß und Eugen d'Albert, nur die Väter sind andere.«[21] Anschaulich wird der Zweck solcher Wechselwirkung am Wiedererkennungseffekt des Leitmotivs, den Adorno bereits bei Wagner entdeckte: »Unter den Funktionen des Leitmotivs findet sich denn neben der ästhetischen eine warenhafte, der Reklame ähnliche: die Musik ist, wie später in der Massenkultur allgemein aufs Behaltenwerden angelegt.«[22]

Für Franz Lehár war folglich die moderne Operette ein neues Genre, das den durch die verhängnisvolle Entwicklung ernster Musik geänderten Publikumsansprüchen endlich gerecht wurde und dessen einleuchtende Qualität er, wie folgt, beschrieb: »Der Zuschauer soll ein Erlebnis haben und nicht bloß Unsinn sehen und hören.«[23] Auf diese Weise sollte das neue Genre seinem Publikum ermöglichen, »Kunst ohne Anstrengung zu genießen«. Ein Komponist wie Křenek mußte gar die »Bildung eines spezifischen Operettenpublikums« konstatieren, »das die Operette nicht mehr als Ergänzung, ja nicht einmal als gegensätzliche, aber entspannende Unterbrechung des Operngenusses betrachtet, sondern so gut wie nichts mehr anderes als Operette will«.[24] Ein solches Publikum erst machte die Lehársche Ästhetik plausibel. Indem Lehár »Opernmittel« in sein Werk einbezog, ersetzte er den verlorenen Operngenuß ohne Reue, denn, wie er längst erkannt hatte: »speziell für die moderne Opernmusik müssen die Ohren trainiert sein.«[25]

Wenn Victor Léon, »der Dichter der *Lustigen Witwe*, dessen Einfluß auf das Geistesleben der Gegenwart ja unbestritten ist«,[26] behauptete, daß »die wirklich moderne Operette ... eigentlich eine Form der Oper, ein Stück mit Musik darzustellen hat«,[27] versicherte er die künstlerischen Bestrebungen Lehárs seiner librettistischen Schützenhilfe. Karl Kraus polemisierte dagegen: »Es war der Augenblick, da man das kolossale Defizit an Humor, das die moderne Salonoperette belastet, als einen Überschuß an Psychologie zu deuten begann ... Die alten Operettenformen, die an die Bedingung des Unsinns geknüpft blieben, werden mit neuer Logik ausgestopft ... Die Forderung, daß die Operette vor der reinen

Vernunft bestehe, ist die Urheberin des reinen Operettenblödsinns.«[28] Welchem Gattungsbegriff solche Operetten zuzuordnen waren, in einer Zeit, in der selbst eine Oper nur noch selten Oper hieß, fiel selbst ihrem gewieftesten Unternehmer, Wilhelm Karczag, schwer: »Es ist ein musikalisches Werk mit lustigen und dramatischen Akzenten gemischt, ein neues Genre! Will man es oder will man es nicht? Das Publikum scheint es zu wollen, denn für diese Art musikalischer Werke ist eine neue Zeit angetreten und diese haben den Komponisten Künstlerehre und materielle Sorglosigkeit eingebracht, gar nicht davon zu reden, daß hunderte von Theaterunternehmungen ... zu Wohlstand gelangten.«[29]

»Jede Note ernst durchdenkend«

Entscheidend wurde in Lehárs Theorie der Veredelung, getreu den Lehren des Vaters, »daß der echte Operettenkomponist dem ernstesten Musiker getrost in die Augen blicken kann. Seine Arbeit wird ebenso ehrlich und mit derselben Hingabe seiner ganzen Seele geschrieben sein wie das seriöseste Werk des Opernkomponisten.«[30] Da Ehrlichkeit und Hingabe jedoch kaum brauchbare ästhetische Kriterien abgaben, erhob Lehár die musikalische Ausarbeitung zum Maßstab künstlerischer Qualität. Öffentlich distanzierte er sich von den üblichen Produktionspraktiken des Genres, die es in Mißkredit gebracht hatten, indem er den Arbeitsaufwand und die sorgfältige musikalische Faktur seiner Werke nicht oft genug betonen konnte. Anders als viele seiner Kollegen hat Lehár jede Note seiner Operetten selbst geschrieben, vom Entwurf bis zur vollständigen Instrumentierung. So kann er sich ohne weiteres »die freilich etwas kühne Bemerkung« erlauben, »daß ich vielleicht überhaupt nicht durchfallen kann, weil ich jede meiner Arbeiten mit peinlicher Gewissenhaftigkeit durchführe und jede Note ernst durchdenke«.[31]

Tatsächlich besaß nicht einmal Johann Strauß diese Art der Gewissenhaftigkeit, auch wenn er fremdinstrumentierte Werke noch eigenhändig korrigierte – selbst sein Meisterwerk *Die Fledermaus* verdankte seinem komponierenden Librettisten Richard Genée die musikdramatische Struktur. Das Genre nahm es mit der Lehár heiligen Autorenschaft also nicht immer genau. Im Gegensatz zu

17 *»Jede Note ernst durchdenkend...«*
Franz Lehár spielt auf (1910)

der späteren amerikanischen Gepflogenheit gleichwertiger Arbeitsteilung wurden die Namen der Arrangeure jedoch nicht genannt. Alexander Zemlinsky und Arnold Schönberg haben Operetten instrumentiert, über die nur spekuliert werden kann; im Falle Schönbergs allerdings gilt als sicher, daß er für Bogumil Zepler und Bruno Granichstaedten gearbeitet hat. Außer Lehár, seinen Konkurrenten Fall und Kálmán instrumentierten »fast sämtliche übrigen Wiener Komponisten ... nicht selbst«.[32] Zu diesen zählte in den zwanziger Jahren auch Oscar Straus, der das Orchestrieren bis dahin jedoch, im Gegensatz zu vielen Kollegen, meisterhaft beherrscht hatte, es aber aus unerfindlichen Gründen aufgab. Für Lehár undenkbar, der selbst unter extremem Zeitmangel die Instrumentation seiner Werke oft erst bei der Generalprobe »auf Zuruf« fertigstellte – und das mit einem wahrhaft kalligraphischen Notenbild. »Das setzt Sie in Erstaunen? ... Nach der Arrangierprobe bin ich ans Instrumentieren gegangen. In sechs Wochen war alles fix und fertig. Die Kopisten der Noten konnten mir gar nicht nachkommen. So rasch arbeite ich, wenn ich muß«[33] – wie Lehár im Fall der *Blauen Mazur* stolz kundtat. Schließlich ist es für ihn »ja nicht gleichgültig, ob ein Komponist seine Werke selbst instrumentiert oder seine Einfälle erst durch einen geschulten Fachmann ausarbeiten lassen muß ... Instrumentiert ... der Komponist selbst sein Werk, so entwickelt und vervollkommnet er seine Phantasie und bringt seine ursprüngliche Idee viel wirksamer zur Geltung, als es ein anderer zu tun vermag.«[34] Der Kampf gegen die Kommerzialisierung der leichten Musik und die Arbeitsteilung in ihrem Gefolge, die seiner Meinung nach den schlechten Ruf der Operette verschuldet hatten, stand von nun an im Zentrum der Lehárschen Ästhetik. Seine »Waffe war, vom Orchester immer mehr zu verlangen. Holzbläser doppelt, wenn nicht dreifach. Vier Hörner, drei Posaunen und Tuba ... Die Harfe wurde als unerläßlich gefordert.«[35]

Vom Musikfeldwebel zum Psychologen

Vorab sei diese Waffe des Neuerers mit der provokanten These gekreuzt, die Karl Kraus zum Thema ins Feld führte: »Dieser Lehár schreibt eine Musik, daß man meinen könnte, vom Musikfeldwebel zum Psychologen sei nur ein Schritt.«[36] – Hatte doch sein Ringen um opernhaften Wohlklang schon in Losoncz mit den dürftigen Mitteln einer Militärkapelle begonnen. Wie viele seiner Kollegen hatte er als Militärkapellmeister sein Geld mit den Arrangements fremder Kompositionen verdient. Die Transposition allein der verschiedenen Blasinstrumente verlangte »Beherrschung des Orchesters ... die man sich sonst nur durch jahrelange Erfahrung aneignen kann«.[37] Die in dieser Zeit erworbene Praxis kam dem Operettenerneuerer zustatten, er lernte »mit quantitativ und qualitativ geringen Ansprüchen auszukommen: das Orchester mußte trotzdem gut klingen.«[38] Der Widerspruch zwischen orchestralen Mitteln und ästhetischem Zweck wurde bei Lehár, der bis zuletzt am Orchester komponierte, vor allem angesichts einer Theaterpraxis produktiv, die als erstes am Orchester sparte. So nutzte er die traditionelle Besetzung des Operettenorchesters konsequent zur Realisierung seiner Partituren: zwei Flöten (auch Piccolo), zwei

Oboen, zwei Fagotte, vier Hörner, zwei Trompeten, drei Posaunen, Schlagzeug, bestehend aus kleiner und großer Trommel, Glockenspiel und Pauken sowie Streicher. Das Orchester der *Lustigen Witwe* ist demgegenüber nur um die »unerläßliche« Harfe, die Triangel und die für Folklore zuständige Bühnenmusik aus Tamburizza, Tamburin und Gitarre erweitert. Mit den im *Grafen von Luxemburg* hinzukommenden Becken und Celesta sowie der seit *Zigeunerliebe* verwendeten Tuba war das Lehár-Orchester auf dem Papier komplett, sieht man von dem für das jeweilige Lokalkolorit erforderlichen exotischen Instrumentarium ab – Tárogáto, Zimball, Glocken, Orgel oder Harmonium in *Zigeunerliebe*, in *Paganini* zwei Mandolinen, entsprechend eine Balalaikagruppe im *Zarewitsch* oder das große Aufgebot von Schlagwerk (zusätzlich Holztrommel, Becken, Tamtam, Gong, große Glocken) im *Land des Lächelns* und schließlich seit *Cloclo* (1924) – übrigens »nach Puccinis Urteil die geistreicheste Instrumentation während der letzten zehn Jahre«[39] – als Modeinstrumente der zwanziger Jahren sporadisch Saxophon (*Zarewitsch*) und Banjo (*Schön ist die Welt*). Daß solche Vorstellungen von den Theatern oft nicht realisiert wurden, zeigte das extreme Beispiel der Londoner *Lustigen Witwe*. Auch die gut bestückten deutschen Stadttheater erfüllten bei Operetten grundsätzlich die Wünsche der Komponisten selten, auch wenn Lehár sich, wie er stolz bemerkte, »in Deutschland die Hofbühnen erschlossen«[40] hatte. Selbst im Burgtheater der Operette ist Lehárs »Sehnsucht ... die Vergrößerung des Orchesters im Theater an der Wien – bisher nicht in Erfüllung gegangen. Es würde mich mit Genugtuung erfüllen, wenn die Zahl der Musiker, die gegenwärtig zirka dreiundvierzig beträgt, wenigstens auf fünfzig erhöht werden würde« – wie er 1913 vor der Uraufführung der *Idealen Gattin* bekannte. Immerhin fand damals »zum ersten Male die Celesta ... Verwendung ... ich habe das Instrument zwar schon in früheren Operetten in meiner Partitur vorgeschrieben, mußte jedoch wieder darauf verzichten, weil die Celesta im Orchester nicht vorhanden war.«[41]

Trotz der eingeschränkten Möglichkeiten unterschied sich bereits in der *Lustigen Witwe* der Orchesterklang wesentlich etwa von dem der *Fledermaus*, »ist unbedingt als neu zu bezeichnen«,[42] wie Max Schönherr bemerkte; ein Berufener, der noch unter Lehár am Theater an der Wien dirigierte. Alle Operetten nach der *Lustigen*

Lehár vezényel

A világhirű ősz mestert ünnepelték a héten az egyetemi ifjúság díszhangverse-
nyén. Az óriási zenekart Lehár személyesen vezényelte. A Képes Krónika
kiküldött fotoriportere érdekes felvételeket készitett a Mesterről próba közben,

(Foto: Orelly)

18 *»Lehàr verényel«* – Lehár dirigiert (1940)

Witwe sind jedenfalls ohne Lehárs neuartige Orchesterbehandlung undenkbar: »Hier hat zum ersten Male der Naturalismus der modernen Musik in der Operette sein Echo gefunden. Es ist das, was Richard Strauss die al-fresco Behandlung des Orchesters nennt.«[43] Lehár erreichte solch neuen, breit aufgefächerten Klang, über dem seine gleitende Kantilene zu schweben scheint, mit vorhandenen Mitteln: durch Teilung der Streichergruppen, gegenläufige und melodieführende Bläserstimmen, Erweiterung der Tonhöhe aller Instrumente – Gelegenheit für instrumentale Effekte, wie bereits in der *Lustigen Witwe* angedeutet. Diese Auflockerung des Orchesters in viele selbständige Gruppen, von den Zeitgenossen gar als »impressionistische Polyphonie« empfunden, nutzte die Möglichkeiten moderner Orchesterbehandlung, des gemischten Klangs, der den einfachen tonalen harmonischen Zusammenhängen ihr raffiniert schillerndes Gewand erst verleiht. So gewinnen einzelne Akkorde allein durch ihre Instrumentierung Brillanz und Ausdruckswert – Lehárs Waffe, der Verinnerlichung mit Opernmitteln zu kommen. Im modernen gemischten Orchesterklang, dem Resultat der Wagnerschen Klangfarbenverschmelzung, liegt der Schnittpunkt von Opernmittel und Operettenzweck, so daß – wie Karl Kraus feststellte – »die neue Operette auf der Höhe ihrer Verknödelung sich selbst des Operngestus bedient und einen Fünfkreuzertanz mit einem Posaunenfest der Instrumentation beschließt«.[44]

»Der Zeit ihre Kunst!«
Operettengeschäft und Unterhaltungsmusik

Der Zuschauer soll ein Erlebnis haben
und nicht bloß Unsinn sehen und hören.
Franz Lehár[1]

Von modernem Geist beseelt

So kühn der Operettenerneuerer Lehár seine Klangphantasien realisierte, so beharrlich blieb er der beschränkten musikalischen Formensprache der Operette treu. Gerade diese eigentümliche Widersprüchlichkeit aber machte ihn erst zum Schöpfer der modernen Spielart des Genres. Daß er dabei die technischen Errungenschaften der musikalischen Entwicklung nutzte, entsprach der Fortschrittsgläubigkeit der Epoche, die seiner Meinung nach auch an der Operette nicht spurlos vorübergehen sollte: »Der Zeit ihre Kunst! Dies gilt auch auf dem Gebiete der leichtgeschürzten Muse. Bei aller hohen und aufrichtigen Verehrung für die alten Meister der Operette, welches Theater könnte heute sein Repertoire mit Offenbach, Strauß, Suppé und Millöcker bestreiten? … Neues muß geschaffen werden, von modernem Geist beseelt, schimmernd in den Farben der bunter gewordenen Welt, eindringlicher, nervöser, technisch vielgestalter. Das ist die Zukunft der Operette.«[2]

Dennoch konnten Lehárs Ambitionen nicht verhindern, daß in der zeitgenössischen Kritik als »sein Arbeitsfeld … die Unterhaltungsmusik«[3] angesehen wurde, ein Begriff, gegen den sich der Komponist zeitlebens vergebens gewehrt hat, mußte er sich doch in seiner Operettenästhetik verkannt fühlen. Nicht zufällig ließ hingegen sein radikaler Antipode Arnold Schönberg dem Begriff Gerechtigkeit widerfahren, wenn er bekräftigte, er bedeute »nicht Trivialität, Vulgarität und mangelnde Originalität, sondern verständlichere Darstellungsweise … Das heißt nicht, daß in der Unterhaltungsmusik notwendigerweise solche Melodien, Rhythmen und Harmonien, wie man sie in der höheren Musik erwarten würde, ausgeschlossen sein müssen«[4] – womit zumindest Lehárs Eigenart gut getroffen wäre. Wenn der zu Recht in der »Schablone ... die größte Gefahr für jedes künstlerische Schaffen«[5] erblickte, übersah er freilich, wie sehr auch er den stereotypen Formen der Gattung verfallen war. Schließlich hatte er so manche Schablone selbst begründet: »Der Walzer aus der *Lustigen Witwe* dürfte exemplarisch den neuen Stil statuiert haben und der Jubel, mit dem das Bürgertum Lehárs Operette begrüßte, ist dem Erfolg der ersten Warenhäuser zu vergleichen.«[6]

Schlug sich darin für Adorno die »Industrialisierung der Produktion« und ihre Massenrezeption auf das Produkt selbst nieder, wollte der Künstler Lehár von solch schnöden Zusammenhängen nichts wissen, auch wenn Alfred Döblin »zur Feier der Premiere von Lehárs *Graf von Luxemburg*« bescheinigte: »Das Theaterstück ist ein Vorwand, der Künstler Glied eines ökonomischen Trusts. Das Aufblühen der Automobilindustrie gehört zu den ureigensten Verdiensten eines echten Dramatikers. Und wie wird sich dies hier erfüllen! Soviel Küsse, soviel Tanz, soviel Kränze, soviel Schlager. Die unzüchtige Zote, die süße Geilheit in Wort und Spiel und Musik: mein Liebchen, was willst du mehr?«[7]

Amerikanisiert und kapitalisiert

Der im Gefolge der *Lustigen Witwe* neu entstandene internationale Markt hatte sich inzwischen rasch organisiert. Den seriöseren Zeitgenossen erschien er »amerikanisiert und kapitalisiert«.[8] Dabei ging es um horrende Summen. So sollen Lehár vom Direktor des Londoner Hippodrome-Theaters für einen Einakter ein Vorschuß von 100 000 Mark geboten worden sein. »Man denke – hunderttausend Mark für ein Stückchen, das dreißig bis vierzig Minuten dauert und fünf bis sechs Musiknummern enthält!« Lehár lieferte ihm dafür den bereits zwei Jahre alten *Mitislaw, der Moderne.* Die Operette als publikumsorientierte Gattung wurde als Produkt dieses Marktes zwangsläufig auf ihn zugeschnitten. Die weltweite Verbreitung verlangte einen gemeinsamen Nenner. Daß dabei lokale Eigenart verlorenging, war die Konsequenz. »Die Operette, ursprünglich ein Wiener Kind ... wächst sich auf einmal in eine moderne Kosmopolitin aus ... aus Geschäftsinteresse ... Also das

19 Amerikanische Karikatur der Wiener »Operetta factory« 1916

Milieu möglichst international ... England, Amerika und Frankreich bringen die großen Tantiemenziffern. Dort führt man die Stücke bis zum Weltuntergang en suite auf.«[9] Auch die Operettenschöpfer selbst verfielen damit zusehends dem Betrieb. »Die arrivierten unter ihnen haben dann schon vor dem Krieg sich zu Kompositionstrusts zusammengeschlossen, die im Salzkammergut sich niederließen.«[10] Gemeint ist Bad Ischl, dessen Esplanade geradezu zur Operettenbörse wurde, wo während des Sommers Librettisten und Komponisten im legendären Café Zauner die Werke der kommenden Saison vorbereiteten. Das führte gerade unter den Librettisten zu einer Monopolisierung, die sich im dramaturgischen Schema niederschlug, das seit der *Lustigen Witwe* als Frack-, Tanz- oder Salonoperette das Repertoire beinahe diktatorisch beherrschte. Noch 1929 beklagte Jean Gilbert, daß die Komponisten »immer denselben Quatsch komponieren müssen! –

Immer wieder die umgedrehte *Lustige Witwe.*«[11] Solche Schematisierung scheint einer Massenmedium gewordenen Gattung wie der Operette zwangsläufig innezuwohnen, die »aus dem Massenbedürfnis geboren … darum schon im voraus die Allgemeinresonanz mitzubringen pflegt«.[12]

Obwohl die GEMA, 1915 gegründet, erst in den zwanziger Jahren zur Tantiemenabrechnung die Trennung von Unterhaltungs- und ernster Musik in U- und E-Musik einführte, hatte sie sich bereits mit Aufkommen der modernen Operette vollzogen. Das Jahr 1905 machte mit den in beiden Bereichen bahnbrechenden Werken des Musiktheaters den Abstand deutlich: mit *Lustiger Witwe* und *Salomé*. Gegen seinen Willen wurde gerade Lehár zum Exponenten der Unterhaltungsmusik. Eine repräsentative Statistik aller deutschen Bühnen des Jahres 1910 beispielsweise zeigte ihn trotz 1994 Aufführungen Wagnerscher Werke mit 2200 Aufführungen unangefochten an der Spitze. Zum Vergleich: Puccini als erfolgreichster lebender Opernkomponist hatte 776, Oscar Straus als erfolgreichster lebender Konkurrent auf dem Gebiet der Operette 748 Aufführungen aufzuweisen.[13] Diese Breitenwirkung hatte in Konzessionen an musikalische Formen ihren gewiß nicht zu hohen Preis. Einer der bedeutendsten Theaterunternehmer überhaupt, Lehár-Freund Karczag, formulierte demnach ohne falsche Skrupel, die Operette stehe »im Zeichen des Geschäfts« und sei »wie dieses den Moden des Tagesgeschmacks, den wechselnden Konjunkturen unterworfen«.[14]

Eine tiefe Tantiemeneinsicht

Für Karl Kraus war denn auch die Salonoperette »Symptom wirtschaftlicher Hochkonjunktur«,[15] oder Lehár, wie es in der Neuen Musik-Zeitung hieß, »zehnmal mehr Geschäftsmann als Musiker«.[16] Diese Verflechtung wirtschaftlicher und künstlerischer Interessen rief die zeitgenössischen Kunstrichter auf den Plan. Sie sahen die abendländische Kultur bedroht und entfesselten eine wütende Kampagne gegen die Operette, da sie »die simpelsten Grundbegriffe der Kunst über den Haufen wirft«.[17] Der Musiker Lehár wehrte sich sein Leben lang dagegen, daß man derart »leider … die Operette immer als Prügelknaben der Kunst« benutze;

der Geschäftsmann Lehár mußte hingegen eingestehen: »Der vielgeschmähte Großbetrieb der Operette hat meiner Meinung nach auch seine guten Seiten – mit ihm rouliert das Geld.«[18]

Daß die Modernität der *Lustigen Witwe* bald zur Mode, ihre neue Dramaturgie zur Schablone depravierte, erklärt sich vor allem durch »die tiefe Tantiemeneinsicht ... daß auf dem Theater nur der immer neue Erfolge hat, der nichts Neues bringt«.[19] Die Besetzung des ersten Paars mit Diva und Tenor sowie des zweiten mit Soubrette und Buffo, oder, wie es damals hieß, Gesangskomiker, wurde obligatorisch, die Konstellation der dramatischen Tanzszene und des »tragischen« Eklats im zweiten Finale festgeschrieben. Trotz des opernhaften Aufwands trug es für Adorno bereits das Stigma der Massenkultur: »Wie jede rechtschaffene ungarisch-wienerische Operette im zweiten Akt ihr tragisches Finale haben mußte, das dem dritten nichts übrigließ als die Berichtigung der Mißverständnisse, so weist die Kulturindustrie der Tragik ihre feste Stelle in der Routine zu.«[20] Die dreiaktige Form, von der klassischen Wiener Operette übernommen, wurde trotz mangelnder musikalischer Bedeutung des 3. Aktes fast immer beibehalten.

Der Preis dieser dramaturgischen Schablone war zum einen das Schwinden von Handlungsmomenten aus den Musiknummern, sie wurden meist in den Dialog verlegt, und zum andern der Verlust komischer Konflikte durch die zunehmende Funktionslosigkeit des zweiten Paars, das dennoch für Witz zu sorgen hatte. Diese Konzeption eines zweiten Paares, dem ersten nur noch als Staffage beigesellt, tauchte prototypisch zum ersten Mal in *Der Graf von Luxemburg* und *Zigeunerliebe* auf – um fortan als sogenanntes Buffopaar stereotyp alle Wiener Operetten zu durchtanzen. Valencienne und Camille in der *Lustigen Witwe* hatten noch ihre eigene, selbständige Geschichte, die im zweiten Finale effektvoll mit der Hannas und Danilos verwoben war. Das Verhältnis des zweiten Paars im *Grafen von Luxemburg* hingegen, Juliette Vermont und Armand Brissard, wird durch die Handlung nur oberflächlich berührt – die Liebe ist ihm stets »zu-zu-zu-zuckersüß« – so daß »die Liedertexte im Libretto gar nicht mehr dramatisch entwickelt werden, sondern völlig die Form der Einlage erhalten«.[21] Daß sie in Tanzform gehalten sind, förderte ihre Verbreitung vor allem außerhalb der Operette als Gebrauchsmusik. Der Tanzschlager war zum Schaustück reduziert, das in der rein instrumentalen Refrainwiederholung als sogenannte Tanzevolution beinahe akrobatisch kulminierte und entsprechend choreographiert war. Dieser getanzte Abschluß einer Nummer, von den anglo-amerikanischen Grotesktänzen durch Lehár für die Wiener Operette übernommen, wurde für eine ganze Komponistengeneration von Kálmán bis Abráhám vorbildlich – bis hin zu den Jazztänzen der zwanziger Jahre.

»Man greift nicht nach den Sternen«

In *Der Graf von Luxemburg* sind die Schablonen der modernen Salonoperette mustergültig ausgebildet – dramaturgisch: die zwei Paare, die Komikerrolle, das tragische zweite Finale – musikalisch: das Auftrittslied des Helden und der Heroine, ihr großes Walzerduett mit Tanzszene, die Buffonummern mit Tanzevolution. Dieser Formenkanon, in der *Lustigen Witwe* nur angedeutet, blieb für die Operette bis in Lehárs Spätwerk verbindlich und verkam zusehends zum Klischee. Die Kommerzialisierung des Genres hatte damit ihre adäquaten Ausdrucksmittel gefunden, denn, wie Lehár versicherte, »›das Publikum aller Länder liebt eine Mischung von Heiterkeit und Rührseligkeit ... Wir haben stets zwei Hauptpaare: die Verliebten, die girren und die lustigen Leute, die zum Lachen reizen. So finden sich alle Geschmacksrichtungen befriedigt ...‹ Sprach's und wurde nicht sofort verhaftet«, kommentierte Karl Kraus.[22]

Im *Luxemburg* ist dieses Rezept zum ersten Mal reizend realisiert. Die Nummern der »lustigen Leute«, unter denen das Walzerduett »Schau'n Sie freundlichst mich an« beispielhaft Funktion und Aufbau vorführt, sind als Schlager angelegt: Im Strophenteil tragen Juliette und Brissard dialogisch und parodistisch den ewigen Geschlechterkampf um die Ehe aus. Während sie »nur legitim ... intim« werden will, versucht er sie tanzend zu erobern, bis es »im Dreh'n ... um sie gescheh'n« ist. Entsprechend eingängig ist die musikalische Form ohne jede harmonische Spielerei. Der Refrain »Mädel klein,/Mädel fein,/gib dich drein,/sag nicht nein ...«, mithin schon fürs Tanzlokal konzipiert, ist sowohl textlich als auch musikalisch von solcher Allgemeingültigkeit, daß nach einschlägigem Bericht »in dieser Tonlage ... wirkliche Ehewerbungen erfolgt«[23] sind. Die Coupletform mit Strophe und Refrain ermöglichte dem

20 *»Nur legitim wird ich intim…«*

21 *»Im Dreh'n ist's um mich gescheh'n«*
Luise Kartousch als Juliette und Bernhard Bötel als Brissard
in *Der Graf von Luxemburg* (Theater an der Wien 1909)

Publikum, »vom Kollektiv umfangen oder selber eine gehobene Persönlichkeit zu sein«.[24] Auch die übrigen Buffonummern folgen diesem Schema, nur der Tanzrhythmus wechselt noch.

Wie selten bei Lehár dominiert im *Grafen von Luxemburg* jedoch der Walzer in allen Variationen, besonders aber der für Lehár typische Valse moderato, seit »Lippen schweigen« Ausdruck intimer Zweisamkeit der »Verliebten«, in den Lehár nach eigener Aussage »möglichst viel Schmelz zu legen« sich bemühte. Bei »Bist du's lachendes Glück« gelang ihm das aufs glücklichste. Dies Walzerduett wird vom ersten Paar, durch »einen Paravent oder sonst etwas Spanisches« getrennt, zum ersten Mal bei seiner Scheinheirat angestimmt, der Schlüsselszene des Werks. Derweil die Augen nichts sehen, erzählen die Lippen von einer fremden Welt. »Wie von einer momentanen Eingebung erfaßt, betrachtet jeder seinen Ehering und wird sich plötzlich des Ernstes der Situation bewußt … Nachdenklich für sich« haben Angèle und René jedoch unbewußt »ein inneres Erlebnis«. Die chromatisch durchtränkte Harmonik und vor allem die Celli, die in hoher Tenorlage die Melodie führen, erinnern von ferne an die *Tristan*-Atmosphäre, wie sie in den letzten Worten des Walzers sich ausspricht: »Lieb in Lust und Leid«. Lehár stellt, wie im Vorbild »Lippen schweigen«, große Melodiebögen von acht Takten in den Raum einer einzigen harmonischen Funktion, »so daß sich der Hörer zugleich harmonisch auf sicherem Boden und melodisch in der Schwebe gehalten fühlt«[25] – auch das wurde bald zum Standard. Darüber hinaus erinnert die Melodie, die sich aus einer langen Note entwickelt, an die Eigenart von Puccinis Kantilenen und seine emphatische Manier, Sopran und Tenor auf dem emotionalen Höhepunkt in Oktavparallelen zu führen. In Lehárs Valse moderato spiegelt sich die Ambivalenz des »Individuums von avant guerre, das seine Psychologie hat und Stimmung und sogar eine Seele – und das genaue Korrelat solchen Individuums: die Gemeinschaft der fröhlich Tanzenden, die über einen sicheren Boden schweben«.[26]

So unverkennbar in *Der Graf von Luxemburg* die Schablone etabliert wird, so unverwechselbar entfaltet Lehár seinen modernen Orchesterklang, sei es schwelgerisch wie im Valse moderato, sei es parodistisch mit dem aus der *Lustigen Witwe* bekannten Subtext der Soloinstrumente wie im Auftrittslied der Komikerrolle Basil Basilowitsch: so die pikante pizzicato-Begleitung der Streicher zum

»lala-lala-lala-lala – mit Kopfstimme« oder der zugespitzte alterierte Akkord im gestopften Blech auf Basils unsinnig oft wiederholtes Textmotto »Ich bin verliebt«. Schließlich wird der Klang selbst zum dramaturgischen Bedeutungsträger, wenn der Titelheld, nach eigener Einschätzung ein »adeliger Demokrat« und damit ambivalent wie die ganze Operette, den Handschuh, den die Frau seiner Träume verloren hat, und den Duft, der ihm entströmt, zum Tönen bringt. Das anfangs fremde Parfüm Angèles, das schwül flimmernde »Trèfle incarnat«, wird in einer »klingenden Anagnorisis« mit Renés Erinnerung an die Scheinheirat in einem bravourtenoralen Ausbruch identisch. Für Volker Klotz zählt diese »Trèfle incarnat«-Szene daher »zu den markantesten in der Geschichte der Gattung Operette«.[27] Ähnlich entwirft Lehár in Angèles Auftrittslied ein Psychogramm der Figur. Das sehnsüchtige Aussingen zurückgehaltener Emotionen in Verbindung mit zögerlichen Achtelpausen zeigen Angèles Schwanken zwischen Hoffnung und Zweifel hinsichtlich ihrer künftigen Ehe. Sprechend folgt den inbrünstig langen hohen Noten von »Liebe« eine absteigende Achtelkette: »Nie war der Rechte da.«

In den auskomponierten Finali versuchte Lehár dann eine Synthese von Nummerndramaturgie und Musikdrama. Das zweite Finale des *Grafen von Luxemburg* ist ein Muster für musikdramatischen Aufbau in der Salonoperette. So wenig sie stilistisch mit Wagner zu tun hat, »so sehr zehrt die musikalische Dramaturgie von dessen Erbschaft«.[28] Die geschlossenen Nummern werden als leitmotivische Bruchstücke einer dramaturgischen Entwicklung unterworfen: so erscheint, als René seine Identität aufgedeckt, sein Auftrittslied zwischen Dur und Moll verzerrt, mit einem verminderten Septimakkord auf »Pump« als schiefem Abschluß oder das »lachende Glück« zerfällt auf dem Höhepunkt des Konflikts im neapolitanischen Sextakkord. Es sind beredte Beispiele für Lehárs Ästhetik, Ausdrucksmittel der ernsten Musik für die Operette nutzbar zu machen – oder wie Hanns Eisler polemisierte: »Was bei Beethoven Ausdruck des höchsten Schmerzes war, erscheint bei Lehár als – ebensolcher.«[29] Dabei blieben solche Verwegenheiten stets im konventionellen Rahmen des Genres, die Dissonanzen sind Ausnahmen von der Regel, ebenso die kontrapunktischen Nebenstimmen im ansonsten homophonen Orchester. Dennoch waren damals solche Effekte für die Operette neu – »der Geist fühlt

22 *»Lieber Freund, man greift nicht nach den Sternen...«*

23 *»Das eine Wort nur sprich!«*
Annie von Ligety als Angèle und Otto Storm als René
in *Der Graf von Luxemburg* (Theater an der Wien 1909)

sich ... in den entrückten Höhen des Musikdramas«,[30] wie es manchem Zeitgenossen schwindelte.

»Wie's nur ein Luxemburger kann«

Wie keine zweite Operette Lehárs wurde *Der Graf von Luxemburg* paradigmatisch für die Entwicklung der Salonoperette. Noch 1928 verteidigte Alfred Grünwald, mit *Die Ideale Gattin* früher Lehár- und seit der *Bajadere* später Kálmán-Librettist, dessen Vorliebe für die Schablone mit dem Hinweis auf den »*Grafen von Luxemburg* ... In dieser Operette erblicken wir Jüngeren, so wie in der *Geschiedenen Frau* des unvergeßlichen Leo Fall den Typus der modernen Operette, wie sie sein soll. Und es ist nur eine Verbeugung vor Lehár, wenn Kálmáns jetzige Operetten den Jugendstil dieses Meisters festhalten...«[31] Dabei hatte Lehár diesen Jugendstil gleichsam auf Abwegen begründet. Mit *Fürstenkind* und *Zigeunerliebe* hatte er bereits eine andere Richtung eingeschlagen, als er den *Grafen von Luxemburg* 1909 in Angriff nahm und »vom 29. Mai bis 26. Juni fix und fertig«[32] skizzierte. Um die schnelle Komposition bildete sich bald die hartnäckige Lehár-Legende, es sei eine erzwungene gewesen, da Lehár bei Karczag wegen einer Herbstnovität für das Theater an der Wien im Wort stand. Lehár soll daher das Opus Emil Steininger nach dessen Überlieferung mit folgendem Satz übergeben haben: »Der Schmarrn ist fertig und wenn es kein Erfolg wird, habt ihr es euch selbst zuzuschreiben.« [33]

Den wahrscheinlich französischen Stoff des *Grafen von Luxemburg* hatte, allerdings erfolglos, 1897 bereits Johann Strauß als *Die Göttin der Vernunft* vertont. Der damalige Mitlibrettist, Dr. Alfred Maria Willner, hat ihn dann mit Robert Bodanzky überarbeitet und erst dem unvergeßlichen Leo Fall, der dankend ablehnte, daraufhin im Paket mit *Zigeunerliebe* Lehár angeboten, der im Herbst 1908 sein *Fürstenkind* weitgehend abgeschlossen hatte. Der Komponist widerlegte erst anläßlich einer Galaaufführung mit Maria Jeritza im Jahre 1929 die, wie er es ausdrückte, »Ischler Legende« um die erzwungene Operette. Nach seiner Schilderung hatte er Anfang Mai 1909 Karczag die eben vollendete *Zigeunerliebe* vorgespielt. »Aber Karczag schüttelte den Kopf. Er hätte sich in den Kopf gesetzt, im Herbst eine heitere, lustspielmäßige Operette von mir zu bringen, die *Zigeunerliebe* aber sei das gerade Gegenteil.« Ende Mai schloß sich dann der Komponist in Ischl mit dem Libretto des *Grafen von Luxemburg* ein. »Es war bestellte Arbeit, ja, aber schon nach der ersten Note begann ich mich in das Buch zu verlieben ... und statt, wie ich es gewohnt bin, methodisch zu arbeiten, habe ich dieses Buch von rückwärts nach vorn und von vorn nach rückwärts komponiert. In drei Monaten war ich fertig und beim Durchblättern der Partitur sagte ich mir: das ist vielleicht die ursprünglichste Musik, die du je geschrieben hast!«[34]

Die Besetzung der Wiener Uraufführung vom 12. November 1909 war bemerkenswert – vor allem wegen Max Pallenbergs Basil Basilowitsch: »Er gab Töne von sich, die wie das Jubelgeschrei eines Säuglings klangen, und man brüllte. Man wollte ihn nicht von der Bühne lassen.« Sie brachte dem *Grafen von Luxemburg* einen »Erfolg von einer Intensität ... wie sie vielleicht noch keinem Werke Lehárs zuteil geworden ist! Man applaudierte von allem Anfang an wie toll ... man verlangte alles da capo«[35] – und wie die Neue Freie Presse ergänzte – »manches sogar zweimal. Es gab viele Hervorrufe, nach dem 3. Akt 46, wie gewissenhafte Statistiker zählten.«[36] Die Kritik war gespalten, wie es dem zwiespältigen Werk entsprach. So rühmte das Deutsche Volksblatt »den prächtigen Gesamteindruck seiner Musik, deren Vorzug ebenso in der Anmut und Frische der Erfindung als in der sauberen Technik liegt, die in diesem neuesten Werke fast noch höher steht als in seiner *Lustigen Witwe* ... Man könnte die Operette, was den musikalischen Teil anbelangt, geradeso gut eine komische Oper nennen ... dem Gassenhauer ist der Komponist aus dem Weg gegangen ... und hat eine Fülle reizendster Melodien ... in ein ungemein duftiges, liebliches instrumentales Gewand gekleidet, das oft an Puccini erinnert.«[37] Alfred Döblin hingegen, damals Kritiker der Berliner Erstaufführung, nahm gerade das Gegenteil wahr – »die Musik, in mäßig gebildeter Haltung, sei bald in Plattheit ausgeartet; die Faktur stamme aus gediegenen Händen, besonders das Orchester; die Einfälle nicht zu neu, aber manierlich aufgemacht; es wäre im übrigen eine negativ gute Kunst gewesen, das heißt gut durch Umgehen des Schlechten. Lehár, ein Talent, nicht verwechselbar mit den Industrierittern derselben Branche, sei aber sichtlich bemüht immer wieder ins Publikum gesunken; die Schlager fielen und der Beifall stieg. Dies sei alles Schuld der Theaterdirektoren. Das Gute

24 *»Ich bin verliebt…«*
Max Pallenberg als Basil Basilowitsch in *Der Graf von Luxemburg*
(Theater an der Wien 1909)

müsse entweder verderben oder sich kompromittieren ... Es sei höchste Zeit, daß man diesen Verführern der Künstler und des Publikums den Schierlingsbecher reiche.«[38] Wenn Julius Stern im Fremden-Blatt sich dieser Meinung anschloß – »einerseits die verwagnerte Operette ... andererseits die Lehár-Operette à la *Graf von Luxemburg*, die nur auf Popularität losgeht«[39] – brachte er zwar den Widerspruch der modernen Operette auf den Punkt, übersah jedoch die spezifische Qualität des besprochenen Werkes. Denn *Der Graf von Luxemburg* versuchte ja gerade den Spagat zwischen verwagnerter Operette und Popularität.

The Count of Luxemburg

Der Graf von Luxemburg bescherte Lehár den zweiten großen internationalen Erfolg. Er wiederholte den Weg der *Lustigen Witwe*. Bereits am 23. Dezember 1909 war im Neuen Operettentheater am Schiffbauerdamm die aufsehenerregende Berliner Premiere mit Fritz Werner und Mizzi Wirth. Bald darauf ging das Werk über sämtliche mitteleuropäischen Bühnen. Am 6. Oktober 1910 erlebte Rom die umjubelte italienische Premiere im Teatro Apollo, wo man hellhörig »l'influsso del dramma musicale di Riccardo Wagner«[40] konstatierte, der Welterfolg aber ging wieder vom Daly's Theatre des George Edwardes aus, der im englischen Sprachraum mittlerweile zum Spezialisten für Wiener Operetten geworden war. Nachdem *The Merry Widow* zwei Spielzeiten das Daly's belegt hatte, folgten unmittelbar im Anschluß 1909 *The Dollar Princess* und 1910 *The Waltz Dream*, ehe am 20. Mai 1911 »the moust brillant production that need to be desired, even at Daly's ... had taken by storm the house«[41] – und es über eine Spielzeit und 340 Vorstellungen blieb. Hatte schon König Edward VII. die *Lustige Witwe* viermal gesehen, ließen es sich George V. und seine Gattin Mary nicht nehmen, den ersten Premierenbesuch ihrer Regentschaft ausgerechnet dem Heiratsgrafen aus Luxemburg abzustatten, eine Sensation, von der Presse gebührend zur Kenntnis genommen. »During the interval between the first and second act the King sent for ... Herr Lehár, who was conducting the orchestra ... ›I have extremly pleasant recollections of *The Merry Widow*‹, the King said to him, speaking in German, ›and what I have heard this evening charms me just as much ... Do you speak english?‹ ›No, your Majesty ... but I am going ... to learn it, and when I come again I shall be able to.‹ The King was amused about the answer ... ›I hope to come here to see your piece as often as I came to see *The Merry Widow*.‹«[42] Lehár war, anders als vier Jahre zuvor, entspannt während seines ausgedehnten Londoner Aufenthalts, genoß seine Popularität und hatte sich mit der englischen Bühnenpraxis versöhnt. Diesmal konnte der Protagonist, Bertram Wallis, sogar singen und auch Lily Elsie als seine Partnerin war stimmlich gereift. Wieder hatte Captain Basil Hood das Buch stark verändert. »He knew, too, that construction was never the strong point abroad, but that British audiences disliked clumsiness.«[43] Er ignorierte diesmal den üblichen schwachen 3. Akt und erstellte eine zweiaktige Fassung, machte aus dem »lachenden Glück« sinnig, »the heroine's leitmotif, ›Ah, Love, can it be Love?‹« und erfand mit George Edwardes zur Melodie von »Mädel klein ...« eine Walzerszene, bei der Bertram Wallis und Lily Elsie singend auf einer riesigen Treppe mit einer solchen Eleganz auf und ab tanzten, daß schon am Premierenabend die Rede war von einer Sensation – »which is to be the talk of the town for months«.[44] Das Bühnenbild selbst, mit der bahnbrechenden Treppe, war von filmischer Perfektion und soll die damals ungeheuere Summe von hunderttausend Mark verschlungen haben. Angesichts solcher einzigartigen Bedingungen bekannte Lehár, es sei »eine Freude mit den englischen Theaterleuten zu arbeiten. Da gibt's kein Sparen, kein Knausern ... Was kosten nur allein die Beleuchtungseffekte! So ist zum Beispiel in London die Gepflogenheit, die Hauptakteure ... auf der Bühne fortwährend besonders zu beleuchten, so daß sie durch das immer mit ihnen ziehende Licht ... hervorgehoben werden.«[45] In der Londoner Ausstattung mit dem »Staircase Waltz« kam *The Count of Luxemburg* denn auch am 16. September 1912 im New Yorker New Amsterdam Theater heraus, ein halbes Jahr vorher, am 13. März, im Pariser Théâtre Apollo. Seitdem ist, Karl Kraus zufolge, »die Welt und leider auch Frankreich von diesem Zwetschgenmus eines musikalischen Schönpflug überzogen ... Sie haben eine *Grande Duchesse de Géroldstein* und spielen den *Comte de Luxembourg!*«[46]

»Heute ist heute!«
Warenhaus Operette

> Die Operette, eine Industrie, die Tausende von Menschen ernährt ... sollte sich's wohl gefallen lassen, zu jenen Gebrauchsartikeln gerechnet zu werden, welche dem Bürger zur behaglicheren Ausstattung des täglichen Lebens dienen ... wie Warenhäuser, Automobile, sexuelle Aufklärung ... wie all jene wohlfeilen Surrogate, welche in unseren Tagen die Illusion von Bildung und Luxus unter die Massen tragen.
> Klaus Pringsheim[1]

Wie Treumann den Schlips band...

Daß die moderne Operette mit den ersten Warenhäusern aufkam, ist ebensowenig Zufall wie beider Tendenz zur Konfektion. Der direkte Zusammenhang von Textilbranche und Unterhaltungsmusik, auf den Adorno zuerst hinwies, war von jedem Theaterzettel zu lesen, der bereitwillig die Namen der Kostümlieferanten nannte. Mehr noch als in gesanglicher Perfektion lag im eleganten Vorführen des Kostüms, in der gekonnten Handhabung der Requisiten, in der Fähigkcit, die Dinge in Bewegung zu setzen, die spezifische Qualität des Operettenhelden. Gerade die Garderobe der Hauptdarsteller, welche »die Konfektionsfirmen ... aus Reklamegründen sehr gern übernahmen«,[2] wurde als Ausdruck der neuesten Mode rezipiert. Aber erst in Verbindung mit dem Darsteller-Star wurde sie zum Fetisch des Publikums. »Wie Treumann den Schlips band ... wie Marischka den Spazierstock wirbelte ... machte Mode. In der Operette wurde die jeweilige Moderichtung nicht nachgebildet, sie wurde dort Vorbild ... – von Hortense Schneider bis zu Fritzi Massary stellte die Operettenprimadonna den vollendeten Frauentyp ihrer Zeit dar.«[3]

Die Tendenz zur Konfektion, die schon musikalische Typen und

Dramaturgie kennzeichnete, erfaßte das ganze Genre. Daß diese Mode international geworden war, schlug am deutlichsten auf die Sujets zurück, die nicht ungestraft Operettenstoffe hießen. Lokales und Folkloristisches wurde nur mehr zum dekorativen Vorwand, die neuen Helden tanzten als Zwischenhändler des Amüsements weltmännisch übers internationale Parkett, verkauften gar wie der *Graf von Luxemburg* ihren Adelstitel für Geld: »Was gilt jetzt Name, was Rang und Stand?«[4] Entzauberte die Operette Offenbachs ihre Götter, indem sie sie in Zeitgenossen verwandelte, verwandelte Lehárs Operette Zeitgenossen in Götter einer säkularisierten Lebewelt – Prokuristen in Grafen, Prinzen oder zumindest in Barone. Der Zuschauer wurde sich selbst entrückt, erlebte sich auf der Bühne als sein eigenes Wunschbild. Wie ein gut sitzender Frack steigerte die Salonoperette das Lebensgefühl ihres Publikums, das sich in ihr wie in einem Spiegel bestätigt fand.

Dem »Bürger, der sich als König sehen will«,[5] entsprach »jener Graf von Luxemburg« mustergültig – nach dem Wort Tucholskys: »Man amüsiert sich und ist doch in juter Gesellschaft.«[6] Die bislang adelsfixierte Operette ging folgerichtig mit dem bürgerlichen Schwank eine fruchtbare Mesalliance ein. Mit ihm hat sie »gemeinsame thematische Schwerpunkte ... erotische und geldliche Vermögenszwiste«.[7] So stellt das zweite Finale der *Lustigen Witwe* eine typische Schwanksituation dar: der sich betrogen wähnende Ehemann, das versteckte Liebespaar, der heimliche Tausch der beiden Frauen und der sich dadurch wiederum betrogen fühlende Liebhaber gehören zu den Bestandteilen der großen ›scène à faire‹ des Schwanks. In Offenbachs *Pariser Leben* wurde das Thema angeschlagen, *Die Fledermaus* führte es zum ersten Mal durch und basierte nicht zufällig auf dem Schwank *Le Reveillon* der Offenbach-Librettisten Halévy und Meilhac, dem Stammvater der *Lustigen Witwe*. Von nun an bezogen die meisten Operettenbücher ihren Stoff aus französischen Lustspielen. Ganz richtig war denn auch Karl Kraus *Die Fledermaus*, als »reales Lustspiel mit Gesang, der eigentliche Ausgangspunkt der Richtung, die über den *Opernball* zur *Lustigen Witwe*, zum Greuel der Salonoperette geführt hat«.[8]

Wie schon *Die Fledermaus* hat jede Salonoperette einen 2. Akt mit Fest. Er bietet den Rahmen für die entscheidenden »Drehpunkte, Höhepunkte und Zielpunkte des musikdramatischen Geschehens durch Tanzsituationen«. Daß »jeder Akt ein Ballfest« ist, machte

25 *»A hat? … No, a Hat!«*
Lily Elsie, die Londoner *Merry Widow*,
mit dem legendären Hut (1907)

die *Lustige Witwe* »zum Musterstück unter ihresgleichen im zwanzigsten Jahrhundert«.[9] In der permanenten Zerstreuung dieser Feste verdrängen, ähnlich den Zuschauern im Parkett, die Figuren der Operette die Realität und stürzen sich genüßlich in den Rausch des Augenblicks, dem ihr buntes Treiben verzweifelt Dauer zu geben versucht. Von der Vergegenwärtigung dieser Illusion leben die Operettenfiguren, als »wäre das Leben nichts anderes als eine Folge von Festen ... Es sind sehr rührende Wesen, eine Art von Nachtvögeln, die Angst vor der Wirklichkeit haben, den Tag scheuen.«[10] Wenn sie wie in *Eva* beinahe verzweifelt bitten: »Herrgott, laß mir meinen Leichtsinn nur,/mach mich bitte nicht zu g'scheid ... laß mich denken nur ans Heut«, sprechen sie die Haltung einer Epoche aus, die vor der Wirklichkeit bewußt die Augen verschloß: »Bestimmung, Fatum, das ist alles,/wer kann etwas dagegen tun./Das Beste ist's, sich treiben lassen/und mit dem eig'nen Willen ruhn«. Ein Fatalismus mit apokalyptischen Zügen, der offenen Auges seinem Untergang zutrieb, oder wie Karl Kraus befand: die Operetten »managen den Weltuntergang«.[11] In der *Zigeunerliebe* formulierten sie ihr eigenes Motto: »Heute ist heute./Morgen vielleicht geht in Trümmer die Welt./Frag nicht! Genieße!«

Die Operette als Ort der Alltäglichkeit

Wie in der ›Schaubühne‹ 1913 zu lesen, begann »der Niedergang der Operette ... als einige Librettisten den Schauplatz der Handlung in die Gegenwart verlegten«.[12] Tatsächlich war unter jedem Personenverzeichnis vermerkt: »Zeit der Handlung: Gegenwart«. In fast jedes Sujet der Lehárschen Salonoperette war daher ein Gegenwartsthema einbezogen. So behandelte *Der Mann mit den drei Frauen* (1908) den Massentourismus oder *Endlich allein* (1914) den alpinen Sport als damals aktuelle Modeerscheinungen. Noch in *Frühling* (1922) bildete die Wohnungsnot der zwanziger Jahre die Handlungsgrundlage. Weiter ging das beinahe Brechtsche Motiv einer Räuberbande, die eine Doppelexistenz als Aktiengesellschaft führt, im *Fürstenkind* (1909). *Eva* (1911) thematisierte schließlich in der sozialen Frage ein aktuelles politisches Sujet, wie es vom Gesichtspunkt der Operette nicht ohne Widersprüche zu verstehen war.

Die Integration von Zeitthemen jedoch hat vor allem die Funktion, Nähe zum Publikum herzustellen, einem Publikum, das »unvermittelt aus den Tagesgeschäften gekommen ist, und nicht Lust hat, sich nun in eine ungewohnte Geisteswelt zu versetzen – darum: Alltäglichkeit«.[13]

Die Operette als Ort der Alltäglichkeit? Das scheint paradox genug. Aber gerade daß Alltäglichkeit in ihr festliches Milieu einbezogen wurde, kennzeichnet die moderne Salonoperette. Analog zur Vielfalt der musikalischen Stile ist auch ihr Sujet gemischt. Das Warenhaus Operette thematisiert die Tagesgeschäfte seines Publikums. Sein Angebot ist die Banalisierung der Realität. Der Ernst einer Berufswelt, die keinen Spaß mehr versteht, wird hier kompensiert. Die Operette hilft so dem Zuschauer, wie schon die Zeitgenossen erkannten, »die durch das Prinzip der Arbeitsteilung gewordene Monotonie seiner gewohnten Beschäftigung zu ertragen«.[14] Der Operettenalltag steht im Zeichen dessen, was der Berufsalltag unterdrückt, eines Spiels mit der Wirklichkeit; sein Schlagwort ist Amüsement. »Wo die Arbeit gar keine Freude mehr macht, muß die Kunst herhalten, Spaß zu sein, fröhlicher Schwindel, aufgesetztes Happy-End. Das hält den Hörer bei der Stange; am Ende ... wird jeder etwas kriegen und zwar, ohne daß das geringste an der vorliegenden Wirklichkeit geändert werden müßte ... rosarote Aufstiege, als wären sie in der gegenwärtigen Gesellschaft die Regel, und nur der Zufall hätte sie für den zufälligen Beschauer verhindert.«[15]

In der Operette spielt der Zufall Schicksal, getreu ihrem fatalen Prinzip, man müsse »das Schicksal biegen, bis sich beide kriegen«.[16] Das Spiel des Zufalls mit der Wirklichkeit sieht über deren Ernst hinweg. Der Operettenheld jener Epoche ist nichts als Repräsentant solcher Haltung. Zwar hat er schon immer Realitäten nicht ernst genommen, doch indem er mit konkreter Wirklichkeit wie Büro und Fabrik konfrontiert ist, wird der einst befreiende Akt zwanghaft, da solche Realität nicht mehr zu ändern versucht wird. Zwang wird nicht mehr aufgehoben, indem Operette, wie noch bei Offenbach, seine Grundlagen lustvoll beseitigt; was ihr einzig bleibt – ihn vergessen zu machen, nach dem Schlagwort der *Fledermaus*: »Glücklich ist, wer vergißt, was doch nicht zu ändern ist.«[17] Indem aber die Salonoperette den Zwang des Realen vergessen machen will, muß sie seine Ursachen banalisieren. Das kann ihr im

Zeichen des Amüsements nur dadurch gelingen, daß sie spielerisch »das Leben durch's Champagnerglas betrachtet«.[18]

Banalisierung des Alltags – Maxim

Als Muster solcher Haltung kann das Maxim-Lied der *Lustigen Witwe* gelten. Seine Coupletstrophen vollziehen genau solche Banalisierung des Alltags, wenn Danilo singt: »Um eins schon bin ich im Büro« – als ob es eine Arbeitszeit nicht gäbe – um dann »gleich drauf anderswo« zu sein, »weil man den lieben langen Tag/nicht immer im Büro sein mag«. So wird Amüsement selbst im Bürodienst gerettet und Adornos Satz, dies Amüsement sei »die Verlängerung der Arbeit unterm Spätkapitalismus«[19] frivol umgedeutet. Und weiter bemerkt Danilo:

> Erstatte ich beim Chef Bericht,
> So tu ich's meistens selber nicht,
> Die Sprechstund halt ich niemals ein,
> Ein Diplomat muß schweigsam sein.
> Die Akten stapeln sich bei mir,
> Ich find', es gibt zuviel Papier.

Chef, Akten, den ganzen Alltag so mit einer Floskel erledigen, führt dem Zuschauer Lebenskunst als Banalisierung vor. Die folgende Strophe liefert den Kommentar zu solcher Wirkung:

> Kein Wunder, wenn man soviel tut,
> Daß man am Abend gerne ruht
> Und sich bei Nacht, was man so nennt,
> Erholung von der Arbeit gönnt.

Danilo geht »zu Maxim«, der Zuschauer erlebt Maxim im 3. Akt der *Lustigen Witwe* selbst – mit dem gleichen Resultat: »Sie (nämlich die Grisetten von Maxim) lassen mich vergessen...«

So verschafft die Operette dem Zuschauer Zutritt in eine Lebewelt, den ihm sein Alltag verwehrt. Aber indem sie diesen Alltag thematisiert, stellt sie eine Verbindung zwischen ihrer und der Welt des Zuschauers her. Für Karl Kraus verbirgt sich denn hinter der

Figur des Danilo »der sieghafte Überkommis ... der tanzende Prokurist«, der Repräsentant einer Angestelltengesellschaft »des Weltwarenhauses unserer Kultur«. Er ist »die Figur, die beim Bleigießen unserer Lebenswünsche zustande kam«.[20]

Wie eine Märchenkönigin – *Eva*

Doch hinter solchem Alltag verbirgt sich selbst für Danilo eine andere Welt, die Hanna im Vilja-Lied beschwört: das Märchen, die eigentliche Realität der Operette. Das Märchenmotiv in Form eines Liedes der Protagonistin durchzieht das gesamte Lehársche Œuvre bis hin zum »Einer wird kommen« des *Zarewitsch*. Als Märchen antizipiert die innere Handlung, was die äußere im Happy-End einzulösen hat. »Die Texte sind voll von Märchenzügen wie jenem, daß das Wirkliche aus dem Bild ... hervortritt.«[21] So wenn Eva »im Fieber« ihre Mutter »wie eine Märchenkönigin« erscheint: »So möcht' ich sein,/umstrahlt von des Märchens lockendem Schein.« Entsprechend der Wunschstruktur des Märchens tritt dies nach schwerer dramaturgischer Prüfung auch tatsächlich ein. Eva ist dies wohl bewußt, wenn sie ihren Prinzen fragt: »Wem gleich' ich? – Dem Aschenbrödel im Königsaal./So wird das Märchen wirklich wahr.« Wie aus dem Fabrikmädel Aschenbrödel, aus dem Fabrikbesitzer ein Märchenprinz wird, ist Stoff der inneren Handlung.

Das von Danilo in der *Lustigen Witwe* zuerst angeschlagene und in *Eva* aufgenommene Grundmotiv der »zwei Königskinder, die zusammen nicht kommen« können, durchzieht von nun an die Operettengeschichte. Als soziale Operette die erste ohne aristokratische Beteiligung, spielt *Eva*, Wildenbruchs trivialnaturalistischem Drama *Die Haubenlerche* nachempfunden, unter kapitalistischer Lebewelt, Angestellten und Arbeitern. Der Protagonist ist Fabrikbesitzer, der, dem von Karl Kraus zitierten Programmheft zufolge, »in seinem zweiten Buchhalter Prunelles einen Mann von großstädtischen Sehnsüchten findet, der oft nach Paris herüberreist und die neuesten Schlager der Varietes kennt«. Er entspricht genau der Leitfigur des tanzenden Prokuristen – »unter Larven also die einzig fühlende Brust«.[22]

Der von beiden vertretenen Alltagswelt steht die Titelgestalt entgegen. Der Widerspruch zwischen sozialen Verhältnissen und

26 *»... da bin ich ganz intim!«*
Danilo außer sich im Maxim: John Gilbert
in Erich von Stroheims Verfilmung der *Merry Widow* (1925)

Märchen trennt die Protagonisten, Fabrikherr und Fabrikmädel; »das neue Aschenbrödel wie der neue Prinz führen ein zwiespältiges Leben, aus dem sie einander wechselseitig erlösen«. So führt der Prinz das Aschenbrödel ein in »das elegante Milieu« seines Operettenlebens: »leidenschaftlich« ruft er: »›Eva‹ ... dann zündet er sich gelassen eine Zigarette an.« Umgekehrt weiht sie ihn in Wonne und Leid echter Operettenliebe ein: »Wärst wohl bei mir das erste Weib, / das mir mehr als galanter Zeitvertreib.« Noch ist er nicht fähig, sich darauf einzulassen – das Eheversprechen, das er ihr gab, um die aufgebrachten Arbeiter zu beruhigen, war nur »›Effekt‹ ... Eva weicht vor ihm wie vor einer Natter zurück.« Allen Konflikten zum Trotz muß auch in der sozialen Salonoperette das Märchen im Happy-End triumphieren: »Beide müssen sich angleichen, um sich zu kriegen.«[23] Der innerlich gereifte Fabrikherr heiratet das arme Fabrikmädel, nachdem es sich in eine Pariser Lebedame verwandelt hat. Die soziale Frage wird zum Groschenroman banalisiert. Aber die Diskrepanz von Sujet und Genre rächt sich. Die gesellschaftlichen Verhältnisse kompromittieren das Märchenmotiv. Gegen alle Verklärung kommt der soziale Hintergrund unverhohlen zum Vorschein. Wenn Octave Flaubert, der Fabrikbesitzer, seinen Arbeitern verkündet: »Arbeit macht das Leben süß,/ so heißt hier die Parole/und dient sie, das ist ganz gewiß,/dem allgemeinen Wohle«, um seinem seelenvollen Buchhalter zu gestehen: »Naja, das sieht man mir doch an,/ich hab noch nie etwas getan« – dann läßt er keinen Zweifel am Hintergrund solchen Wohls. Indem sie feststellt »schwach gestellt,/ist ein Held/ohne Geld«, widerlegt die Operette in *Eva* ihr eigenes Märchen: »Bettler sind reich,/ Königen gleich.«[24] Ungewollt verfällt sie gesellschaftlichen Realitäten, wie sie Eva von Flaubert (keineswegs mit dem anderen Flaubert zu verwechseln) als unversöhnlich mit dem Märchen vorgehalten werden: »kein Märchen, nein, das Leben«.

»Ganz egal scheint Moral«

Eva löste bei den Zeitgenossen eine der heftigsten Operettendebatten aus. Während sie für die Neue Freie Presse gar zum Propagandamittel der Sozialdemokratie wurde, beschwichtigte Direktor Karczag sein Publikum folgendermaßen: »Immer und immer lese ich, daß Franz Lehár in seiner Operette *Eva* sozialistische Probleme lösen wollte – Ja, um Gottes Willen, wo kommt in diesem musikalischen Werk nur ein einziges Wort von sozialistischen Problemen vor? Weil Arbeiter revoltieren – ist das Sozialismus? ... In *Eva* wollen die Arbeiter ihre Eva gegen den jungen Fabrikherrn schützen, der sie verführen will. Das ist doch eine einfache menschliche Angelegenheit und hat mit Sozialismus nichts zu tun.«[25]

Auch die Liebe ist schließlich eine – wenn auch minder einfache – menschliche Angelegenheit, die in der Operette keineswegs einer Arbeiterrevolte nachsteht, ist doch »die Liebe ... der größte Bolschewik!«[26] Entspricht die Handlung der Salonoperette den Mustern bürgerlicher Moral, werden ihre Grenzen in den Gesangseinlagen oft überschritten – »schamlose Spekulation auf der einen Seite, auf der anderen schamhafter Selbstbetrug«.[27] Ist das Märchenmotiv bei Lehár dem weiblichen Protagonisten vorbehalten, repräsentiert der männliche die hedonistische Lebenshaltung, mit der die Salonoperette ihrem Publikum schmeichelte. Ihre Maxime heißt Amüsement. Sie prägt der Banalisierung der Realität das Zeichen jener Operettenfrivolität ein, die ein Spiegel bürgerlicher Doppelmoral geworden ist. So findet die Salonoperette in der »Verquickung von Kunst und Zote die denkbar glücklichste Methode«.[28] Die Operettenhandlung kennt sexuellen Kontakt nur »legitim, anders nicht«. Gerade weil der Zuschauer diese Grenze anerkennt, darf er sich freuen, sie »insgeheim zu übertreten; dazu lädt ihn die Operette auf charmante Weise ein«.[29] Der Kuß als äußerste erotische Handlung wird der Operette zum erotischen Synonym schlechthin.

Wenn Lehárs Paganini die Frauen gern geküßt hat, weiß der Zuschauer, daß es beim Kuß nicht blieb. »Gegen Lieder Küsse tauschen«[30] wird dem Operettenhelden Verpflichtung, denn »diese Lippen wollen küssen,/müssen küssen«[31] und auch die »Weiber sind bekanntlich nur zum Küssen da«. Was die Operette so »feurig titanisch,/ganz polygamisch,/vulkanisch, satanisch« [32] propagiert, steht zwischen den Zeilen, nach Karl Kraus' Dictum, gleichsam als »Vorwort zu den grölenden Freuden des Nachtlebens«.[33] Die Nacht wird zum Freiraum einer organisierten Welt, zum mystischen Ort der Verwandlung:

> Bei Tag bin ich nicht zu sehn,
> Meine Sterne leuchten in der Nacht…
> Um halb zehne
> Werd ich zur Hyäne
> Und stürz mich ins ewig Weibliche hinein.

Der Bürger wird zum Lebemann –

> Folgend seinen wilden Trieben,
> Ist er auf das Weib erpicht.
> Bestenfalls kann er noch lieben,
> Aber treu sein kann er nicht…
> Denn das Fleisch ist leider schwach.[34]

In der Operettenhandlung aber wird er konträr vom Lebe- zum Ehemann. Der Held muß jene ersehnte Welt verlassen, »und g'rad die halbe, die so gefällt«. Er wird – in den Worten der Operette – solid. Zwar ist schon in der *Lustigen Witwe* »die Ehe ein Standpunkt, der längst überwunden«, gilt noch in *Cloclo* die Parole: »Gegen Damen sei galant/und vergiß den Ehestand.«[35] Die Handlung der Salonoperette erfordert jedoch das Happy-End allgemeiner Verheiratung. »Ganz egal/scheint Moral/in dem Fall«.[36]

Flotte Sprüche

Ungeachtet der Polemik von Karl Kraus, derzufolge »eine vielleicht physiologisch nachweisbare Idiotie berufen ist, dem Operettengedudel den Text anzumessen«,[37] entfalten die Gesangstexte ausgesprochen pointiert ihren unwiderstehlichen Charme. Wie die Musik von der Oper zum Schlager spannen sie den Bogen von der poetischen zur Umgangssprache. Die Poesie besteht dabei vornehmlich aus blumigen Klischees der Triviallyrik: »Wie eine Rosenknospe im Maienlicht erblüht,/so ist in meinem Herzen die Liebe aufgeblüht...« An der Umgangssprache aber regenerieren sich ihre Floskeln zu flotten Sprüchen wie: »Hab ich dich, du süße Puppe,/ist mir alles and're schnuppe.«[38] Analog zur musikalischen Stilmischung suggerieren modische Sprachwendungen die Illusion der Verfügbarkeit ihrer erlesenen Gegenstände, wenn zum Beispiel »von Paris, Ostende, Monte Carlo die Rede ist, von kostbaren Toiletten, Brillanterien, prachtvollen Soupers, Tennispartien, livrierten Dienern... und sonst von Dingen, die ein meskines Parfum von Allerweltseleganz verbreiten«.[39]

Die Aura der Gegenstände sucht der Text im zündenden Schlagwort wie die Musik im Refrain. Das Wort Maxim umreißt die Lebenshaltung Danilos, wie sie melodisch schlagend zum Ausdruck kommt. »Solch ein Wort ist der konkrete Kristallisationspunkt des«[40] Gesangstextes und wird zur musikalischen Zauberformel: »Spricht man's aus,/wird daraus/ein Cancan.«[41] Die Operette verleiht dem gesungenen Wort die Macht der Verwandlung – magisch erklingt sein tönendes Abbild. In *Eva* liegt im Wort Paris der Assoziationsgehalt einer ganzen Epoche. Allein schon »wenn die Pariserin spazierenfährt... so smart und leger in ihrem

Wagen,/daß allen Bummlern gleich die Herzen höher schlagen« – lockt der Text durch Reizworte wie: »Toilett ist hyperchic ... wie ein verbot'ner Roman ... alles sei rätselhaft ... denn kompliziert sein, ist pikant.« Im Klischeebild erfüllt der Operettentext handgreiflich die Wünsche seines Publikums: »Und ist's auch nur 'ne kurze Chose,/Pariser Mädel, du bist patent« – denn »Eh'bruch nach Pariser Stil/bringt moralisch uns an's Ziel«. Zum Idol überhöht, beschwört der Pariser Pflastermarsch hymnisch ein imaginäres Paris:

O du Pariser Pflaster,
O du Pariser Luft,
O du Pariser Laster,
Das uns so lockend ruft –

Und wenn auch der Philister
Den Stab darüber bricht,
Was Schön'res als die Sünde
Gibt's doch auf Erden nicht.

Paris wird zum Glücksversprechen eines wiedergewonnenen Paradieses genauso wie Andalusien mit seinen vielen »Gespusien«[42] oder wie solch entfernte Orte des Glücks auch immer heißen mögen. Indem die Operette die Umgangssprache ihres Publikums spricht, bestätigt sie auch sprachlich dessen Erwartungshorizont.

Im Schlagwort trifft sich die Salonoperette schließlich mit der Logik der Reklame. Ihre Maximen erinnern im Gestus der verbindlichen Empfehlung an zeitgenössische Werbeslogans. »Nimm deinen Frack und Claque/und mach die Nacht zum Tag«[43] – »Auf dem Tanz moderne Liebe fußt. ... Daß die Waden man zeigen kann/ – darauf kommt's an!«[44] – oder: »Sport und immer Sport,/ so heißt das große Zauberwort.«[45] Selbst Frasquita verkündet werbewirksam: »Ich hab meine Zigarette,/ich kenne kein Ach und Weh.«[46] Handelt es sich gar um Champagner, potenziert der Markenname die Wirkung: »Stimmung, Stimmung!/Champagner her,/wir haben keinen Heidsik mehr«[47] – oder: »Das kann doch gar nichts and'res sein/als Veuve Cliquot allein.«[48] Und selbst das Küssen erhält Warencharakter, »macht es doch stets Reklame«.[49] Das Wiedererkennen einer Frau durch ihr Parfum in der »Trèfle incarnat«-Szene des *Grafen von Luxemburg* entspricht dem Muster

27 *»Die Geister von Montmartre, die geben keine Ruh…«*
Louis Treumann als Flaubert und Luise Kartousch als Pipsi
in *Eva* (Theater an der Wien 1911)

Unterricht gratis. Amerikanische Täglich Konzert

Rollschuhbahn

Tel. Wi. 893

Kurfürstendamm 151

Die grösste Rollschuhbahn der Welt. Erstklassiges Rollschuhlaufen

Five o'clock tea Restaurant American Bar

3 Kurse täglich:

Vormittags .... 11 bis 1 Uhr
Nachmittags ...... 3 bis 6½ Uhr
Abends .... 8 bis 11½ Uhr

Eintrittspreise:

Vormittags ... 50 Pfg., Rollschuhe 1 M.
Nachmittags ... 1 Mark, Rollschuhe 1 M.
Abends ...... 1 Mark, Rollschuhe 1 M.
Blockhefte zu ermässigtem Preise

SKATING CINDERELLA

Sämtliche Schlager
aus Franz Lehár's neuester Operette

„Der Graf von Luxemburg"

soeben erschienen:

C 2-40942 / 2-40943 Luxemburg-Walzer, I. Teil. / dto. II. Teil.
C 2-40940 / 2-40941 Luxemburg-Marsch. / Polkatänzer.
C 4-42335 / 4-42336 Ich bin der Graf von Luxemburg. / Treffle en carnat.
C 2-43307 / 3-44063 Dessert-Lied. / Bist du der Meine. bin ich die Deine.
C 3-44057 / 3-44058 Liebe, o, wie zuckersüss, Marschterzett. / Polkatänzer.
C 4-42333 / 4-42334 Ich bin verliebt. / Der Falter und das Knöspchen, Ballade.
C 3-44059 / 3-44060 Er geht rechts, sie geht links. / Lachendes Glück, Walzerduett.
C 3-44061 / 3-44062 Bohème-Duett. / Mädel klein, Mädel fein.

Franz Lehár schreibt selbst:
Ich finde, dass die Grammophon-Platten meiner Operette „Der Graf von Luxemburg" ganz besonders gut ausgefallen sind. Hochachtend
Wien, am 29. November 1909 Franz Lehár.

Sämtliche Aufnahmen sind unter Leitung des Komponisten gemacht

Vorführung ohne Kaufzwang

::: Spezialverzeichnisse kostenlos :::

„Grammophon" H. Weiss & Co.
Friedrichstrasse 189

28 Frühe Grammophonreklame
im Berliner Lokalanzeiger (24. Dezember 1909)

der Reklame. Vollends die erste Liebesszene zwischen der Titelheldin und Octave Flaubert in *Eva*: »Octave: ›Statt dieser Bluse ein Negligée, ganz duftig schimmernd und spinnwebdünn...‹ Eva (visionär): ›Reich flutend gleich gesponnenem Gold...‹« Das goldene Negligée als Gegenstand einer Vision des Glücks, »vorgegaukelt als absolute Erscheinung«, entspricht der Logik des Warenhauses, die verspricht, mit der Ware das Glück selbst zu kaufen – »wo der Traum am höchsten, ist die Ware am nächsten«.[50]

»Kein Wort, doch es tönt fort«
Libretto und Librettisten

Der Librettist ist der Hummer,
der Komponist die Mayonnaise.
Franz Lehár[1]

Ein Ragout aus Humor, Poesie und Erotik

Die Diskrepanz zwischen der frivolen Poesie der Operettentexte und dem Anspruch des Operettenerneuerers Lehár scheint auf den ersten Blick irritierend. Der Komponist selbst war sich solcher Widersprüche kaum bewußt; vielmehr sah er auch in den Operettentexten den kulturellen Fortschritt seiner Epoche am Werk. »Der Fortschritt äußert sich namentlich in dem Bestreben, sich von der musikalischen Posse und der Variétéoperette abzugrenzen … Mehr als in früheren Tagen ist der Erfolg einer Operette heute von der Qualität des Textbuches abhängig. Man begnügt sich nicht mehr … mit lose aneinandergereihten spaßhaften Szenen, man will ein Stück, ein solid gebautes, bei aller Heiterkeit spannendes Theaterstück, neue Milieus, prickelnde Dialoge, ein Ragout aus Witz, Humor, Poesie, Eleganz, lebensfroher Erotik, ein Minimum an schwerfälligen Motivierungen, last not least eine musikalische Atmosphäre, die heitere und graziös-sentimentale Stimmungen im Gesang und im Orchester auslöst. Man kann in unseren Tagen keinen Welterfolg erzielen mit der simplen Vertonung eines Pariser Schwankes … welcher Komponist würde sich heute mit Textbüchern à la *Lustiger Krieg, Prinz Methusalem* oder *Pariser Leben* begnügen.«[2] Erst dieser Bruch mit der Tradition satirischer Operettenlibretti brachte Lehárs zwiespältige Ästhetik hervor. Dezidiert verfolgte er diese Entwicklung. »›Wie Sie wohl bemerkt haben dürften‹, sagte der Meister, ›strebt die moderne Operette danach, Menschen auf die Bühne zu bringen. Die Helden der alten Operettenkomponisten waren Karikaturen von Göttern und Halbgöttern, die Helden der modernen Operette sind aber Menschen, welche ebenso lieben und hassen, essen und gehen, wie wir. Sie sind weder Uebermenschen noch Untergötter, sondern Menschen aus Fleisch und Blut‹.«[3] Dieser eigentümliche Operettennaturalismus schien Lehár ein entscheidendes Kriterium bei der Auswahl seiner Libretti gewesen zu sein und entsprach seiner charakteristischen Kompositionsweise mit ihrer illustrativen Verdoppelung szenischer Vorgänge und psychischer Zustände. Die Lehárschen »Menschen« indes gleichen heute eher dem Bild, das Alfred Polgar schon damals von ihnen zeichnete: »Die Lebewesen, die in einer Operette durch Gesang, durch teils langsame, teils rasche rhythmische Bewegungen oder durch andere feierliche und fidele Zeremonien mit einander sich verständigen, sind eine Geheimsekte, über deren Tun und Lassen ein Schleier gebreitet ist, wie etwa über das Seelenleben oder Mitteilungsmethoden der Goldfische.«[4]

Ungeachtet dessen wächst sich bei Lehár, der schon in den Figuren der *Lustigen Witwe* Menschen erblickte, »mit denen wir täglich in Berührung kommen«,[5] die Psychologisierung seiner Operetten geradezu zum Identifikationsbedürfnis mit deren Protagonisten aus. »Ich kann mich nur für ein Libretto entscheiden, wenn ich mich in die Heroine verliebe, die Abenteuer des Helden wie meine eigenen miterlebe und alle tragischen Verwicklungen mir nahegehen, als würden sie mich selbst betreffen.«[6] Hier liegt zweifellos der Schlüssel zu Lehárs Erfolg, denn solche Sujets haben ja nicht nur ihn, »sondern das Publikum durchaus interessiert. Aber das erfährt man leider erst nach der Aufführung.«[7] Da er den Libretti so große Bedeutung zumaß, betrachtete er sich nachgerade als Experimentator, was die Suche nach einem »musikalischen Buch« anging. Und so konnte er sich in seinem Streben nach Fortschritt, der für ihn immer größere Seriosität bedeutete, bestätigt fühlen. Denn »oft wird ein Libretto, das weniger heiter, ja sogar ernst wirkt, aber dem Komponisten geschickt in die Hände arbeitet, viel eher zu einem Erfolg führen, als ein an sich lustiges und geistreiches Buch, das aber dem Komponisten keine Anregungen bietet. Das haben die Operetten *Fürstenkind*, *Graf von Luxemburg*, *Zigeunerliebe* und zuletzt *Eva* bewiesen, oder schreit da der Text nicht direkt nach Musik?«[8]

Ein Text schreit nach Musik

So konnte es kommen, daß Lehár geistreichen und »ausgesprochen guten Büchern, aus denen (aber) keine Musik strömt, hingegen ... oft schwächere« vorzog, »aus denen man sozusagen die Musik heraussaugen kann«, wie er im Fall von *Zigeunerliebe* und *Eva* konzidierte. »Ich behaupte, daß gerade bei diesen Texten die Handlung mit Musik durchtränkt ist.«[9] Da ihm nach eigenem Bekunden seit der *Lustigen Witwe* wöchentlich etwa zehn Libretti zugeschickt wurden, und er sie frei aussuchen konnte, ist ihm deren Auswahl und Qualität zweifellos selbst zuzuschreiben. Da er ferner vor allem den Schrei des Textes nach Musik erhörte, ist diese von jenem kaum noch zu trennen. Das entsprach keineswegs den Gepflogenheiten der meisten Operettenkomponisten, die wie Edmund Eysler nach dem Grundsatz vorgingen: »Man schreibt Lieder, man legt sie in die Lade, man wartet auf das gute Buch ... Zu den fertigen, vorrätigen Nummern müssen (dann) Texte kommen, die mich interessieren.«[10] Bei Lehár kam dies nur in Ausnahmefällen vor, wie dem Vilja-Lied oder manch anderer Weise, die er später als Einlage für Operetten verwendete. Für ihn war der »Text, der bildhafte Figuren, bewegte Situationen bringt, mehr als ein lebloser Vordruck, er ist das Schicksal, aus dem die Melodie hervorquillt ... ›Niemand liebt dich so wie ich...‹ Diese Worte mußte ich erst haben ... und es mußte eingefühlt in die besondere Szene sein, dann fand ich die richtige Musik...«[11] Sein Arbeitsstil, über den er sich sonst selten äußerte, ging von der Skizzierung melodischer Einfälle aus, deren Inspiration stark vom Libretto abhing: »Vor allem deklamiere ich jeden Text und dadurch entsteht in meinem Kopfe die Melodie, bei der es ja bekanntlich die Hauptsache ist, daß das gesungene Wort sich möglichst genau dem gesprochenen anpaßt.« Der treffende Konversationston so mancher Lehárschen Phrase belegt es. Bezeichnender aber ist für Lehár, daß das Buch eine Schlüsselszene der musikalischen Stimmung enthält, »eine neue interessante Farbe, die natürlich mit der Handlung korrespondieren muß ... Beim *Grafen von Luxemburg* habe ich mit dem ›Handschuhlied‹ begonnen und dieses hat dem ganzen Werk seine Signatur aufgeprägt.«[12] Ähnlich hatte er bei der *Lustigen Witwe* mit dem Reiterduett angefangen; unschwer läßt sich

29 *»Pipsi, holde Pipsi, ich lieb' Sie, ich lieb' Sie!«*
Operettenlyrik aus der Feder Willners und Bodanzkys
mit Luise Kartousch und Ernst Tautenhayn in *Eva*
(Theater an der Wien 1911)

bei *Eva* deren »Traum vom Glück« im Auftrittslied, beim *Fürstenkind* die ›Resignation‹ als Keimzelle des Werkes ausmachen. Dabei ist ihm »die Arbeit am Schreibtisch … verläßlicher« als die am Klavier. Dem verdanke er zwar »viele und glückliche Anregungen … Aber es birgt auch eine große Gefahr. Es verleitet sehr leicht zu Phantasien, es entführt und verlockt zu thematischen Paraphrasierungen und Umschreibungen … man kommt zu leicht vom Wege ab, und verliert sich in einem blühenden Dickicht.« Charakteristisch ist der fast unbewußte Zustand der Empfängnis seiner Einfälle – »oft nach arbeitsreichen Tagen, wenn ich abgemüdet, spät ein Thema vornehme, folgen Melodien auf Melodien, oft jagen die Einfälle so rasch hintereinander, daß ich Mühe habe, ihnen mit dem Bleistift zu folgen.«[13] Nicht umsonst ist Lehár, wie schon Johann Strauß, ein Nachtarbeiter, und es scheint ein geheimnisvoller Zusammenhang zwischen dem nachtlebenslustigen Genre mit seiner meist nächtlichen Handlung und Aufführungszeit und ihrem ähnlich gearteten Komponisten zu obwalten. »Ich komponiere fast ausschließlich bei Nacht«, bekannte der, »wenn alles schläft, um mich vollkommene Ruhe herrscht, dann fallen mir die besten Sachen ein … Nacht für Nacht bis zum Morgengrauen am Schreibtisch, bis der Körper seine Rechte fordert. Oft bin ich am Schreibtisch eingeschlafen, so manche Melodie entstand im Halbschlummer, weltentrückt …«[14]

Hummer und Mayonnaise

Um jeweils passende Stimmungen für solche Weltentrücktheit zu haben, arbeitete Lehár stets an verschiedenen Libretti gleichzeitig. Das Verfahren hatte sich seit *Rastelbinder* und *Wiener Frauen* bestens bewährt, und der Komponist behielt es bis auf wenige Ausnahmen sein Leben lang bei. Erst seit dem *Land des Lächelns* komponierte er Werk für Werk, wenngleich er sich 1916, kurz vor Fertigstellung von *Wo die Lerche singt*, einer bereits 1914 vertraglich zugesagten Arbeit, vorgenommen hatte, sich »von nun an nur noch mit einem Stoff zu beschäftigen. Früher, wo ich stets drei bis vier Stoffe im Kopfe hatte, erschien mir, als der Moment kam, in dem ich ein Werk fertig hatte und zur neuen Arbeit schritt, das Libretto der letzteren schon zu abgebraucht, es war sozusagen in meinem Gehirn zu sehr verarbeitet.«[15] Doch bereits gute drei Jahre später war er mit der *Blauen Mazur*, *Frasquita* und der *Gelben Jacke* parallel beschäftigt und rechtfertigte diese Rückkehr zu seinem alten Arbeitsstil damit, daß ihm passende »Stimmung … beim Komponieren wohl das Wichtigste« sei. »Je nach Stimmung greife ich zum chinesischen, spanischen, je nach Laune zum polnischen Libretto … Es ist viel amüsanter und für ein Werk wohltuender, wenn man nicht fortgesetzt daran arbeitet. Meine *Lustige Witwe* hat sich ebenfalls Gesellschaft gefallen lassen müssen«[16] – ein Hinweis darauf, daß *Der Mann mit den drei Frauen* bereits vor der *Lustigen Witwe* begonnen wurde. Die scheinbar folgerichtige Chronologie des Lehárschen Œuvres gerät demnach ins Schwanken; so enstand mit dem Experiment *Endlich allein* die Umarbeitung des *Göttergatten* zur modernen *Idealen Gattin* oder zu Beginn des Spätwerks zugleich mit *Paganini* die freche *Cloclo*. Im fast gleichzeitigen Erscheinen von *Fürstenkind*, *Der Graf von Luxemburg* und *Zigeunerliebe* zwischen 7. Oktober 1909 und 8. Januar 1910 kulminierte Lehárs Bestreben nach Abwechslung eindrucksvoll. Doch nicht nur aus diesem Grund arbeitete Lehár auch »gerne mit verschiedenen Librettisten«, denn »ein gutes Libretto zu schreiben, ist eine schwierige Sache und selbst den besten Librettisten gelingt ein zweiter großer Wurf nicht immer«.[17]

Akribisch wog der ›Meister‹ die angebotenen Bücher, ehe er sie für gewichtig genug hielt. Seinem alten Mitarbeiter Julius Bauer ließ er zum Beispiel mitteilen, er könne sich bei *Guten Morgen, Frau Gräfin* für »den Stoff nicht erwärmen. Meine Musik ist dazu zu fern – zu warmblütig … Packen muß es mich, dann fällt mir die richtige Musik ein … Nicht wahr, Sie sind mir nicht böse?«[18] Unumwunden schrieb er am 30. Mai 1913, wahrscheinlich an Victor Léon: »Ich muß mir die Sachen nur genau überlegen, denn ich opfere für dieses Werk ein ganzes Lebensjahr … wieviele Jahre stehen mir noch zur Verfügung? … Im Dezember wähle ich … das neue Buch. Ich dürfte so 1000 Bücher zur Verfügung haben. Ich wähle das beste Buch, nämlich das welches meiner Eigenart am meisten entspricht.«[19] Ob er sich bereits damals für Löhners *Sterngucker* entschieden hatte, läßt sich kaum mehr feststellen, wohl aber, wie sehr er von seinen Librettisten, hatte er erst ihre Vorschläge akzeptiert, abhängig war, wenn er Leo Stein »um postwendende Zusendung des II. und III. Aktes von *Blauer* … dringend!!!!« und verzweifelt bittet. »Ihr seid ja alle so klein und kindisch ... Was will ich denn eigentlich haben? Nichts als die tiefinnerste Überzeugung, daß das Libretto, welches ich vertonen soll, mir ... entspricht und daß ich Gewähr habe, daß ich mit dem nächsten Werk künstlerisch um eine Stufe höher komme.«[20] Seine Librettoambitionen mit ihrem Streben nach Höherem brachte Lehár am treffendsten mit seinen von Karl Kraus überlieferten Worten auf den Punkt: »Ich warte noch immer auf das Buch der Bücher.«[21]

Grübeleien der Bühnenschriftsteller

Kein Wunder, daß bei solchen Ansprüchen die Librettisten gefordert waren, hatten sie schließlich nicht nur den Komponisten zufriedenzustellen. Alfred Grünwald, mit Julius Brammer und Kálmán eine erfolgreiche und in der Variation der Konfektionsoperette unerschöpfliche Firma, faßte das Dilemma im Gedicht *Operette* 1927 gewitzt zusammen:

»›... durch mein Genie gehalten –
Lust und Leid will ich gestalten!
Dazu noch recht viel Humor!‹
So spricht immer der ... Tenor ...

›Im Finale muß es krachen,
Denn nur so kann man was machen!
Ein Chanson, dann kann ich zieh'n!‹
Sagt die erste Sängerin ...

›Riesig originell wär's einmal
Säng allein ich ein Duette,
Sowas wiederhol ich dreimal!!‹
Also spricht stets die ... Soubrette ...

›G'spaßig muß die Rolle werden,
Daß ich schon beim Lesen berste
Und mich kugel auf der Erden.‹
Sagt der Komiker, der erste! ...

›Ich brauch eine Novität,
Die zumindest zwei Jahr geht...
Sonst spiel ich die Sache nicht.‹
So der Herr ... Direktor spricht...

Und wer soll das alles machen...
Daß die Leute weinen, lachen...
Alles ahnen, vorher wissen,
Und wer wird am Schluß verrissen??
Niemand anderer, daß ihr's wißt:
Als der arme ... Librettist!«[22]

Solche Anforderungen konnten am ehesten durch das bewährte dramaturgische Schema der Salonoperette ausgeglichen werden. Zumal in der Regel der Librettist als siamesischer Zwilling auftrat, nach dem alten Operetten-»Grundsatz: Der Starke ist am mächtigsten allein, Libretti aber schreibt man gut zu zwei'n.«[23] Das arbeitsteilige Prinzip, dem sich der jede Note durchdenkende Lehár strikt verweigerte, war zwar noch nicht, wie dann im Musical, streng funktionalisiert, doch meist beschrieb die Reihenfolge der Namensnennung den schöpferischen Anteil: Erstgenannt wurde in der Regel der Erfinder des Plots, der gewiefte Konstrukteur des im zweiten Aktfinale fadenscheinig platzenden Handlungsknotens. An zweiter Stelle erschien der Name des für die Lyrik Verantwortlichen, dem die geflügelten Worte der Gesangstexte aus der Feder flossen. Entsprechend der Konjunktur wechselten die Konstellationen, sowohl unter den Librettisten als auch den Komponisten. Ein eingeschworenes Team über Jahre hinweg wie Willner und Bodanzky im Fall Lehárs oder im Fall Kálmáns Brammer und Grünwald – über die Karl Kraus stöhnte: »Wenn man nur wüßte, was von Brammer ist und was von Grünwald«[24] – blieb selten und somit Karl Kraus ähnliches Rätseln erspart. Mit dem offenen Eingeständnis, daß es ihnen dabei nicht unbedingt um Originalität zu tun war, kokettierten die Autoren gern – wie der spätere Lehár-Librettist Dr. Alfred Willner, als er noch kein Lehár-Librettist war: »Nichts ist einfacher als eine Operette zu machen. Man borgt sich bei einer französischen Firma einen Stoff aus oder erfindet das Zeug selbst... Sodann kommt das Ding auf das Bett des Prokrustes, um die nötige Länge oder Kürze von drei Akten zu erhalten. Mit

30 *»Gespusien in Andalusien...«*
Exotisch-Erotisches von Brammer und Grünwald in *Die ideale Gattin*:
Mizzi Günther als Elvira/Carola und Hubert Marischka als Cavaletti
(Theater an der Wien 1913)

diesem Entwurfe begibt man sich in ein Café, wo möglichst viele Komponisten sitzen. Bei halbwegs günstiger Konjunktur geht der Entwurf an der ›Operettenbörse‹ meist ›schlank‹ weg.«[25]

Wie weit entfernt ist solch eingestandene literarische Ambition von Leuten, die, nach Karl Kraus' Definition, »vermöge eines spezifischen Untalents Villen haben«,[26] vom Schöpfertum des Neuerers Lehár. Während der die Nacht hindurch schuf, lag der Librettist meist friedlich im Bett seiner Villa, wenn er nicht gerade von einem Anruf des Komponisten aus süßen Tantiementräumen gerissen und mit einem neuen musikalischen Einfall konfrontiert wurde, wie dies ›Meister‹ Lehárs Unart war. Oder man fand ihn »in einer der Operettenbörsen: im Café Bauer oder Imperial, wo zahlreiche Buchmacher und die bekanntesten Vertreter der Textilindustrie ihre Geschäfte abwickeln«.[27] Das Kaffeehaus als Ort dichterischer Eingebung hatte in Wien seine literarische Tradition, in die sich auch Librettisten gern zu stellen beliebten. Vor Ort konnten sie sich dem Zweck ihres Sinnens hingeben: »Was das Publikum will und was es nicht will«. Unter diesem Titel gab im Neuen Wiener Journal der nachmals berühmte Kabarettist Fritz Grünbaum Einblicke in seine Tätigkeit als Librettist: »Überhaupt wir Librettisten! ... Einmal das Blödsinnige, einmal das Weinerliche ... Wie soll man da als Lieferant vorbereitet sein? Die Schneider wissen ganz genau, im Frühjahr kommt eine neue Mode. Die Librettisten wissen es aber nie ... Wie soll man da seine Kundschaft bedienen, wenn sie so launisch ist? Die Schneider haben's gut ... Mich freut das ganze Geschäft nicht mehr ... Jahrelang bin ich ein reeller Geschäftsmann gewesen, der sich nach den vermeintlichen Wünschen der Kundschaft gerichtet hat ... Da mir alle Konzessionen an das Publikum den Erfolg nicht garantieren konnten, hab ich beschlossen ... ein wirklicher Dichter zu werden. Ich tu's nicht gern, aber vielleicht geht's so.«[28]

Journalisten, Juristen, Gynäkologen

Tatsächlich gehörten diese rätselhaften Wesen zwischen Konfektionsschneider und wirklichem Dichter zu den schillerndsten Erscheinungen der Operette überhaupt. Unter Lehárs Mitarbeitern finden sich alle bedeutenden Namen der damaligen Wiener Librettistenszene – ein Sammelsurium verschiedenster Tendenzen, Ambitionen, Karrieren – mit einer Gemeinsamkeit: sie waren mit Ausnahme von Dr. Willner Juden. Vielleicht erklärt ein Satz Victor Léons diesen überraschenden Befund: »Das Operetten-Publikum will unter Tränen lachen – und das ist genau das, was wir Juden seit der Zerstörung Jerusalems nun schon zweitausend Jahre lang tun.«[29]

Um die Jahrhundertwende kam ein Großteil der Operettendichter vom Journalismus, von einem Tagesgeschäft also zum andern. Sogar der junge Theodor Herzl versuchte 1890, in *Des Teufels Weib* mit der Operette zu paktieren. Anfangs waren sie in beiden Branchen tätig wie Leopold Jacobson vom Neuen Wiener Journal, ehe er dank der Zusammenarbeit mit Oscar Straus seine Villa besaß, oder der mächtige Chefredakteur des Fremden-Blatts Julius Bauer, Autor der *Juxheirat*, des *Mann mit den drei Frauen* und einiger Strauß-Operetten. Exemplarisch steht er für die nutzbringende Verbindung von Presse und Operette sowie die Gepflogenheiten beider Metiers. Hatte er angeblich Lehár bei der Premiere der *Wiener Frauen* demonstrativ als kommenden Mann begrüßt, so erreichte sein Einfluß bei den eigenen Lehár-Premieren, daß sich die kritisierenden Kollegen mit Lob beinahe überschlugen: »Ein wahrer Pointen-Vanderbilt, garniert er die drei Akte mit einem Reichtum an Witzworten, der geradezu unerschöpflich scheint.«[30] Als Probe genüge der Ausspruch eines Glatzkopfs: »Mir stehen die Berge zu Tal.« Bis auf Karl Kraus, der vergebens hoffte, daß ihm solche Texte für den Rest seiner Erdentage erspart blieben, bezog in diesem Fall nur das antisemitische Deutsche Volksblatt aus ganz anderen Gründen Stellung. »Ein öderes, humorloseres Textbuch ist kaum je geschrieben worden und das hat er nicht einmal allein fertig gebracht ... Wie unter dem Siegel der Verschwiegenheit zu verbreiten gedacht wurde, hat ihm sogar ein Hofrat geholfen, dessen und Julius Bauers Ahnen einst zusammen das Rote Meer durchschritten haben.«[31]

Die vormals nebenberuflichen Lehár-Librettisten, die es meistens nicht lange blieben, rekrutierten sich auch aus anderen Berufen. So war Leo Stein als studierter Jurist Beamter der Südbahn gewesen, Paul Knepler Buchhändler und Verleger, ehe sie dem Tantiemenfluß zur Operette folgten. Nur Ludwig Herzer blieb selbst nach *Friederike* weiterhin als Gynäkologe tätig. Erst später stießen Theaterleute, hauptsächlich Schauspieler, dazu. Der brillante Kabarettist Fritz Grünbaum, nur sporadisch für die lukrative leichte Muse tätig, hatte als Autor für Lehár mit dem Märchenspiel *Peter und Paul im Schlaraffenland* und dem Einakter *Mitislaw, der Moderne* begonnen, große Erfolge hatte er mit der *Dollarprinzessin*, dem *Zigeunerprimas* und Schlagern wie »Du sollst der Kaiser meiner Seele sein« oder »Ich hab' das Fräulein Helen baden seh'n«. Von ihm stammen folgende betörend jüdelnde Verse über Wagner und Lehár, anläßlich der bei einem Opernbesuch anstehenden »allerlängsten und fadesten Sachen!/Also *Tristan* – schön, da kann man noch lachen./Aber *Lohengrin*, sehn Sie, das ist doch mies,/Was *Rastelbinder* mir lieber is«.[32] Robert Bodanzky, der Bruder des späteren Chefdirigenten der Metropolitan Opera und Grünbaums Co-Autor bei den genannten Lehár-Werken, kam geradewegs von der Bühne des Theaters an der Wien, wo er in der *Lustigen Witwe* den Pritschisch verkörpert hatte, und blieb bis zu seinem frühen Tod 1923 als einer der produktivsten Autoren dem attraktiven Genre mit über dreißig, Lehár mit sechs Werken treu. Der dritte im Bunde der durchweg gewitzten Schauspieler-Autoren des ›Meisters‹ und einer seiner liebsten Mitarbeiter dazu war wie er aus Ungarn und am Burgtheater engagiert: Béla Jenbach, eigentlich Jacobovicz. Mit der *Csárdásfürstin* hatte er bereits vor der Zusammenarbeit mit Lehár ausgesorgt. Begeistert über die Vertonung seiner Verse, konnte er aber nicht umhin, nach Taubers Vortrag von »Gern hab ich die Frau'n geküßt«, jenen zu umarmen.

Victor Léon

Daß bisher von wirklichen Dichtern nicht die Rede war, mag angesichts der Bahnbeamten, Journalisten und Frauenärzte nicht verwundern, täuscht aber über den tatsächlichen Austausch von Hoch- und Trivialkultur hinweg. Erst vor kurzem hat Moritz Csáky auf den Zusammenhang von »Ideologie der Operette und Wiener Moderne« in seinem gleichnamigen Essay aufmerksam gemacht. Angelpunkt dieses Austausches war Victor Léon, der im berühmten Café Griensteidl mit den Mitgliedern des ›Jungen Wien‹ verkehrte. Auch er kam vom Theater, wo der als Viktor Hirschfeld 1859 in Wien Geborene, der sich ebenso wie sein Bruder, der Schriftsteller Leo Feld, einen Künstlernamen zugelegt hatte, als Chargenspieler begann. Bald wechselte er die Seite, wurde Dramaturg und Regisseur, verfaßte gar ein aufsehenerregendes Regie-Handbuch, das im Geleitwort von Hermann Bahr als »das Buch, das endlich einmal geschrieben werden mußte«,[33] begrüßt wurde und seinen Verfasser als Reformator auswies: »Die Tradition in allen Ehren; aber sie ist kaum mehr als ein ziemlich tief sitzender Grundstein. In den Künsten muß jeder von vorne anfangen, jeder immer von neuem bauen ... aber speziell in der Schauspielkunst ... in einer den künstlerischen Abklärungen der Zeit angepassten, in einer modernen Weise.«[34] Léon gehörte bald zum Kreis der Wiener Moderne, wo er mit Arthur Schnitzler und Felix Salten bekannt wurde. Welchen Status er dort als Theaterpraktiker hatte, verrät eine Tagebucheintragung Schnitzlers vom 12. November 1895 über die Premiere von Léons *Die Gebildeten Menschen*: »Überraschung, daß dieser fleißige Fabrizierer ein ganz tüchtiges Volksstück zustande brachte.«[35]

Während es ihm schon 1887 gelungen war, Johann Strauß unmittelbar nach dem *Zigeunerbaron* zur Komposition seines *Simplizius* zu bewegen und trotz des glatten Mißerfolgs mit *Opernball* und *Wiener Blut* schließlich doch im Operettenfach zu reüssieren, was ihm nicht gerade die Wertschätzung seiner Kollegen eingetragen haben dürfte, wendete sich zu Zeiten des Operettenbooms das Blatt. Viele Literaten folgten der goldenen Spur des Operettenpioniers. Felix Dörmann, der feinsinnige Lyriker dekadenter Verse, machte mit Oscar Straus und dem *Walzertraum* den erfolgversprechenden Anfang. Auch Felix Salten, nach Hofmannsthal »ein schiefer Mensch« und mit seinem Essay über die *Lustige Witwe* ein Wegbereiter der modernen Operettenideologie, schrieb 1910 unter dem Pseudonym Leopold Stollberg *Mein junger Herr* für Oscar Straus, der regelrecht zur Anlaufstation des ehemals ›Jungen Wien‹ wurde. Selbst Schnitzler hatte ein Jahr zuvor für ihn ein Singspiel mit dem Titel *Der tapfere Cassian* verfaßt, weswegen er Léon in seiner prächtigen, neuerbauten Hietzinger Villa aufsuchte, den er dort »einiges Geschäftliche über Librettoverwertung fragte. Mit ihm in seinem Auto in die Stadt.«[36] Drei Jahre danach erzählte ihm Freund Felix Salten, »komisch widerliche Geschichten von Fall und Lehár«,[37] was ihn nicht abhielt, noch 1923 dessen Erzeugnisse mit Léon als Kontrastprogramm zur Hochkultur zu goutieren. »Gestern gab' es einen musikalischen Nachmittag bei der Alma. Schönberg dirigierte seinen *Pierrot Lunaire*, der mir aufrichtiges Mißbehagen, mit kühler Bewunderung vermischt, einflößte ... Ein paar Abende vorher war ich ... bei der *Gelben Jacke* von Lehár; ganz erträglich, besonders schöne Costüme.«[38]

Karl Kraus, der es später nicht an Attacken gegen den Autor der *Lustigen Witwe* fehlen ließ, hatte ihn bereits zu Zeiten des ›Jungen Wien‹ im Kreise der *Demolirten Literatur* begeistert begrüßt: »Endlich einmal ein wirklich Nervöser! Das tut förmlich wohl in dieser Umgebung des posirten Morphinismus. Er ist kein Künstler nur ein schlichter Librettist, der hier den Anderen mit gutem Beispiel vorangeht. Abgehetzt, von den Aufregungen der Theaterproben durch und durch geschüttelt, nimmt er geschäftig Platz: Kellner, rasch alle Witzblätter! Ich bin nicht zu meinem Vergnügen da! – Während seine modernen Tischgenossen in das geistige Leben Wandel zu bringen bemüht sind, sehen wir ihn dem Handel Eingang in die Literatur verschaffen. Seine Beziehungen zur Bühne sind die eines produktiven Theateragenten, und er entwickelt eine fabelhafte Fruchtbarkeit, die sich auf die meisten Bühnen Wiens erstreckt. Nach jeder einzelnen seiner Operetten glaubt man, jetzt müsse er sich ausgegeben haben. Doch ein wahrer Antäus der Unbegabung, empfängt er aus seinen Mißerfolgen immer neue Kräfte. Er erscheint fast nie allein auf dem Theaterzettel, und pikant müsste es sein, die beiden Compagnons an der Arbeit zu sehen. Hier ergänzen sich die Individualitäten wohl so, dass, was dem Einen an Humor fehlt, der Andere durch Mangel an Erfindung wettmacht. Der Andere ist talentlos aus Passion, der Eine muß davon leben. Doch scheint das Geschäft seinen Mann zu nähren. Heute gehört ihm eine Villa, am Attersee herrlich gelegen – mit Aussicht auf den Waldberg.«[39]

Obwohl der so Geschilderte der Geschäftsmann gewesen sein mag, der Franz Lehár die ersehnte Möglichkeit bieten konnte, sich zu profilieren, haben beide zweifellos in ihren gescheiterten Jugendambitionen die Basis ihrer Beziehung gefunden. Was dieser der Oper schuldig geblieben war, lenkte jener in die Bahnen einer Operettenform, die er schon lange versprochen hatte und – erreichte sein Ziel. Die sogenannte Veredelung der Operette hatte auch ihre literarischen Wurzeln. Léon, der seine sämtlichen Werke auch selbst inszenierte, blieb für Lehár trotz der insgesamt

31 Victor Léon auf seinem Kanapee
zur Zeit der *Lustigen Witwe*

geringen gemeinsamen Opuszahl die prägende Librettistenfigur, auch wenn nach dem *Fürstenkind*, das Lehár noch 1913 für sein bestes Werk hielt, die Zusammenarbeit vorerst abbrach. Ob es mit seiner zur selben Zeit erschienenen, sehr erfolgreich auch in Berlin nachgespielten Komödie über den Wiener Operettenbetrieb, *Der große Name*, zu tun hatte, in der ein Operettenkomponist namens Hofer vorkam, der nichts sehnlicher wünschte, als daß die Wiener Philharmoniker seine symphonische Dichtung spielen, ist nicht überliefert. Immerhin gewährte das Stück »dem Publikum jene reine Wiedersehensfreude mit der Gewöhnlichkeit seiner Vorstellung« von Operettenlieblingen, wie Alfred Polgar feststellte: »der Operettenkomponist ist gutmütig-eingebildet, grantig und kreuzbrav … der Librettist ist geistreich … der Musikverleger jüdelt«.[40] Daß Lehár Ersatz nicht beim ›Jungen Wien‹ suchte, sondern im Musikwissenschaftler und Gelegenheitskomponisten Dr. Arthur Maria Willner gar den für zwölf Jahre dominanten Librettisten fand, spricht wenig für literarische Neigungen seinerseits. Willner wohnte im zweiten Stock des Lehárschen Hauses und stand dem

Komponisten Tag und Nacht zur Verfügung. Erst nach dem Tod seiner geliebten Tochter Lizzy tauchte Léon wieder auf, um mit Lehár aus deren Operettenidee *Die Gelbe Jacke* zu schneidern. Die schnelle Wiederheirat seines Schwiegersohns Hubert Marischka hat ihm Léon nicht verziehen. Er nahm die drei Kinder aus dieser Ehe zu sich und zog sich danach bis auf ein Bruckner-Stück, *Der Musikant Gottes*, zu dem ihn der Lehár-Biograph Ernst Decsey überredete und das die Liebesangelegenheit des »Toni mit der Tonerl«[41] behandelte, vom Theater zurück. Die gemeinsame Verstimmung gegen Marischka brachte Lehár und Léon in den zwanziger Jahren wieder zusammen, und obwohl keine Werke mehr folgten, blieben sie sich weiter verbunden. Als der Librettist zum 60. Geburtstag seinem Komponisten eine wahre Eloge schrieb, antwortete dieser telegraphisch aus Baden-Baden: »dein artikel hat meine seele aufgewuehlt und ich finde keine worte um dir so danken zu koennen wie ich es empfinde unsere herzen finden sich aber beim gedenken an unsere liebe gute lizzy und lass auch du dir sagen dasz du zu jenen seltenen menschen gehoerst die treue halten koennen wenn das schicksal zwei freunde auch fuer eine zeit trennte ich bin stolz darauf dich meinen freund nennen zu duerfen herzinnigst dein getreuer lehar.«[42]

»Ferne Klänge, Märchen gleich«
Franz Lehárs Experimente

> Daß ich die seltene Gabe besitze,
> zugleich einen Fort- und einen Rückschritt
> zu machen.
> Franz Lehár[1]

Gewagte Stoffe

Wie schon die Auswahl der Libretti verriet, vollzog sich die Entwicklung Lehárs seit der *Lustigen Witwe* weniger kontinuierlich als sprunghaft. Wollte er einerseits den Rahmen der Operette sprengen, erzielte er andererseits, wie beim *Grafen von Luxemburg*, vor allem innerhalb dieses Rahmens seine Erfolge. Doch war es ihm mit der Suche nach Neuem ernster als der Branche lieb war: »So suchte ich immer Neues, immer irgend neue Aufgaben. Ich habe, wenn ich so sagen kann, immer experimentiert, nach etwas Neuem gegriffen, oft genug gegen die Absichten der Direktoren, Verleger«,[2] wie er, scheinbar unbekümmert um den Erfolg, einräumte. Anfang der zwanziger Jahre sollte sich diese Unbekümmertheit schließlich rächen und sich erstmals in sinkenden Aufführungsziffern bemerkbar machen. Bis dahin hatte Lehár »stets gewagtere Stoffe«[3] ausgewählt. Das *Fürstenkind* mit dem Hans Sachsschem Entsagungsmotiv war der Anfang gewesen, es folgten in Lehárs produktivster Schaffensphase 1910 *Zigeunerliebe*, ein Jahr später *Eva* und 1914 *Endlich allein*, jedes ein Wagnis seiner Art. Dazwischen trieb der Komponist 1913 mit der *Idealen Gattin*, der modischen Umarbeitung des *Göttergatten*, noch einmal die Salonoperette mit dem damals sensationellen Tango auf die Spitze. Es war damit auch die erste der für Lehár typischen Umarbeitungen durchgefallener Werke. 1910 unternahm er in Begleitung des *Juxheirat*-Bauers gar noch einmal einen letzten und zeitgeschichtlich bemerkenswerten Ausflug ins Kabarett – *Rosenstock und Edelweiß*, ein satirischer Einakter über einen jüdischen Ischler Kurgast und eine salzkammergütliche Sennerin. Am glücklichen Ende dieser spezifisch österreichischen Assimilationsromanze jauchzt Herr Rosenstock: »Ich kann schon jodeln!« und sein Everl antwortet beglückt: »Und i scho jüdeln!«

So wenig solche Gelegenheitsarbeiten zum Entwicklungsgang des Operettenerneuerers Lehár passen wollen, so typisch kennzeichnen die stilistischen Sprünge seine Zwiespältigkeit. Auch innerhalb der Werke bleiben Stilbrüche signifikant. In *Eva*, zweifellos »ein gewagterer Stoff«, illustriert eine brillante Orchestersprache die märchenhafte Liebesgeschichte nahezu filmisch – die Streicher flirren in höchster Lage, die Singstimmen verharren in melodramatischem Sprechgesang. Die fast romantische Überhöhung einer Traumwelt in der Musik und die trivialnaturalistische Realität des Fabrikmilieus im Text können »zusammen nicht kommen«. Doch schien sich gerade an der Kluft, die beide Welten trennt, die Kühnheit Lehárscher Klangphantasie zu entzünden, während die Kluft zwischen Text und Musik Rätsel aufgibt. Ähnlich verhält es sich auch mit *Zigeunerliebe* und *Endlich allein*, den extremsten Experimenten im Schaffen des ›Meisters‹. Auch sie leiden unter Libretti, die auf den ersten Blick hinterm Anspruch der Musik zurückbleiben, obwohl sie unüberhörbar zusammenstimmen. Daß bei Lehár gerade dieser Widerspruch produktiv wurde, ist so bedauerlich wie kennzeichnend für sein insgesamt widersprüchliches Schaffen. Der Lehársche Klang und die ihn inspirierenden Vorlagen hängen unmittelbar zusammen. »So suche ich immer nach Büchern, die mir bisher unbetretene Pfade weisen, Möglichkeiten eröffnen ... Werden mir solche Bücher nicht angeboten, so versuche ich meine Textdichter dahin zu bringen, mir das zu schreiben, was ich eben möchte. Daß dabei zumeist der Rahmen der landes- und auslandsüblichen Operette gesprengt wurde, trug meinen Librettisten den Vorwurf ein, sie hätten mich zu waghalsigen Experimenten verlockt, während ich doch selbst diesen Vorwurf auf mich nehmen muß.«[4]

Zigeunerliebe und *Gipsy Love*

Die Entstehung der *Zigeunerliebe* ist der beste Beweis dieser Selbstbezichtigung. Das Buch war Lehár unter dem Titel *Vilja, das Waldmägdelein* von einem unbekannten Autor als einaktige Spieloper angeboten, dann an Willner und Bodanzky zur Ausarbeitung als dreiaktige Oper weitergegeben worden. Emil Steininger vermittelte den Handel: »Es war ja immer der Ehrgeiz Lehárs gewesen, nach einer vom Glück nicht sehr begünstigten *Kukuška* wieder eine Oper zu schreiben. Jetzt brachten wir sie ihm. Die Vorlesung begann, anderthalb Stunden dauerte sie. Und wie schon einmal im Café Museum zeigte sich der Meister sehr befriedigt: dies und nichts anderes wird das nächste sein, was er komponiert! Nur eine ganz kleine Bedingung knüpfte er an seine Einwilligung. Das Buch neige seiner Ansicht nach in der ganzen Anlage mehr zur Operette – kann man die Oper nicht geschwind zu einer Operette umarbeiten? Nur der Name sollte bleiben: *Zigeunerliebe*.«[5] Daß der ›Meister‹ die Operette tatsächlich noch einmal zur Oper zurückbearbeiten sollte, ist die Ironie dieser Geschichte. Als am 8. Januar 1910, zwei Monate nach dem *Grafen von Luxemburg*, die Uraufführung im Carl-Theater stattfand, wurde sie denn auch als »eine Oper« begrüßt, »die man zur Not auch in einem Operettentheater spielen kann«.[6]

In der Tat erstaunt *Zigeunerliebe* allein schon durch ihr reichhaltiges Personenverzeichnis: es gibt mit Zorika und Ilona zwei große Sopran-, mit Jonel und Józsi zwei große Tenorpartien und neben dem üblichen Buffopaar eine in der Operette ungewöhnliche Anzahl mittlerer Gesangsrollen. Auch dem Chor, an einem Drittel der achtzehn Musiknummern beteiligt, fällt größere Bedeutung als üblich zu. Überhaupt kann die Aufteilung der Musiknummern als eigenwillig gelten. Bis auf die große Introduktionsszene der Zorika, die in ihrer Art völlig aus dem Rahmen fällt, und Jonels Reminiszenz zu Beginn des 3. Aktes gibt es keine einzige Solonummer, die nicht in ein mehr oder minder großes Ensemble integriert wäre, so Zorikas »War einst ein Mädel« oder Józsis »Ich bin ein Zigeunerkind«. Selbst die Nummern des Buffopaares weichen vom bewährten Besetzungsmuster ab, sind enger mit andern Figuren verknüpft. Solche Abweichungen bekräftigen die dramatische Bedeutung der Musik. Sie gewinnt Freiräume, sowohl formal als auch dramaturgisch, so daß, wie Volker Klotz meint, »kaum eine zweite Partitur des Komponisten … melodisch so erfinderisch, harmonisch so verwegen und klanglich so farbenreich wie die der *Zigeunerliebe*«[7] ausfiel.

Auch die Handlung erschloß der Operette Neuland. Zwar

folgte das Libretto dem Muster eines biedermeierlichen Besserungsstückes, in dem wie in Grillparzers *Der Traum ein Leben* der Held durch den Wahrtraum seiner Sehnsüchte desillusioniert wird, doch diente solche Traumspielerei achtzig Jahre danach der »Enthüllung des Triebhaften« nur mehr als Vorwand. Entschärft wird durch den dramaturgischen Kniff eines geträumten Mittelakts, der die eigentliche Handlung kaum verändert, die erotische Brisanz des sonst in der Operette nur Denkbaren. Erschöpfte sich die sexuelle Betriebsamkeit der Salonoperette in verbaler Frivolität – »nur Operetten ... stellen den Sexus mit schallendem Gelächter vor«, wie Adorno/Horkheimer noch in der *Dialektik der Aufklärung* feststellten, »dreht sich in ihnen, gerade weil er nie passieren darf ... alles um den Koitus«.[8] Das Spiel mit dem moralischen System, das die Salonoperette genüßlich treibt, wird in *Zigeunerliebe* geträumter Ernst. Zorika, die ganz ihrer Phantasie hingegebene Protagonistin, reiche Bojarentochter und Naturkind romantischer Sorte, soll mit dem standesgemäß zivilisierten Jonel verlobt werden. Da begegnet ihr am Verlobungstag Józsi, der wilde Spielmann mit der Zaubergeige. In seinen »Adern rollt Zigeunerblut«. Betört und erschreckt von seiner Sinnlichkeit muß sich Zorika entscheiden. Ein Märchenmotiv kommt »mysteriös geisterhaft« zu Hilfe. »Wenn sie einen Becher aus den Wellen der Czerna trinkt«, darf sie träumend in die Zukunft schauen. Unbewußt hat sie bereits den Zigeuner erwählt: »Die Braut träumt und der Bräutigam fällt ihr nicht einmal im Schlaf ein.« Der 2. Akt führt Zorikas Zigeunerliebe, die nach zwei Jahren wilder Ehe abzukühlen beginnt, als wahren Alptraum vor, so daß, als sie im 3. Akt erwacht, der realen Verlobung mit Jonel nichts mehr im Wege steht. Die moralisierende Tendenz des bösen Erwachens ermöglichte erst den Verstoß gegen die ungeschriebenen Gesetze der Operette, die im Zigeunermilieu ja schon einmal überschritten wurden. Die wilde Ehe von Saffi und Barinkay im *Zigeunerbaron* wird nicht vollzogen, aber legitimiert. Die vollzogene Zigeunerliebe hingegen kann nicht legitimiert werden. Ihr folgt die Strafe auf dem Fuß. Zorikas Untreue gegen Jonel kehrt sich gegen sie selbst. Józsi betrügt sie sowohl in der Traum- als auch der Rahmengeschichte mit Ilona von Köröçháza, einer ungarischen Gutsherrin, von der Zorikas Vater schwärmt, sie sei »ein kapitales Weib: diese Statur, diese Figur, diese Frisur ... Alles Natur!« und

32 *»They say the devil links in that violin of his – as many girls have learnt to their cost!«*
Gipsy Love in Sydney (Her Majesty's Theatre 1914)

die, sich als »kolossal liebesfähig« erweisend, »in der Liebe ... Raketen« verlangt. Die wilde Ehe Józsis und Zorikas war bei soviel Promiskuität nur als erträumte möglich.

Bezeichnenderweise kam bereits die englische Version, nach *Lustiger Witwe* und *Graf von Luxemburg* Lehárs dritter anglo-amerikanischer Vorkriegserfolg, ohne diesen Trick aus. Der Komponist selbst erläuterte erstaunt: »Der Engländer ist ein Mann des Realen und will sich selbst in der Operette kein X für ein U vormachen lassen. So mußte in der *Zigeunerliebe* die Traumszene ganz umgearbeitet werden, weil der Engländer keinen Traum auf der Bühne verträgt.«[9] Wieder war George Edwardes federführend. *Gipsy Love* wurde nach der Premiere am 1. Juni 1912 im Daly's-Theatre eine Saison lang gespielt und ging 1913 in verschiedenen Produktionen als »the international Comic Opera Success, America's and England's most notable Production« auf Welttournee, wurde zugleich in Kalkutta, Sidney und New York gespielt. Eine Anzeige aus San Francisco verrät im geläufigen Reklamevokabular des Broadway – »Why? Because It Is Opulent, Refined and Admirable, Comic

Opera, Liberaly and Gorgeously Presented.«[10] *Zigeunerliebe* wurde in Amerika nicht nur von den Zeitungen als komische Oper gepriesen, in Philadelphia sang die Carmen der Chicagoer Oper, Marguerita Sylva, die Hauptpartie. Der Administrationsdirektor der Metropolitan Opera, Andreas Dippel, der das Werk für »Franz Lehár's best work«[11] hielt, hatte die amerikanischen Rechte bereits im September 1909 erworben, um *Gipsy Love* noch vor der Wiener Premiere in einer New Yorker Uraufführung herauszubringen.

Exkurs: Traumspiel und Naturklang

Wie weit sich Lehár in *Zigeunerliebe* vorwagte, zeigt die erste Nummer »Introduktion und Auftritt« der Zorika – ein echtes Experiment. Wenn die zeitgenössische Kritik »solchen Uebergriff ins romantische Gebiet der Oper« dem Textbuch anlastete, mußte sie doch des Komponisten Meisterschaft gerade in der Grenzüberschreitung anerkennen: »dabei versteht er es, mit wenigen Strichen eine Stimmung herzustellen und festzuhalten. So gelingt ihm eine Szene am Bach mit Waldweben und Vogelgezwitscher im ersten Akt.«[12] In dieser Szene erscheint Natur »von fast tropischer Pflanzenpracht« hörbar als Bild triebhaften Innenlebens der von unbewußten erotischen Phantasien umhergetriebenen Protagonistin. Das Regiebuch beschreibt die scheinbar Naive als »malerisch derangiert«, die Partitur als Windsbraut eines alle Elemente entfesselnden Sturmes. Die Szene, ein Dialog mit den Naturgewalten, steht dramaturgisch und musikalisch in der gesamten Operettenliteratur einzig da, war Naturschilderung doch nie ihr Gebiet. Mit »Sturmwind, Blitz, Vorhang auf, Donner« exponieren Trompeten und Posaunen mächtig einen Oktav-Quint-Fall, ausgefüllt von einer zigeunerhaften Figur, die die ganze Szene prophetisch durchzieht. Eine chromatisch abfallende Achtelkette in den Streichern mit Paukenwirbel markiert den Donner. Solch traditionelle Lautmalerei ergänzt, ganz im Geist des beginnenden 20. Jahrhunderts, die Windmaschine, von Richard Strauss bereits in *Don Quijote* musikalisch erprobt. Ähnlich naturalistisch bleibt als Leuchtsignal der Blitz bloßes optisches Phänomen und – im Gegensatz zur Tradition des 19. Jahrhunderts, wie noch in Wagners *Rheingold* – unvertont. Um so mehr Wagner verpflichtet sind dann Text und

Komposition von Zorikas »Walküren«-Auftritt: »(mit phantastischer Gebärde ...) Heissa, heissa! Heissa, juchei! Heja! Heja! Hei! (Zorika läuft über den Steg auf die Bühne. Ferner Donner. Blitz.) Wie's leuchtet und wettert! Tralalala! (Stärkerer Donner.) Braust und schmettert. Tralalala! (Dreht sich in übermütig wildem Tanz.) Ah! Hui! Blas zu! Heissa, holla! (Blitz.) Tralalala! (Ganz entfernt Donner. Blitz.) Schon wird's hell, der Sturm verbraust, die Wolken fliehn (*ppp* Donner).«

In diesem musikalischen Gewitter über 62 Takte wird Zorika als Naturwesen exponiert, im Naturlaut den Wagnerschen Rheintöchtern verwandt. Im Überleitungsteil nach dem Gewitter, »moderato«, setzt sie den mit der Natur begonnenen Dialog lyrisch fort. Allein, sprach sie im vorhergehenden 9/8-Takt musikalische Prosa, nimmt sie hier symmetrische Phrasierung und 3/4-Takt der Operette auf. Sie imitiert den von Oboe und Klarinette vorgegebenen Kuckucksruf, deutet ihn in liedähnlichen Strophen als Metapher des unberechenbaren Glücks. Im Orchester durchläuft parallel dazu ein aus den ersten 62 Takten stammendes Triolenmotiv das Instrumentarium: Kontrabaß, Hörner und Fagott. Es hat Signalcharakter, Echo des Sturms und noch ungeklärter innerer Unruhe. Zorika »versinkt in Träumerei«. Was folgt, antizipiert den Traum des zweiten Aktes: »Czerna sprich, wann wird er kommen, den ich träumend immer sehe.« Eine Sextolen-Figur der tiefen Streicher malt das Fließen des Flusses. Ein »Violinsolo hinter der Szene« ertönt. Das Triolenmotiv aus dem Gewitter erscheint verstörend im Kontrabaß. Schließlich schweigt das Orchester für die Kadenz der Solovioline, die im tempo rubato »ferne Klänge, Märchen gleich« verströmt. Zur Wiederholung von »Czerna sprich...« verschränken sich Triolenmotiv des Sturms in der Klarinette und Violinsolo zu »Liebeslust und Weh«. Die in die Natur getragene und in ihr zum Ausdruck gebrachte Sehnsucht Zorikas nimmt im Violinsolo musikalische Gestalt an, tritt als naturhafter Zigeuner »märchengleich« aus ihr heraus: »Józsi tritt, auf der Geige spielend, hervor.« So trivial dies Märchen sich auch erfüllen mag – so kühn klingt es bei Lehár an.

Endlich allein – eine erotische Phantasie

Die Frage aus *Zigeunerliebe*: »Soll dich der Freier im Freien frei'n?«, stellt sich, als sie im 2. Akt *Endlich allein* sind, auch den Protagonisten der gleichnamigen Operette – Dolly Doverland, der reichen exzentrischen Amerikanerin und dem als Bergführer verkleideten Baron Frank Hansen. Dieser 2. Akt, ein fast durchkomponiertes, einziges Liebesduett, handelt vom Vergnügen des Alleinseins auf hohen Bergen. Wieder ist Natur Freiraum erotischer Phantasie, Spiegel des Unbewußten, Abbild eines seelischen Wahrtraums. Andererseits belegt gerade dieser 2. Akt die in der *Dialektik der Aufklärung* aufgestellte These, es gebe »keine erotische Situation, die nicht mit Umspielung und Aufreizung den bestimmten Hinweis vereinigte, daß es nie und nimmer so weit kommen darf«.[13] Dies wird im zweiten Finale offenkundig thematisiert. Die von der Konvention eines Operettenlibrettos unterdrückte Natur kommt jedoch auch hier musikalisch zu ihrem Recht. Sie erfüllt, was den Figuren bis zum Schluß des 3. Aktes verwehrt bleiben muß. Auf solchen Widerspruch baut inhaltlich die Spannung dieses überdimensionalen Duetts, musikalisch auf den von großer Form und geschlossenen Stereotypen, die auch sonst in der Salonoperette größere Komplexe wie die Finali gliedern – so die einfache Liedstrophe oder das Couplet. Ihr thematisches Material gewinnt leitmotivische Bedeutung; die ersten vier Takte von »Schön ist die Welt«, Titel der späteren Bearbeitung und Auftrittslied Baron Hansens aus dem 1. Akt, werden zum musikalischen Motto.

Ein vom Fagott über Englischhorn und Flöte zur Klarinette gleitendes Hirtenmotiv gibt in ironischer Anspielung auf Wagners *Tristan* die Atmosphäre vor.[14] Der Vorhang öffnet sich. Frank zieht Dolly zu chromatisch aufsteigenden Sechzehntelketten der Hörner auf »den Gipfel eines hohen Felsen-Plateaus«. Das Orchester verstummt zu naturhafter Stille. Dolly »blickt ihn an: Das sah ich gleich: Ihr seid ein Mensch aus Stahl.« Das Hirtenmotiv, vom Englischhorn bestätigend intoniert, verleiht dem vermeintlichen Bergführer die Aura eines echten, wie auch »ein kleines Brot mit Speck« in seinem Rucksack. Doch die Konvention ist damit noch lange nicht gefallen. Dolly nämlich »richtet sich kokett her«, derweil Franks »Märchen, wundersam mit ihr allein« zu sein, wie in *Zigeu-*

nerliebe die Solovioline als Naturlaut zugeordnet ist. Konventionell und kokett beschließt denn auch ein Couplet »Introduktion und Duettszene Nr. 9« – »der nachdenkliche, der gütige, der innerste Mensch Lehár komponiert aus den Tiefen seiner Künstlerseele«,[15] wie Maria von Peteani ergriffen schildert – ganz im Sinne seines Refrains: »Es steht vom Lieben so oft geschrieben,/wer nie geliebt, ist ein Narr geblieben.« Nachdem sich Dolly im folgenden Lied mit einem Edelweiß – »am Pelzchen so weich,/da kennt man es gleich« – erotisch identifiziert hat, pflückt Frank kurzentschlossen unter Lebensgefahr und Tuttischlägen geballter Naturgewalt des Orchesters im Finale II ein solches »Riesenedelweiß« – und wieder bestätigt das Hirtenmotiv den Naturburschen im Englischhorn: »Was gilt jetzt Name, was Rang und Stand?« Ist die Eindeutigkeit solcher Symbolik offenbar, findet das aufgewühlte Innenleben Dolly Doverlands sein Abbild in der Natur. Von tiefen Streichern eingeleitet, malen Geigentremoli unter fließenden Triolen der Klarinetten aufsteigenden Nebel, der sich zum Gewitter verdichtet. Piccolo und Posaunen markieren Blitz und Donner, alterierte Streicherakkorde die Gefahr: »Frank (visionär): Wir sterben hier oben.« Sein Liebesgeständnis aus Todesahnung – »Euch mit verweg'nem Griff die Meine heißen« – wird im stürmischen Kontext der Edelweißmetaphorik zur erotischen Bedrohung, die Dolly »zum Abgrund« treibt. Frank kann sie nur mit der Versicherung, »ein Gentleman« zu sein, ein Mann also der Beherrschung innerer Natur, zurückhalten. Auch das Gewitter hat sich verzogen: »Der rückwärtige Prospekt zeigt Gletscherspitzen.« Anders als Zorika scheut Dolly das Aufgehen in Natur und die Hingabe an sie. Und doch verheißt ihr, was sie »nie, noch nie empfand«, die friedliche Dämmerung: »Es gibt ein Paradies«. Nachdem es tiefe Streicher und Hörner durchlaufen hat, erblüht das »Schön ist die Welt«-Motiv als Kadenz in der Solovioline: »Hell wie die Sonne aus wolkigem Flor/strahlt die göttliche Liebe hervor,/alles blüht,/in die Seele ein wonniger Frühling dir zieht.« Für einen Augenblick sind Mensch und Natur in Einklang. Das »Schön ist die Welt«-Motiv löst sich nach bombastisch triumphierendem Alpenglühen, »strahlend … wie die Sonne über dem Piz Palü«,[16] in Triolenfiguren gestopfter Hörner und Trompeten auf. Diese Welt ist zwar schön, aber »schon ist es Nacht«. Die sequenzierten Signale der Hörner verhallen als ferne Zeichen der Außenwelt. Die Nacht wird

33 *Auf dem Gipfel*
Mizzi Günther als Dolly Doverland und Hubert Marischka
als Frank Hansen im 2. Akt von *Endlich allein*
(Theater an der Wien 1914)

zur imaginären Innenwelt. Dies gleichsam schwebende Durchschreiten von Klangräumen zitiert bis in die Überblendungstechnik verhallender Hornsignale den 2. Akt *Tristan.*[17] Doch anders als dort ist dies noch keine Nacht der Liebe, nicht Brangäne, sondern der Liebhaber selbst hält Wacht über die Geliebte in einem zarten Ständchen, das, beziehungsvoll von der Solobratsche pp begleitet,[18] Frieden im Naturbild – »volles Mondlicht« – beschwört: »Die Berge steh'n im Silberlicht.« Wieder wird die gefährliche erotische Situation umspielt, der Kuß auf den Mund zum Handkuß entschärft, während Dolly zu einer Harfenkadenz sanft entschlummert. »Es liegt was in der Luft wie ein Skandal«, aber – auch hier im Gegensatz zur analogen *Tristan*-Situation – er findet nicht statt. Dolly bedankt sich für solche »Fürsorge«. Die Geigen flimmern in Zweiunddreißigstel-Tremoli Mondstimmung, »die Liebe wacht« und »es passiert hoffentlich nach dem Fallen des Vorhangs (doch noch) etwas durchaus Unschickliches und Menschliches«.[19]

Der Wagner der Operette

Treffend war im Programmheft der Berliner Uraufführung von *Schön ist die Welt*, das den 2. Akt fast vollständig von *Endlich allein* übernahm, zu lesen: »Wenn es eine der großen Leistungen Richard Wagners ist, in zehn Werken wagnerisch und doch wieder jedesmal anders zu sein, so ist Lehár eben – man muß es einmal aussprechen – der Wagner der Operette.«[20] Und wenn Lehár der Wagner der Operette ist, dann wäre *Endlich allein* der *Tristan* Lehárs. Nicht nur Hirtenmotiv im Englischhorn, das Signal gestopfter Hörner und die Solobratsche, sondern die ganze Anlage des 2. Aktes als großes Liebesduett deuten es an. Doch schon bei der konventionellen Rahmenhandlung des 1. und 3. Aktes, die in der Zweitfassung von 1930, *Schön ist die Welt*, einfach ausgetauscht wurde, stößt das Experiment an seine Grenzen, so daß es als Ganzes hinter *Zigeunerliebe* zurückbleibt. Dennoch möchte in der Zeitungsumfrage »Was ich gerne komponiere?« der ›Meister‹ selbst »als Rekord« diesen 2. Akt von »*Endlich allein* anführen, der lediglich zwischen zwei Personen spielt, ein in der Operette einzig dastehendes Faktum, das allgemein als ein Wagnis ohnegleichen bezeichnet wurde«[21] – und Lehár veranlaßte, Franz Schreker Freikarten für eine Vorstellung im Theater an der Wien zu schicken, um sich mit seinem Lehrer Joseph Marx vom Wagnerschen Wagnis persönlich zu überzeugen. Die zeitgenössische Kritik zumindest bestätigte es ihm und orakelte, »daß, wenn Lehár sich entschlossen hätte, den ersten und letzten Akt so zu halten wie den zweiten, eine charmante heitere Oper entstanden wäre«.[22] Wilhelm Karczag verweigerte sich solcher Zuordnung seines Hauskomponisten: »Beim letzten Werke von Franz Lehár *Endlich allein* haben wir viel darüber debattiert, ob wir es nicht ›Ein Liebesroman mit Musik‹ benennen sollen? ... Hat es einen künstlerischen Wert? Enthält es leichte und populäre Melodien? Versucht es, wo es notwendig ist, dramatisch zu illustrieren? Ja oder nein? – Das nur ist die Frage!«[23]

Die problematische Ästhetik der Lehárschen Experimente mit ihrer eigentümlichen Mischung von »populären Melodien« und »dramatischer Illustration« erinnert bei *Endlich allein*, wie schon bei *Zigeunerliebe* oder *Eva*, eher an Filmmelodramen als an das gemeinsame Urbild Wagner. Das Nebeneinander der Stilebenen und ihre raffinierte Verflechtung nahmen die Methode klassischer Filmmusik à la Hollywood vorweg, deren Exponent Erich Wolfgang Korngold nicht umsonst bereits in Wien eine gewisse Nähe zu Lehár unterstellt wurde: »die die Gesangsphrasen abschließenden typischen Triolenmelismen, dann die Gewohnheit, über die Gesangsstimme die Geigen in höchsten Höhen schweben zu lassen, auch manches im orchestralen Kolorit – scheint von Korngold dem erfahreneren Lehár abgelauscht zu sein.«[24] Schon während der Entstehung von *Endlich allein* hatte der Operettenkomponist die musikalischen Möglichkeiten des Films mit einbezogen, also zwanzig Jahre, bevor sie in Alban Bergs *Lulu* erste Verwendung fanden. »Damals verfolgte mich die Idee, das Kinobild auf die Operettenbühne zu verpflanzen. Mein Plan war, den Aufstieg des Liebespaares auf den Berggipfel kinematographisch während des Zwischenspieles zum Mittelakte, das programmmäßig die ganze Hochtour musikalisch schildert, vorzuführen. Leider ist diese Absicht damals auf unüberwindliche Hindernisse gestoßen.«[25]

In der Werkstatt eines Walzerkönigs

Endlich allein war der Abgesang jener Operettendekade vor dem Ersten Weltkrieg, die im Zeichen Lehárs gestanden hatte. Als letztes Werk für lange Zeit erschien es 1915 am Broadway, im damals noch neutralen Amerika. Durch den Krieg war der Kontakt zu wichtigen, jetzt feindlichen Exportländern wie Frankreich, Italien und England mitsamt seinem operettenfreudigen Empire unterbrochen. Während Kálmáns *Csárdásfürstin*, Falls *Rose von Stambul* und Bertés *Dreimäderlhaus* das heimische Repertoire beherrschten, zog sich Lehár zaghaft zurück. *Der Sterngucker* war 1916 im Theater in der Josefstadt, als Kammeroperette ohne Chor, Lehárs erster Versager seit dem *Mann mit den drei Frauen* und konnte sich erst sechs Jahre später in Carlo Lombardos italienischer Revuefassung *La Danza delle Libellule* durchsetzen. Mit *Wo die Lerche singt* hingegen traf Lehár 1918 sowohl bei der Uraufführung in Budapest als auch kurz darauf in Wien den durch die Kriegsnot rührselig gestimmten Nerv der Zeit. »Manche unterdrückten heimlich eine Träne«,[26] wie Lehár befriedigt vermerkte. Die Operette stellt eine sentimentale Variante der *Zigeunerliebe* dar, wieder spielt die Handlung in Ungarn, wieder steht eine unglückliche Dreierkonstellation im Zentrum, wieder kehrt die Heldin, diesmal nach einem Ausflug vom Land in die Großstadt an der Seite eines Kunstmalers, der letztlich nur seiner Kunst leben kann, desillusioniert zu ihrem Verlobten zurück. Dies Glück im Winkel erwies sich als zugkräftig, *Wo die Lerche singt* wurde mit 416 Vorstellungen Lehárs zweiterfolgreichstes Werk im Theater an der Wien. Doch verfolgte er auch fortan keineswegs eine geradlinige Entwicklung. In der *Blauen Mazur* experimentierte er 1920 zum letzten Mal, nicht minder erfolgreich, mit der Tanzoperette. *Frasquita* von 1922 und *Die Gelbe Jacke* von 1923 mit ihren nur noch notdürftigen Happy-Ends stellen schließlich Wendepunkte in Lehárs Schaffen dar, wenngleich 1924 die übermütig lustspielhafte *Cloclo* in beinahe Offenbachscher Turbulenz noch einmal die alten Operettengeister aufleben ließ.

Mit seiner beständigen Suche nach Neuem aber stellte Lehár sich selbst in die Tradition einer experimentierfreudigen Moderne und scheinbar außerhalb des Operettenbetriebs. *Frasquita*, warf ihm die Kritik vor, sei »selbstverständlich … durchaus modern …

nun erscheint Richard Strauß als sein Gott. Zu solch hohem Ehrgeiz hat sich die Wiener Operette noch nie verstiegen.«[27] Der Komponist hingegen berief sich auf die handwerkliche Seite solcher Grenzüberschreitung: »Was man immer ›Kokettieren mit der Oper‹ nennt, ist nichts weiter, als daß man die technischen Hilfsmittel, wie sie eben jeder moderne Opernkomponist beherrschen muß, für die Operette anwenden darf.«[28] Lehár wandte diese Hilfsmittel weiter unbeirrt an, hatte er doch stets die Fühlung zur zeitgenössischen Musik gesucht. »Moritz Rosenthal, der große Pianist mit den schnellsten Fingern und der schnellsten Zunge, besuchte einmal, so erzählt man, Franz Lehár in dessen Wiener Wohnung. Man führte ihn ins Musikzimmer, und während er wartete, blätterte er in den Stößen von Musiknoten, die sich auf dem Klavier türmten. Da waren lauter Dinge, die man in der Werkstatt eines Walzerkönigs nicht gesucht hätte: sämtliche Werke von Richard Wagner, Symphonien von Liszt, Brahms, Bruckner, Tschaikowsky, Mahler, Opern von Weber, Lortzing, Verdi und vor allem Puccini, einiges von Schumann, die Auszüge von *Salome* und *Elektra*, einiges von Debussy, Ravel, Strawinsky, Scriabine, ein Heftchen Schönberg und schließlich der Klavierauszug des *Rosenkavalier*. Rosenthal war zuerst ein wenig fassungslos, dann aber wandte er sich zu dem eben eintretenden Hausherrn ... ›Lehár, ich habe geglaubt, du komponierst auswendig?‹«[29]

Der zufällige Blick in die Werkstatt zeigt die Richtung von Lehárs Originalität in der Operette, die ihn nach eigener Einschätzung in der Oper zum Nachahmer gestempelt hätte. Es nimmt daher nicht Wunder, daß Lehár, seit er mit der Symphonischen Dichtung *Eine Vision* seine Jugend abgeschlossen hatte, nicht einmal im Alter zur früheren Seriosität zurückkehrte. Schon die Zeitgenossen mußten konstatieren: »Man kann nicht sagen, daß das ungewöhnlich starke Musikantentum Lehárs, das ihn so weit vor seinen meisten Konkurrenten auszeichnet, ihn über die Operette hinausdrängt. Wäre dem so, niemand würde ihn hindern, es mit einer Sinfonietta, einer Sinfonie oder sonstiger absoluter Musik zu versuchen.«[30] Daß er es versucht hatte, war weitgehend vergessen, wenn nicht völlig unbekannt. An den Liedkompositionen, die sich durch sein ganzes Œuvre ziehen, läßt sich der Wandel deutlich ablesen. Können die frühen Lieder, wie der gelungene *Karst-Zyklus*, sich als zeitgenössische Kunstlieder durchaus sehen lassen, so sind sämtliche späteren Lieder Operettenformen verpflichtet, oft selbst als Einlagen für solche verwendet worden.

Exkurs: »Aus frostverklebten Fenstern glüht das Morgenrot«

Die einzigen Ausnahmen dieser Regel bilden das satiehaft verspielte Klavierlied »Nimm mich mit o Herbst« von 1917 und der Liederzyklus *Aus eiserner Zeit*, den Lehár zu Beginn des Ersten Weltkriegs schrieb. Die vier ersten Lieder daraus bleiben in ihrer volksliedhaften Einfachheit und simplen Strophenform hinter dem Anspruch der Jugendlieder zurück, doch überzeugte angesichts »eiserner Zeit« gerade ihre Schlichtheit. Das *Reiterlied 1914* ist gar nach Lehárs Zeugnis »das deutsche Volkslied des Weltkrieges geworden, weil es wie keine zweite Dichtung in jener Zeit die Stimmung wiedergibt, mit der unsere Soldaten damals in den Krieg zogen«.[31] Schon der Text warf gegen die Kriegsbegeisterung der Zeit fatale Fragen auf wie: »Fall ich am Donaustrand? Sterb ich in Polen?«, von Lehár melancholisch beantwortet. Den jungen Textdichter Dr. Hugo Zuckermann ereilte sein Schicksal kurz nach Kriegsbeginn in Polen. Ebenso Lehárs Bruder Anton, der schwer verwundet in ein Wiener Lazarett überstellt wurde. Er überstand die tödliche Verwundung nach schweren Leiden, die der Komponist am Krankenbett miterlebte: »Meine Besuche bei ihm gehören zu den traurigsten Erinnerungen meines Lebens ... Er litt damals so unerträgliche Schmerzen, daß man ihn ins Wasserbett bringen mußte.«[32] Der Todeskampf des Bruders aber inspirierte Lehár zu seiner letzten und gelungensten ernsten Komposition, dem Abschluß des Zyklus mit dem Titel *Fieber*, einer »Tondichtung« für Tenor und großes Orchester, eigentlich eine dramatischen Szene, die monologisch den Fieberwahn eines tödlich verwundeten Leutnants schildert. In ihrem beinahe filmischen Naturalismus steht sie als musikalisches Dokument des Ersten Weltkriegs einzig da, bedenkt man zudem, wie Richard Strauss sich zur selben Zeit in eine *Alpensymphonie* flüchtete oder Kálmán für die Kriegsoperette *Gold gab ich für Eisen* herhielt.

Im Gegensatz zu den seriösen Werken bis hin zu *Eine Vision* hatte Lehár inzwischen seinen Wagner studiert und nutzbringend für die

Operette erschlossen, wie nicht zuletzt *Endlich allein* eindrücklich belegte. Besonders Aufführungen des *Tristan* und der *Meistersinger* hatten ihn so stark beeindruckt, daß es, wie der Komponist gestand, »einem Gefühl der Furcht gleichkomme und er die aufregende Wirkung noch zwei bis drei Tage lang nachempfinde«.[33] In *Fieber* entwickelte Lehár zum rezitativischen Sprechgesang des Sängers aus einem prägnant fallenden, dissonanten Motiv, bestehend aus verminderter Quarte, kleiner Sekunde und Tritonus, einen assoziativen Reigen wechselnder Krankheitszustände. Realistisch unterbricht zu Beginn der jähe Ruf des Verwundeten nach »Licht! Schwester, Licht!« das Orchester, das ihn kurz darauf mit einem Walzer zur Erinnerung seiner Geliebten entführt – »im weißen Kleid, auf weißen Seidenschuhen … wir fliegen leicht und verklärt dahin«. Ein Trompetensignal entreißt ihn diesem Flug. Schlachtfeld und Ballsaal wechseln unvermittelt, vereinigen sich zum Totentanz, ehe die kühle Hand der Mutter den Sterbenden in die Realität zurückholt. Der Sänger kommentiert den eigenen Tod episch und »(gesprochen:) Herr Stabsarzt, der Patient vom Bette acht ist tot.« Lehár montiert virtuos Bruchstücke der Realität, wie den Walzer, ein Zitat aus ferner Operettenwelt, Armeesignale, den *Radetzky-Marsch*, der gespenstisch in den *Rákóczy-Marsch* übergeht, zu einer irrealen Collage einer Krankenvision, durchzogen vom schmerzlichen Anfangsmotiv. Rhapsodisch meidet er geschlossene Formen, führt die Singstimme frei, oft überraschend dissonant, über manche Textbanalität, so zu den Worten: »sterbe ich als Held« mit einem skeptischen kleinen Sekundschritt auf »Held«. Das traumatische Kriegserlebnis zeitigte Lehárs außergewöhnlichstes Experiment, eigentümliches Dokument gleichsam filmischen Komponierens und seiner Zeit. Der Genesene, um einen Vergleich nie verlegen, bedankte sich mit den Worten, das Tongemälde »hätte auch Franz Liszt nicht zur Unehre gereicht«.[34] Oder wie der erste Lehár-Biograph Ernst Decsey treffender, wenn auch nicht minder pathetisch feststellte: »Bei verdecktem Titelblatt riete man auf einen radikalen Harmoniker, auf ein vielversprechendes junges Talent, das pathologische Vorgänge melodisch verklärt. Gemacht hat diese Bilder- und Seelenmusik ein 47jähriger Operettenkomponist, der dazu musikamtlich gar nicht berechtigt war. Überhaupt klingt die ›Niveau‹-Kritik ungütig und bisweilen verdächtig…«[35]

»Kunst bringt Gunst«
Komponisten unter sich

> Daß wir gefallen nimmt man uns übel
> Und wirft uns oft in einen Kübel...
> Gar manchen macht es nervös,
> Daß unsere Werke zu – ›seriös‹;
> Natürlich bezieht sich das allemal
> Auf die allzu große Serienzahl
> Franz Lehár[1]

Zeitgenossen

Je seriöser Franz Lehár wurde, desto mehr wurde er für viele seiner seriösen Zeitgenossen zum Ärgernis, je mehr er sich mit ihnen beschäftigte, desto weniger wollten insbesondere seine deutschen Kollegen »mit Niveau« von ihm wissen. Seine Liebe zur hehren Kunst blieb unerwidert. Während ausländische Komponisten wie »Maurice Ravel, der französische Moderne ... viel für Franz Lehár übrig«[2] hatten, oder sich wie Gershwin bei seinem Wienbesuch 1928 aus Bewunderung sogar mit ihm fotografieren ließen – »George Gershwin was one of the few younger composers who admired his music. Visiting Vienna in 1928, Gershwin met Lehár and came to know him well«[3] – mithin ein weniger verkrampftes Verhältnis zur leichten Muse unterhielten, fand Hanns Eisler naturgemäß unhumanistisch, »wenn der Herr Graf von Luxemburg sein Geld verjuxt«.[4] Anton von Webern, der diesen Grafen 1910 als junger Kapellmeister in Teplitz zu dirigieren hatte, echauffierte sich im I. Weltkrieg, daß im Gegensatz zu Schönberg »der Lehár, dieses Schwein«[5], sofort vom Militärdienst befreit wurde. Alban Berg schließlich holte aus selbem Anlaß in der Art des verehrten Karl Kraus gleich zum verbalen Rundumschlag gegen die ganze moderne Operette aus: »Ich schlage dem Herrn Leo Fall vor, einen Patrouillenmarsch auf die Melodie ›Man steigt nach ...‹ herauszugeben, dem Herrn Lehár, einen Walzer ›Schulter an Schulter‹ zu pforzen, dem Herrn Eysler, ein sentimentales Lied ›Unsere armen

Soldaten im Schützengraben‹ zu kotzen. Eine ›Krüppelgavotte‹ würde ich vor allem für Herrn Oscar Strauss reservieren.«[6] Dennoch konnte auch er sich im Alltag diesen Herren nicht völlig entziehen. Als seine Schwester Smaragda mit Freund Hermann im Sommer 1909 wahre »Operettenorgien« abhielt, konnte Alban Berg nur mit Mühe an sich halten, bis – »ich ihnen zeigte, wie solches Zeug zu spielen ist. – Traust Du mir zu, daß ich das zustande brachte?!«[7] Ein Verhalten, das typisch das Abdrängen solcher Regungen ins Private dokumentiert, wie es ähnlich Frau Alma Mahler-Werfel, übrigens eine gute Bekannte Lehárs und seine eifrige Propagandistin dazu, in ihren *Erinnerungen an Gustav Mahler* von ihrem ersten Mann während seiner Zeit als Hofoperndirektor berichtete.

»Niemals in diesen fünf Jahren sind wir abends ausgegangen, nie in irgend eine heitere Gesellschaft, in ein Theater, nur in die Oper und nur, wenn er dirigierte, was allerdings mein Glück war, so daß ich gar nichts anderes wollte. Einmal aber waren wir in der Operette *Die Lustige Witwe*, die uns vergnügt machte. Mahler und ich haben nachher zu Hause getanzt und uns den Walzer von Lehár gleichsam nach dem Gedächtnis rekonstruiert. Ja, es geschah etwas Komisches. Eine Wendung konnten wir nicht finden, wie wir uns auch bemühten. Wir waren aber beide damals so ›verschmockt‹, daß wir es nicht über uns brachten, den Walzer zu kaufen. So gingen wir beide zur Musikalienhandlung Doblinger. Mahler begann ein Gespräch mit dem Geschäftsführer über den Verkauf seiner Werke, und ich blätterte scheinbar achtlos in den vielen Klavierauszügen und Potpourris der *Lustigen Witwe*, bis ich den Walzer und die Wendung hatte. Dann trat ich zu ihm. Er verabschiedete sich schnell, und auf der Straße sang ich ihm die Wendung vor, damit sie mir nicht wieder entfalle. Dieses Beispiel und manches dieser Art von mir mit ihm Erlebte zeigte mir, daß Mahler Heiterkeit und Lustigkeit liebte, daß er aber aus irgend einem dunklen Prinzip dem allem aus dem Weg ging. Er konnte ungeheuer lachen...«[8] Die Widersprüchlichkeit solchen Verhaltens offenbart eine Äußerung von Richard Strauss, nicht nur in diesem Punkt anderer Meinung als Mahlers Frau, über dessen Verhältnis zu jenem Walzer: »Ich kann heute mit meinen 75 Jahren über den Walzer der *Lustigen Witwe* (wie seinerzeit Gustav Mahler) noch einen Tobsuchtsanfall kriegen.«[9]

34 Karikatur von Theodor Zasche (1. Juni 1920)

Künstlerfeindschaft – Richard Strauss

Im selben Brief von 1940 an Clemens Krauss, übrigens jenem, der *Giuditta* für die Wiener Staatsoper annahm und ausgerechnet Lehár für »intellektuelle Papiermusik«[10] hielt, begründete Strauss anläßlich des Kulturkampfs, den er mit Hilfe des Textes seiner letzten Oper *Capriccio* ausfechten wollte, seine heftige Reaktion: »Die Gefahr, die unserem Kulturniveau von Seiten des Films, Lehárs und seiner Spießgesellen droht, und der es zum großen Teil schon erlegen ist, ist mit vornehmer Nichtbeachtung nicht mehr abzutun. Ihr offen den Kampf anzusagen, wäre eine schöne Pflicht.«[11] Nie hat Strauss einen Hehl aus seiner Abneigung gegen Lehár gemacht und so warf er ihn gleich mit dem gleichfalls abgelehnten Puccini in einen Topf: Anpassung der Bedürfnisse an die »Schmierendirektoren... dafür sorgt Puccini und Lehár«.[12] Und um beide ins rechte kulturhistorische Licht zu rücken, zeigte sich ihm hierin der »Verfall der Oper als Gattung: ... Mozart, Puccini, Lehár (Shakespeare, Lessing, Kotzebue)«.[13] Verwundert dürfte er in einer Berliner Tageszeitung gelesen haben, Lehár dirigiere »so, wie Richard Strauss dirigiert, mit letzter Abklärung, mit äußerster Beruhigung der Temperamente«[14], zu schweigen von anderen erwähnten Parallelen. Vielmehr riecht ihm der von Hofmannsthal für *Arabella* vorgeschlagene geigende Zigeuner »stark nach Lehár«. Worauf sich der Dichter im Antwortschreiben grundsätzlich zu äußern genötigt sah, was nämlich das ›Wienerische‹ an *Arabella* betrifft: »Ich verstehe genau, was Sie mit der Atmosphäre meinen – die Ihnen ein wenig gegen den Strich ist. Aber ich bin nicht Librettist der *Fledermaus* sondern der des *Rosenkavalier* – das heißt: jenes gewisse Halb-Naive, Lumpige, das in dem französisch angehauchten Wienertum der *Fledermaus* das Element des Ganzen ist – kann bei mir immer nur Folie sein.«[15]

Die Debatte, die Hofmannsthal hier im Namen des Wienertums führte, traf den Kern einer ästhetischen Auseinandersetzung um die ›Musikalische Komödie‹, auch wenn er den Begriff mied und bereits 1910 feststellte, es seien »immer die Herrschaften dritten Ranges, die Lehár, Oscar Straus, Wolf-Ferrari, die es lieben, sich mit diesen anspruchsvollen Bezeichnungen zu schmücken«.[16] *Arabella* schließlich wurde Hofmannsthal Gegenstand eingehender

Reflexionen über eine Gattung, die er unverblümt Operette nennt und deren Repräsentant der erste jener ›Herrschaften‹ war. Er gestand dem in jedem Zigeuner Lehár riechenden Richard Strauss: »Mit einem fast barbarischen, aber aufmerksamen und doch künstlerischen Sinn horche ich in alle Musik, die mir ein Orchester, ein Klavier oder Grammophon vormacht: Ob es Beethoven ist oder Lehár ... nicht, daß ich meinte, Sie könnten schreiben ›wie Lehár‹. Darüber haben Sie einmal vor Jahren in einem Berliner Restaurant Ihrer Gattin eine ganz erschöpfende Antwort gegeben: ›So wie der schreiben kann ich nicht, denn in ein paar Takten von mir liegt eben mehr Musik als in einer ganzen Lehárschen Operette.‹ Aber dies wohl verstanden, wohl begriffen (und es liegt darin dies, daß es eben zwei ganz unvergleichbare verschiedene Ebenen des musikalischen Kunstschaffens sind), so bleibt ein Etwas, das ich vielleicht mit folgenden ungeschickten Worten umschreiben kann: Wenn sich, als ein neuer Stilversuch, nicht absteigender Kräfte, sondern gesteigerter Kunsteinsicht, zu einem weniger von Musik gelangen ließe wenn die Führung, die Melodie etwas mehr in die Stimme gelegt werden und das Orchester, mindestens auf große Strecken, begleitend und nicht sich in der Symphonie auslebend, sich der Stimme subordinieren würde (nicht in bezug auf Klangstärke, sondern in anderer Verteilung des ›Führenden‹) – so wäre, für ein Werk dieser Art, der Operette ihr Zauberring entwunden, mit dem sie die Seelen der Zuhörenden so voll bezwingt!«[17]

Dieser Zauberring wurde bekanntlich nicht entwunden, und so mag noch einmal Alma Mahler-Werfel zu Wort kommen, die den Wunsch Hofmannthals fünf Jahre zuvor erahnte und entsprechend zur bekannten, wenn nicht wahren, so doch gut erfundenen Anekdote formte: »Wir nahmen einst Hugo von Hofmannsthal mit uns zum *Libellentanz*[18] von Franz Lehár. Hofmannsthal war so angetan, daß er sagte: ›Gott, wie schön wäre es, wenn Lehár doch die Musik zum *Rosenkavalier* gemacht hätte, statt Richard Strauss!‹ Ich erzählte diesen Ausspruch meinem Freund Egon Friedell, und er sagte: ›Und wenn dann noch ein anderer das Libretto geschrieben hätte – wie schön wäre die Oper erst geworden.‹«[19] An Hofmannsthals *Unbestechlichem*, bei dessen Wiener Uraufführung zwei Darsteller der ersten Serie des *Grafen von Luxemburg*, nämlich Otto Storm und Max Pallenberg, Baron und Diener spielten, bemerkte schon Alfred Polgar einen »Hang zur Rührseligkeit, der mondgetränkte Sehnsucht schafft, für die nur Lehár die erlösenden Töne fände. Und bisher war's doch Richard Strauß.«[20] Bereits der *Rosenkavalier* stand für viele Zeitgenossen als Walzeroper unter dem Einfluß der Operette. Alfred Döblin, nachdem er jenen *Grafen von Luxemburg* gesehen hatte, rezensierte 1911 ›zwei Liederabende‹, wie folgt: »Es gab Richard Strauß ... der eben mit seinem *Rosenkavalier* Lehár und Fall übertrumpft hatte als ein wahrer Überfall. Er erschien mit gänzlich ausverkauftem Lächeln...«[21]

Nach Ende des Zweiten Weltkriegs beschloß ein Satyrspiel dieses Kapitel. Sowohl Strauss als auch Lehár hielten sich in der Schweiz auf, wo sich Strauss boykottiert fühlte. Er konnte sich nicht erklären, warum. »Weil ich Deutscher bin? Wagner ist auch Deutscher. Lehár ein Ungar. Die Ungarn haben auch gegen die Russen geschossen und von ihm werden zwei Operetten gespielt... Gewiß Wagner... ist tot, aber auch Lehár lebt – ich versteh's zwar nicht.«[22] Er hatte sich in Zürich davon überzeugen können, als er eine *Giuditta*-Aufführung zum Entsetzen des anwesenden Kollegen noch vor Schluß der Vorstellung verließ, wie er schon vorher keine Oper Puccinis »bis zu Ende aushalten«[23] konnte. Als zwei Jahre darauf sein künftiger Biograph und Briefpartner Willi Schuh auf den »Emigrantenschwindel« hereinfiel, stellte er resignierend fest, er könne sich in dieser Zeit über Musik nicht mehr verständigen, »da eine heutige Zeitung auf dem Standpunkt steht, daß Herr Lehár dieselbe kritische Würdigung verdient wie Herr Schönberg und auch Sie nicht gegen den Strom schwimmen können«.[24] Othmar Schoeck brachte die beiden Parallelerscheinungen der U- und E-Musik auf folgenden Nenner: »Lehár ... blickt manchmal zu Richard Strauss auf, während sich Strauss gelegentlich zu Lehár hinunterbeugt...«[25]

Schönbergs Respekt

Im Gegensatz dazu erkannte Arnold Schönberg, der ja selbst Operetten instrumentiert hatte, mit eigentümlichem Respekt vor dem leichten Genre Talent und Erfolg Lehárs an, auch wenn er sich im amerikanischen Exil eingestehen mußte, »daß sich die Zeiten und mit ihnen die Auffassungen sehr geändert haben, so daß, was uns damals vielleicht als Wagnerisch, oder schlimmstenfalls als Tschaikowskyisch erschienen wäre, heute bestimmt Puccini, Léhar und darunter ist«.[26] Er blieb dennoch, wie auch sein Schwager Alexander Zemlinsky, der den *Rastelbinder* aus der Taufe gehoben hatte, der Tradition der Wiener Musik zeitlebens freundlich gesonnen und zwar im Gegensatz zu seinen Schülern – wie im Fall Lehárs – bis in die Gegenwart. Im Gegenteil, Schönberg ging sogar so weit, nachdem er den »alten Bekannten aus der Wiener Zeit« in Baden-Baden getroffen hatte, ihm eine Partitur seines letzten Werkes zuzusenden, »dessen Empfang Lehár am 20. März 1930 mit einem Telegramm aus Baden-Baden bestätigte: – ›fuer die liebe uebersendung ihrer juengsten hochinteressanten schoepfung herzlichen dank hatte riesenfreude wir muessen morgen leider direkt nach wien hoffen aber doch auf baldiges wiedersehn allerherzlichster getreuester = franz lehár.‹«[27] Eine weitergehende Äußerung von seiten des Empfängers liegt nicht vor, handelte es sich doch bei der »jüngsten hochinteressanten Schöpfung« um Schönbergs Einakter *Von heute auf morgen* – vom Komponisten durchaus als Beispiel einer Zwölfton-Operette gedacht. Der aufgeschlossene Lehár, stets in Kontakt mit der Musik seiner Zeit, dürfte sich wohl mit dem Werk beschäftigt haben, in sein Schaffen hat er die Anregung selbstverständlich nicht aufgenommen. Vielleicht hat es sein Interesse erregt, sein Herz aber nicht ergriffen, wie schon die *Gurrelieder*, nach deren Uraufführung er dem Bruder schrieb: »Es steckt viel Kraft, Können und Talent in der Komposition. Allerdings, die unmittelbare Wirkung auf das Herz – wie Wagner es verstand zu wirken und zu packen, um uns nicht mehr loszulassen – ist ihm versagt. Vielleicht nur darum, weil die Form viel spröder ist: immer je eine Singstimme oder der Chor in Verbindung mit dem Riesenorchester. Jedenfalls war es ein ungemein interessanter Abend.«[28]

Zwar wieder zweifellos interessant, aber die ›Wirkung auf das Herz – wie Wagner‹ haben schon die Zeitgenossen weniger bei Schönberg als beim ›Meister‹ selbst gefunden. Tatsächlich sprach ihn sogar Schönberg brieflich mit »Meister« an, und das war, wie Stuckenschmidt versichert, »gewiß nicht nur eine leere Floskel«. Dies ist schwarz auf weiß belegt, allerdings in einem Bittschreiben für den Mann seiner Schwester Ottilie, der wußte, daß Schönberg Franz Lehár gut kannte und ihn 1932 bat »eine Verbindung zu dem berühmten Mann herzustellen. Schönberg hatte diesem Wunsch am 8. Mai noch in Barcelona entsprochen: ›Verehrter, lieber Meister Lehár, mein Schwager, Herr Oskar Felix, Ihnen wahrscheinlich als Textautor so mancher erfolgreichen Operette bekannt, bittet mich, ihm die Verbindung mit Ihnen herzustellen. Mit herzlicher Empfehlung Ihr ergebener Arnold Schönberg.‹«[29] Trotz so hoher Protektion ist von einer Zusammenarbeit des Verfassers von *Ihre Hoheit, die Tänzerin* und dem ›Meister‹ nichts bekannt. Die gewisse Verbundenheit beider Komponisten führte – Hanns Eisler zufolge – zu Brechts Charakterisierung Schönbergs als »eine Art gebrochener Lehár ... ›das ist ja wie Lehár‹, sagte er oft«[30] – desselben Brecht, der Lehárs »Hab ein blaues Himmelbett« in den zwanziger Jahren für eine Operngroteske mit dem Titel *Auge um Auge, Zahn um Zahn* vorsah,[31] und dem »die Oper ... bei weitem dümmer wirklichkeitsferner und in der Gesinnung niedriger als die Operette«[32] schien. Nicht zuletzt deshalb schrieb Adorno zur gleichen Zeit den bemerkenswerten Satz: »Schönberg hat Lehár einen großen Komponisten genannt, vielleicht darf er ihn so nennen...«[33]

Künstlerfreundschaft – Giacomo Puccini

Wenn Schönberg zu Alma Mahler-Werfel und Friedrich Torberg tatsächlich geäußert haben sollte: »Puccini – aha, das ist der, der dem Lehár alles vorgeäfft hat«[34] – stellte er einen Zusammenhang her, der zu seiner Zeit in aller Munde war. Und als Lehár selbst 1944 seine persönlichen Beziehungen Revue passieren ließ, kam er zu dem Schluß, er sei bis auf seine »innige Freundschaft mit Puccini, die auf tiefstem, gegenseitigen Verstehen beruhte, immer ein Einsamer geblieben«.[35] Aus dieser übertriebenen Pointierung sprach zweifellos die alte Sehnsucht nach Zugehörigkeit zu einer anderen Sphäre, die ihn schon seit *Kukuška* über *Manon Lescaut* zu Puccini geführt hatte und von diesem freundschaftlich bestätigt schien. Eine Freundschaft, die zu den unterschlagenen Kapiteln der Musikgeschichte zählt, von den Puccini-Biographen, peinlich gestört im bemühten Nachweis seiner Seriosität, weitgehend verschwiegen.

Dabei beginnt dieses Kapitel mit einem Witz, den ein Wiener Journalist 1913 zum besten gab und der danach in der Presse oft kolportiert wurde: »Als wir nämlich vor einigen Jahren mit Puccini und mehreren Künstlern in einem Wiener Hotel saßen, spielte die unvermeidliche Salonkapelle den valso lente aus der *Lustigen Witwe*, die damals in höchster Blüte stand.

›Was ist das?‹ fragte der Maestro und lauschte weiter.

›Wenn Giacomo Puccini nicht als solcher eine Berühmtheit in den Mauern Wiens wäre‹, antworteten wir, ›so wäre er's als der Mann, der die *Lustige Witwe* nicht kennt.‹ Und Puccini lachte ...«[36] Ähnlich burlesk kam nach Zeugnis Dr. Carlo Clausettis, des Generalvertreters des Ricordi-Verlags in Wien, der erste Kontakt zustande. Als Puccini nach seinem Autounfall von mehreren Zeitungen totgesagt worden war, was tags darauf sofort dementiert wurde, gratulierte ihm Lehár schriftlich zur Auferstehung, worüber sich der Maestro außerordentlich gefreut haben soll. Die ersten Komplimente wurden getauscht. Als sich dann Puccini anläßlich der Erstaufführung von *La Fanciulla del West*, bei der Maria Jeritza die Minnie sang, in Wien aufhielt, hat er am 12. Oktober 1913 »eine Aufführung der Operette *Die Ideale Gattin* im Theater an der Wien besucht. Er wollte die neue Arbeit Franz Lehárs kennenlernen, denn er hat für diesen Wiener Meister ein besonderes Faible.«[37]

Ob sich bei dieser Gelegenheit Puccinis gescheiterter Operettenversuch mit dem Titel *La Rondine*, zu deutsch *Die Schwalbe*, womöglich auf Anregung Lehárs angebahnt hat, bleibt im dunkeln, hatten sich zu der Zeit auch Leoncavallo und Mascagni mit Operettenprojekten beschäftigt. Publik geworden ist der Plan jedenfalls erst im März 1914, und es wurde sogleich als Sensation gehandelt, »daß Direktor Eibenschütz mit Puccini die Vereinbarung getroffen hat, wonach der Komponist fürs Carl-Theater zu einem von Dr. Willner und Reichert verfaßten Textbuch die Musik schreiben soll ... Am meisten jedoch war Herr Lehár erstaunt, nicht so sehr wegen der Verbindung des Carl-Theaters mit Puccini, als wegen des Stoffes, für den sich sein großer Kollege begeistert hat. Herr Lehár ... der fast jeden Stoff, sofern er für eine Wiener Operette in Betracht kommt, als erster erhält ... hat ihn schon vor zwei Jahren kennengelernt, geprüft und – abgelehnt.«[38] Trotz der 400 000 Kronen, die er für die Vertonung erhalten sollte, kühlte das Interesse rasch ab. Der kühn die Gattungsgrenzen überspringende Komponist konnte sich für die flatterhafte Lebedame, die mit einem unschuldigen Jüngling ein Liebesidyll beginnt, nicht erwärmen. Vor allem die Nummerndramaturgie behagte ihm nicht, und so ließ er sich das schwache Buch, nachdem durch Italiens Kriegseintritt eine Aufführung im Carl-Theater in weite Ferne gerückt war, von Giuseppe Adami, dem *Eva*-Übersetzer, zu einer durchkomponierten Oper umarbeiten, die 1917 in Monte Carlo zur Uraufführung gelangte. Puccini hat die vergebliche Mühe hernach bereut – und sich von Tito Ricordi, der den Verlag des Werkes rigoros ablehnte, das Verdikt »schlechter Lehár«[39] eingehandelt. So wenig der Austausch der Librettisten bei Puccini anschlug, um so mehr fruchtete er in umgekehrter Richtung. Fernando Fontana, Autor von Puccinis Erstling *Le Villi*, hatte *Die Lustige Witwe* übersetzt, und Giovacchino Forzano, der Verfasser von *Suor Angelica* und *Gianni Schicchi*, schrieb 1926 mit Carlo Lombardo, der bereits vier Jahre zuvor Lehárs *Sterngucker* zur italienischen *La Danza delle Libellule* umgearbeitet hatte, das Libretto zum nie außerhalb Italiens gespielten Pasticcio *Gigolette*.

Der Tiefflug der *Schwalbe* konnte das gute Einvernehmen zwischen Lehár und Puccini nicht trüben. Schon bald nach Kriegsende meldete sich bei diesem in einem Brief, den jener umgehend an die Presse lanciert zu haben scheint, die Sehnsucht nach einem Wiedersehen in Wien: »Teurer und berühmter Maestro! ... Ich besitze Ihre neue köstliche Operette *Wo die Lerche singt* und kann nur sagen: Bravo, Meister! Erquickend frisch, genial, voll von jugendlichem Feuer! Oh, welche Erinnerungen an die Tage in Wien im Jahre 1913! ... Werde ich dahin mit neuer Musik, mit einem neuen Werk zurückkehren? ... ich will hoffen, daß der Wunsch, meinen Freund Eibenschitz sowie Sie, großer Meister, wiederzusehen, sich erfüllen könnte...«[40] Die Wiener Erstaufführungen der *Schwalbe* (für die Puccini Hubert Marischka, den er seit *Endlich allein* bewunderte, als Idealbesetzung der Tenorrolle vorschwebte) in der Volksoper am 9. und des *Trittico* in der Staatsoper am 20. Oktober 1920 boten ihm reichlich Gelegenheit, seine Wünsche zu erfüllen. Während dieses langen Aufenthalts wurden die beiden Komponisten immer vertrauter. Lotte Lehmann, die mit ihrer *Suor Angelica* Puccini zu Tränen rührte und Lehárs Entrée der *Eva* so unvergleichlich auf Schallplatte festhielt, berichtete über diese Zeit, »daß Puccini sich besonders wohl in der Umgebung von Franz Lehár und seiner Gattin Sophie fühlte. Da war wohl doch eine gewisse Affinität vom Werk her und von der ganzen Kunstauffassung. Ich

GIACOMO PUCCINI

IL TABARRO

*

SUOR ANGELICA

*

GIANNI SCHICCHI

all'illustre maestro Franz Lehár

RIDUZIONE DI CARLO CARIGNANI

ricordo di amicizia e stima

(A) NETTI

CANTO E PIANOFORTE . Fr. 20.- | ★ PIANOFORTE SOLO . . . Fr. 12.-

Giacomo Puccini

Torre del Lago 12 dic: 919

G. RICORDI & C.

MILANO - ROMA - NAPOLI - PALERMO - LONDRA - LIPSIA - BUENOS-AIRES - NEW-YORK

PARIS - SOCIÉTÉ ANONYME DES EDITIONS RICORDI - PARIS

(Copyright 1918, by G. Ricordi & Co.)
★ (Copyright 1919, by G. Ricordi & Co.)

35 Puccinis Widmung des *Trittico* an Lehár vom 12. Dezember 1919

erlebte es, daß die beiden Herren äußerst herzlich miteinander umgingen. Lehár saß am Abend der Premiere des *Tryptichons* in der Loge von Puccini, was Strauss zu nicht gerade vornehmen Ausrufen hinriß«[41] – und dazu, Puccini durch frühzeitiges Verlassen der Vorstellung zu brüskieren. Um so mehr genoß er die Gastlichkeit Lehárs, der ihn bei seiner Ankunft durch einen Empfang geehrt hatte. Lehárs Bruder Anton, der General, schilderte einen der gemeinsamen Abende im kleinen Kreis: »Franz bat meine Frau und mich zu einem einfachen Abendessen. Der einzige Gast war Puccini. Franz sprach ziemlich gut italienisch, Puccini nur wenig deutsch. Schon während des Essens unterhielten sich die beiden Meister fast ausschließlich vermittels Zitaten aus ihren Werken, die sie leise singend andeuteten und erläuterten. Dann setzten sich beide an den Flügel. Eng umschlungen spielten Puccini mit der rechten, Franz mit der linken Hand abwechselnd oder sich gegenseitig begleitend die wunderbarsten Harmonien, Puccinismen und Lehárismen, sich in Klangwirkung und originellen Wendungen überbietend.«[42] Bei aller Skepsis gegen den Enthusiasmus des Freiherrn von Lehár ist die wechselseitige musikalische und private Sympathie, die aus seinen Worten spricht, kaum zu bezweifeln. Wie erwähnt, hatte es damals dem von der lauen Aufnahme seiner *Schwalbe* in Wien Enttäuschten besonders die glücklichere *Lerche* seines Freundes angetan.

Überschwenglich schrieb ihm Puccini, wenige Tage nach seiner Rückkehr, aus Torre del Lago: »Lieber Freund! Zurückgekehrt in mein kleines und ruhiges Nest, seien Sie einer meiner ersten Gedanken. Noch stehe ich ganz unter dem Eindruck des bezaubernden Wien, jener Stadt, wo die Musik in der Seele jedes Menschen vibriert und auch leblose Dinge rhythmisches Leben zu haben scheinen. Lieber Meister! Ich kann Ihnen nicht sagen, wie glücklich ich war, Sie aus nächster Nähe kennenzulernen und ihre menschliche Güte und die Melodien welterobernder Musik bewundern zu dürfen. Ich danke Ihnen von Herzen für alles Gute, das Sie mir erwiesen haben, sowohl in meinem Namen als auch in dem meiner Frau. Empfangen Sie den innigsten Dank Ihres Freundes Puccini.«[43]

Lehár antwortete umgehend mit einer Fotografie und der Widmung: »Dem genialen Maestro Giacomo Puccini in aufrichtiger, herzlicher Verehrung zur Erinnerung an seinen treuesten Anhänger.«[44] Lehárs Porträt stellte der Maestro neben die Bilder Enrico Carusos, Maria Jeritzas, Franz Schalks und Gustav Mahlers auf sein Piano. Erst nach drei weiteren Jahren, in deren Verlauf ihn Lehár in Italien getroffen hatte, hielt er sich für eine Woche ein letztes Mal in Wien auf. Wie er sie zu verbringen gedachte, vertraute Puccini dem Neuen Wiener Journal an: »In Italien fällt es mir nie ein, irgendein Operettentheater aufzusuchen. In Wien versäume ich es nie, zwei bis drei Operettenaufführungen anzusehen. Diesmal werde ich einer Aufführung der *Gelben Jacke*, des *Libellentanzes* und der *Katja* beiwohnen. In den Komponisten Franz Lehár, der übrigens meinem engsten Freundeskreise angehört, und Jean Gilbert ... verehre ich die beiden vortrefflichsten Meister der Operettenmusik.«[45] Bei dieser Gelegenheit soll er derselben Zeitung eine Art ›Wiener Testament‹ seiner Ästhetik hinterlassen haben, das seine Affinität zum Operettenkomponisten ausspricht: »Entscheidend ist Semplicità e Melodia ... Sie haben dafür in nächster Nähe ein Beispiel: il mio amico Franz Lehár, dessen letzte Partitur ich vor kurzem auf meinem Landsitz ... mit allerhöchstem Genuß studiert habe. Ihm bestätigen es nicht nur die sogenannten Kenner, sondern, was viel wichtiger ist, das Publikum, daß er ein Meister ist. Das Publikum hat richtige und gute Instinkte. Es liebt die Einfachheit. Und alle Metaphysik, die von so vielen Neuen mit einem entsetzlichen Orchesteraufwand beschworen wird, finde ich ohne den Lärm schon bei Bach.«[46]

Auf den letzten Wien-Besuch Puccinis fiel auch sein denkwürdiges Vorspiel der in Arbeit befindlichen *Turandot* auf Lehárs Flügel. Géza Herczeg, der Lehár ein Jahr später eine Audienz bei Mussolini beschaffen wird, wohnte als Gast diesem Ereignis bei: »Es war ein feierlicher Augenblick. Mit seinen langen, feinen Fingern glitt er über die Tasten, spielte irgendeinen Akkord, wie wenn er das Klavier prüfen wollte. Er tat dies nur mit einer Hand, es hatte den Anschein, als wolle er nur Spaß treiben. Dann legte er seine Zigarette weg, verdeckte mit der rechten Hand die Augen und strich sich über die Stirne, wie wenn er nachdenken wollte, erst überlegen müßte, was er spielen solle. Dann wurde er sehr ernst und vertiefte sich in seine Gedanken. Er war beinahe unpersönlich geworden. Und schließlich spielte er, gewissermaßen nur für sich, zu seiner eigenen Freude, ganz von dem Zauber seiner eigenen Musik gefangen genommen, einen Teil aus dem ersten Akt seiner neuen Oper.

Es waren prachtvolle Akkorde. Weite Welten, versunkene Jahrtausende erwachten zum Leben und das Klavier sprach wie ein Orchester ... Es war wirklich die erste geschlossene Probe der *Turandot*, eine ideale, geschlossene Generalprobe. Wir alle haben diesen Augenblick in unsere Herzen geschlossen.«[47]

So nimmt es nicht wunder, daß Lehár sich nicht nehmen ließ, der Uraufführung von *Turandot* persönlich beizuwohnen. Mit den bekannten Worten Toscaninis endete das Werk an diesem Abend mit Liùs Sterbeszene, für Lehár »das Herrlichste, was die Mitwelt dem großen Meister zu danken hat ... Wer diese Szene miterlebt hat und nicht tief erschüttert wird, der hat gewiß kein Ohr und gewiß auch kein Herz.«[48] Der Corriere della Sera vermeldete der ergriffenen Welt, daß Lehár geweint habe, und erst 1948 gestand er es selber Maria von Peteani, ehe auch seine Stimme versagte. Noch wenige Stunden vor seinem Tod ließ Puccini Lehár durch seinen Sohn folgendes mitteilen: »Verehrter Maestro! Papa läßt Ihnen für Ihre lieben Worte vielmals danken. Ich bin glücklich Ihnen mitteilen zu dürfen, daß es Papa jeden Tag besser geht, und wir hoffen, ihn bald ganz gesund wieder nach Hause bringen zu können. Mit den besten Grüßen von Papa Ihr in Hochachtung ergebener Antonio Puccini.«[49] Einem Wiener Gerücht zufolge soll die Hochachtung so weit gegangen sein, daß er Lehár angeboten habe, *Turandot* zu vollenden, was dieser Freundschaft eine abenteuerliche Pointe verliehen hätte. Antonio Puccini überreichte statt dessen einen fertigen Klavierauszug »all' illustre Maestro Franz Léhar in memoria della grande amicizia che lo legara al mio povero Papà«.[50]

Abschließend mag der Satz des Puccini-Biographen und Lehár-Rezensenten Richard Specht, dem sich Voreingenommenheit nicht nachsagen läßt, diese Freundschaft ins rechte Licht stellen: »Die geradezu zärtliche Neigung, die Puccini für Franz Lehár empfand und die, bei aller verschiedenen Höhenlage der geistigen Ebenen beider Künstler, in einer nicht abzuleugnenden Wesensverwandtschaft ihres schwermütig, sinnlichen musikalischen Aromas, der erotischen Süße ihrer verführerisch mondänen und ein wenig verbuhlten Melodik begründet sein mag, war im Zusammensein der beiden erfolgreichsten Bühnenkomponisten unserer Epoche in einer fast rührenden Art zu spüren. Zwei Souveräne, die einander in vornehmer Bescheidenheit huldigten.«[51]

Künstlerrivalitäten – Fall, Straus und Kálmán

Eine solche Freundschaft war freilich unter den Wiener Operettenkomponisten nicht zu erwarten, geschweige denn zu finden. Auch wenn keine Gehässigkeiten Lehárs gegenüber Kollegen bekannt sind, hielt er auf Distanz; selbst beim Jugendfreund Leo Fall, der sich, laut Max Schönherr, regelrecht zu Tode gefressen hatte. Lehár widmete ihm einen ergreifenden Nachruf: »Er war ein Mann, der aus dem Vollen schöpfte und aus dem Vollen gab.«[52] Ungewöhnlich witzig hat er auf die Frage, ob er überhaupt Konkurrenz habe, geantwortet – das sei der Fall.[53] Auch wenn Fall zweifellos der operettigste aller Komponisten seiner Generation war, mit dem entsprechenden Motto: »Einem Operettenkomponisten hat immer etwas einzufallen, auch wenn ihm nichts einfällt« – traf Lehár mit seinem Bonmot zweifellos den damals gefährlichsten Konkurrenten: Oscar Straus, der ihm mit seinem *Walzertraum* fast den Rang abgelaufen hätte und mit dem Lehár eine Art Nichtbeachtungspakt geschlossen zu haben schien.

So spärlich das Verhältnis zu seinen Altersgenossen dokumentiert ist, um so mehr das zu seinem jüngeren Landsmann Kálmán. Als ihm ungarische Zeitungen unterstellt hatten, er intrigiere gegen den eben erst mit *Herbstmanöver* nach Wien Gekommenen, sah sich dieser bemüßigt, folgendermaßen zu dementieren: »Franz Lehár hat sich mir gegenüber als der liebenswürdigste und toleranteste Kollege erwiesen und gegen mein Stück nicht intrigiert, ja gerade seine Zuvorkommenheit hat die Erstaufführung des *Tatárjárás* im Januar ermöglicht, indem er auf den ihm kontraktlich zugesicherten Januartermin zu unseren Gunsten freiwillig verzichtet hat.«[54] Später soll Kálmán, glaubt man seiner Frau, ihretwegen auf Lehár eifersüchtig gewesen sein. Obwohl sie sonst von »unserem Freund Franz Lehár« sprach, wußte sie von »ungeheuerer Konkurrenzstimmung. Jeder der Großen war auf den anderen eifersüchtig. Als ich ... mit Kálmán und Grünwald bei der *Friederike*-Uraufführung ... im Berliner Metropoltheater war, drückten wir die Daumen, daß es durchfällt. Bei jeder Nummer, nach der wenig oder gar nicht applaudiert wurde, waren wir glücklich. In der Pause sprach man von einem sicheren Mißerfolg. Doch als Richard Tauber dann ›Röslein auf der Heide‹ sang, war der Jubel des Publikums

36 Oscar Straus, Franz Lehár und Leo Fall 1915 in Bad Ischl

nicht mehr zu bremsen, und Kálmán und Grünwald wurden immer blasser.«[55] Auch bei der *Giuditta*-Premiere sollen sie gar vor Neid zersprungen sein, auch wenn Kálmán danach öffentlich beteuerte: »Ich als der Jüngere, betrachte Franz Lehár als mein Vorbild, als meinen Meister, ich gehe mit ihm durch dick und dünn, und freue mich von ganzem Herzen mit ihm, daß ... ihm gelungen ist, sein jüngstes Kind als ›Staatsopernbaby‹ aus der Taufe zu heben...«[56] Ähnlich dürfte es Lehár einige Jahre vorher ergangen sein, zu Zeiten der Erfolge des Kollegen in ›seinem‹ Theater an der Wien. Er soll sich bei Kapellmeister Anton Paulik beschwert haben, Kálmán versperre ihm sein Theater. Einen anderen Vorfall erzählte Emmerich Kálmán seinem Sohn Charles: »Beide Komponisten hatten 1916 den Auftrag, drei Konzerte für die österreichischen Truppen an einem Tag zu leiten. Sie einigten sich, da es eben drei Konzerte waren, darauf, daß keine Da Capos stattfinden würden. Und trotzdem, im letzten Konzert machte Lehár ein Da Capo bei dem Walzerlied aus *Der Graf von Luxemburg*...«[57] Benatzky schilderte diese Rivalität der dirigierenden Meister in seinem Tagebuch anläßlich des Concordiaballes in Wien, zu dem 1933 die Operettenkomponisten mit eigenen Werken in Erscheinung traten. »Lehár zelebrierte eine Ouvertüre, die gänzlich deplaziert war, ich machte mir rasch und schmerzlos ›Grinzing‹ ab, Eysler tobte sich 3/4 stündig in welken Erinnerungen aus und Kalman dirigierte ebenfalls so lange, daß man glauben mußte, er wolle an seine 50jährige Geburtstagsfeier gleich die 75. anschließen...«[58] Vielleicht gibt abschließend eine Widmung Oscar Straus' an Robert Stolz, dem von Lehár das angebliche ›Zepter der Walzerkönige‹, ein Dirigentenstab aus Ebenholz, als seinem legitimen Nachfolger überreicht wurde, in ihrem Ausnahmecharakter die Stimmung der Operettenkollegen am besten wieder: »Meinem lieben Kollegen Robert Stolz in Dankbarkeit für seine so oft bewährte, leider unter Kollegen so seltene freundschaftliche Gesinnung, herzlichst Oscar Straus.«[59]

»Süße Lehár-gie«

Das Privatleben eines Operettenkomponisten

Freude, schöner Götterfunken!
Dir ward er ins Herz gesenkt.
Und wir lauschen wonnetrunken
Tönen, die Du uns geschenkt.
Weinen, jubeln, jauchzen, lachen
Macht uns Deine Melodie.
Und wir wollen nie erwachen
Aus der süßen Lehár-gie.
Erwin Engel[1]

Operettenrausch

Das Klischee, dem die Operette so genüßlich wie unverhohlen frönt, holt auch das Leben eines Operettenkomponisten unvermeidlich ein und schmückt es mit flirrendem Operettenrausch. Schon immer hat er »gern … die Frau'n geküßt« – aus gutem Grund: sein »Inneres vulkanisch war«. Wurde er dann intim, ging er selbstverständlich »ins Maxim«. Und liebt sein »Schatz ihn nimmer, find't man and're immer«. Ja, sein ganzes »Leben liri lari lump, ist nur ein Pump«.

Am 7. Januar 1928 dirigiert der Operettenkomponist »in Graz *Zarewitsch*«[2], am 15. Januar zahlt er »Steuer«, eine Woche darauf der »Concordia Ball«. Am 24. Februar ist er zur »Premiere *Luxemburg*/Metropoltheater« in Berlin, am 3. März im Gaîté lyrique (Paris) zur *Paganini*-Premiere (»glänzend ausgefallen«), um sich vom 8. bis 27. März in Monte Carlo zu erholen, mal mit Gewinn, so am 25. (17 000), mal mit Verlust wie am 27. (13 000), all das im Spielkasino selbstverständlich. Er läßt sich am 7. April einen Besuch der *Pompadour* in Berlin ebensowenig entgehen wie Einladungen »bei Charell, Löwenthal, Massary, Léon«. Darauf steht die »*Zarewitsch*-Premiere (außergewöhnlicher Erfolg)« in Wien am 18. und am 25. Mai in Budapest an. Auch diese ist »glänzend ausgefallen«. Bevor es dann in die Sommerfrische nach Bad Ischl geht, notiert der

Operettenkomponist: »10. Juni – 9.30 Käthe Dorsch, 5 Uhr Rita Georg bei mir!!« Dort angekommen, bedrängt ihn auch schon ein Einfall: »Die jauchzenden Berge, das Tal, der Äther im leuchtenden Strahl, sie singen von dir, jubeln mit dir.« Nach schöpferischer Zurückgezogenheit ruft am 29. August das »100. *Frühlingsmädel*« nach Berlin und am 22. September wirkt die »Haller Revue *Schön und Schick* grell«. Zwei Tage darauf verbringt er mit »Massary 2h, (mit) Rotter 5h« – ehe das Jahr seinem Höhepunkt zustrebt: Freitag, 4. Oktober ist »FRIEDERIKE, UA, fabelhaft ausgefallen«. Kurz darauf stellen gratulierend »Benatzky, Josma Selim, Charell, Kálmán« sich ein. Dann ist vom 9. November vielsagend vermerkt: »Rita Georg bei mir...« In diesem Monat dirigiert der Operettenkomponist die »50. Vorstellung« *Friederike* in Berlin sowie in Wien den »200. *Zarewitsch*«. Ein erfülltes Jahr, zumal noch einmal zu einer »Probe Rita Georg« mit drei geheimnisvollen Pünktchen, Pünktchen, Pünktchen (»...«) erscheint. Zu Weihnachten schließlich beschert ihm das »Metropoltheater« bzw. »Charell« eine »*Lustige Witwe* Premiere. Künstlerisch befriedigt«, findet der Komponist die »Massary glänzend« und glaubt »an wirklichen Publikums Erfolg«.

So hat sich das Jahr 1928, seinem geheimen Notizbuch zufolge, für den Operettenkomponisten Franz Lehár zugetragen. Es ist eines der raren Selbstzeugnisse, die nicht für den offiziellen Gebrauch bestimmt waren und daher viel über die Prioritäten dieses Lebens verraten. Von Arbeit, Komponieren ist vorerst kaum die Rede. Einmal sollte er den »Concordia Onestep vorbereiten«, dann der »*Friederike* Clav. Auszug für Februar« fertig sein. Aber der erste Blick täuscht auch hier. Im besagten Jahr entstanden zwar nur Umarbeitungen von *Frühling*, *Lustiger Witwe* und, wie der Ischler Eintrag nahelegt, von *Endlich allein*, doch lebte Franz Lehár, wie Felix Salten einmal schrieb: »ein emsiges, einfaches, mustergültiges Komponistendasein.«[3] Maria von Peteani, die es ja wissen mußte, versicherte: »Gewiß, es hatte nichts Platz in diesem Leben als Arbeit und wieder Arbeit.«[4] Das widersprüchliche Bild vervollständigen Tagebucheintragungen wie »3. Januar: Křenek Vortrag, 4. Januar: *Jonny* (Opera)«. Er trifft sich mit dem Dramatiker »Franz Molnár (4. Oktober, Berlin)« oder wird am 29. August von Puccinis ›bester Tosca‹, der Primadonna der Wiener Staatsoper »Jeritza ... angerufen«.

Einmal unten – einmal oben

Widersprüchlich wie das Jubiläumsjahr 1928 verlief abseits seines Œuvres Lehárs ganzes Leben. Etwas mehr als dem Tagebuch gab er Grete Donau in einem Interview vom Mai desselben Jahres Aufschluß über seinen französischen Aufenthalt, der mit einem einmaligen Ereignis verbunden schien. »Dann schaltete ich die Arbeit einmal vollkommen aus und fuhr nach Monte Carlo. Ob ich spielte? Natürlich, einmal war ich unten, einmal oben, auf jeden Fall erholte ich mich glänzend, denn ich dachte, was mir noch nie passiert ist, nicht an Notenköpfe!« Monte Carlo schien der einzige Ort zu sein, an dem das geschah. »Dorthin geht er alljährlich für einige Wochen. ›Er muß!‹ sagt die besorgte Gattin, ›damit er endlich einmal keine Musik im Kopf hat!‹«[5] Das mondäne Milieu seiner Erholung verlockte ihn zu wahren Kapriolen. Als Harun-al-Raschid der Operette schlich er sich in eine Vorstellung seines *Paganini*. »Dann kehrte ich heimlich nach Paris zurück, es ließ mir keine Ruhe, ich wollte sehen, wie mein Werk aufgenommen wird, wenn man nicht weiß, daß der Gastkomponist im Theater weilt. Und ich muß sagen, daß ich sehr glücklich war, weil sich die gewöhnliche Aufführung wie eine festliche Premiere gestaltete!«[6] In der Tat war das unvermittelte Auftauchen bei Aufführungen seiner Werke ein stetes Vergnügen des Komponisten, dem er sich mit geradezu kindlicher Freude hingab. Zumeist blieb er nicht unerkannt und wurde von der begeisterten Menge zum Dirigentenpult gejubelt. Ein sprechendes Exempel liefert der Korrespondent des Neuen Wiener Journals von Lehárs überraschendem Besuch der 170. Vorstellung des *Land des Lächelns*, ebenfalls in Paris: »Inmitten des ›Je t'ai donné mon cœur‹ entstand ein richtiggehender Revolutionsorkan, wie ihn eine Pariser Bühne noch nicht erlebt: ›Lehár sur la scène! Sur la scène!‹ – ›Mir war, als schrien sie ›zur Guillotine!‹, erzählte mir Lehár lachend, ›und die Gemüter beruhigten sich auch nicht, ehe ich selbst nicht auf der Bühne stand...‹ Indessen trat der Direktor selbst auf die Bühne: die anwesenden Minister ... ließen den Meister bitten, ins Orchester hinabzusteigen und, wenn auch nicht das ganze Stück, die Ouvertüre zu dirigieren. ›Jetzt, inmitten des Spiels...‹ entsetzte sich der Meister; doch es half ihm nichts, das Spiel mußte unterbrochen werden...«[7] Selbst

1916, mitten im Ersten Weltkrieg, ließ er es sich nicht nehmen, im besetzten Brüssel beim *Grafen von Luxemburg* diesen Gang ›zur Guillotine‹ anzutreten. Dabei dirigierte er ohne Allüren, mit der Straffheit eines Militärkapellmeisters, wie noch erhaltene Rundfunkaufnahmen zeigen. Ohne ›Hudeln‹, getreu der Lehre des Vaters und auch optisch reduziert. »Seine Bewegungen sind eher primitiv. Er winkt den Einsatz jeglicher Instrumentengruppe sachlich zu, macht bei keiner Kantilene ein Aufhebens, gerät bei keiner Steigerung in Rage. Sichere Ruhe ist die Signatur seiner Stabführung, gebändigte Energie.«[8] Ebenso wie das Dirigieren wurde ihm der Applaus zum Lebenselexier. Diese naive Eitelkeit war bald Zielscheibe des Spotts der Wiener Kaffeehäuser geworden. Wenn sich jemand beklagte, es sei ihm nicht gelungen, zum beschäftigten Komponisten vorzudringen, ging das geflügelte Wort, er hätte nur zweimal in die Hände klatschen müssen, schon wäre Lehár vor der Tür erschienen und hätte sich verbeugt. »Eine echte Wiener Anekdote, mit witzigem Vorder- und mausigem Hintergrund«,[9] wie Professor Decsey fand. Schon 1907 bat Lehár den Reporter des Neuen Wiener Journals, »zu betonen, daß es ihn sehr kränkt, wenn man ihm vorwirft, daß er sich zu sehr in die Öffentlichkeit drängt oder an Huldigungen Vergnügen findet. Er beteuert, daß ihm alle Ovationen zuwider sind, daß er aber notgedrungen Einladungen zu Wohltätigkeitsveranstaltungen und dergleichen annehmen muß.«[10]

Ein Hadschi-Stavros-Talent

Als K. K. Kitchen, Reporter des World Magazine, 1920 von einer Europareise nach New York zurückgekehrt war, listete er die fünfzig interessantesten Dinge des alten Kontinents auf. Als das Verrückteste erlebte er demnach, »wenn man am Spieltisch in Monte Carlo zu gewinnen hofft«, als stumpfsinnigsten Ort das »Maxim in Paris« und als bescheidensten Mann: »Franz Lehár«.[11] Hinter dieser Bescheidenheit, deren Maske das Lächeln ist, verschanzte sich vor seinem Weltruhm ausgerechnet der Mann, der keine Gelegenheit ausließ, sich als Dirigent seiner Werke zu präsentieren? Ausdrücklich betonte er zehn Jahre vorher gegenüber dem Music Magazine aus Boston: »I lead a simple life, and the glitter of fashion has no attraction for me…«, worauf der Interviewer nur bestätigen konnte: »Lehár fits in no way into the imaginary picture of comic opera Boheme that exists in mind of the average comic opera listener.«[12] Er gab dieses Interview im Café Museum, wo er zu dieser Zeit bekanntermaßen täglich zwischen 4 und 5 Uhr seinen Stammtisch hatte, den er nur versäumte, um irgendwo in Europa eine 100. Vorstellung zu dirigieren. Dies scheint die einzige gesellschaftliche Operettenpflicht gewesen zu sein, welcher der Komponist in den Augen der Wiener Öffentlichkeit nachkam. Daß er dabei dennoch nicht versäumte, die neueste Mode zu studieren, belegt seine frühe Bekanntschaft mit dem Tango, den er auf seinen Reisen kennen und als Errungenschaft der Zeit sogleich schätzen lernte. »In St. Moritz und anderen fashionablen Kurorten wurde heurigen Sommer in den Halls der Hotels von der feinsten Gesellschaft von 9 Uhr vormittags bis abends mit kurzen Pausen Tango getanzt ... Vor einem Jahr ... in Monte Carlo habe ich ... den Tango wiederholt gesehen. In den Nachtlokalen tanzt ihn dort jede Dame – und zwar, was ich extra hinzufüge, jede Dame der Gesellschaft. Ein Privatissimum erteilte mir eine Spanierin aus Valparaiso.«[13] Dieser berückende Bericht aus dem Jahre 1913 zeigt Lehár auch in der mondänen Welt geläufig, die seine Operetten so glitzernd heraufbeschworen und natürlich einmal mehr in Monte Carlo. Es sind die ›fashionablen‹ Worte jener weltgewandten Lebemänner, die sie bevölkern und denen der Komponist so wenig gleichen wollte. Doch – wie der unvergleichliche Ernst Decsey diese unbekannte Seite, von welcher der Schöpfer fürchtete, desavouiert zu werden, vollendet zum Ausdruck brachte – »man muß einmal eine Mary-Ann abgeküßt, eine Frasquita nackt am Boden liegen gesehen haben, man muß selbst operettig veranlagt, Abenteuerer und Grandseigneur sein, kurz ein Hadschi-Stavros-Talent oder Sympathie für solche Gestalten besitzen und ein Auge für die große Natur, um solche Kerle einmal abzumalen.«[14]

Homme à femmes

Wo der Franz Lehár den Franz Lehár desavouierte, tat sich die Legende naturgemäß schwer. Noch schwerer naturgemäß ihr Gegenstand. Auch das naheliegende Thema ›Lehár und die Frauen‹ berührte er nur über den Umweg seiner Musik. »Sicherlich lassen sich die Beziehungen nicht leugnen, die zwischen der Musik und der modernen jungen Frau bestehen, doch sind diese so intimer Natur, daß der schaffende Künstler nur ungern darüber spricht ... Ich bin kein Psychologe, ich habe nie beobachtet, welchen Einfluß die jungen Mädchen auf die Musik nehmen, ich bemerke immer nur den Einfluß, den die Musik auf die jungen Mädchen ausübt.«[15] Diese Andeutung, durch die Operettenweisheit: »Zu der Liebe und zum Glück/führt am schnellsten die Musik« in Worte gefaßt, findet ihre Entsprechung im vielsagenden Exlibris Lehárs. Es zeigt, halbversteckt hinter einem Baum hervorlugend, einen flötenden Satyr. Im Vordergrund führt, von den Flötentönen bezirzt, ein knieendes nacktes Nymphchen die zarte Hand neugierig zum Ohr. Das sprechende Bild bestätigen zahlreiche Gerüchte, die zum Thema im Umlauf waren. Sie finden sich bereits bei den ersten Biographen. »Man darf hier sagen: Lehár war immer Frauenliebling. Die Zahl der gestickten Polster, Lesezeichen und Tischdecken, die er besitzt, sind die Trophäen unvergeßlich schwacher Stunden. Er hat das Weib erlebt von seiner rustikalen Erscheinung bis zur Dame von Welt und Halbwelt. Sein Lächeln gleißt über diese Schatzkammer hin und hält biographischen Forschungseifer ab.«[16]

War Ernst Decseys Forschereifer noch durch Lehárs Lächeln gebremst, Maria von Peteanis Neugier durch seine Diskretion, taten für Bernard Grun konkrete Daten, ihm als Zeitgenossen noch geläufig, wenig zur Sache. Vielmehr hatten es ihm drei Episoden angetan: erstens eine ausgerissene deutsche Oberlehrersgattin, die sich gleich mit Sack und Pack bei Lehár einquartieren wollte; zweitens eine ungarische Sängerin, die dem als Förderer vor allem weiblicher Talente bekannten ›Meister‹ in Anwesenheit eines Librettisten ohne Umschweife Nacktfotos von sich überreichte, worauf der Librettist ebenso umstandslos den Raum verließ; drittens schließlich jene unbekannte Engländerin, die sich dem Komponisten bei der Überfahrt Calais-Dover als Mannequin vorgestellt, die er daraufhin ins chambre separée eingeladen und die sich einige Tage später als Lady der Londoner Gesellschaft entpuppt habe.[17] Dieses Erlebnis schlug Lehár dann als Stoff eines neuen Werkes seinen Librettisten vor, die sich für die einzigartige Gelegenheit, das Leben des Operettenkomponisten zur Operette zu gestalten, jedoch nicht erwärmen konnten.

Die Berührungspunkte zwischen Leben und Werk lagen auf einer anderen Ebene – der Inspiration durch die Frauen. »Aus ihren Wünschen und Sehnsüchten steigt ein geheimnisvolles Fluidum auf, das von der Empfangsstation – der Seele des Künstlers – aufgenommen wird.«[18] Mit dieser Sensibilität für weibliche Sehnsüchte mag er gerade im Kontrast zu seiner stets gepflegten, distinguierten Erscheinung, die mehr, einem altösterreichischen Offizier in Zivil ähnelte als einem Operettenkomponisten, auf Frauen gewirkt haben, um so mehr als er es verstand, dieses Widerspiel auf der Tanzfläche auszuleben. Noch Vera Kálmán schwärmt von den Walzerkünsten des fast Sechzigjährigen. Auch in diesem Alter frönte er seiner alten Schwäche fürs schwache Geschlecht, wie sein Tagebuch 1928 andeutet. Es hat sich in Ischl eine rührende Postkarte einer jungen Verehrerin erhalten, die von Bukarest aus der gemeinsamen, verflossenen Zeit gedenkt: »Ja, ja, Sie werden sicher über meine Karte lachen, aber Sie kennen doch Ihre ›Vilma‹! Oder haben Sie Ihren ›Frechdachs‹ schon vergessen! Ich komme eben vom Kino, wo ich den Film *Es war einmal ein Walzer* gesehen habe und wo ich wieder alte Erinnerungen aufgefrischt habe. Was macht denn mein Wien!! Ist es noch immer so schön?!! Und wie geht es Ihnen? Noch immer so süß??!! ... Lieber süßer goldiger Meister, bitte bitte antworten Sie mir gleich!! Sie sollen doch daran denken als Sie mich jeden Tag am Telefon riefen! ... Ich grüße Sie voll Innigkeit! Ihre Vilma-Drude.«[19]

Peter Herz, Autor einiger später Liedtexte, berichtete von der Entstehung eines solchen, wie er von Lehár mitten in der Nacht, was nicht ungewöhnlich war, angerufen und dringend um einige Verse gebeten wurde; »eine junge Künstlerin hätte ihn ersucht, ihr für ihr Erstauftreten im Varieté ›Reklame‹ ein Lied zu komponieren. Die junge Dame sei besonders hübsch, setzte Lehár etwas verlegen hinzu – ich wußte alles. Zwei Tage darauf brachte ich ihm einen Liedtext in die Theobaldgasse: ›Ging da nicht eben das Glück vorbei?‹ Lehár war entzückt: Das sei gerade das Richtige, er werde es schleunigst in Musik setzen ... Die betreffende hieß Grit Haid, war die jüngere Schwester der populären Filmschauspielerin Liane Haid, und wie ich bald feststellen konnte, tatsächlich bildhübsch! Es war eine richtige Sensation, als Franz Lehár am Klavier des Varietés in der Praterstraße erschien und Grit Haid bei ihrem sehr gelungenen Debüt begleitete.« Als offenherziger Kronzeuge resümierte er Lehárs Freizügigkeit glaubwürdig: »Er kannte Leidenschaften wie Spielen oder Trinken nicht, hatte nur eine – die bereits erwähnte Anfälligkeit für schöne Frauen, war ein richtiger ›Homme à femmes‹ und hatte daher in seinem Leben unzählige, meist kurzfristige ›Amouren‹.«[20]

Sophie Lehár

Eine Berliner Zeitung berichtete aus der *Friederike*-Zeit von einem Besuch beim ›Meister‹: »Franz Lehár trägt eine wunderschöne schneeweiße Perücke. Die haben nicht etwa die Heinzelmännchen ihm aufgesetzt, im Auftrage eines berühmten klassischen Vorbilds, sondern Lehárs Gattin, in ehelicher Neckerei.«[21] Zum Doppelleben Lehárs gehörte nämlich eine anscheinend humorvolle Frau, die mit ihrem Gatten eine glückliche Ehe führte, wenn auch mit Eigenheiten. Während er in der Theobaldgasse 16 ein vierstöckiges Mietshaus besaß und dort mit seinem, noch aus Militärzeiten stammenden Diener Anton ein regelrechtes Junggesellendasein fristete, wohnte Sophie Lehár in der nahen Paulanergasse 8, jenseits des Naschmarkts.

Der Grund dafür war anfangs eine gesellschaftliche Konvention. Lehár hatte seine spätere Frau als Gattin des jüdischen Kaufmanns Meth kennengelernt, über den nichts Näheres bekannt ist, als daß er sich einer Scheidung lange widersetzte. Maria von Peteani zufolge fand die erste Begegnung 1903 in Ischl statt, wo beide zufällig Nachbarn waren. Eine romanhafte zweite Version[22] erzählt von der unglücklichen Liebe des jungen und armen Militärkapellmeisters zur reichen Hotelierstochter Ferdinande Alexandrine Weißberger, genannt Ferry, deren Tante, die berühmte Anna Sacher, die offensichtliche Mesalliance hintertrieben haben soll. Die große Liebe zerbrach, wie in der Operette üblich, an Standes- und Vermögensgrenzen. Ferry wurde schnell verheiratet, Franz aber reich und berühmt. Als die Tante den Irrtum einsah, war es zu spät. Der verschmähte Musiker hatte sich mit Ferrys bester Freundin Sophie getröstet. Die war zwar mittlerweile ebenfalls verheiratet, brachte aber den Mut auf, ihrem Mann durchzubrennen und mit ihrem Franz in wilder Künstlerehe und getrennten Wohnungen zu leben.

37 Sophie Lehár mit Jou-Jou 1924

Soweit der Roman. In der Realität jedenfalls zog der Künstler 1904 von der Marokkanergasse 20 in die Schleifmühlgasse 1 und damit in Sophies Nähe, die nach der Trennung von Herrn Meth ins Haus ihres Vaters, des Teppichhändlers Sigmund Paschkis, zurückgekehrt war. Die jüdische Familie Paschkis, erst gegen Ende des Jahrhunderts nach Wien übergesiedelt, stammte aus Czernowitz, wo Sophie am 5. Dezember 1878 geboren wurde. Außer daß ihre Mutter Ernestine eine geborene Kohn war und ihr Bruder Hans später nach New York emigrierte und sich fortan Parker nannte, ist wenig von ihrer Familie bekannt. Der Komponist unterhielt in der Zeit vor ihrer Ehe die Geliebte großzügig mit Scheckanweisungen an die Wechselstube ›Mercur‹, von denen sich eine vom 4. Oktober 1915 mit folgendem Wortlaut erhalten hat: »Bitte dem Checkkonto von Frau Sophie Meth, Paulanergasse 8, Wien IV. 1000 Kronen, sage tausend Kronen gutzuschreiben. Hochachtungsvoll. Lehár.«[23]

Der diskrete Liebhaber hat es verstanden, die Hintergründe für die späte Heirat im dunkeln zu lassen. Zwar berichtete K. K. Kitchen schon 1916 von einer Begegnung, bei welcher er ihm enthusiastisch erklärt habe: »Congratulate me, lieber Kitchen ... I am to be married within a fortnight«[24] – doch müssen sich damals dem Vorhaben noch etliche Hindernisse in den Weg gestellt haben. Da Lehár jedes Aufsehen vermeiden wollte, wartete er auf einen günstigen Zeitpunkt. Zu welchen Bedingungen und wann Herr Meth schließlich in die Scheidung einwilligte, ist ebensowenig bekannt wie die näheren Umstände der Hochzeit. Sicher ist, daß sie sich im stillen vollzog, wegen des Religionsunterschieds rein standesamtlich, ohne öffentliches Aufheben. Am 24. Februar 1924 erschien erstmals in ›Die Stunde‹ eine Fotografie der »Gattin Franz Lehárs«, was für den 20. Februar 1924 (und nicht 1925, wie Anton Lehár behauptete) als Hochzeitsdatum spricht. Das Foto tauchte auch in der im April 1924 erschienenen Biographie Decseys auf. Sophie war zu diesem Zeitpunkt 45, Franz bereits 53 Jahre alt. Die Verbindung war ohne Kinder geblieben. Vielmehr legte sich das Ehepaar im Laufe der Zeit eine regelrechte Menagerie zu.

Lehár und die Tiere ist ein Kapitel für sich. Hatte ihm anfangs ein melancholischer Papagei genügt, waren es nach der Hochzeit erst ein handzahmer Kanarienvogel namens Hansi dann ein Laubfrosch, die ihm beim Komponieren Gesellschaft leisteten, während sich seine Frau mit einem Griffonhündchen unterhielt. Hansi erlangte einige Berühmtheit als Vorpfeifer von »Immer nur lächeln« und Nachpfeifer manch anderer Weise aus des ›Meisters‹ Werkstatt, was Karl Kraus zu der Bemerkung veranlaßte: »Ich kenne noch heute nicht den dritten Akt der *Lustigen Witwe*. Wenn man mir damals gesagt hätte, daß er vom Kanarienvogel ist, wäre ich geblieben.«[25] Auch der Griffon Jou-Jou machte sich einen Namen, indem er jedesmal, wenn ihm sein ›Meister‹ den Walzer aus der *Lustigen Witwe* vorpfiff, zu gähnen anfing – und das, obwohl sein Herr von einem populären Komponisten verlangte, daß »die Hunde auf der Straße ihre Melodien nachbellen«.[26] Ihn ereilte ein trauriges Schicksal. Das Stubenmädchen ließ Jou-Jou aus dem Fenster schauen und – auf die Straße fallen. »Bittere Tränen, die Franz vergoß, die Frau Sophie weinte ... die griffonste aller femininen Griffons ... ruht in einer blumenumziehrten Marmorgruft. Ein Epitaph erinnert an sie«[27] – wie Victor Léon ergriffen zu schildern weiß. Nachfolgerin Jou-Jous wurde Jeanny, eine der drei chiens à papillon, die es in Wien gab; der zweite gehörte Lotte Lehmann. Im letzten Wiener Domizil, dem Schikaneder-Schlößl, konnte sich die Tierliebe der Lehárs endlich ausleben. Es kam Kid, die Katze, dazu, zwei weitere Kanarienvögel, zwei Wellensittiche und ein Tauber namens Richard. Im Schloßteich tummelten sich Goldfische, an seinen Gestaden Frösche und Kröten, im Garten aber residierte Gretl, die Schildkröte. Das Tiermagazin resümiert: »Franz Lehár beglückt nicht nur die ganze Welt mit seiner herrlichen Musik, er ist auch ein großer Freund der Tierwelt.«[28]

Auch nach der Heirat behielt das Ehepaar Lehár die gewohnte Lebensweise bei. Sophie wohnte weiterhin Paulanergasse 8. Als sie im Juni 1933 das zwei Jahre zuvor erworbene Schikaneder-Schlößl bezogen, über dessen Schwelle heute die Inschrift prangt: »Wer kann der Töne Allgewalt ermessen,/Die Lust verklärt und Leiden macht vergessen«, hatte der Komponist die Verbindungstüren zu seinen Arbeitszimmern zumauern lassen und einen separaten Eingang. In Ischl bewohnte die Gattin das Hinterhaus, wo in der Regel auch die Gäste empfangen wurden. Vor allem wenn er arbeitete, wollte Lehár allein sein. Die Mission seiner Frau blieb in dieser Zeit, wie sie in einer ihrer wenigen Äußerungen kundtat – »zu warten. Ich bin einmal in Ischl drei Monate lang nicht ausgegangen, weil ich damit zu tun hatte, acht zu geben, daß niemand

38 *»Vielleicht habe ich ihn unbewußt plagiiert…«*
Franz Lehár mit Hansi 1934

meinen Mann stört. Es ist natürlich durchaus nicht sein Wunsch, daß ich dies tue, aber er hätte ja nicht einen Augenblick Ruhe … Während dieser Zeit bemühe ich mich, vor allem dafür zu sorgen, daß mein Mann ordentlich ißt, lasse ihm seine geliebten ungarischen Speisen kochen, höre die neuesten Melodien an, die er eben erst komponiert hat, empfange gute Freunde und schicke fremde Menschen fort … Ich habe den ganzen Aufstieg meines Mannes mitgemacht und es immer als meine Aufgabe betrachtet, ihm die Alltäglichkeiten und Mißhelligkeiten des Tages fernzuhalten.« Sie bekannte abschließend: »Die Frau eines berühmten Mannes zu sein, ist eine zitternde Freude. Aber bei meinem Mann wird sie dadurch verstärkt, daß er ein Mensch voll von Liebenswürdigkeit und Güte ist, der immer tut, was er mir an den Augen absieht … im Grunde sind doch alle diese Männer, die nur von ihrem schöpferischen Geiste erfüllt sind, große Babys!«[29]

Wie ein König

Bürgerlich wie die Fassade seines Lebens war Lehárs ganze Erscheinung. Kein Fledermausmantel wie noch zu Zeiten des Opernkomponisten verschreckte mehr die Mutter, als sie vom Sohn im Frühjahr 1906 durch die mit Trophäen des Erfolgs der *Lustigen Witwe* vollgestopfte Wohnung geführt wurde. »Franz war im Salonanzug ... Die Beleuchtung war wie im Feenland ... Wir gingen von einem Zimmer ins andere. Franz zeigte mir alles. Mit seiner unnachahmbaren herzgewinnenden Liebenswürdigkeit. Da kam mir mein Kind wie ein König vor.«[30] Die Mutter, die 1902 mit Tochter Emmy nach Wien gezogen war, starb kurz darauf. 1908 erwarb ihr Sohn das erwähnte Haus in der Theobaldgasse, 1912 für 68 000 Kronen die ehemalige Villa der Herzogin von Sabran-Ponteves in Ischl vom Vater ihres minderjährigen Erben Alexander Graf Kálnoky von Köröspatak. Der Operettenkönig hatte endlich seine Residenz, die fortan »eine Art lyrisierte Wahnfriedatmosphäre«[31] umgab. In Wien bewohnte er bescheiden den zweiten Stock seines Hauses (der dort der erste ist); im Dachgeschoß hatte er sich ein Atelier eingerichtet, das nur über einen Aufzug erreichbar war. Begeistert berichtete er nach Amerika von diesen Freuden des technisierten Zeitalters. »I live on the first floor, that is I sleep there; but I pass my time on the top floor of the house I occupy. There I work. A special lift brings me up, and from the moment I enter my studio nothing can disturb me for my servants are well-trained.«[32] Die Diener waren der erwähnte frühere Bursche Anton und eine Köchin. Trotz dieses für die Zeit und die Umstände bescheidenen Haushalts berichtete er 1910 stolz aus Hamburg: »Naja, man hat seine drei Häuser in Wien und, Gott sei Dank, man ist reich geworden.«[33] Obwohl ihm Geld, wie nicht zuletzt der unbestechliche Robert Stolz bezeugte, nichts bedeutet haben soll, brachte ihm der Erfolg der *Lustigen Witwe*, wonach von Kindheit an sein »heißes Sehnen ging: die materielle Unabhängigkeit beim künstlerischen Schaffen, die Möglichkeit, dem inneren Drange und nur diesem folgen zu können«.[34] Die Spekulationen über sein Vermögen schossen damals ins Kraut. George Edwardes, der englische Bühnenpapst, schätzte laut New Yorker Zeitung vom 19. Dezember 1911 das Vermögen Lehárs auf 500 000 Pfund Sterling, was

2,5 Millionen US-Dollar entsprach, davon nicht weniger als 300 000 Pfund aus dem Ertrag der *Lustigen Witwe*. Auf die Frage, wieviel er für die eben erworbenen Aufführungsrechte von *Eva* bezahlt habe, führte Edwardes an, »daß eine wohlbekannte Londoner Musikalien-Verlagsanstalt für das Recht der englischen Publikation der Lehár'schen Werke $ 40 000 gezahlt habe, und daß man sich daraus einen Begriff von der horrenden Summe machen könne, die er für das Aufführungsrecht habe einem Komponisten zahlen müssen, der vor dem Erfolg seiner *Lustigen Witwe* so arm war, daß er am Leben verzagte«.[35] Angesichts solcher Antworten bekam Lehár schon bald die Kehrseite des Erfolges zu spüren. »Jeder, der vom Bau ist, bemüht sich, mir auf den Kreuzer genau meine Einnahmen nachzurechnen ... sie haben alle meine Scheckbücher gesehen ... Ich kann Ihnen gar nicht sagen, wie glücklich es mich macht, daß man sich so intensiv mit den Dingen meines Privatlebens befaßt, aber ich glaube nicht, daß man das den Herrschaften abgewöhnen kann. So sind sie nun einmal in Wien.«[36] Diese mit seinem Erfolg verbundenen Begleitumstände mögen Lehár noch mehr bewogen haben, sich von der Öffentlichkeit zurückzuziehen und sein Privatleben abzuschotten. Auch der Geiz, den die Wiener nicht nur ihm, sondern auch Kálmán und Hans Moser nachsagten, und der zumindest als Sparsamkeit durch Erziehung und frühe Entbehrungen angelegt war, scheint auch ein Schutz vor solchen Zudringlichkeiten gewesen zu sein. Der Mann, dem zufolge auch niemand was anging, wie's in seinem Scheckbuch aussah, konnte zum berüchtigten Wiener Zynismus ohnehin nie ein Verhältnis gewinnen. Denn während anderswo, wie Fritz Kortner gesagt haben soll, die Menschen versuchen, aus ihrem Herzen keine Mördergrube zu machen, machen die Wiener aus ihrer Mördergrube ein Herz. Vom Herz aber hatte Franz Lehár, wie noch zu sehen sein wird, ganz andere Vorstellungen.

Maske der Heiterkeit

Zeitlebens hat sich Lehár dagegen gewehrt, daß man sich mit seinem Privatleben beschäftigt, und nicht zuletzt deshalb die Lehár-Legende unablässig von Journalisten und Biographen verbreiten lassen, in der »das Innenleben des tiefveranlagten, nur äußerlich die Maske der Heiterkeit tragenden Komponisten«[37] kaum vorkam. Persönliche Emotionen hat er stets hinter seinem Lächeln versteckt. Nur selten straft er seine Behauptung Lügen, er sei nicht so leicht aus der Ruhe zu bringen, so wenn er im ›Kampf um die Operette‹ zum journalistischen Gegenangriff ausholt: »Es ist eine alberne und geschmacklose Gefühlsroheit, sich mit einigen witzig sein sollenden Redewendungen über die Lebensarbeit ernst zu nehmender Künstler hinwegzusetzen.«[38] Akribisch hat Lehár diese Redewendungen gesammelt. Jeder der journalistischen Nadelstiche hinterließ seine Narben. Noch nach Jahren konnte er sich einzelner Rezensionen erinnern. Sein Verhältnis zur Kritik war entsprechend gespannt.

Im Ersten Weltkrieg hatte er ein Erlebnis, das seine Sensibilität verrät und das er dennoch nicht umhin konnte, gegen die ungeliebte Journaille ins Feld zu führen. Bei einem Konzert der Wiener Operettenfürsten vor Soldaten und Verwundeten in Bukarest war ihm ein seltsamer Junge aufgefallen, von dem ihm erzählt wurde, »daß es ein Russe sei, der auf dem Schlachtfeld einen Nervenchoc erlitten und wahnsinnig geworden sei. Er war durchaus gutmütig, aber vollständig apathisch ... Die Welt war für ihn gestorben, nichts hatte er mehr ... als seinen Teddybären ... Er unterhielt sich mit ihm, schlief mit ihm ... Ihm und seinen kaum weniger armen Kameraden eine einzige frohe Stunde mit unserer Musik bereiten zu können, hat mich wahrhaft froher gemacht, als es der Beifall, ich weiß nicht welchen Publikums der Welt, imstande gewesen wäre ... Ich kann es seither leichter ertragen, wirklich, wenn ich wieder einmal irgendwo zu hören bekomme, daß es nichts Ueberflüssigeres auf der Welt gibt als unsere Wiener Operette ...«[39]

Ähnlich empfindlich wie auf solche Behauptungen reagierte er auf ausbleibende Anerkennung. Als das Theater an der Wien anläßlich seines 60. Geburtstages nur eine Nachmittagsvorstellung ansetzte, verzog er sich nach Baden-Baden, obwohl ihn Berlin mit einem Zyklus seiner neuesten Werke feierte. Ebenso beleidigt blieb er dem internationalen Kongress der Autoren und Komponisten in Budapest fern, weil der ihm von Pola her bekannte Reichsverweser Nikolaus von Horthy vergessen hatte, ihm zu diesem Geburtstag zu gratulieren. Als es bei der Generalprobe von *Schön ist die Welt* zum Krach mit den Direktoren Rotter kam und Lehár sich einen längst fälligen Gefühlsausbruch leistete, beschwichtigte er zwar öffentlich – »jeder, der mich kennt, weiß, wie wenig aggressiv meine Art ist … ich habe gar nicht Zeit zu großen Affären«[40] – doch weigerte er sich fortan, weiter mit den Rotterbühnen zu arbeiten. Nico Dostal, damals Kapellmeister am Metropol-Theater, berichtet von einem ähnlichen Streit beim *Land des Lächelns*. Alfred Rotter wollte den Begrüßungschor zum ersten Auftritt der Lisa streichen. Lehár weigerte sich, worauf jener erwiderte, »Lehár möge seinen Mist in Wien aufführen lassen, was wiederum den Textautor, Dr. Löhner-Beda, empörte, der jetzt aus dem dunklen Zuschauerraum auftauchte … ›Wie erlauben Sie sich mit dem Meister Lehár zu sprechen!‹ – ›Was‹, rief der Direktor, ›die Textdichter sind auch schon da und wollen dreinreden…‹, worauf ein allgemeiner Streit ausbrach, der erst einmal der Probe ein Ende bereitete, weil alle aufgeregt davongingen, bis auf Lehár … Rotter … rief wütend: ›Alle sind weg, und Sie sitzen immer noch da!‹

›Ich suche nur mein Brillenfutteral‹, meinte fast schüchtern der Meister.

Tags darauf, als wieder geprobt wurde, als wäre nichts geschehen, meinte ich empört zu Lehár: ›Ich hätte mir an Ihrer Stelle das gestern nicht ohne weiteres gefallen lassen‹.

Er sagte darauf schlicht: ›Da kann man nichts machen, er ist der Direktor.‹«[41]

Künstlerische Ehre

Ganz so wehrlos, wie es hier scheint, war Lehár hingegen nicht, wenn sein guter Ruf auf dem Spiel stand. So hatte er einige Plagiatsprozesse zu überstehen, sowohl was seine Musik als auch was seine Libretti betraf. Nachdem der Dramatiker Ludwig Fulda 1914 Julius Brammer und Alfred Grünwald beschuldigt hatte, ihr Libretto zur *Idealen Gattin* seiner *Zwillingsschwester* nachgebildet zu haben, fühlte sich Lehár als Vorstand in der ›Union dramatischer Autoren und Komponisten‹ kompromittiert und beendete umgehend die Zusammenarbeit. Im Prozeß gegen den rumänischen Komponisten mit dem blumigen Namen Romulus Popescu del Fiori, der ihn des Plagiats seiner symphonischen Dichtung *Ultima Ratio* in *Endlich allein*, darüber hinaus der Anleihen bei Wagner, Bellini, Verdi und Puccini bezichtigt hatte, sah er sich im selben

39 Der ›Meister‹ privat in seiner Ischler Villa 1930

Jahr gezwungen, seine »künstlerische Ehre« vom Bezirksgericht wiederherstellen zu lassen. Der Fall war insofern paradigmatisch, als er den von Seiten offizieller Kritik oft genug geäußerten Vorwurf betraf, daß es in der modernen Operette »von Anlehnungen an bewährte Meister wimmle«.[42] Ein Vorwurf, der Lehár schon lange aufgestoßen war und den er ein für alle Mal aus der Welt schaffen wollte. Zu diesem Zweck legte er gar einen entlastenden Brief des einzig noch lebenden ›bewährten Meisters‹ vor. Puccini bezeichnete darin die Vorwürfe als lächerlich. Die Zeitungen widmeten dem Prozeß unter dem Titel »die künstlerische Ehre des Komponisten Lehár« in seitenlangen Berichten ungewöhnliche Aufmerksamkeit, und dies zwei Wochen nach den Schüssen von Sarajewo. Am 16. Juli war diese Ehre wiederhergestellt, und Lehár wurde wie ein Held gefeiert.

So sehr der Komponist auf seine künstlerische Ehre hielt, so sehr lag ihm auch an seiner bürgerlichen Reputation. Als eine Wiener Zeitung verschlüsselt meldete, ein Hausherr habe einer Operettendiva mit Kündigung des Mietverhältnisses gedroht, falls ihr Liebhaber, überdies ein singender Bonvivant und Kollege, bei ihr einziehe, war den Lesern klar, »daß dieser Hausherr – einer unserer allerersten Wiener Operettenkomponisten ist. Woraus folgt, daß man wohl Musiker- und Theaterblut in sich haben kann, daß einem auf der Bühne nichts Menschliches fremd zu sein braucht, nicht einmal die Launen einer lustigen Witwe und die Freiheiten der Zigeunerliebe, – und daß man dennoch im bürgerlichen Leben auf reinen Tisch hält und auf die von der Konvention gebotene Wohlanständigkeit.«[43]

Der Meister im Pyjama

Wie hinter seinem Lächeln scheint sich der Künstler hinter seiner Bürgerlichkeit verschanzt zu haben. Seine Wohnung war geradezu überladen mit deren Insignien. Die Wände mit Atlas und Seide bezogen, die Schränke voller Tafelsilber, selbst der Flügel mit goldbestickten Decken verhängt. Ein wahrhaft Makartsches Interieur der schweren Lüster, der goldenen Bilderrahmen und der kostbaren Nippes. Ein Stilkonglomerat von bombastischen Ausmaßen, gleichsam die Veranschaulichung der Formel des Zeitgenossen Adolf Loos: »Ornament ist Lüge«. Die Ischler Villa, deren Einrichtung nach des ›Meisters‹ letztem Willen nicht verändert werden durfte, gibt noch heute ein Bild dieser verflossenen Reichtümer. Bereits Ernst Decsey bekannte freimütig: »Zwar nicht alles mein Geschmack, vielleicht auch nicht seiner; aber nach heutigen Vorstellungen prachtvoll.«[44] Wie eine Bestätigung dieses Urteils lesen sich Schilderungen von Besuchern, die den Eindruck hatten, in dieser Wohnung sei nur der Schreibtisch bewohnt. Während »das Milieu seiner äußeren Behausung bis ins Detail mit Reichtum auskomponiert«[45] war, wie es einer von ihnen ausdrückte, prägte seine Persönlichkeit die Arbeitsräume unterm Dach, »deren Wände der Ruhm bis zur Decke hinauf mit holdem Flitterkram behängt hat. Hier sieht man ... in der Lehár-Perspektive«[46] auf ein Leben, das von Arbeit geprägt ist. Wie Schiller faulende Äpfel scheint Lehár die Trophäen seiner Erfolge als Stimulanz benötigt zu haben und dürfte damit der einzige Komponist sein, der seine Werke im eigenen Museum schuf.

Obwohl stets von seinen Lorbeeren umgeben, hat sich der Schöpfer nie auf ihnen ausgeruht. Sein Schaffen bildete das Zentrum der Lehár-Legende. Hier zeigte er sein wahres Gesicht. Emil

Steininger, ehemals Sekretär des Theaters an der Wien und Verleger des Karczag-Verlags, diene hier als Kronzeuge: »Das Märchen von der Liebenswürdigkeit Franz Lehárs sollte eigentlich einmal zerstört werden und ich will damit den Anfang machen. Der Mann ist sicherlich entzückend. Aber in seinem Privatleben. Um so schlechter ist mit ihm Kirschen zu essen, bevor der Vorhang über einem seiner Werke aufgeht.«[47] Es kam vor, wie der Komponist im Fall der *Friederike* zugab, daß er sich in seine Arbeit »wie eine Bulldogge ... verbiß«.[48] Ernst Decsey sah in solchen Augenblicken den Dämon am Werk, gar einen Vulkan in Tätigkeit, oder wie es weniger dämonisch in der Operette heißt: »Das alles stimmte bis auf's Haar/... sein Inneres vulkanisch war«. Der Vulkan war vor allem nachts aktiv und nahm sich »nicht einmal Zeit zum Rauchen – ich vergesse es überhaupt – und beschränke mich darauf, meine Mahlzeiten in großer Eile einzunehmen. Während meiner Arbeit trinke ich niemals schwarzen Kaffee, und benötige auch sonst keinerlei anregende Mittel.«[49] Ein Brief vom 22. August 1908 an Victor Léon, der ihn zur Eile wegen eines Berliner Aufführungstermins drängte, gibt ein eindrückliches Bild Lehárscher Arbeitswut: »Lieber Freund ... ich schreibe täglich 10–12 Stunden. Arbeite wie ein Hausknecht, vergönne mir gar nichts. Ja, es vergehen oft 3–4 Tage, wo ich nicht eine Minute das Haus verlassen habe. Ich reibe mich geradezu auf. Hinschmieren kann ich aber die Sache nicht. Dazu bin ich viel zu ehrlich. Lasst mich also in Ruhe arbeiten und ich will trachten, daß das *Fürstenkind* mein bestes Werk werden soll. Das verspreche ich, denn ich hänge an dem Buch mit Leib und Seele.«[50] Meist fielen solche Arbeitsphasen in den Ischler Sommeraufenthalt, so daß dort das geflügelte Wort umging, Lehár sei in Ischl unsichtbar. Als er im Sommer 1931 mit Auto zum ersten Mal als Kurgast erschien, kam dies einer Sensation gleich, was die Presse umgehend als eine solche verbreitete. Er selbst sprach von »Tagen, die er unrasiert und ohne Mahlzeiten am Schreibtisch und Klavier«[51] verbringe. Die Muse, die er sich zum Skizzieren nahm, scheint verflogen, sobald er an die Ausarbeitung der Entwürfe ging. Tausend Verpflichtungen wie die des Jubiläumsjahres 1928 riefen.

Zumeist folgte er ihnen, so auch Anfang 1924, kurz vor der Premiere von *Cloclo*, deren Instrumentation noch nicht vollendet war. Kaum vom *Libellentanz* aus Venedig zurückgekehrt, wurde er nach

Berlin zur *Frasquita*-Premiere ins Thalia-Theater gerufen. Da er dort zu dieser Zeit seine Position gefährdet sah, folgte er dem Ruf. Als er bereits seine Koffer packte, erreichte ihn ein Telegramm aus London. *Three Graces* wünschten seine Anwesenheit. Es handelte sich bei den drei Damen um die englische Version des *Libellentanzes*, der ersten Lehár-Aufführung in London nach dem Kriege. Der Operettenkomponist konnte nicht widerstehen. Auf dem Rückweg machte er einen Abstecher nach Paris, wo er Proben desselben Werkes überwachte und für den kommenden Herbst einen Aufführungsvertrag über *Die Blaue Mazur* abschloß. Einen Monat vor der Wiener Uraufführung von *Cloclo* kehrte er zurück, um sich in die Instrumentation zu stürzen. In Wien ging nicht zu Unrecht die Fama, seine letzten Einfälle habe der Operettenkomponist bei der Generalprobe. Zwei Wochen vor der zur *Gelben Jacke* gelang es einem rasenden Berliner Reporter, ihn hierbei zu stören. »Der Meister arbeitet mit vollem Dampf. Er empfängt niemanden ... Es ist bereits Mittag und der Meister hat noch immer das Morgenkleid, ein blaugraues Pyjama an. ›Was soll ich Ihnen sagen?... Ich stecke bis über die Ohren in Arbeit... heute habe ich bis vier Uhr morgens gearbeitet und um neun war ich schon wieder auf und erledigte meine allerdringendsten Konferenzen. Ich hatte noch nicht einmal Zeit gehabt, mich anzukleiden, darum treffen Sie mich im Pyjama.‹«[52] Zum ersten Mal wurde der Operettenkomponist schriftlich mit ›Meister‹ tituliert, was er sich gern gefallen ließ. Anläßlich einer Umfrage zum Schubertjahr 1928 zeichnete der ›Meister‹ im Pyjama sein Schubertbild wie ein unbewußtes Selbstporträt: »Äusserlich mag ja Schubert jener bescheidene, unansehnliche und trinkfrohe Geselle gewesen sein ... den die Freunde gern zur Zielscheibe ihrer Scherze machten. Innerlich aber sehe ich Schubert – oder besser gesagt – höre ich Schubert in seinen Werken als einen gar stolzen, seiner schöpferischen Kraft wohlbewußten, mit sich und dem Herrgott ringenden ganz großen Musiker.«[53]

»Wo das Leben lärmend braust«
Operettenbetrieb

> Watch the girls after they have heard an operetta ... they go to the music shop and select the aria that suits them best ... Then they spring it on the boys, and the oldest jackass kicks up his heels.
> Franz Lehár[1]

Betriebsgeheimnisse

Franz Lehár, der sich in seinen Partituren scheinbar weltentrückt austobte, wußte sehr wohl um die Bedingtheit des Werkcharakters seines Genres, wenn er zugestand, das Theater sei »selbst der strengste Kritiker eines Stückes«, dem sich auch der Operettenkomponist zähneknirschend unterwarf. »Da ist oft in letzter Stunde noch ein Duett, ein Lied einzufügen. Nicht einmal geschah es so, daß der Librettist mir in der Eile den Text telephonierte, ich die Melodie entwarf und diese telephonisch zurückgab, worauf der Text noch abgefeilt und ausgeglichen werden mußte.«[2] Als er der Neuen Freien Presse das »Geheimnis seines Erfolges« preisgab, trug er diesem Umstand Rechnung; nach Libretto und Musik nannte er als »dritte Notwendigkeit ... die richtige Besetzung der ersten Aufführung. Der Premierenerfolg ist für das künftige Schicksal des Werkes entscheidend ... dann setzt ein anderer Theaterdirektor alles daran, das Stück herauszubringen.«[3] Dennoch pflegte der Komponist »vor einer Premiere zwei bis drei Stunden zu schlafen – es ist wiederholt vorgekommen, daß ich geweckt werden mußte, um rechtzeitig meine Toilette für den Premierenabend vollenden zu können.«[4]

Solch private Nonchalance beiseite, hing ein Genre wie die Operette extrem von den Betriebsbedingungen ab. Dabei war die Besetzung zwar entscheidend, doch meist von anderen Umständen abhängig. Seit der *Lustigen Witwe* war eine Verflechtung zwischen Theaterdirektoren und Theaterverlegern entstanden, in der sich sogar die Darsteller verfingen. 1907 hatte beispielsweise Louis Treumann mit einem Bühnenverlag einen Vertrag abgeschlossen, der ihn hinderte, in anderen Werken als denen dieses Verlags aufzutreten, so daß »die enthusiastische Gemeinde seiner Verehrer ... blutige Tränen um den zur unfreiwilligen Muse verdammten unvergeßlichen Grafen Danilo« weinte. »Der Vertrag des Herrn Treumann mit jenem Bühnenverlag bildete ein Novum«, man sprach von »Amerikanisierung des Bühnenbetriebs«.[5] Erst beim *Fürstenkind* wurden das vom Weinberger Verlag neu erbaute Johann Strauß-Theater und jener Bühnenvertrieb sich einig. Es war der Verlag Felix Bloch Erben, dessen gewiefter Mitinhaber Adolf Sliwinski mit der *Lustigen Witwe* begonnen hatte, sich international als Theaterunternehmer zu betätigen. Er pachtete zu diesem Zweck in New York das New Amsterdam Theater und das Théâtre Apollo in Paris, betrieb mit Max Monti in Berlin das Theater des Westens und das Neue Operettentheater am Schiffbauerdamm. »Der Blochsche Verlag, dem Fall, Lehár und Oskar Strauß angehörten, beherrschte so mit der Zeit ... den ganzen deutschen Operettenmarkt; er war und ist ein gar gestrenger Herrscher, der den von ihm abhängigen Direktoren ... Bedingungen vorschreiben konnte ... Der Wettbewerb wurde so verschärft, und die Herren Karczag und Wallner ... begründeten nun ebenfalls einen Verlag, dessen Teilnehmer und Star Lehár wurde, nachdem er mit Felix Bloch Erben in Konflikt geraten war.«[6] Mit dem *Grafen von Luxemburg* vollzog sich der Wechsel, seitdem beherrschte Lehár das Repertoire des Theaters an der Wien. Karczag pachtete aus diesem Grund das Raimund-Theater, um auch die übrigen Werke seines Verlags spielen zu können.

Wilhelm Karczag

»Zwei Männer waren da, der neuerstandenen Wiener Operette den Weg zu bereiten. Zwei geniale Schrittmacher, zwei prachtvolle Gewaltskerle, ein jeder auf seine Art zugleich schlau und listenreich wie Ulysses ... Beide zum Bersten voll von Energie, überschäumend vor Temperament. Sie kämpften gegeneinander wie wütende Berserker, sie fielen einander zärtlich um den Hals wie weinselige Zecher beim Heurigen ... Aber während die zwei sich stritten, freute sich immer der dritte, der ein Operettenkomponist war.«[7] Der eine dieser Streithähne war besagter Adolf Sliwinski, der andere Wilhelm Karczag. Lehár hatte das Glück, am Beginn seiner Karriere auf diesen für die moderne Operettenepoche so entscheidenden Direktor und Verleger zu treffen und in ihm einen Freund fürs Leben zu finden. Es war eine Wahlverwandtschaft. Beide waren erst kürzlich aus Ungarn nach Wien gekommen, als Autodidakten auf dem Gebiet der Operette, ohne Namen und Beziehungen, aber mit dem festen Vorsatz, dort ihr Glück zu machen.

Karczag, mit ungarischem Vornamen Vilmos, 1859 im siebenbürgischen Szolnok geboren, begann als Journalist in Debrecen, bevor er in Budapest als Verfasser von Novellen und Theaterstükken die Operettendiva Juliska Kopacsi heiratete und fortan als ihr Impresario wirkte. 1894 versuchte das Ehepaar zum ersten Mal sein Glück in Wien, wo Juliska aus Budapest als *Die Brillantenkönigin* im Carl-Theater reüssierte. Nach einer dreijährigen Amerika-Tournee ließen sie sich endgültig in Wien nieder und als 1901 das Theater an der Wien zum Verkauf stand, ergriff Karczag mit Hilfe der 160 000 Kronen seines Partners, des Schauspielers aus reichem Hause, Karl Wallner, die Chance. Ohne Vorwissen und eigenes Geld übernahm er als wahre Spielernatur das ruhmreiche Haus. Der Rest ist bekannt: der Glücksritter hatte Glück, er führte das Theater vom Tiefpunkt seiner Geschichte zu einer neuen Blüte. Ihm zur Seite stand Emil Steininger als sachverständiger Berater und späterer Leiter des Theaterverlags, auch er ein treuer Freund Lehárs.

Karczags Spürsinn für Talente war legendär. War er mit Girardi in den ersten drei Spielzeiten auf Nummer sicher gegangen, erkannte er im Traumpaar der Konkurrenz, Treumann und Günther, die eigentlichen Protagonisten des neuen Operettenzeitalters. Als Treumann jedoch nach seinem Danilo meinte, unverzichtbar zu sein, ließ sich Karczag auf keinen Handel ein, sondern suchte gleich nach Ersatz, den er nach dem Debakel von Lehárs *Mann mit den drei Frauen* mit dem Berliner Schauspieler Christians, dem »Mann mit den drei Tönen«, und dem Triumph Otto Storms im *Grafen von Luxemburg* schließlich in Hubert Marischka fand. »Das Schlimmste ist, daß die meisten Theaterdirektoren an die unverwüstliche Zugkraft eines Stars glauben. Man muß immer neue

Kräfte erwerben und vor allem Talente entdecken können.«[8] Der es konnte, engagierte spätere Bühnengrößen wie den Komiker Ernst Tautenhayn, die Soubrette Luise Kartousch, die Diva Betty Fischer, den jungen Max Pallenberg und holte Richard Tauber zur Operette. Außer Oscar Straus hatte er fast sämtliche Komponisten der modernen Operette entdeckt: Edmund Eysler, Leo Ascher, Leo Fall, an dem er trotz erster Mißerfolge festhielt, zuletzt Emmerich Kálmán und – als ersten Franz Lehár, der unter seiner Direktion zum Hauskomponisten avancierte.

Zahllos sind die Theateranekdoten, die als Karczag-Witze die Runde in den Kaffeehäusern machten und die ihn, wenn sie ihm hinterbracht wurden, zum Bonmot gewordenen Ausspruch veranlaßten: »Den habe ich selber viel besser gemacht.« Am bekanntesten wurden natürlich die Worte über *Die Lustige Witwe*. Doch vor allem seine sprichwörtliche Sparsamkeit wurde zum Gegenstand solcher Geschichten. Als bei *Endlich allein* die Librettisten die Bühne, ein mondänes Hotelfoyer, mit fünfzig nach der neuesten Mode teuer bekleideten Gästen bevölkern wollten, strich er sie kurzerhand auf zehn zusammen und ließ einen von ihnen sagen, das Hotel sei so leer, weil der Koch gewechselt habe und das Essen nicht mehr schmecke. Ähnliches berichtete Lehár Jahre danach von den Proben zu *Eva*: »Im zweiten Akt bricht eine Rebellion der Arbeiter los. Ein Mann hat – rollengemäß – auf die Bühne zu eilen und zu melden: ›Draußen stehen Zweihundert!‹ Karczag unterbricht: ›Warum sagen Sie Zweihundert? Weshalb sparen Sie? Was sind zweihundert bei einem Krawall? Sagen Sie Achthundert, das macht mehr Wirkung ...‹ Der Regisseur: ›Dann müssen aber mindestens vierhundert Leute auf die Bühne stürzen und stürmen ... das wird Geld kosten ...‹ Karczag: ›Ich habe gesagt: man soll von Achthundert – reden – von hereinstürzen habe ich nichts gesagt.‹«[9]

Das freundschaftliche Vertrauen Karczags war für Lehár ein Geschenk des Himmels, das sich für beide bezahlt machte. Den Durchfällen seiner zwei Julius-Bauer-Operetten *Die Juxheirat* (1904) und *Der Mann mit den drei Frauen* (1908) z. B. folgten mit der *Lustigen Witwe* und dem *Grafen von Luxemburg* jeweils größte Erfolge. Wie sehr Lehár diesen freundschaftlichen Umgang brauchte, zeigte 1930 der Krach mit den Direktoren Rotter, wie sehr die gewohnte Beständigkeit, der Kondolenzbrief vom 11. Oktober 1923 zum über-

40 Wilhelm Karczag segnet sein Zugpferd Franz Lehár
zur Zeit der *Lustigen Witwe*

raschenden Tod des Freundes an Hubert Marischka: »Karczags Tod hat mich tief erschüttert. Wir waren ja wirklich Kampfgenossen, wir haben fest zueinander gehalten und haben uns manchen Erfolg sehr erkämpfen müssen. Er war es, der mich verstand und begriff und mir Mut zusprach, wenn ich manchmal erlahmte. Er war immer auf meiner Seite und unterstützte mich, wenn ich mir immer größere und größere Aufgaben stellte. Du bist nun sein Nachfolger und vertrauensvoll habe ich das Schicksal meiner nächsten Werke in Deine Hände gelegt.«[10]

Hubert Marischka

Lehár sah sein Vertrauen enttäuscht. Die Freundschaft, die ihn mit dem Darsteller Marischka verbunden hatte, hielt beim Direktor Marischka nicht vor. Es sollte keine Lehár-Uraufführung mehr im Theater an der Wien stattfinden. Der neue Direktor hatte bereits eine erstaunliche Karriere hinter sich. Bis er fest ans Theater an der Wien engagiert wurde, spielte er gastweise auf allen großen mitteleuropäischen Operettenbühnen vom Wiener Carl-Theater über Montis Operettentheater in Berlin bis Stockholm – sogar in London, wo er 1912 bei Leo Falls *Princess Caprice*, dem späteren *Lieben Augustin*, den jungen Fred Astaire kennenlernte. »Fasziniert von der unbeschreiblichen Tanzkunst Astaires, ließ sich Hubert, ehrgeizig wie er war, die einmalige Gelegenheit nicht entgehen ... und nahm Tanzunterricht bei ihm ... wie geschickt er später, anläßlich der *Blauen Mazur* die in London erlernten Luftpirouetten«[11] in eine mit Betty Fischer getanzte Mazurka einlegte, zeigt sein Gespür für neue Impulse in der Operette. So soll er Lehár zum Tango in der *Idealen Gattin* angeregt, und das »Blaue Himmelbett«, den Tenorschlager aus *Frasquita*, mit sicherem Instinkt aus alten Nummern Lehárs ausgewählt und gegen dessen Willen in die Operette eingelegt haben. Seine wesentlichste Errungenschaft als Darsteller dürfte freilich gewesen sein, daß er nach dem Ersten Weltkrieg den inzwischen als pathetisch und veraltet empfundenen Treumann-Stil, den er selbst lange kopiert hatte, durch eine am anglo-amerikanischen Showbusiness geschulte Lässigkeit ersetzte, deren Eigenart es beispielsweise war, »vom gesprochenen Wort ganz unmerklich in den Gesang hinüberzugleiten«[12] oder aus einem zur

Bühnensituation gehörigen Requisit das Tanzarrangement organisch zu entwickeln. »Ein Sonnenschirm, ein Spazierstock, ein Sektglas – das ist der Kristallisationspunkt, um den sich die bunte Form der Tanzszene herumbildet.«[13] Der Direktor Marischka ließ sich Stücke nach seinen Vorstellungen auf den begnadeten Leib schreiben, wozu Lehár nicht mehr bereit war, weshalb Marischka künftig zu dessen Verstimmung Kálmán, Straus und Granichstaedten vorzog. So soll er den *Zarewitsch* mit der Bemerkung abgelehnt haben, kein Mensch werde ihm den verhemmten Frauenfeind glauben. Wie sehr er in die Gestalt der Werke eingriff, gibt Max Schönherr, sechs Jahre lang Kapellmeister an den Marischka-Bühnen, plastisch wieder: »Und nun wiederholte sich ... 20-mal das Gleiche ... Erste sogenannte Arrangierproben leitete der Hausregisseur Otto Langer. Er hielt sich genau an die Vorgaben. Eines Tages kam der ›Chef‹. Nun wurde so ziemlich alles geändert – Auftritte von links statt rechts, Szenen und Musiknummern umgestellt, aus letzteren dem Direktor überflüssig erscheinende, auch lästige Takte weggestrichen ... Der ›Chef‹ konnte sich gelegentlich bis knapp vor den Generalproben gewisse musikalische Wendungen nicht merken; er sang diese dann so vor, wie er glaubte, sie besser behalten zu können. Diese Improvisation mußte rasch notiert, aber auch bewundert werden. War der geduldige Komponist anwesend, so schwieg er ... In der letzten errungenen Fassung wurden dann Regiebuch und Klavierauszug gedruckt.«[14] Zu Recht wies Schönherr auf die »schwankenden Prämissen« der späteren Beurteilung eines Genres hin, das so sehr vom Betrieb bestimmt wurde.

Abgesehen von solchen Anwandlungen, hatte es Marischka verstanden, zum richtigen Zeitpunkt die richtige Frau zu heiraten – so zu Beginn seiner Laufbahn jene frühe Lehár-Entdeckerin Lizzy Léon, die Tochter des mächtigen Librettisten und Regisseurs, was ihm schnell ein Engagement in Wien verschaffte; so nach deren plötzlichem Tod 1918, gegen den Widerstand der Mutter Juliska, die Karczag-Tochter Lillian, was ihn endgültig zu dessen Nachfolger prädestinierte – damit die alte österreichische Devise variierend: »Alii bella gerunt, tu, felix Marischka, nube!« Die Hochzeit mit Lizzy Léon war ein gesellschaftliches Ereignis, 450 Gäste waren geladen, unter ihnen Karl Kraus und Hermann Bahr, die wohl kaum gekommen sein dürften; Stefan Zweig, Arthur Schnitzler

41 Hubert Marischka bricht für Lehár eine Lanze:
als Sandor mit Luise Kartousch als Margit in *Wo die Lerche singt*
(Theater an der Wien 1918)

und Hugo von Hofmannsthal schickten immerhin Glückwunschtelegramme. Im scherzhaften Ehekontrakt, der anläßlich des Hochzeitssoupers im Hotel Sacher am 18. November 1907 von Leo Stein in bester Operettenmanier aufgesetzt und u. a. von Lehár als ›Hausfreund‹, Alfred Grünfeld als ›Hofpianist‹ und Leo Fall ›als eigentlichem Urheber‹ (das Brautpaar hatte sich bei der Uraufführung des *Fidelen Bauern* in Mannheim kennen gelernt) unterzeichnet wurde, lautete der § 5: »Herr H. Marischka verpflichtet sich in den Stücken seines Schwiegervaters die Rollen zu spielen, die Herrn Louis Treumann nicht liegen.«[15] Letzterer stimmte diesem Passus als ›Beichtrabbiner‹ zu, ohne zu ahnen, daß er damit seinem künftigen Rivalen das Feld bereitete.

Louis Treumann

So schnell Treumanns Stern aufgegangen war, so überraschend war sein langsames Verblassen. Nie mehr erreichte er den Ruhm seines epochalen Danilo; mit dieser Rolle wurde er zeitlebens identifiziert. Dabei war er durchaus vielseitig und hatte mit dem Pfefferkorn im *Rastelbinder* seinen Durchbruch als Charakterkomiker. Als solcher wurde er nach einer langen Odyssee durch die Provinz 1899 noch von Jauner ans Carl-Theater geholt. Dort hatte der jugendliche Claqueur schon elf Jahre zuvor den Entschluß gefaßt, zum Theater zu gehen. Mit 17 Jahren riß der 1872 als Alois Pollitzer in Wien Geborene dann von zu Hause aus. Sein Weg führte ihn über Laibach (Ljubljana), wo er sich soufflierend der Schauspielerei näherte, nach Budapest, wo er sich den Künstlernamen zulegte und zum ersten Mal selbst die Bühne betrat. Es folgten Engagements in Freiberg, Heilbronn, Pilsen, Salzburg, Graz und am Gärtnerplatztheater in München, wo Jauner ihn schließlich entdeckte. Als er mit Victor Léon 1905 vom Carl-Theater an das Theater an der Wien wechselte, beschwor ihn dieser, auch sein Fach zu wechseln. »Bei Deinem Debüt darfst Du nicht die Ambition haben wollen, Girardi als Komiker zu übertrumpfen. Du weißt, wie viele eingefleischte Girardianer im Theater sitzen werden, bereit, nicht zu lachen.«[16] Daß Treumann diesen Rat befolgte, war der glorreiche Beginn eines mit seinem Namen verbundenen neuen Operettenstils.

Treumann, über dessen Privatleben wenig bekannt ist, scheint selbst auf dem Höhepunkt seiner Karriere ein schwieriger melancholischer Charakter gewesen zu sein. Berüchtigt in Theaterkreisen war seine Nervosität. Als er kaum zwei Wochen vor der Premiere des *Manns mit den drei Frauen* ein wirkungsvolleres Entreelied wünschte und ihm dies verweigert wurde, soll seine Gereiztheit den Librettisten Julius Bauer zu der Bemerkung veranlaßt haben, er gehöre in eine Kaltwasseranstalt. Treumann meldete sich daraufhin tatsächlich krank, die Direktion des Theaters an der Wien antwortete mit einer Kontraktbruchserklärung. Die Situation eskalierte und Wien hatte seinen Skandal, der in der versuchten Verhaftung Treumanns im Kaffeehaus kulminierte, deren geradezu massenhysterische Begleitumstände Karl Kraus zur Erkenntnis brachten, »daß bei solchen Gelegenheiten Weiber zu Hyänen werden. Mehrere Damen benützten nämlich das Gedränge, das bei der versuchten Verhaftung entstanden war, um die Tränen des Herrn Treumann zu trocknen und für ihn zu weinen, und eine Meldung besagt sogar, daß sie sich zwischen den Liebling und die Staatsgewalt geworfen haben.«[17] Nach den Auseinandersetzungen im Theater an der Wien wechselte Treumann ans Johann-Strauß-Theater, wo er den Hadschi-Stavros im *Fürstenkind* kreierte. Lehár hielt ihm weiterhin die Treue und setzte bei Karczag seine Besetzung in *Eva* durch. Selbst als er nach seinem endgültigen Krach mit diesem zu Montis Berliner Operettentheater gewechselt war, holte er ihn für den *Sterngucker* 1916 nach Wien zurück. Bei dieser Gelegenheit verirrte sich einmal Alfred Polgar in eine Operette und zeichnete eines der eindrücklichsten Porträts des Künstlers: »Träger der männlichen Hauptrolle ist Herr Louis Treumann. Es geht mir mit ihm wie mit dem Genre überhaupt: ein rätselhaftes Wesen, das wohl aus den Spezialgesetzen seiner sonderbaren Welt heraus verstanden und gewürdigt werden müßte. Er hat den prononciertesten Glauben an seine Unwiderstehlichkeit, und die Glaubensgenossen gewähren ihm – dank der temperamentvollen Oeligkeit seiner ganzen Art – leicht und gern Eingang in ihre tiefste Sympathie. Als Tänzer ist er unübertrefflich und auch sonst von ausdrucksvoller Beweglichkeit. Er kann mit den Schulterblättern trillern und hat ein schönes Tremolo in der Leistengegend, das ihm besonders bei Liebeserklärungen zustatten kommt. Weniger befreunden könnte ich mich mit dem fortwährenden Ueberschlagen seiner Sprechstimme in einen zärtlichen Diskant, aber Eigenart will eben hingenommen werden, wie sie ist.«[18]

Dennoch fiel der *Sterngucker* durch, und als er überarbeitet am Theater an der Wien erschien, war Treumann aufgrund der alten Querelen nicht mehr von der Partie. Trotz seiner engen Verbindung zu Karczag versicherte Lehár dem deswegen mißtrauischen Treumann wiederholt seiner Freundschaft, so auch in einem Brief vom 28. Mai 1913, der sowohl Lehárs absolutes Primat seiner Arbeit als auch die komplizierte Psyche Treumanns dokumentiert: »Lieber Freund! Aus einer Äußerung Herzmanskys entnahm ich, daß Du wieder mal auf eine Tratscherei gehört hast, indem man Dir mitteilte, ich hätte mich über Dich abfällig geäußert. Mein lieber Freund, wir waren in Nizza beisammen und dort gaben wir uns das gegenseitige Versprechen, daß wir uns sofort verständigen, falls wieder mal eine Tratscherei sein sollte. Das ist doch das einfachste Mittel, jedes Mißverständnis zu vermeiden. Warum hast Du Dein Versprechen nicht eingehalten? Es ist mir schon unangenehm, die alte Sauce wieder aufzurühren und Erklärungen abzugeben, wie ich über Deine künstlerischen Leistungen etz. etz. denke. Das wird doch endlich sehr fad! Du weißt es ganz gut, daß ich beim Schaffen eines neuen Werkes direkt einzig und allein nur an Dich gedacht habe. Schließlich mußt Du das aus jeder Note, die Du von mir gesungen hast, herausgehört haben ... Ich rechnete bestimmt darauf, daß Du in *Endlich allein* in Wien auftreten wirst ... Durch die ... nicht wieder gut zu machende ... Affaire mit Karczag hast Du Dich selbst ausgeschlossen und ich mußte an einen Erfolg denken ... Du mußt selbst zugeben ... daß Du am 2. Abend den *kleinen König* (von Kálmán) hättest spielen müssen!! ... Ich schätze Dich ebenso hoch als Künstler wie als Mensch und entschuldige Dein Vorgehen unbedingt, da ich weiß, daß Du in gewissen Momenten aus Ehrgeiz oder aus anderen gewiß guten Motiven jede Beherrschung verlierst, keinem Freund glaubst, allen anderen Menschen Schuld an Deinem Unglück beimißt, wo Du doch ganz allein gehandelt hast ... Meine Gefühle bestimmten Personen gegenüber ändern sich nicht. Ich bin und bleibe Dein aufrichtiger Freund und hoffe, daß Du die gleichen Gefühle für mich hast. Mit herzlichem Gruß, Dein Lehár.«[19]

Diese Empfindlichkeiten Treumanns mögen der Grund gewesen sein, weshalb er nach dem Prinzen Radjami von Lahore in

Kálmáns *Bajadere* 1921 keine bedeutende Operettenpartie mehr kreierte. 1927 setzte er in der Verfilmung des *Rastelbinder* noch einmal seiner tragikomischen Lebensrolle ein Denkmal. Ob er der künstlerischen Entwicklung Lehárs zu folgen gewillt war, bleibt fraglich, soll er doch das Angebot, in *Zigeunerliebe* aufzutreten, folgendermaßen abgelehnt haben: »Die wollen, daß ich den Jozsi in der *Zigeunerliebe* singe. Fällt mir nicht im Traum ein, bin ich der Caruso?«[20]

Richard Tauber

Seinen Caruso fand Lehár schließlich erst in Richard Tauber. Und Taubers erste Lehár-Rolle war tatsächlich der Józsi aus *Zigeunerliebe*. Damals noch Ensemblemitglied der Dresdner Oper, sang er, in den Sommerferien zu Besuch bei seiner Mutter, einer ehemaligen Soubrette, 1921 die Rolle in Salzburg, ohne daß sich deshalb der Komponist aus dem nahen Ischl locken ließ. Als Tauber ein Jahr später Mitglied der Wiener Staatsoper wurde und wegen Vertragsbruch eine Konventionalstrafe an die Dresdner Oper zu zahlen hatte, kam das überraschende Angebot Karczags, im Juli für 500 Kronen pro Abend den Armand in *Frasquita* zu übernehmen, nicht ungelegen, wären da nicht seine Skrupel gegenüber Operndirektor Franz Schalk gewesen, der ihm im Falle einer Zusage das Ende seiner Opernkarriere prophezeit haben soll. Die Oper konnte Tauber jedoch nur 1000 Kronen monatlich zahlen; also nahm er Karczags Angebot an, riß *Frasquita*, die es dadurch immerhin noch auf 195 Aufführungen brachte, aus dem Sommerloch und machte das Tenorlied vom »blauen Himmelbett«, in das er seinen Schatz verführerisch bat, zum Schlager. Dies zweiwöchige Gastspiel markierte jedoch noch keineswegs, wie es die Legende will, den Wendepunkt seiner Karriere, vielmehr sang Richard Tauber kurz darauf bei den Salzburger Festspielen unter Richard Strauss den Ottavio in *Don Giovanni* und war seit 1923 auch an der Berliner Staatsoper für drei Monate im Jahr fest verpflichtet. Daneben trat er in den Operettenuraufführungen von Granichstaedtens *Bacchusnacht*, Korngolds Neufassung der *Nacht in Venedig*, Oscar Straus' *Die Perlen der Kleopatra* mit Fritzi Massary und Max Pallenberg als Partnern sowie Benatzkys *Ein Märchen aus Florenz* auf, ohne noch der Operettenstar zu sein, der er mit Lehárs

Paganini werden sollte. Erst dieses Werk bewog Tauber zum endgültigen Wechsel von der Oper zur Operette und war der Beginn einer einzigartigen Zusammenarbeit. Einwänden seriöserer Zeitgenossen begegnete der Tenor entrüstet: »Erlauben Sie! Was heißt denn bloß Operette? Ich singe nicht Operette, sondern Lehár. Das ist etwas ganz Anderes und bestimmt etwas ganz Musikalisches und Schönes.«[21] Womit er seinem Komponisten aus der Seele gesprochen haben dürfte. Es gab aber noch zwei weitere Gründe. Einen handfesten, den er folgendermaßen umschrieb: »Ich bin von Kopf bis Fuß auf Lehár eingestellt, dafür krieg' ich mein Geld, für sonst gar nichts«[22] – und einen ästhetischen: man könne nämlich nicht ausschließlich 800mal die *Carmen* und 900mal die *Traviata* singen, sondern brauche neue Aufgaben. »Zeigen Sie mir doch die Oper, in der man noch wirklich gut und schön singen kann. Ich sage nichts gegen Puccini, nichts gegen Strauß und diejenigen, die echte Kunstmusik schreiben, aber von den ›Modernen‹ mit ihrer phantastischen atonalen Musik will ich nichts wissen.«[23] Eine zeittypische Haltung, die ihm Franz Schreker persönlich übelnahm, hatte er Tauber doch im Dresdner *Fernen Klang* kennen und schätzen gelernt. »Welche Freude, welcher Segen für einen armen, modernen Opernkomponisten! Aber er ließ uns schnöde im Stich. Ich kann ihm das nicht verzeihen, und... bin im Grunde des Herzens doch ehrlich böse auf ihn.«[24] Lotte Lehmann ging es damit ähnlich, doch gestand sie trotz aller Opernskrupel geziert, daß sie »ihn aber um ... ja, um ... nun, um die Operettenhonorare doch ein wenig beneide«.[25]

Bei Entstehung des *Paganini* war die künftige Konstellation keineswegs vorgezeichnet. Lehár war das Buch kurz nach der Premiere der *Gelben Jacke* in die Hände gefallen; er las es, war von der geigenden Titelrolle sofort gepackt und skizzierte noch in derselben Nacht den musikalischen Entwurf, der mit dem Vermerk schloß: »Mein Geburtstagsgeschenk vom lieben Gott! 30. April 1923. 1/4 10 Uhr abends den ersten Akt begonnen, um 1/2 2 Uhr früh fertig komponiert. Lehár.«[26] Der Autor dieses Wunderbuches, Paul Knepler, ein Komponist, der, nach Zeugnis seines Sohnes Georg, dem späteren Begleiter der Kraus'schen Offenbachlesungen, seine Einfälle kaum aufschreiben konnte und auf Veranlassung von Freunden das Libretto Lehár zugespielt hatte, trat es diesem gern ab, mußte er sich doch geschmeichelt fühlen: »Wohl noch nie war ich von einem Librettisten so gepackt und so inspiriert wie von diesem.«[27] Lehár unterbrach die Komposition wegen *Cloclo*, deren Librettisten, Béla Jenbach, er für *Paganini* hinzuzog, und erst als er sie im Sommer 1924 wieder aufnahm, trat Richard Tauber auf den Plan. Lehár hatte ihn seit seinem *Frasquita*-Gastspiel schätzen gelernt und für den Sommer 1924, als er erneut bei den Salzburger Festspielen auftrat, in seine Ischler Villa eingeladen, um mit ihm am *Paganini* zu arbeiten. Der Sänger berichtete, wie er eines Abends zu vorgerückter Stunde nach Hause kam und in Lehárs Arbeitszimmer noch Licht brennen sah.

»Ich denke: ›Nanu, Franzl, noch bei der Arbeit?‹, schleiche mich leise die Treppe hinauf und lausche, und es tönte leise eine wunderschöne Melodie an mein Ohr. Schnell trete ich in das Zimmer, um zu erfahren, wo diese reizende, sofort ins Ohr gehende Melodie vorkommen soll, das heißt ob im Finale oder in einem Duett, oder – wehe dir, Franzl – sollte sie gar der Sängerin gehören?! Kaum erblickte mich Lehár, so winkte er mir lebhaft zu und rief: ›Du, Richard, eben habe ich ein Lied für dich fertiggestellt.‹ Und nun kommt der Augenblick, der für mich immer unvergeßlich bleiben wird: Lehár zeigt auf sein vor ihm liegendes Skizzenbuch und bittet mich, leise die Melodie mitzusingen, die da aufgezeichnet steht: ›Gern hab' ich die Frau'n geküßt‹. Ich tat es und war von diesem Augenblick an so stark im Bann des Liedes, das ich sozusagen noch ›warm aus dem Ofen‹ zum Klingen brachte, daß wir noch gute zwei Stunden – Zeit und Ort vergessend – mit der Ausfeilung dieses Liedes verbrachten. Immer wieder mußte mir Lehár diese oder jene Stelle vorspielen, immer wieder versuchte ich die beste gesangliche Wirkung herauszufinden ... So standen zum Beispiel im Mittelsatz drei Takte, die erst eine andere Melodie in Führung hatten, aber auf meine Bitte und mehrmaliges Vorsingen änderte Lehár diese Takte in die heute bestehende Form um. Auch wurden in dieser Nacht die drei verschiedenen Schlüsse für die da capi von mir erfunden und in seinem Skizzenbuch vermerkt. Diese Schnörkel und Schlußkadenzen sind meine ureigensten ›Erfindungen‹ ... und zwar verwendete ich sie zum ersten Male im Frühjahr 1923 in Lehárs Lied vom ›Blauen Himmelbett‹ ...«[28]

Noch im selben Sommer, am 16. August, wurde von beiden mit dem Direktor des Berliner Künstlertheaters, Heinz Saltenburg, ein Vertrag über mindestens 50 Aufführungen für Januar 1926 abgeschlossen. Da für Lehár damals undenkbar war, daß die Uraufführung seiner Werke anderswo als in Wien stattfand und Tauber nicht vor dem Berliner Termin verfügbar war, entschloß sich der Komponist, das Werk erstmals am 30. Oktober 1925 im Johann-Strauß-Theater mit dem Bayreuther Heldentenor Carl Clewing herauszubringen. Ein Fehler, der sich rächte, denn *Paganini* fiel durch und Saltenburg wollte von seinem Vertrag zurücktreten, wie er es übrigens auch im Fall von Zuckmayers *Fröhlichem Weinberg* kurz zuvor beabsichtigt hatte. Lehár rief das Bühnenschiedsgericht an, man einigte sich auf dreißig statt fünfzig Vorstellungen, bei denen Lehár auf Tantiemen, Tauber auf die Hälfte seines Honorars verzichtete. Die Premiere am 30. Januar wurde ein grandioser Erfolg, Tauber mußte »Gern hab' ich die Frau'n geküßt« fünfmal wiederholen, der zu Tränen gerührte Lehár, der wegen der Zwistigkeiten nicht dirigieren durfte, dankte Tauber, er sei »in diesem Augenblick künstlerisch zum zweiten Male auf die Welt gekommen«.[29] Mittlerweile hatte sich *Paganini* auch in Wien durchgesetzt und feierte kurz nach der Berliner Premiere die 100. Vorstellung. In Berlin kapitulierte Direktor Saltenburg nach den vereinbarten dreißig Vorstellungen, zahlte sowohl Lehár als auch Tauber die ausstehenden Honorare zurück, so daß Tauber fast hundert Vorstellungen en suite sang, nach damaligen Opernmaßstäben ein Unding. Aus dem Opernsänger, wie Lehár formulierte, »der früher gelegentlich, wenn die Wiener Staatsoper Urlaub gab, den Operettensänger mit großen gesanglichen Mitteln auf die Bühne stellte, ist der Sänger der deutschen Operette geworden«.[30]

Er sollte es fortan bleiben. Tauber hatte den Komponisten gefunden, der ihm die Musik auf die Stimmbänder schrieb und deren Qualitäten zum Klingen brachte, Lehár den Interpreten, der ihm immer als Ideal vorgeschwebt haben mochte. Tauber war auch der erste Darsteller, von dem Lehár musikalische Änderungen akzeptierte, Anregungen zur musikalischen Gestaltung, ja zu ganzen Werken annahm – »the vision of the artist influenced the selection of my librettos, the lines of the melody and the tone colour of the orchestra«.[31] Auch der Höhepunkt Lehár-Tauberscher Symbiose, *Das Land des Lächelns*, verdankte dem Sänger seine Entstehung. Es war Taubers Wunsch gewesen, die ihm vom Theater an der Wien bekannte *Gelbe Jacke* umzuschneidern; er war es auch, der in einer Des-Dur-Phrase (Allegretto moderato ma non troppo) aus dem dritten Finale »Duft lag in Deinem Wort wie Blütenhauch vom Rosenstrauch...« das Zeug zum berühmtesten aller Tauber-Lieder »Dein ist mein ganzes Herz« witterte.

Diese enge Zusammenarbeit, geprägt von einer seltenen Übereinstimmung des Geschmacks und gegenseitiger Verehrung, sollte ebenso typisch werden für das Spätwerk Lehárs wie die neckische Herzlichkeit, mit der ihn Tauber aus der Reserve lockte. Eine Szene aus einem Interview gibt dies mit unverwechselbarem Charme wieder: »Tauber blickt den ›Meister Lehár‹ und seinen ›Franz‹, wie er ihn abwechselnd nennt, mit einem verliebten Lächeln an ... ›Wenn ich komponier'‹, sagt Lehár in seinem liebenswürdigen Dialekt, ›da hab ich den Richard am Ohr ... In meinem Landhaus in Ischl, da ist er immer kommen und hats meine neuen Sachen gleich zum Fenster hinaus gesungen.‹ – ›Immer gleich warm aus der Maschine‹, ergänzt Tauber.«[32] Der privat stets Monokel tragende Tauber liebte es, diese verschworene Gemeinschaft bei jeder möglichen Gelegenheit vorzuführen, ob in der Filmwochenschau, wenn er dem widerstrebenden Lehár zärtlich durch die militärische Bürstenfrisur fuhr, ob er beim fünften da capo auf den dirigierenden Komponisten deutend »Dein ist mein ganzes Herz« sang oder wenn er gar bei der *Zarewitsch*-Premiere »vor der vierten Wiederholung zu Lehár, der am Pult saß, in der Melodie: ›Willst Du, willst Du‹ hinuntersang: ›Franzl, Franzl, wollen wir nochmal singen!‹ Er nickte und sein liebes, herziges Gesicht strahlte in eitel Wonne.«[33]

Epilog: Fritzis und Mizzis

Fast will es scheinen, als wäre bei Lehár die sonst allmächtige Operettendiva ins Hintertreffen geraten, doch wußte der Komponist als »Verkörperung der modernen jungen Frau schlechthin ... die Qualitäten« des weiblichen Stars durchaus zu schätzen, »mit seiner Sensibilität, seinen Leidenschaften, seiner Freude am Tanz, am wundervollen Rhythmus und an der Melodie des Lebens«.[34] Niemals jedoch konnte er sich, wie seine Kollegen Leo Fall und Oscar Straus, einem diktatorischen Regiment einer Fritzi Massary unterwerfen, an die seine Librettisten zum Beispiel bei *Frasquita* gedacht hatten. Nur einmal hatte der Komponist das Vergnügen, ihre berüchtigte Gewohnheit, alle zugkräftigen Nummern eines Werkes an sich zu reißen, am eigenen Leib zu verspüren, als der Revueregisseur Eric Charell 1928 *Die Lustige Witwe* bearbeitete. Die Massary, sozusagen die Antipodin Taubers, war als d i e Operettendiva der zwanziger Jahre mit diesem unter keinen Hut zu bringen, und so kamen seine Partnerinnen meist wie er von der Oper. In *Schön ist die Welt* war es der Koloratursopran der Berliner Staatsoper Gitta Alpar, in *Paganini* und im *Land des Lächelns* Vera Schwarz, die es vom Theater an der Wien zur Berliner und Wiener Staatsoper gebracht hatte und bereits anläßlich der Berliner Erstaufführung der *Blauen Mazur* kurz zur Operette zurückgekehrt war.

Bereits Mizzi Günther waren als Suza im *Rastelbinder* Opernqualitäten nachgesagt worden, die Lehár dankbare Herausforderung boten; bildete sie doch mit Treumann seit der *Lustigen Witwe* ein Traumpaar. Für sie schrieb er seitdem seine Frauenrollen, vor allem Eva und Dolly in *Endlich allein* zeigen ihre Signatur. Ein Denkmal der Wiener Operette müßte nach den Worten Schnitzlers ihre Züge tragen. Nach Günthers Abschied vom Theater an der Wien nahm sich Lehár Luise Kartouschs an, seit dem *Grafen von Luxemburg* seine bevorzugte Soubrette, die sich beklagte, ihr Rollenfach sei eigentlich nur noch zum Ausfüllen der Pausen da, um ihr mit *Wo die Lerche singt* und *Cloclo* das Gegenteil zu beweisen. In beiden Werken war die Hauptrolle eine Soubrettenpartie. Darüber hinaus liebte es Lehár, junge Sängerinnen zu protegieren, im Fall Rita Georgs oder Annie von Ligetys sogar mit Erfolg. Die eine machte trotz kleiner Stimme als erste Sonja im *Zarewitsch* und als Kálmáns *Herzogin von Chicago* Karriere, die andere kam nach der Uraufführungsserie des *Grafen von Luxemburg* sofort und standesgemäß unter die Haube. Seine Wiener *Friederike* schließlich, Lea Seidl, wurde in derselben Rolle zum Star der Londoner Bühnen.

Eine solche junge Sängerin war auch Mizzi Jeritza, als sie der Operettenkomponist im Sommer 1910, kurz vor Beginn ihrer Weltkarriere, im Ischler Theater kennenlernte. Er dirigierte *Fürstenkind* und *Zigeunerliebe*, sie sang Photini und Zorika. Seither blieben sie sich verbunden. Neun Jahre später, bereits Kammersängerin mit dem seriöseren Vornamen Maria, sang sie im Lehár-Zyklus des Wiener Stadttheaters die Hanna Glawari und die Angèle, jene maßgeschneiderte Rolle einer Opernsängerin auf der Operettenbühne, die sie 1929, anläßlich der Versöhnung Lehárs mit Ma-

42 *»Mein Busen hat heut' Platz für zehn!«*
Luise Kartousch in der Titelrolle und Gisela Werbezirk als Melousine in *Cloclo* (Bürgertheater 1924)

rischka, im Theater an der Wien wiederaufnahm. »Salomé tanzt Walzer«[35], feierte die Presse die Sensation. »Sie ist ein Universalgenie«, frohlockte der Komponist, »man kann sie mit Recht als die beste Operettensängerin unserer Zeit bezeichnen.«[36] So nimmt es nicht Wunder, daß sie ihn zu *Giuditta* und zu dem Wagnis einer Staatsopernpremiere anzuregen vermochte. Schon »Warum hast du mich wachgeküßt?« aus *Friederike* hatte es ihr so angetan, daß sie es – wie zuvor »My little nest of heavenly blue«, die englische Version des »blauen Himmelbetts« aus *Frasquita* – in ihr Konzertprogramm aufnehmen wollte. 1926 war im Neuen Wiener Tagblatt von einer weiter zurückliegenden Liaison des Operettenkomponisten mit der Operndiva zu lesen. »Schon einmal hatte er einen glänzenden Antrag für eine Oper, zu der Henry Bataille das Buch gedichtet und die Maria Jeritza hätte kreieren sollen, am New Yorker Metropolitantheater.«[37] Von all den gemeinsamen Plänen wurde 1933 letztlich nur der Tonfilm *Großfürstin Alexandra* realisiert, zu dem Lehár die Musik mit dem Jeritza-Lied »Du und ich sind für einander bestimmt« beisteuerte.

»O Tauber, mein Tauber!«
Lehárs zweiter Frühling

> Warum leben Lehár-Lieder ewiger?
> Weil sie aus dem ›zweiten Frühling‹ kommen.
> Richard Tauber[1]

Die Spieloperette, das Liederspiel oder die Liebesspieloperette

Der ungeheure Erfolg des *Paganini* – er wurde in der Spielzeit 1926/27 in über zweihundert Städten nachgespielt – stürzte Lehár geradezu in neue Schaffenseuphorie. Schrieb im Sommer 1924 die Wiener Presse noch von einer Amerika-Tournee des angeschlagenen Komponisten, zu der es trotz glänzender Angebote auch später nicht kommen sollte, war er zwei Jahre später mit drei Werken gleichzeitig beschäftigt: *Gigolette*, *Der Zarewitsch* und *Friederike*. Da *Paganini* auch in Italien Triumphe feierte – bei der Premiere in Mailand mußte das ganze zweite Finale da capo gegeben werden –, ließ sich Lehár vom Puccini-Librettisten Forzano zu einer ausschließlich für Italien bestimmten nochmaligen Bearbeitung des *Libellentanzes* unter Verwendung einiger *Rastelbinder*-Motive überreden. Der Mailänder Operettenunternehmer Carlo Lombardo, der ja bereits dieses Werk erfolgreich produziert hatte, brachte den selbstgebrauten Aufguß am 30. Dezember 1926 als revuehafte *Gigolette* heraus, ohne daß Lehár selbst Hand anlegen mußte. Er hatte kein Interesse mehr für den alten Auftrag, »denn wissen's, wenn man 25 Operetten geschrieben hat, will man keine Schablone mehr arbeiten«.[2] Vielmehr widmete er sich von nun an ganz einem neuen, nach dem Vorbild von *Paganini* auf Richard Tauber zugeschnittenen Operettentypus. Die Anregung zum *Zarewitsch* kam ausnahmsweise von Lehárs Frau, die das gleichnamige Stück von Gabryela Zapolska 1917 im Deutschen Volkstheater kennengelernt hatte. Doch Lehár zögerte lange mit der Umsetzung; erst Richard Tauber, der so bald wie möglich einen neuen Lehár singen wollte, konnte ihn vom misogynen Titelhelden überzeugen, der zu einer seiner Lieblingsrollen werden sollte. Er hielt die schmucke russische Uniform der Uraufführung sein Leben lang in Ehren. Bei *Friederike* schließlich durfte Lehár »seit langem ... zum ersten Male unbeschwert von Bestellerwünschen schaffen«[3] und die Gattungsbezeichnung ›Singspiel‹ wagen.

Daß Lehár danach wieder zum herkömmlichen Operettenbegriff zurückkehrte, zeigt die Schwierigkeit, seine jüngsten Schöpfungen gattungstypisch einzuordnen – noch mehr seine eigenen, in einem Interview geäußerten Vorschläge: »Ach, Name ist Schall und Rauch. Sagen wir: die Spieloperette, das Liederspiel oder die Liebesspieloperette, wie sie wollen...« So zutreffend die Antwort darauf ausfiel – »Mit einem Wort: das Lehár-Genre!«[4] – wäre die späte Lehár-Operette am ehesten als Lyrische Operette zu beschreiben, entsprechend dem dramma lirico des Verismo. Anders als in der modernen Salonoperette sind die Hauptrollen im Spätwerk Lehárs nicht mehr Repräsentanten ihrer Zeit, sondern Außenseiterfiguren, geadelt durch historische oder gesellschaftliche Bedeutung, die ihrer Umwelt lyrisch entfremdet gegenüberstehen. Zudem rücken die lyrischen Momente der Handlung immer mehr ins Zentrum der Musikdramaturgie. Die Lieder der Protagonisten wurden folglich zu den Höhepunkten des ›Liederspiels‹ Lyrische Operette. Analog dazu verkörperte Tauber nicht mehr wie die gefeierten Operettendarsteller früherer Zeiten vornehmlich durch sein Aussehen, seine Haltung und Gebärden den Repräsentanten seines Publikums, sondern wirkte als dessen fernes Wunschbild, entrückt durch seine Stimme. Einen schlagenden Beweis, wie bei Tauber unbeabsichtigt die optische gar die stimmliche Wirkung ins Gegenteil verkehren konnte, lieferte Klaus Pringsheim in seiner Besprechung von *Schön ist die Welt*: »Zum Schluß aber, wenn König und Kronprinz (Tauber) in Galauniform, als kämen sie geradewegs vom Maskenverleiher, auf der Bühne erscheinen, geht doch eine Woge von Heiterkeit durch das Parkett.«[5] Solch unfreiwillige Komik wäre dem anderen großen Operettenstar der zwanziger Jahre niemals unterlaufen: Fritzi Massary, die gerade durch ihr Auftreten, ihr Spiel und ihre Garderobe wirkte. Die Massary-Operette war durch eine choreographische Inszenierung geprägt, »die jeden Schritt, jede Kopf- und Handbewegung aus dem Geist der Musik festlegt und unabänderlich bis zur 500. Aufführung festhält«.[6] Da diese visuellen Elemente immer mehr von Revue und

Film vereinnahmt wurden, verlor dieser Operettentypus in dem Maße an Bedeutung, wie die Lyrische Operette aufkam. Sprach man dort von der Massary-Operette, sprach man hier vom Tauber-Lied, um das Lehár seine Operetten zunehmend gruppierte.

Das Tauber-Lied

Wie sehr Richard Tauber, der auch selbst komponierte und später eigene, an Lehár orientierte Operetten schrieb, an Entstehung und Form dieser Lieder beteiligt war, gab er in Zusammenhang mit dem *Zarewitsch* preis: »Dieses Werk, welches noch mehr als *Paganini* den Stempel meiner künstlerischen Eigenart trägt, da fast jeder Takt erst meine ›Zensur‹ passierte, war fast fertig, als ich im Herbst 1926 nach Wien kam ... Lehár ... hatte bereits ein ›Tauber-Lied‹, wie er sich ausdrückte, im Sinn. Es sollte ein Walzer werden ... Er spielte mir diese Melodie vor und ich war ehrlich begeistert, nur ... die letzten sechs Takte ... waren zu gekünstelt und harmonisch zu kompliziert, um populär werden zu können.« Tauber bremste folgerichtig Lehárs Ambitionen und machte schließlich »den Vorschlag, die ganze Nummer fallen zu lassen«, um sie als »Ich bin verliebt ...« in das zweite Finale einzulegen, »und ein gleiches Lied wie in *Paganini* zu schreiben, nämlich einen Gesang in Rondoform, das heißt die Hauptmelodie am Anfang und Schluß, als Mittelsatz eine vollkommen neue Melodie« – eine Form, die von nun an jedes Tauber-Lied haben sollte. Lehár überlegte sich die Sache und erschien eines Nachts bei Tauber. »Er brachte zwei Kompositionen mit, die er mir zur Auswahl für das Hauptlied für *Zarewitsch* vorschlüge. Ich wählte sofort die heute gesungene Melodie des Liedes: ›Willst Du, willst Du‹. Die Noten hatten aber noch keinen Text. Wir machten uns daher einen sogenannten ›Schimmel‹, das ist eine Form, noch nicht textierte Musik mit beliebigen Textworten zu versehen, um den Rhythmus auf Text singen zu können. Wir fanden den ›Schimmel‹: Sonja, Sonja, laß dir Liebe schwören, Sonja, Sonja willst du mich erhören ... ich fühlte sofort, daß das der Schlager werden könnte. Lehár, der meine Begeisterung sah, sagte: ›Damit du in ein paar Tagen nicht wieder erklärst, es gefalle dir doch nicht, wirst du mir die Annahme des Liedes hier in mein Skizzenbuch bestätigen.‹ Ich ging auf seine scherzhaften Worte ein und schrieb unter die Skizze… ›Bewilligt!‹«[7] Ausgerechnet dieses Tauber-Lied aus der Retorte konnte sich dann auf Dauer nicht durchsetzen und wurde von Lehár später zum Duett »Küß mich, küß mich« umgearbeitet.

Die alte Operettentendenz, ein einmal erfolgreiches Muster wie »Gern hab' ich die Frau'n geküßt« festzuschreiben, führte beim Tauber-Lied zu seiner obligatorischen Plazierung im 2. Akt und zur stereotypen Rondoform. Dabei kam die Wiederholung des Hauptteils den Tauberschen Schlußvarianten entgegen, als Anlaß zu tenoralem Stimmzauber. So ließen sich die gehobenen Mittel des Kunstgesangs mit dem einfachen Aufbau des Schlagers zum ›Kunstschlager‹ verbinden. Nach dem Muster der Opernkantabilität erfolgt in »Gern hab' ich die Frau'n geküßt« die Gestaltung der Gesangslinie, wie schon beim »lachenden Glück«, mit einer relativ langen Note zu Beginn, aus der sich die folgenden Noten in kleinen Tonschnitten entwickeln – mit wiederum einer langen Note als Ausklang. Dieses Phrasenmodell, gleichsam die melodische Substanz des Liedes, erstreckt sich wie auch das Textmotto einprägsam über vier Takte und wird in den folgenden Abschnitten rhythmisch kaum variiert. Die gleitende Linie nah beinander liegender Noten aber ist typisch für Lehárs verführerische Melodik und steht, wie Marcel Prawy zuerst auffiel, in deutlichem Gegensatz zu den dynamischen Intervallsprüngen eines Johann Strauß. In »Dein ist mein ganzes Herz«, über das Lehár im Klavierauszug des *Land des Lächelns* nonchalant drucken ließ: »Hier hast Du Dein Tauber-Lied!!«, wird der noch ungebrochene Schlagerton des Paganiniliedes am Ende in opernhafte Höhe getrieben, analog zum emotionalen Nachdruck des Textes: »sag noch einmal mir: Ich hab' dich lieb«. Lehárs Versuch der Ausdruckserweiterung findet in den berühmten Da capo-Variationen Taubers ihre beinahe augenzwinkernde Entsprechung. Bei »Gern hab' ich die Frau'n geküßt« ist die höhere Variante in Stichnoten, »von Kammersänger Richard Tauber gesungen«, vermerkt: der vorletzte Ton, statt eines a ein hohes c, geht in Sechzehntelschleifen zum Schlußton über. Solche Verzierungen kennzeichnen als tenorale Schnörkel den gesanglichen Effekt des Tauber-Liedes.

Weiter bemerkenswert ist dabei die Veränderung des Textes. Es heißt, er sei »auf die Frauen deutend« zu singen: »dazu seid Ihr ja da«, anstatt wie ursprünglich episch kommentierend in der dritten

43 *»Seine Frau berichtet von Tagen, die er unrasiert am Klavier verbringt«*
Franz Lehár als begehrter Werbeträger 1928

Person: »dazu sind sie ja da« – nämlich die Frauen zum Küssen. Da der Sänger aber laut Szenenanweisung allein auf der Bühne stand, mußte er die gemeinten Frauen im Publikum suchen. Wie die Applausorgien bei Tauber bewiesen, waren sie vor allem dazu da, angesungen zu werden. Seit sich dieser erotische Dialog bewährt hatte, verzichtete der Text des Tauber-Liedes zwar auf den Plural, richtete sich aber immer an eine imaginäre zweite und selbstverständlich weibliche Person, allerdings im intimeren Du: »Willst du, willst du?« fragte der Zarewitsch noch unverhüllt, Goethe ungleich diskreter beteuerte in *Friederike* »O Mädchen, mein Mädchen, wie lieb ich Dich«, nicht minder Sou-Chong im *Land des Lächelns* »Dein ist mein ganzes Herz«, metaphorisch der Deserteur Octavio in *Giuditta* »Du bist meine Sonne«; der Kronprinz in *Schön ist die Welt* hingegen forderte schlicht »Liebste, glaub an mich«, was nach soviel Liebesschwüren wohl auch nötig war. Solcher Allgemeingültigkeit entsprach der übrige Text der Lieder, deren Inhalt, im Gegensatz zu ihrem Vorläufer in *Frasquita* »Hab ein blaues Himmelbett« und selbst noch »Gern hab' ich die Frau'n geküßt«, keine Geschichte mehr erzählte, sondern nur noch lyrische Floskeln zitierte: »Wo du nicht bist, kann ich nicht sein«. Vielmehr noch als von der Bühne herab, bewahrheitete sich dieser Satz in der Einsamkeit vor Grammophon oder Radio. Die Schallplatten von »Dein ist mein ganzes Herz« verkauften sich, von Tauber in deutsch, englisch, französisch und italienisch gesungen, in jeder Sprache über eine Million Mal.

Kunst oder Geschäft

Es ist kein Zufall, daß Lehár und Tauber gerade mit Beginn der Rundfunkära ihren gemeinsamen Durchbruch erlebten, waren doch die meistgehörten Rundfunkprogramme Operettenübertragungen. Selbst im Ausland brachten zum Beispiel 1929 innerhalb eines Tages Rom *Die Blaue Mazur*, Prag *Paganini* und Warschau gar *Endlich allein*. »Im *Paganini*-Jahr gab es in Deutschland bereits eine Million eingetragener Rundfunkhörer.«[8] Gerade Lehár profitierte von der neuen Entwicklung. Schließlich war 1924, wie Maria von Peteani versicherte, »die erste vollständige Operette, die überhaupt im Rundfunk übertragen wird, Lehárs *Frasquita*«[9] – live aus dem Berliner Thalia-Theater. Im Tauber-Lied, das mit seinem scheinbar persönlichen Adressaten wie für das neue Medium gemacht schien, wurde der Widerspruch zwischen traditioneller Form und moderner Technik produktiv. Aber erst Taubers Stimme, laut Paul Dessau, »in ihrer Durchbildung, Beherrschtheit und Modulationsfähigkeit geradezu für die technische Fixierung prädestiniert«,[10] verschaffte Lehár die massenhafte Verbreitung seiner Musik in Rundfunk und auf Schallplatte und zum ersten Mal seit Ende des Ersten Weltkriegs wieder internationale Resonanz. Darüber hinaus war »der Schlagerverbrauch in Kaffee- und Tanzlokalen und in den Kinos … derartig groß und gewinnbringend«,[11] daß den Aufführungen der Operetten selbst nicht mehr die ausschließliche Bedeutung zukam, die sie früher hatten.

Die zweite Hälfte der zwanziger Jahre war trotz der allgemeinen Unterhaltungskonjunktur eine Krisenzeit der Operettenbühnen. Neue Medien wie Kino und Rundfunk nahmen sich ihres Klientels an; die Revue übertraf sie im Schaueffekt und stand, als Lehár mit *Paganini* in Berlin erschien, dort in höchster Blüte. Die Haller-Revue im Admiralspalast und die Charell-Revuen im Großen Schauspielhaus waren Kassenmagneten. Kein Wunder, daß viele Operettentheater wie selbst das Theater an der Wien sich immer mehr der Revue annäherten, ein um so größeres, daß sich Lehár dieser Entwicklung entgegenstellte und das größte, daß er damit ausgerechnet in Berlin Erfolg hatte. Daß Lehár-Uraufführungen nicht mehr in Wien, sondern in Berlin stattfanden und somit ins Zentrum der zwanziger Jahre rückten, war keineswegs von Lehár beabsichtigt. Der eigentliche Grund lag in den Differenzen mit Hubert Marischka, der schon 1924 *Cloclo* die Pforten seiner Bühne verschlossen und seit *Gräfin Mariza* seinen neuen Hauskomponisten in Kálmán gefunden hatte. Lehár, der zwei Jahrzehnte das Repertoire des Theaters an der Wien beherrscht hatte, konnte sich damit nicht abfinden. Das Schicksal des *Paganini* wies ihm dann den Weg. Schon damals waren die immensen Gagen, die in Berlin für Tauber gezahlt wurden, von den Wiener Operettentheatern nicht mehr aufzubringen. Als im Sommer 1928 Marischka gar das Theater an der Wien an Max Reinhardt verpachten wollte, waren die finanziellen Schwierigkeiten des Wiener Operettenmarktes nicht mehr zu übersehen. Ein Aufschrei ging durchs Wiener Feuilleton. Marischka wurde vorgeworfen, »gewissen Korporationen Sitzplätze zu ... geringem Preis überlassen« zu haben, um »Granichstaedtens langweilige Operetten und auch Kálmáns nicht eben gelungene Arbeiten dreihundertmal dem Publikum«[12] vorsetzen zu können. Der Lehár-Biograph Ernst Decsey warf ihm »Geschmacksdiktat« vor, »daß er die gute Wiener Operette verjazzt hat«[13] und vor allem, daß er keinen Lehár mehr bringe. Lehár und Kálmán wurden gegeneinander ausgespielt, dieser »schaffe spekulativ und errechne den Erfolg ... als künstlerischer Antipode Franz Lehárs, der weltenferne über den Wolken thront und unbeirrt vom Beifall der Masse seinen Weg geht«, wie Alfred Grünwald polemisierte; er fügte, Goethe und Schiller bemühend, hinzu: »Die beiden Meister sind seit vielen Jahren sehr innig befreundet und lachen über den Streit der Meinungen.«[14] Lehár selbst war kaum zum Lachen zumute, vielmehr bemerkte er süßsauer, »das Theater an der Wien habe sich jedes Werk vom Leib gehalten, das ein Experiment sein konnte ... Hier trennen sich nun unsere Wege. Ist das Operettenschreiben Kunst oder ein Geschäft?«[15] Er beantwortete die gewichtigste aller Operettenfragen mit der Verlagerung seiner Kunst ins Geschäftszentrum Berlin, wohin ihm alle übrigen Operettenkomponisten nachfolgen sollten. Als Lehár nach sieben Jahren und *Das Land des Lächelns* im Gepäck 1930 ins Theater an der Wien zurückkehrte, zog Kálmán mit seinem *Veilchen von Montmartre* ins Johann-Strauß-Theater um, das bisher Lehárs Berliner Erfolge nachgespielt hatte. Ein Jahr später mußte es dennoch seine Pforten schließen. Bereits 1929 hatte die Wiener Operettenkrise ihre ersten Opfer gefordert: das Apollo- und das traditionsreiche Carl-Theater, so daß es in den dreißiger Jahren nur mehr eine große Operettenbühne gab – das umstrittene Theater an der Wien. Sein unfreiwilliges künstlerisches Exil hatte Lehár davon unberührt gelassen. Als Kálmán in Berlin für Hermann Hallers Admiralspalast die *Csárdásfürstin* zur Revue bearbeitete, verlangte der Tenor Hans Heinz Bollmann, in Wien Lehárs Zarewitsch und Goethe, als Einlage ein Rondolied, worauf der Komponist, der ein Strophenlied aus der Schublade geholt hatte, antwortete: »Bin ich der Lehár?!«[16]

Verrotterung zum ersten

Für Lehár stand angesichts der Wiener Situation denn auch bald fest: »Mir ist es kein Geheimnis, warum mein späteres Schaffen ein Weltecho gefunden hat. Das Mysterium heißt – Berlin.«[17] Nachdem die erste Berliner Uraufführung eines Lehár-Opus, des *Zarewitsch*, in Saltenburgs Deutschem Künstlertheater am 21. Februar 1927 den *Paganini*-Erfolg des Vorjahres wiederholen konnte, griffen Berlins skrupelloseste Theaterleiter, die berühmt-berüchtigten Rotters, ins Geschehen ein und führten Lehár-Tauber zum endgültigen Triumph. Diese Direktoren, die Brüder Fritz, als Jurist zuständig fürs Geschäftliche, und Alfred, der Bühnenpraktiker mit dem zweifelhaften Geschmack, waren die damals erfolgreichsten Theaterunternehmer Berlins und betrieben eine an amerikanischen Maßstäben orientierte Geschäftspolitik. Die Söhne eines jüdischen Getreidehändlers aus Leipzig, mit bürgerlichem Namen Schaye, »kamen als junge Leute von der Literatur, von Brahm, von Strindberg und Kayser und sie witterten ganz genau den Augenblick, wann das wirkliche Berlin, das premierenferne, operettenfreudig wurde. Sie haben die Nase für das Ewig-Banale«.[18] Dank dieser Nase hatten sie mit gut besetzten Reißern innerhalb kurzer

Zeit ein Theaterimperium geschaffen, dem sie 1927 das einstmals renommierte, durch seine Vorkriegsrevuen berühmte Metropol-Theater einverleibten, das sie ein Jahr später aufwendig und von Grund auf nach dem Vorbild der New Yorker Ziegfield Follies renovierten und zu dem Unterhaltungstheater Berlins machten. Für die glanzvolle Eröffnung waren sie auf der Suche nach einem glanzvollen Stück und fanden es in Lehárs Goethe-Sinspiel *Friederike*. Sie schlossen mit ihm bereits 1927 ab, engagierten Käthe Dorsch – durch sie in *Die Flamme* und *Rose Bernd* berühmt geworden – für die Titelrolle, was einer Sensation gleichkam, und natürlich Richard Tauber, dem sie mit 2000 Mark die bei Saltenburg erhaltene Abendgage verdoppelten. Die Rechnung ging auf. Der Erfolg von *Friederike* übertraf den schon beträchtlichen von *Paganini* und *Zarewitsch* erheblich. Tauber war zum Tenor der Tenöre aufgestiegen, Lehár zum unumstrittenen Meister und Goethe endlich zur populären Figur. Zur *Friederike*-Premiere am 4. Oktober war tout Berlin zugegen: der Kronprinz, Hugenberg, Henny Porten, selbst Heinrich Mann und Albert Einstein. Lehár, von Rotters, die sich nicht scheuten, sein 25jähriges Bühnenjubiläum ein Jahr nachzudatieren, in der aus diesem feierlichen Anlaß erschienenen aufwendigen Broschüre kurzerhand zum Klassiker ernannt, fand seine ästhetischen Ambitionen erstmals bestätigt und verkündete euphorisch: »Nirgends in der Welt habe ich auf dem Theater diese aufopferungsvolle Liebe gefunden, die mit eiserner Energie nur ein Ziel kennt: das Allerbeste zu geben. Herrliche Direktoren, herrliche Künstler, herrliche Stadt!«[19] Über drei Spielzeiten waren Lehár-Premieren im Metropol-Theater Höhepunkte nicht nur der Rotter-Bühnen – am 10. Oktober 1929 *Das Land des Lächelns* und *Schön ist die Welt* am 3. Dezember 1930; im Mai darauf wurde *Friederike* im Steglitzer Schloßtheater zum 550. Mal gegeben und war in der Spielzeit 1928/29 der *Dreigroschenoper* zum Trotz mit 300 Vorstellungen das erfolgreichste Stück Berlins. Was im Metropol-Theater stattfand, war für Herbert Ihering »jenseits des offiziellen, kritisierten Theaters, das inoffizielle, aber um so wichtigere ... das wahre ›Zeittheater‹«.[20]

Lehár selbst sah dies ganz ähnlich, als er Ende der zwanziger Jahre auf deren Beginn zurückblickte: »Die Revue schien ihre Vorherrschaft für immer proklamiert zu haben ... sie entsprach dem nervösen, zersplitterten, unkonzentrierten Charakter der Zeit. Viel sehen, wenig denken – wie wohl tat uns diese Parole der Revue, nachdem wir uns in dem schwersten Jahrzehnt unseres Daseins wund und müde gedacht hatten! Heute hat es die Revue schwer ... hat sich die Zeit selber geändert? Ja, das ist es: die Menschen sind wieder anders geworden. Es ist meine Überzeugung, daß sich seit 1927, als wir die Nachwirkungen der Inflation überwunden hatten, ein großer Umschwung in der mitteleuropäischen Seele vollzogen hat. Man könnte sehr wohl von einer Stabilisierung der Gemüter sprechen ... wir haben Zeit, unser Inneres auszubauen. Das sind wohltätige Epochen für die Musik. Konzentrierte seelische Kraft sucht ihren Ausdruck im Lied ... Darauf führe ich den ... Welterfolg meiner *Friederike* zurück.«[21]

Und so ging gerade in dieser Zeit Lehárs alte Rechnung auf, die Lücke zwischen herkömmlicher Operette und Oper zu schließen. Gerade daß er, das kurze Kokettieren mit der Revue im *Libellentanz* ausgenommen, nicht mit der Zeit gegangen war, sicherte Lehár, paradox genug, den großen Erfolg. Es gab »wieder eine Ordnung, frisch genug, daß man in ihr in die Höhe möchte, und schlecht genug, daß einem der Kitsch Chancen dazu gewährt«.[22] Lehárs Strategie der gehobenen Operette stellte sich Ende der zwanziger Jahre auch deshalb als erfolgreich heraus, weil sich durch Rundfunk und Schallplatte das Publikum so vergrößert hatte, daß Lehár davon sprechen konnte, die Operette wende »sich an die gesamte Bevölkerung«[23] und trage gar dazu bei, »das große Publikum für die Oper vorzubereiten ... Ich stelle mir die Operette einfach so vor!«[24] Tatsächlich konnte sich Lehár nicht nur das als Verdienst anrechnen, sondern auch Goethe unters Volk gebracht zu haben. Die bei *Friederike* bisher noch nicht erreichten Rekordziffern waren ein schlagendes Argument. Karl Kraus sah gar »Lehár und die Sozialdemokratie« im Bunde: »Die Kruppnikisierung der Kulturgenüsse als lethargisches Vorliebnehmen mit dem bürgerlichen Pofel ... stellt sich als pure Sozialpolitik heraus.«[25] Die Sozialpolitik ging freilich nicht so weit, daß jeder sich die Kartenpreise der Rotters leisten konnte.

Fleischtöpfe der Operette

Auch innerhalb der ernsten Opernproduktion vollzog sich in den zwanziger Jahren ein ästhetischer Bruch und führte gegen deren Ende zur allgemeinen Opernkrise. Die radikalen Neuerungen der zeitgenössischen Oper hatten ihr traditionell konservatives Publikum verunsichert. »Zwischen der ernsten Produktion und dem bürgerlichen Konsum zeigt sich allerorten offen das Vakuum«,[26] klagte Adorno. Dieses Vakuum auszufüllen, war ja seit seinen Anfängen Lehárs besonderes Anliegen. Und mit erstaunlicher Hartnäckigkeit hielt er daran fest, bis die Zeit reif war. »Ich bin mit meiner – wenn Sie so wollen – fixen Idee, die Grenzgebiete der Operette zu erweitern, vielleicht zu früh gekommen. Das mußte ich damit bezahlen, daß ich für einige Jahre ins Hintertreffen geriet und meine zu ›schwierigen‹ Operetten nicht aufgeführt wurden ... Das Publikum geht, wenn man Neues versucht, vielleicht nicht gleich mit ... wenn sie heute nicht kommen, kommen sie morgen ...«[27] Dem Publikum jedoch, das bei Neuem in der Oper nicht mitging, kam das Neue in der Operette, das in der Oper freilich das Alte wäre, gerade recht. Die Begriffe gerieten durcheinander und manchem arglosen Zeitgenossen, wie selbst Alfred Grünwald, erschien Lehárs Lyrische Operette eine Art Oper zu sein. »Je mehr nämlich die gesellschaftliche Bedeutung einer Kunst sich vermindert, desto mehr fallen ... die kritische und die genießerische Haltung im Publikum auseinander. Das Konventionelle wird kritiklos genossen, das wirklich Neue kritisiert man mit Widerwillen.«[28]

Lehár erkannte schon während der Entstehung von *Paganini* zielsicher die Bedürfnisse dieses Publikums, denn »die moderne Oper ist auch für den Halbgebildeten zu schwer, die moderne Nummernoper ist ihm zu leicht«.[29] Abgesehen von der Frage, was Lehár unter einer modernen Nummernoper verstand, galt ihm dabei nicht zufällig der Halbgebildete als Repräsentant einer neuen Zielgruppe, der die Ablehnung moderner Musik gemeinsam war. Nicht ohne spekulativen Instinkt kam er den Anforderungen eines verprellten Opernpublikums entgegen – durch verinnerlichte Handlung, gesteigerten Orchesterglanz und vor allem schöne Stimmen. Denn, wie Ernst Křenek feststellte, nun muß die

Operette Ersatz bieten für alle Emotionen, die die Oper tatsächlich oder eingebildet geboten haben mochte.«[30] Lehár wurde plötzlich von den Opernbühnen nicht nur in der Provinz gespielt. Selbst Adorno, der jetzt in der Frankfurter Oper Operetten zu rezensieren hatte, begrüßte das bildungsbürgerliche Sakrileg, das immer weniger als solches empfanden: »Ein Verfahren, das mit Lehár und Kálmán die Kassen füllt, um *Mahagonny* und *Wozzeck* möglich zu machen, ist einem solchen vorzuziehen, das mit *Mignon* und *Margarethe* die Hörer im Winterschlaf läßt.«[31] Auch die gegen die finanzielle Krise kämpfenden großen Opernhäuser Europas setzten zur Sanierung ihres Haushalts Lehár auf ihr Programm – selbst so renommierte Häuser wie das Théâtre de la Monnaie in Brüssel oder die Pariser Opéra comique, deren Direktor Gheusi anläßlich der Uraufführung der Opernfassung von *Frasquita* verkündete: »Unsere Komponisten werden, wenn sie Lehár ohne Servilität studieren, das Geheimnis finden, auf welche Weise sie die Menge für ihr individuelles Genie interessieren können, eben die Menge, ohne welche ein Theaterkomponist keinen Anspruch erheben kann, zu reüssieren und fortzuleben.«[32] Daß mit Richard Tauber ein Opernsänger von Gnaden diese Ansicht teilte, war symptomatisch, und bald fielen auch bei denjenigen Kollegen die Skrupel, die ihm seinen lukrativen Ausflug unter die Röcke der leichtgeschürzten Muse übelgenommen hatten. Unwiderstehliche Gagen lockten nach Vera Schwarz und Maria Jeritza viele namhafte Opernsänger wie Michael Bohnen, Alfred Jerger, Leo Schützendorf, Hans Heinz Bollmann, Jan Kiepura, Gitta Alpar, Jarmila Novotna und Marta Eggerth an die Fleischtöpfe der Operette. Immerhin boten sie im Falle Lehárs, wie Tauber versicherte, »vollendete Gesangspartien und ... unterscheiden sich nur sehr wenig von der ernsten Kunst der Oper. Es ist nicht wahr, daß eine Operette Kitsch sein muß. Wenn ein wirklicher Künstler eine Operette komponiert, kann sie auch ein Kunstwerk sein.«[33]

Der Über-Tauber

So erfolgreich Tauber als Opernsänger gewesen war, hatte er hier wie auch in anderen Operetten »kaum je ... die enormen Erfolge wie als Sänger in den Spätwerken Lehárs. Wahrhaftig: Lehár hatte

Tauber finden müssen – und dieser Lehár; er wäre sonst nicht, das steht außer allem Zweifel, d e r Richard Tauber geworden.«[34] Bis zu seinem Engagement bei Rotters 1928 hatte Tauber neben den jeweils über 200 Auftritten in *Zarewitsch* und *Paganini* nach wie vor an der Berliner und Wiener Staatsoper gesungen. Rheumatische Krämpfe, deren Ursache wahrscheinlich eine Geschlechtskrankheit war, die den Sänger plagte, bis er ihr erlag, warfen ihn am 25. Januar 1929 während einer *Friederike*-Vorstellung aus dem gewohnten Rhythmus. Nach fünfmonatiger Kur in Bad Pistyan trat er im Juli bereits wieder bei den holländischen Lehár-Festspielen als Goethe auf. Die Legende, daß seine Rolle im *Land des Lächelns* seiner eingeschränkten Bewegungsfähigkeit Rechnung trug, hat schon Schneidereit mit dem Hinweis widerlegt, daß das Werk bereits Anfang 1928 geplant war. Vielmehr war es so, daß für Lehár »die monatelange Erkrankung ... Richard Taubers Spiel erst die seelische Vollendung gegeben«[35] hat, welche die Verkörperung des Chinesen so überzeugend machte. Der Prinz Sou-Chong wurde seine erfolgreichste Rolle, und so nimmt es nicht Wunder, daß er ihn 1930 in der ersten Verfilmung verkörperte, die er auch selbst produzierte. Richard Tauber hatte sogleich die Möglichkeiten des neu aufkommenden Tonfilms erkannt und mit seinem Cousin und Manager Max Tauber die Richard-Tauber-Tonfilm-Gesellschaft gegründet, die speziell auf seine Bedürfnisse zugeschnitten war; hingegen meinte er, ohne nähere filmische Kenntnisse auskommen zu können. Der von seinem Vetter engagierte Regisseur Max Reichmann erwies sich als unerfahren, und alle drei 1930 schnell auf den Markt geworfenen Filme *Ich glaub' nie mehr an eine Frau*, *Das lockende Ziel* und *Das Land des Lächelns* litten unter der einfallslosen Regie, die das Medium als Forum für Taubers Gesang mißbrauchte. Herbert Ihering glossierte die ungeschickt in eine Rahmenhandlung verpackte Verfilmung des *Land des Lächelns*: »Höhepunkt filmischer Komik, wenn der Tauber der Rahmenhandlung den Tauber der Operette bewunderte ... Sichtbare Grammophonplatte ist kein Film.«[36] Tauber gestand selbst manchen Fehler ein: »Da gibt es Großaufnahmen mit der großen Gosch', man dachte, nur so kommt der Ton richtig raus.«[37]

Hatte sich bisher an die Berliner Premieren von *Paganini* und *Zarewitsch* eine ausgedehnte Deutschlandreise mit diesen Stücken angeschlossen, begann Tauber nach dem *Land des Lächelns* seine berühmten Auslandstourneen. Nachdem *Friederike* mit der Wiener Darstellerin der Titelfigur, der englisch singenden Lea Seidl, die ganze Spielzeit 1930/31 im Londoner Palace Theatre gespielt worden war und Lehárs Spätwerk das Feld bereitet hatte, begann Taubers internationale Karriere ebenfalls mit einem Londoner Gastspiel in seiner »Leib- und Magenrolle im *Land des Lächelns*.«[38] Der Premiere am 8. Mai 1931 im Drury Lane Theatre gingen sensationelle Schlagzeilen voraus, die sich vor allem mit der immensen Gage beschäftigten. »Can the £1,500-A-Week-Tenor fill Drury Lane?«[39] Er konnte – obwohl er deutsch sang; ebenso seine Partnerin Renée Bullard von der Wiener Staatsoper in den Duetten mit ihm. Ansonsten sang sie englisch wie auch die Wiener Soubrette und Mi der Uraufführung, Hella Kürthy. Das Werk, als opera angekündigt, stieß nicht zuletzt durch dies Sprachgemisch anfangs auf Befremden. Mancher Zuschauer dachte, Tauber singe chinesisch. Schließlich war aber »You Are my Heart's Delight« in England längst populär und Tauber auch in englisch geläufig. Und so hieß es bald »London in Love with a Voice«[40]. Doch schon nach vier Vorstellungen forderte das gefürchtete englische Klima seinen Tribut. Tauber mußte eine Woche pausieren und nach einer weiteren Woche sogar abreisen: »Tauber or not Tauber, that is the question – or rather was the question.«[41] Am 15. Juni kehrte er nach Kurzkur in Bad Reichenhall und in Lehárs Gesellschaft nach London zurück. Die Vorstellung wurde zu einer triumphalen zweiten Premiere, und der Daily Herald, der seine Leser einlud, eine Operettenidee einzusenden, die dann von Lehár vertont werden sollte, titelte: »Tauber kisses Lehár«. Wie in alten Zeiten erschienen König George V. und Königin Mary, und wie in alten Zeiten konnte Lehár noch immer kein Englisch. Ende Juli kehrte er mit Tauber nach Ischl zurück, der brach im Oktober zu 22 Konzerten nach Amerika auf, in deren erster Hälfte Mozart, Schumann und Schubert auf dem Programm standen, in der zweiten jedoch »Lehár-Lieder, die wie der amerikanische Absatz an Schallplatten beweist, auch drüben ganz große Nummern sind«.[42] Das Programm wiederholte sich im folgenden Jahr, das den Sänger auf den Gipfel seines Ruhms führte. Nach sechswöchigem Londoner Gastspiel und anschließender Tournee durch die englische Provinz erzählte er stolz dem Neuen Wiener Journal: »Mit Beendigung meines letzten Londoner Gastspiels ... habe ich die Rolle des Prinzen Sou-Chong fünfhundertmal gespielt und die Hauptnummer der Operette, ›Dein ist mein ganzes Herz‹, ungefähr zweitausendfünfhundertmal gesungen. Ich glaube kaum, daß mir ein anderer als Meister Lehár so wundervolle Gelegenheiten bieten könnte…«[43] Tauber hatte im *Land des Lächelns* allein in London insgesamt 22 Wochen auf der Bühne gestanden.

Tauber-Kult

Wie die zum Teil wütenden Protestbriefe von Zuschauern auf die von Rotters nicht angekündigten Absagen Taubers zeigen, wurden die späten Lehár-Operetten vor allem als Anlaß zum Auftritt des berühmten Sängers rezipiert. Die persönliche Aura des Stars verlieh seiner Verkörperung großer historischer Figuren wie Paganini oder Goethe erst die rechte Glaubwürdigkeit. Der Kultus des historischen Helden fand im Starkult sein Äquivalent. Richard Tauber, der Mann mit dem Monokel, wurde schon zu Lebzeiten zu seiner eigenen omnipräsenten Legende, die auf Schallplatte für jeden verfügbar war: »Mit dem impotenten Versagen der naturalistischen Dramenhelden gehen alle Heldenverehrungstriebe des unerlösten Publikums auf jene zum Mythos gewordene Figur des ›Mannes mit dem Einglas‹ über. Wenn er als verzuckerter Paganini die Frauen gerne küßt … oder das Publikum seines hinlänglich blauen Himmelbetts versichert, wenn er als Goethe, Chopin, Schubert oder Bruckner sein Herz in Sesenheim verliert oder dasselbe in Rinden einschneidet – dann geht es bei dieser Aktion wie ein religiöser Schauer durch die entgötterte Theatergemeinde, die feierliche Handlung wird zum häuslich imitierbaren Kult, Radio und Grammophon erleichtern den feierlichen Dienst, der mit hypnotischer Magie Traum und Wachen, Kaffee und Nachtmahl, Liebesspiel und Hochzeit, Rausch und Selbstmord erfüllt.«[44]

So sehr der Kult des Helden den Alltag begleitete, so sehr wurde sein leibhaftiges Erscheinen auf den weltbedeutenden Brettern zum Feiertag, erst recht bei einer Uraufführung wie der von *Schön ist die Welt*: »Die Premiere der neuen Lehár-Operette bietet wieder das nun schon gewohnte Bild eines gesellschaftlichen Ereignisses. Es beginnt mit einer fünffachen Autoreihe in der Behrenstraße; und, wie dereinst bei den Metropol-Premieren der Vorkriegszeit,

44 Richard Tauber verrät 1926 werbewirksam das Geheimnis seines Erfolgs

genießt ein Spalier von Schaulustigen die große Modenschau. Höchst elegante Abendtoiletten, die unter kostbaren Pelzen hervorlugen und nichts von schlechten Zeiten erkennen lassen.«[45] Im Mittelpunkt dieser Feier stand das Zelebrieren des Tauber-Lieds, das mindestens viermal zu wiederholen, sich schon seit Taubers Gastspiel in *Frasquita* eingebürgert und die intime Beziehung des Sängers zu seinem Publikum begründet hatte. Anläßlich besagter Premiere von *Schön ist die Welt* bemerkte Alfred Einstein: »Tauber, immer noch ein wenig mongolisch, das Antlitz ein ganzes Land des Lächelns, ist nicht nur ein Prinz, sondern ein Halbgott, ein Gott des Gesangs, und bei dem ›Preislied‹ kann er nicht weniger als vier oder fünfmal Tauber spielen.«[46] Wenn Tauber dies Preislied ans Publikum adressierte, entzündete sich das »Tauberfieberdelirium« zu wahrer Hysterie. Karl Kraus erwähnt angewidert die Geschichte einer Zuschauerin, die nach der fünften Wiederholung des Tauber-Liedes im *Zarewitsch* »Blumen vor die Füße des Schmalztenors« wirft, »worauf er sich zu ihr wendet, direkt zu ihr empor und für sie ein sechstes Mal ›Willst du‹ macht ... Kotzenswürdigeres hat es nie in einem Theaterraum gegeben.«[47] Die ungeheure Popularität des »Schmalztenors« und seines Tauber-Lieder-Rituals griff selbst auf seinen Alltag über. Als er beim Berliner Sechstagerennen erschien, wurde er von der Menge frenetisch aufgefordert zu singen. Und es ertönte vor 6000 ergriffenen Zuschauern Lehár-Musik zu Goethes Worten »O Mädchen, mein Mädchen«, begleitet von der Blechmusik der Sporthalle, während die Radfahrer ihre Runden drehten. So wurden ihm auch für die erste Aufführungsserie des *Land des Lächelns* im Metropol-Theater bereits ein halbes Jahr vorher 150 Vorstellungen à 2000 Mark garantiert. Anläßlich *Friederike* glossierte Karl Kraus folgerichtig, »man werde einmal wissen, daß Goethe der war, den Tauber gesungen hat«.[48] Gerade dieser Goethe-Tauber polarisierte Kritik und Zustimmung. Ernst Bloch registrierte selbst beim Publikum der *Dreigroschenoper* als »eigentümlich ... Jeden Abend das Haus ausverkauft. Niemand zischt und auch die *Friederiken* Besucher sind zufrieden.«[49] Die Gleichzeitigkeit des Ungleichzeitigen trieb bunte Blüten. Friedrich Holländer parodierte in einem boshaften Chanson über Tauber und das Tauber-Lied aus *Friederike*, »O Mädchen, mein Mädchen«, eindrucksvoll dies Phänomen:

Wer war schon Goethe?
Ein kleiner Poete!
Wer hat erweckt ihn?
Wer hat entdeckt ihn?
Wen hört man aus sämtlichen Lautsprechern schrei'n?
Ei, wer kommt denn da?
Ei, wer kann denn das sein?
O Tauber, mein Tauber…

Wer prangt auf der Zeitung im Titelblatt,
Weil man ihn eben geschieden hat?
Wen hat Emil Ludwig mit heißem Bemüh'n
Gesammelt in tausend Photographien?
Urtauber, Großtauber, Tauber als Kind,
Im dumpfen Buche beisammen sind!
Fleck auf der Schleife?
Nimm Tauber-Seife!
Kleine Erfrischung?
Trink Tauber-Mischung!
Es strahlt wie ein Leuchtturm im Autogewühl
Sein Nam' vom Himmel wie einstmals Persil!
O Tauber, mein Tauber…

Dem Rundfunkhörer zum halben Preis,
vergiftet, vertaubert, im Todesschweiß,
entringt sich ein Lallen, er wirft sich herum
im Tauberfieberdelirium
O Tauber, mein Tauber, jetzt faßt er mich an,
Erltauber hat mir ein Leid's getan
O Tauber, mein Tauber, wie liebst du dich.[50]

»Eingelullt in süßen Worten«
Operettenlyrik

Lassen's Herz sprechen,
gehen's in *Friederike*.
Karl Kraus[1]

Gelb und Weiß

»Man würde heute keine Operette in dem Stile wie vor zwanzig Jahren textieren ... Die Menschen ... lassen sich keine Oberflächen mehr gefallen. Aber das große Thema gewinnt sie«, raunte Lehár 1929 mysteriös über seine lyrischen Libretti, so auch *Friederike*, »deren Motiv dem Leben einer ganz großen Persönlichkeit historischen Formats entnommen ist ... Auch in der Dichtung meines neuen Werkes *Das Land des Lächelns* geht es im Grunde um ganz große Fragen: um den Widerspruch zwischen gelb und weiß.«[2] Die Größe solcher Fragen, in ausdrücklicher Abgrenzung zum bisherigen Spiel der Oberflächen, legitimierte erst die Einlösung langgehegter Operettenträume. Wenn Alfred Polgar vom Schauspiel *Der Zarewitsch* der Gabryela Zapolska bemerkte, es mache »den Eindruck, als habe man einem Kleid den zugehörigen Menschen gestohlen«,[3] so ist es bezeichnend, daß Lehár ausgerechnet zu dieser Hülle griff. »Ich suche Stoffe«, gab er seine textilen Wünsche preis, »die schon durch sich selbst die Operettenform erweitern, und sprenge ich damit die Überlieferung, so freue ich mich dieses Vergehens. Nur durch solche Vergehen kommt man weiter.«[4] Auch Richard Tauber war im speziellen Fall vom leeren Kleid entzückt. Im *Zarewitsch* trug er die verschiedensten Variationen russischer Gala-Uniformen, zur Zarenkrönung gar einen wahren Kaiser-Wilhelm-Helm mit güldenem Adler. In solchen Details steckte der Teufel des Effekts der Operettentexte – als glänzendes Kostüm sowohl des Tauberkults als auch der Lehárschen Seriosität. Sie stammen aus dem reichen Fundus einer Weltgeschichte, »die es sich zur vornehmsten Aufgabe gemacht zu haben schien, die Operette mit Stoff zu versorgen«.[5]

Die historischen Stoffe dienten dabei kaum anders als die exotischen der Verkleidung eines nach dem Ersten Weltkrieg aufgebrochenen Wertvakuums. Die ungenierte Banalisierung der Gegenwart, wie sie die Salonoperette betrieben hatte, wich einem Eskapismus in ferne Zeiten und Länder. Die Operetten der zwanziger Jahre etablierten gleichsam eine imaginäre Gegenwelt zum technisierten Alltag, der in der Neuen Sachlichkeit seinen Ausdruck fand, abseits der Realität – »so müssen sie das Konkrete, ohne das sich nicht leben läßt, draußen suchen; im Kitschbilde.«[6] Die Scheinwelt der späten Lehár-Operetten ließ den Alltag nicht mehr durch Lolo, Dodo, Frou-Frou vergessen. Statt die Gegenwart zu überhöhen, wie in früheren Zeiten, verklärte die Operette jetzt die Vergangenheit, oft genug ihre eigene. Unter dem Personenverzeichnis der meisten Operetten der Zeit, selbst noch in Benatzkys *Weißem Rößl*, findet sich die Zeitangabe – vor 1914. Während Kálmán in *Gräfin Mariza* nostalgisch die eben untergegangene Epoche noch einmal zu neuem Leben erweckte, entrückte Lehár seine Sujets durch imaginäre Historie, nicht minder phantastische Exotik oder soziale Distanz in »die negative Ewigkeit der Operette ... Was gestern verging, kommt hier heute als Gespenst zurück und in der Zukunft gibt es sich als Zeichen der Ewigkeit.«[7]

Dabei lassen sich die russischen und chinesischen Herrscherfiguren auch vergangenen politischen Konstellationen nicht mehr zuordnen. Selbst scheinbar konkrete Figuren wie Goethe oder Paganini sind nicht minder fiktiv, ein Vorwand zum Erscheinen des Stars. In *Paganini* trat Tauber als »irgendein liebenswürdiger junger Mann« auf, »der ausgezeichnet Geige spielt, die Frauen bezaubert und zufällig Paganini heißt. Er könnte auch Vása Přihoda sein.«[8] Während dies in Deutschland seinen Erfolg ausmachte, wurde es ihm in England zum Verhängnis und handelte ihm den ersten Mißerfolg in dieser Rolle ein: »Paganini was gaunt and about as thick as any German tenor's thigh; Herr Tauber is at once imposing and short ... and he is no more sinister than is sauerkraut ... Herr Tauber looks rather like Robert Schumann.«[9] Lehár selbst wehrte sich barsch gegen Kritiker, die ihm ähnlich vorhielten, Paganini sei »ein schwindsüchtiger, unheimlicher Geselle gewesen ... Das weiß ich selber. Ich habe aber nicht den gereiften, bereits kranken Paganini, sondern den vierundzwanzigjährigen ›Draufgänger‹, der den Frauen sehr gefährlich war, gebracht.«[10] So wurden in den Libretti die historischen Figuren keineswegs historisch begriffen, sondern schrumpften anekdotisch zu Privatpersonen. Diese Annäherung der Figuren, welche die Lyrische Operette ihrer behaupteten, distanzierenden Größe entgegensetzte, ist ein Phänomen der Zeit, das in den großen historischen Stummfilmen seine erste Blüte erlebte. So gab es gleichzeitig mit der Operette einen Paganini-Stummfilm mit Conrad Veidt. Walter Benjamin sah darin die Dialektik der Massenkultur gespiegelt: »Die Dinge sich räumlich und menschlich näherzubringen ist ein genau so leidenschaftliches Anliegen der gegenwärtigen Massen wie ihre Tendenz einer Überwindung des Einmaligen jeder Gegebenheit durch die Aufnahme von deren Reproduktion ist.«[11] Und wirklich betrachtete Lehár als seine Aufgabe, »die Personen des Stückes« müßten »dem Verständnis des Publikums nahe gebracht werden«.[12] Dieses Näherbringen der Figuren verhieß Vermenschlichung, eine Verkleinerung zum Zweck der Identifikation. Die Historie als Surrogat eines sinnstiftenden »Zusammenhangs mit dem Menschlichen«, diente der Operette als Folie einer scheinbar intakten Gefühlswelt, auch wenn das »Gefühl ... augenblicklich nicht allzu hoch im Kurs«[13] stehe, wie Lehár noch vor der *Paganini*-Premiere irrtümlich befürchtete. Die Emotionalisierung der Geschichte erwies sich nämlich nachgerade als Erfolgsrezept. »Die Operette leistet den Ausverkauf der Geschichte. Die Dämonen der Vorzeit präsentiert sie handlich als Stoffpuppen.«[14]

»Als wär's ein Hexentanz«

Wie ein Dämon in der Operette handlich wird, führt das Libretto des *Paganini* vor. Deutlich noch stammt die Faktur des Textes von der Salonoperette, wie auch die Autoren Paul Knepler und Béla Jenbach. Schon die erste Regieanweisung läßt nach den Erfahrungen mit dem ›dämonisch‹ spielenden Darsteller der Wiener Uraufführung, Carl Clewing, keinen Zweifel, daß »auf Portraitähnlichkeit ... unter allen Umständen zu verzichten« ist. Paganini hat, wie Tauber in der Berliner Aufführung »als interessanter, sympathischer Liebhaber zu wirken«. Als solcher stellt er sich dann in seinem Entrée auch vor, wenn er als echter Lebemann der Salonoperette bemerkt: »Wie's auf der Welt schon geht,/alles um's Weib sich dreht«, noch ungetrübt von dräuender Künstlerproblematik, zwischen Liebe und Kunst den tragischen Konflikt der Operette bestreiten zu müssen. Vielmehr versöhnt Paganini Kunst und Liebe, wenn er kundgibt, er wolle »den Frau'n ... die Geige weih'n« – und ihm die Frau, der solches gilt, Anna Elisa, Fürstin von Lucca und ausgerechnet Napoleons Schwester, bestätigt: »Du bist ein Virtuos,/nicht auf deiner Geige bloß.« Schließlich weiß Paganini um den Vorteil solcher Versöhnung: »Zu der Liebe und zum Glück/führt am schnellsten die Musik.« Wenn im ersten Finale der Konflikt, den die sich anbahnende Mesalliance von Fürstin und Künstler heraufbeschwört, seine ersten Schatten wirft, kehrt sich das Verhältnis von Kunst und Liebe um – denn Niccolò Paganini, nun ganz Torquato Tasso, muß erkennen: »Will Mißgunst rauh den Künstler kränken,/wird's nie so tief zu Herzen gehn,/wenn edle Frauen sein gedenken...«

Ganz frei von solchen, sich aus dem Künstlertum ergebenden Konflikten präsentiert sich das Buffopaar. Pimpinelli, der zweite Tenor, bekennt treffend für das ganze Genre: »Niemals habe ich mich interessiert,/für Kunst und Literatur./Nur für Weiber bin ich inflammiert...« Dennoch treffen sich im 2. Akt beide Paare in ihrer Haltung gegenüber der sogenannten Außenwelt. Während das zweite Paar fast one-steppig trällert: »Was kümmern uns die Leut', uns die Leut',/wir denken nur an's Heut',/nur an's Heut'« – möchte das erste, stellvertretend für die Operette »vergessen, daß es eine Welt noch gibt«. Doch solche Weltabgewandtheit ist hier noch nicht zur moralischen Haltung geworden, wie dann im *Zarewitsch*, vielmehr umwirbt Paganini dreist die Soubrette, wozu sein Impresario Widersprüchliches von sich gibt: »Daß Sie dem Fürsten die Frau wegschnappen, ist in Ordnung ... Daß sie ihm jetzt aber noch seine Geliebte eskamotieren wollen, das läßt sich kein Ehemann gefallen ... Eine Skandalaffaire ... Das macht Reklame! Das ist gut fürs Geschäft.« Als ihn wegen zuviel solcher Reklame die eifersüchtige Fürstin im Auftrag Napoleons verhaften lassen will, kann ihn im zweiten Finale nur noch seine Geige retten. Anna Elisa ist »tief bewegt...: ›In seinen Augen, welch ein Glanz./Mir war's, als wär's ein Hexentanz‹«. Wie die Operette solch dämonische Wirkung hervorbringt, verrät die betreffende Regieanweisung: »Unter dem Griffbrett von Paganinis Geige ist ein elektrisches Lämpchen geschickt angebracht, wodurch sein Gesicht geisterhaft

45 *»In seinen Augen welch ein Glanz!
Mir war's als wär's ein Hexentanz!«*
Richard Tauber geigt als Lehárs Paganini in Berlin
(Deutsches Künstlertheater 1926)

beleuchtet wird« – während nur spärlich verschleierte, blonde Hexen ihn umtanzen, denen jedoch »höchster künstlerischer Takt anzuraten ist, denn jede Erinnerung an ein Nacktballett gefährdet die Situation«. Jetzt erst entdeckt der Teufelsgeiger seine wahre Liebe: die Geige. Unter der Bedingung, nur noch dieser Passion zu frönen, entsagt ihm die erzürnte Fürstin keinesfalls selbstlos, vielmehr harsch befehlend: »Du darfst keiner Frau gehören ... Nur die Kunst soll Dich betören./Du gehörst der ganzen Welt!« Die abschließenden Fanfaren verheißen Triumph, und keine Bühnenträne fließt.

Russisches Alt-Heidelberg

Um so reichlicher fließt das edle Naß dann im *Zarewitsch*; allerdings trifft der Vorwurf, Lehár habe damit die Träne in die Operette eingeführt, nur bedingt zu. Die sentimentale Operette ohne Happy-End zog bereits 1916 unter Jubel ins *Dreimäderlhaus*, symptomatisch als Künstlerbiographie getarnt. Zur gleichen Zeit versuchte sich auch Lehár mit *Wo die Lerche singt* – noch zart andeutend – in dieser Richtung. Doch schon 1906 hatte Jarnos *Förster-Christl* selbstlos auf ein gekröntes Haupt verzichtet hatte. Als unerreichtes Muster solcher Sujets darf aber das Rührstück des zwanzigsten Jahrhunderts schlechthin, *Alt-Heidelberg* von Wilhelm Mayer-Förster, gelten, 1901 uraufgeführt und in der ersten Hälfte des 20. Jahrhunderts das meist aufgeführte deutsche Drama. Die Geschichte der Mesalliance eines unverstandenen Fürsten namens Karl-Heinz, der wie der Zarewitsch Aljoscha noch nie die Frau'n geküßt hat, und der Kellnerin Käthie, wie Sonja eine Aschenputtel-Figur der Angestelltenwelt – sie könnte auch Sekretärin sein, war selbst schon Operettenstoff genug, wie Sigmund Romberg mit seiner in Amerika sehr erfolgreichen »Musical Romance« *The Student Prince* unter Beweis stellte. Bereits hier hatte das Rührstück die Erbschaft der Jambendramen angetreten: die Einsicht in die Unveränderbarkeit der Verhältnisse führte zu beiderseitiger Entsagung. Auch Aljoscha ist nach seines Vaters Tod zu weltgeschichtlicher Mission bestimmt, der Sonja nicht leichtfertig im Wege stehen will. So wird Geschichte zum Schicksal selbst verklärt. Die Leiden an solchem Schicksal, obgleich ausführlich geschildert, enden wirkungslos im

Verzicht. Das Pathos der echten Tragödie ist unter ihnen verschüttet. An der veräußerlichten Lebewelt der Salonoperette vorbei geleitet die Lyrische Operette das edel auf sein Glück verzichtende Personal des bürgerlichen Trauerspiels über *Alt-Heidelberg* in eine Gegenwart, welche die Einsicht in solche Werte längst verloren hat und in der an ihnen nur noch entsagend festzuhalten ist. Es sind Werte »einer Zeit, die just eben das Inwendige verlor, aber im Schein doch noch halten möchte«.[15] Der Glücksverzicht wird als Resignation überhöht, die Unterwerfung zu seelischer Größe umgedeutet. Die Katastrophe der Lyrischen Operette hat die kathartische Wirkung eines Mitleids ohne Schrecken.

Bereits in Zapolskas Rührstück ist die Weltgeschichte auf psychologische Probleme geschrumpft, auch wenn bei ihr der Zar noch leibhaftig als das Gespenst einer bedrohlichen politischen Realität in den düsteren Gemäuern des Kremls umgeht. Als Parsifal der Operette hat sich der Zarewitsch in eine hermetische Innenwelt zurückgezogen, er »sitzt im gold'nen Käfig drin«. Wie ihn die Librettisten daraus befreien, gehört zum Rätselhaftesten der Operettenliteratur. Heinz Reichert und Béla Jenbach bemühten das bewährte Märchenmotiv der Salonoperette, aus der das Buffopaar geradewegs entsprungen scheint – Sonja weiß: »Einer wird kommen«, und Aljoscha bittet um himmlischen Beistand: »Du hast im Himmel viel Engel bei dir,/schick doch einen davon auch zu mir«. Als im ersten Finale beider Wunsch Erfüllung wird, bemerkt der Zarewitsch, daß dieser Engel keineswegs geschlechtslos ist, und es entspinnt sich ein berückender Dialog:

Aljoscha: »Ein Weib! Ein Weib!« – Sonja: »Verzeih…« – Aljoscha: »Du wagst es! Mir!?« – Sonja: »Ich wage es! Dir!!« – Aljoscha: »Rock an und fort von hier« – Sonja: »Jag mich nicht fort … Zu deinen Füßen will ich liegen wie ein treuer Hund…« – Aljoscha: »Ich fürchte das große Geheimnis, das alle Frauen umgibt …« – Sonja kennt den Grund: »Du trankst noch nie ein Gläschen Sekt«, und weiß Rat: »Champagner ist ein Feuerwein/und wer ihn trinkt, dem heizt er ein.« Im zweiten Finale ist das Geheimnis bereits gelüftet: »Jetzt weiß ich, was das Leben ist,/jetzt weiß ich, daß man Frauen küßt./Seitdem ich dies Geheimnis weiß, wird mir bald kalt,/wird mir bald heiß.« Der Zarewitsch ist jetzt reif für den Thron, auch wenn er angesichts der unvermeidlichen Trennung »fühlt, wie's im Herzen frißt und nagt«. Er macht Karriere, um-

46 *»Zu deinen Füßen will ich liegen wie ein treuer Hund!«*
Rita Georg als Sonja zu Füßen des Tenors in Lieblingsuniform
als Zarewitsch (Deutsches Künstlertheater 1927)

schattet von der »Resignation« des *Fürstenkinds*: »Schweig, zagendes Herz«, die Lehár schon 1909 angestimmt hatte. Das Herz als Bild des Inwendigen ist der eigentliche Ort der Lyrischen Operette, in der Realität hat es seinen Platz längst verloren. Die Lyrische Operette verleiht der Außenwelt, die sie nicht mehr beschreiben kann, schicksalhafte Züge. In ihr bleibt den Gefühlen Erfüllung versagt, vor allem, wenn es sich wie im *Zarewitsch* um gekrönte Häupter handelt. Wie in *Alt-Heidelberg* leisten die ungekrönten Verzicht. Selbst im *Weißen Rößl* am Wolfgangsee predigt der Kaiser Franz Joseph frühstückend Entsagung.

Lächelnde Entsagung

In keinem Werk aber wird Resignation so sehr zum durchgängigen Thema, Entsagung zur verinnerlichten Haltung der Figuren wie im *Land des Lächelns*. Hier unterliegt ihr nicht nur das erste, sondern auch das zweite Paar. Bereits das versöhnende Glück des 1. Aktes scheint getrübt: durch gegenseitige Fremd- und Andersartigkeit, wenn die Wienerin Lisa des Chinesen Sou-Chong verzweifelter Frage: »Was meinen Sie damit, daß wir ganz anders sind?« – unverbindlich ausweicht: »Sie sind aus einer anderen Welt!« – Sou-Chong: »In meinem Wesen, in meiner Art?« – Lisa: »Sie sind mit einem Wort apart.« – Sou-Chong: »Ich passe nicht in Ihre Welt hinein.« Der Ausgang der Operette bestätigt dies, auch wenn sich für Lisa vorerst noch ›Art‹ auf ›apart‹ und ›Exotik‹ auf ›Erotik‹ reimt. Die andere Welt nämlich trägt für sie das Janusgesicht verborgener Leidenschaft, wirkt distanzierend und faszinierend zugleich. Als nach ihrem plötzlichen Liebesgeständnis die überbordenden Emotionen jede Distanz beseitigen, entfalten sie im 2. Akt, jenseits der spielerischen Oberflächen, ihre dialektischen Untiefen. In der chinesischen Fremde verwandelt sich das Märchen von intakten Gefühlen, das die Operette seit jeher fortschrieb, für Lisa in ein »Lügenmärchen«, der Traum vom Operetten-Glück in einen Alptraum. »Das Spiel ist aus. Jetzt läßt du fallen deine Maske ... Du hast zu Haß gemacht, was Liebe war.« Die Gefühle sind nicht mehr vermittelbar und schlagen unvermittelt in ihr Gegenteil um: Aus Liebe wird Haß! Da hilft dem überraschten Exoten nur noch die alte Maske lächelnder Entsagung, die er von Anfang an trug –

chinesische »Seelengröße«? Immerhin hatte selbst ›Meister‹ Lehár »schon mehrere Chinesen kennengelernt, die überaus wertvolle Menschen sind«.[16] Sein Scheitern macht ihn um so wertvoller: »Schau mein Gesicht,/ich weine nicht./So hat es Budha gelehrt.« Damit schließt sich der Kreis zu seinem berühmten Auftrittslied »Immer nur lächeln«, dem das Scheitern aller Leidenschaft von vornherein eingeschrieben war. »Doch wenn uns Chinesen das Herz auch bricht,/wen geht das was an?/Wir zeigen es nicht.« Das Land des Lächelns ist immer auch ein Land der gebrochenen Herzen und liefert dem Zuschauer doch nur das gehobene Spiegelbild seiner eigenen Erfahrungen, wenn sie ihn lehrt, »immer nur lächeln ... wie immer sich's fügt ... lächeln, trotz Weh und tausend Schmerzen«. Doch dies »Pathos der Gefaßtheit rechtfertigt die Welt, die jene notwendig macht«.[17] Die scheinbar chinesische Weisheit: »Doch wie's da drin aussieht,/geht niemand was an« entpuppt sich als Befindlichkeit des modernen Europäers. War für Wagner noch die »Entsagung die höchste heroische Kraft«[18] innerhalb eines tragischen Zusammenhangs, ist sie im *Land des Lächelns* auf »das auswendige Schema für die Verinnerlichung des Opfers« reduziert, wie es Adorno und Horkheimer in *Die Dialektik der Aufklärung* beschrieben. Das tragische Individuum hat damit endgültig ausgespielt. Solche Verinnerlichung aber ist der Preis nicht mehr realisierbarer Gefühle, einer Liebe, an der sich um so leuchtender die Musik entzündet, je dunkler ihr Ende dräut. »Während das Opfer, das er bringt, glorifiziert wird, wacht man eifersüchtig darüber, daß dem Liebenden das Opfer nicht erspart bleibe. Gerade in der Liebe selber wird der Liebende ins Unrecht gesetzt und bestraft. Die Unfähigkeit, zur Herrschaft über sich und andere, die seine Liebe bezeugt, ist Grund genug, ihm die Erfüllung zu verweigern. Mit der Gesellschaft reproduziert sich erweitert die Einsamkeit.«[19]

In der Salonoperette wurde den Liebenden Erfüllung noch augenzwinkernd gewährt; durften dort die »Königskinder« märchenhaft über gesellschaftliche Realitäten hinweg »zusammenkommen«, können die nicht minder erlesenen Figuren der Lyrischen Operette »nur im Traum ... selig sein«. Kein Walzer hilft mehr spielerisch über die emotionalen Barrieren – »wenn das Herz auch verblutet,/die Lippe bleibt still!« Lippen schweigen auf chinesisch, und auch die Geigen flüstern: entsage! Die Unvermittelbarkeit von Innen- und Außenwelt, in der *Lustigen Witwe* Gegenstand tänzelnder Versöhnung, wird im *Land des Lächelns* konsequent bis zum Desaster betrieben. Erstaunlich, daß auch dies Werk in Victor Léons erster Fassung, der *Gelben Jacke*, 1923 noch ein Happy-End hatte – ein Zugeständnis an die Konvention, wie Lehár kommentierte: »Damals vor acht Jahren, war mein Erfolg als Komponist noch nicht so groß wie heute. Ich mußte Konzessionen machen ... In diesen acht Jahren hat mich der Erfolg – ich glaube, ich kann es ohne Überheblichkeit sagen – emporgehoben. Ich kann heute so schaffen, wie ich es für richtig halte, Konzessionen sind nunmehr überflüssig.«[20] In der *Gelben Jacke* führte nach ähnlich unheilvollem Verlauf der ersten beiden Akte die Versetzung des chinesischen Prinzen Sou-Chong als Botschafter nach Wien zur glücklichen Wiedervereinigung mit der dort Lea geheißenen Hofratstochter, die wohl ein Porträt von Léons Tochter Lizzy darstellt. Im *Land des Lächelns* hingegen erscheint er gleich als Attaché, und der Unterschied zu jenem anderen Attaché in Lehárs Werk ist frappant. Wenn Sou-Chong, tatsächlich als Gesandter einer anderen Welt, den fremden Raum der Wiener Operette »immer nur lächelnd« betritt, beschwört er vergebens deren imaginäres Zentrum: »O, klopf nicht so stürmisch, du zitterndes Herz!/Ich hab dich das Schweigen gelehrt.« Nicht mehr nur die Lippen haben zu schweigen, sondern auch das Herz. Überraschenderweise stammt dies Auftrittslied noch aus der *Gelben Jacke*, wie überhaupt ein Großteil der Musik. Neu sind hingegen nur die zwei großen Liebesduette von Lisa und Sou-Chong »Prinz und Märchenfee/bei einem Tee à deux« im 1. und »Wer hat die Liebe uns ins Herz gesenkt« im 2. Akt. Das große Tauber-Lied »Dein ist mein ganzes Herz« kam ja bereits mit anderem Text ungünstig im 3. Akt plaziert, in der *Gelben Jacke* vollständig vor. Musikalisch entscheidend waren die leitmotivische Verflechtung der Nummern, besonders von »Dein ist mein ganzes Herz« und »Immer nur lächeln« und die Veränderungen des zweiten und dritten Finales hin zur großen Entsagung, weg von »der Lüge des Happy-End«, wie Lehár vermeinte. »Die dichterische Unterlage darf einen angeschlagenen Konflikt in seiner Wahrhaftigkeit ausklingen lassen – der Komponist darf von der Operette zur Oper aufsteigen und braucht auch vor dem komplizierten musikalischen Ausdruck nicht zurückschrecken.«[21]

47 *»Europa ist ein Gift und du warst viele Male dort!«*
Richard Tauber chinesisch: als Sou-Chong lächelnd im Dialog mit Buddha (*Land des Lächelns*-Verfilmung 1930)

Entscheidend aber für die einzig wirklich erfolgreiche Umarbeitung Lehárs war die dramaturgische Straffung der Vorlage nach der neuen Logik des Verzichtes. Victor Léon war dazu nicht mehr bereit, er weigerte sich, dafür nach Ischl zu fahren mit der ironischen Begründung: »Dort sind mir zu viel Juden.«[22] Die neuen Librettisten waren die seit *Friederike* bewährten Gelehrten Dr. med. Ludwig Herzer und Dr. jur. Fritz Löhner und der Ansicht, das Happy-End sei seitdem »altmodisch geworden« und »daß dem Meister die Aktschlüsse mit Liebesresignation viel mehr liegen, und daß Lehár in seinem Schaffen über die Happyend-Periode hinaus sei ... er soll bereits neue Melodien der Entsagung gefunden haben.«[23] Geschickt erhöhten sie die Wirkung alter Nummern, wie die von Leas gleich nach der Ankunft in China angestimmtem Walzer, in dem sie kundtut, sie »möchte einmal wieder den Prater« samt sich darauf reimenden »Burgtheater« sehen: zum einen durch Umstellung nach ihren Streit mit Sou-Chong, zum anderen durch Verallgemeinerung des Textes – im *Land des Lächelns* mag sie bloß noch »die Heimat seh'n« und Lehár hatte, wie er sich ausdrückte, die Möglichkeit, »das Gefühl derer, die Heimweh empfinden, zum Ausdruck zu bringen«. Zudem »schöpfe ich jetzt eine Musik, in die ich die Mystik des Orients hineinzukomponieren suche«.[24] Herzer und Löhner kamen ihm auch hierin entgegen. Sie glichen die oft gewaltige Inkongruenz der Stilebenen von Wort und Musik wie noch im *Zarewitsch* aus, verliehen vor allem dem Tauber-Lied seine textliche Prägung und glätteten dezent; so wenn aus den chinesischen »Kosenamen ... Kröte, Otter, Drache« der Léonschen Vorlage »das höchste Kompliment ... du bist der Traum einer Frühlingsnacht« wird. Die Mystik des Orients äußert sich nicht mehr grotesk, sondern »so erotisch,/so wundersam exotisch«, der »Flirt ... bezaubert ... wie Haschisch« und schließlich – »Was seh ich? Das ist China-Porzellan!« Für Adorno war hier wie in den Schlagern der zwanziger Jahre »jeder Bezug, selbst auf die scheinhaft vorgespiegelte Realität ... getilgt; übrig sind nur Bruchstücke von Bildungsgut, erotischen Vokabeln, Kolportage«.[25]

Goethe als Librettist

Bei *Friederike*, dem Werk, das die erfolgreiche Zusammenarbeit mit dem neuen Autorengespann begründete, wurde Lehár förmlich von ihnen überrumpelt. Dr. Fritz Löhner war ihm ja bereits als Verfasser seines wenig erfolgreichen *Sternguckers* und einiger in den zwanziger Jahren vertonter Liedtexte bekannt, Dr. Herzer allerdings nur als Gynäkologe namens Herzl. Als sie Ende 1926 bei Lehár vorstellig wurden, versuchte er, sie abzuwimmeln. »Doch die Herren ließen nicht locker. Schließlich wollten sie mir doch ein Geheimnis preisgeben: die Gestalt, deren Erlebnis ich vertonen sollte. Meinetwegen, sagte ich. Goethe, antworteten die Herren. Um keinen Preis, rufe ich aus, ich bin doch nicht verrückt geworden! – Mehr belustigt über diese absurde Idee als entrüstet über die mir unfaßbare Zumutung ... bitte ich resigniert, mit der Vorlesung zu beginnen. Von Szene zu Szene steigert sich aber bald mein Interesse, ungeduldig bitte ich: Weiter – weiter. Als die Herren zu Ende sind erkläre ich sofort: Ich mache die Sache. – Ein großer Entschluß – ich habe dergleichen selten gefaßt, ohne darüber zu schlafen ... Es soll ein ganz kleines Singspiel werden. Nur für ein kleines Kammerorchester gesetzt ... Alles warnt mich vor dem

Stoff... Das reizt wiederum mich zum Widerspruch. Ich fühle, daß es ein Experiment ist.«[26] Der Experimentator fühlte sich um so mehr herausgefordert, je mehr man ihn »von der Goethe-Idee abbringen wollte« – obwohl auch ihm »die Liebesgeschichte der Friederike von Sesenheim ein sehr banales Thema für eine Operette«[27] schien. So geschah, daß er »zum ersten Mal ... deutsches Milieu bearbeitete«.[28] Wie die Autorentrias solch eine »etwas zu gewagte Sache« anpackte, stellten sie für eine Wochenschau nach und gewährten so dem geneigten Publikum – unter dem sich auch der weniger geneigte Kurt Tucholsky befand – »einen Blick in die Werkstatt des Meisters ... In der Werkstatt standen zwei Librettisten ... jetzt weiß ich endlich, wie die Leute aussehen, die in Lehárs *Friederike* den Satz aufgeschrieben haben: ›Ja, hier ist alles in Poesie getaucht!‹ Da standen die beiden Taucher ... Der eine, der Kleine, sagte gar nichts, er stand nur da und war der Textdichter. Der größere Taucher aber, das war der, der die schönen Lieder schreibt, und eines davon hatte er auf einem Papier in der Hand, und sie taten so, als seien sie in der Werkstatt ... und der Taucher sagte zu Lehár: ›Spiels amal, damit wir sehn, obs auch klappt.‹ Und Lehár spielte, und der Taucher sang mit ... aber da unterbrach er sich und sprach: ›Ich deute nur an‹, und dann deutete er an ... und Lehár paukte ... Es war erhebend.«[29]

Der stumme Textdichter indes berichtete um so beredter von der Umsetzung der Idee. »Wir waren uns sofort der großen Verantwortung bewußt, die wir dem geheiligten Namen Goethes gegenüber auf uns luden.« Die meisten Motive der Handlung sind daher »zunächst natürlich Goethes Autobiographie *Dichtung und Wahrheit* entnommen, dann »ging es in fieberhaftem Tempo ... allmählich weiter durch die ›Friederiken‹-Literatur, eine stattliche Anzahl von (zirka 30) Monographien, ferner Goethe-, Herder-, Lenzbriefe«. Allein, um es, mit den Librettisten selbst, »ganz handwerksmäßig auszudrücken: über den Konflikt am Schluß des zweiten Aktes erhalten wir keinen Aufschluß. Goethe selbst gleitet darüber hinweg: ... ›Es waren peinliche Tage, deren Erinnerung mir nicht geblieben ist‹ ... Um doch noch einen dramatischen Höhepunkt zu gewinnen, blieb nichts anderes übrig, als Goethes größte und tiefste Liebe mit dem größten und tiefgreifendsten Erlebnis seines Lebens in Zusammenhang zu bringen, das heißt also ein paar Jahre seines Daseins zu überspringen«, ihn von Straßburg

1771 direkt nach Weimar 1775 zu berufen, »eine licentia poëtica, für die uns Goethe selbst in manchem seiner Stücke Vorbild und mithin Entschuldigung bot« – Ausspruch eines Gynäkologen, den *Tasso* im Hinterkopf. Hingegen hat ihm und seinem Kompagnon »den dritten Akt ... Goethe selbst ... in die Feder diktiert in jenem rührenden Brief an Frau von Stein«.[30] Ansonsten ist die Handlung streng historisch datiert: »1. Akt: ... am Pfingstsonntage 1771, 2. Akt: ... am 6. August 1771, 3. Akt: ... am 25. September 1779.« So wird das zentrale Handlungsmotiv des 1. Aktes, der über Goethes Kuß in *Dichtung und Wahrheit* verhängte Fluch, im ersten Finale »weggeküßt« – allerdings in einer Szene von wahrhaft Wagnerschen Fluchdimensionen, die dann doch zur entsprechenden Pfänderspielsituation aus *Dichtung und Wahrheit* in deutlichem Kontrast steht und Friederike schließlich im zweiten Finale schicksalsschwer ereilt. Im 2. Akt wird sie dann von Weyland durch das von Goethe nach eigenem Bekunden in Sesenheim gedichtete Märchen von der *Neuen Melusine* zum Verzicht gestimmt. Auch das Ambiente des 2. Aktes, ein französischer Salon in Straßburg, greift auf eine Episode aus *Dichtung und Wahrheit* zurück.

Aber selbst an den Gesangstexten ist Goethe beteiligt, »man weiß nie, wo Goethe aufhört und Löhner anfängt«, wie es im Programmheft des Metropoltheaters hieß. »Großes Lob für ihn! Denn zum Donnerwetter, wenn es sich um Goethe handelt, muß man sich verdammt in acht nehmen, daß man sich nicht eine Blöße gibt!«[31] Bei Friederikes »Bunte Blumen, bunte Blätter« hörte Goethes »Mit einem gemalten Band« beispielsweise schon nach den ersten drei Strophen auf; bei ihrem ersten Duett hingegen fängt Löhner mit einer sehr freien Variante von »Nähe des Geliebten« an; in ihrem großen Lied »Warum hast du mich wachgeküßt« zitiert er nur noch thematisch Goethes »Erwache, Friederike«, im letzten Lied des Operetten-Goethe im 3. Akt »Ein Herz wie Gold so rein« schließlich die fünfte Strophe von »An den Mond«. Die Stammbuchszene bietet dann Lehárs Goethe Gelegenheit zu gleich drei kurzen Gedichten, ohne Co-Autor: »Liebe schwärmt auf allen Wegen«, »Wenn dir's in Kopf und Herzen schwirrt« und »Neumond und geküßter Mund«. Aber auch der Chor der Studenten darf das bereits von Beethoven vertonte »Mit Mädchen sich vertragen« aus *Claudine von Villabella* anstimmen – »fallali-fallala«. Das Tauber-Lied gibt zur sechsten Strophe des Goetheschen Mailieds – allerdings ist Goethes einsilbiges »blinkt« zweisilbig durch das Löhnersche »leuchtet« ersetzt – Coupletfortsetzungen: »O Mädchen, mein Mädchen«. Lehár war von seinen drei Librettisten entzückt. »Die Texte gut? Will's meinen. Goethe! Sie haben zum größten Teil zwar andere schon vor mir komponiert. Doch doppelt und dreifach hält gut. Net wahr? Da haben Sie sogar, jetzt fallen's net auf den Rücken, das Heidenröslein noch einmal ... Das habe ich dann leitmotivisch verwandt.«[32] Mehr noch, die Autoren zeigen den Bühnen-Goethe beim Verfassen seines berühmten Gedichts: »Er setzt sich und versinkt in Nachdenken, wie wenn er in sich hineinhorchen würde ... ›Ich lausche tief in mich hinein./Wie es klingt! Wie es singt!/Was soll es werden ...‹ Er stockt, wie wenn ihm ein Einfall käme. Er nimmt sein Notizbuch heraus und beginnt mit einem Rötelstift zu schreiben; leise: ›Sah ein Knab' ein Röslein steh'n ...‹ Der Einfall quillt ...« Doch der Vers scheint sich zumindest gegen die Vertonung zu sträuben, immerhin betont Lehár nicht das »Röslein«, sondern geradezu sinnwidrig »steh'n« und Goethe dichtet nach zwei Strophen »nun ohne Musik weiter«. Dafür folgen im zweiten Finale Fragmente der dritten Strophe mit deutlich leitmotivischem Bezug auf Friederikes bitteres Schicksal. In der *Dollarprinzessin* hatte es noch stellvertretend für das ganze Genre geheißen: »Ein Röslein auf der Heide war/ja nie recht mein Geschmack ... ein Rößlein auf der Weide, ja ... sowas, das ist famos!«

»Pardon, mein Name ist Goethe«

Auch Friederikes Los erfüllt sich aus Einsicht in die Literaturgeschichte, wie sie Knebel aus der Perspektive des Weimarer Hofes darlegt: »Seitdem Wieland verheiratet ist ... ist er ein Erzphilister geworden ... Glauben Sie, wir wollen einen Philister, der zufällig Goethe heißt? ... Nein! Wir wollen den Dichter Goethe.« Friederike verzichtet auf den Philister und schenkt der Welt selbstlos den Dichter, der von seiner Mission noch gar nichts weiß und auch vom Liebesglück nicht lassen will. Sie muß ihn zu seinem Glück und sich zum Unglück zwingen, weiß sie doch inzwischen, daß Goethe seine sämtlichen Werke erst noch zu schreiben hat. Schon im 3. Akt, als der Dichterfürst nach acht Jahren zum zweiten Abschied mit Karl-August aus dem klassischen Weimar anreist, ist ihr

Opfer längst belohnt, sie selbst hat ihm einen »Altar ... errichtet! An der Wand Goethes Bild und darunter ... Werthers Leiden ... Clavigo ... und was weiß ich, was noch alles! ... Ja, ja ... Und er? Er ist heute Geheimrat und ein großer Mann.« Seine Karriere wird ihrem verpfuschten Leben zum Trost: »Goethe gehört der ganzen Welt, also auch mir«. Als zweitem an Goethe Gescheitertem, für sein Scheitern darüber hinaus mit einer kläglichen Bufforolle bestraft, in der er symbolträchtig mit einem Lamm aufzutreten hat, ist J. M. R. Lenz der Zutritt zu diesem Olymp verwehrt. »Goethe, Goethe und kein Ende!« Leistete in der Salonoperette noch »Amüsement die Reinigung des Affekts, die Aristoteles« so nicht meinte, bleibt der Lyrischen Operette nur noch die Rührung *Alt-Heidelbergs* als Kehrseite derselben Medaille: »In der Hingabe an Natur entsagt der Genuß dem, was möglich wäre, wie das Mitleid der Veränderung des Ganzen. Beide enthalten ein Moment der Resignation.«[33] Die Wiener Feuilletonistin Mizzi Neumann verklärte diese Resignation gar zur romantischen Katharsis: »manch ehrlich gemeintes Tränlein sah ... man hold erglänzen ... Das hat mit seinen Melodien Meister Lehár getan.«[34]

Diese neue Stilebene sowohl der Operette als auch Goethes, getragen von nachgerade erschreckender germanistischer Authentizität, traf den Nerv einer längst schon schwankenden bürgerlichen Welt. »Sie zahlt für die Beschmutzung und Verhunzung von Goetheversen mehr als sie für das Original bezahlt hat ... Die Absurdität dieser Dinge geht über alles, was sonst zur bürgerlichen Entartung gehört.«[35] Die sorgsam gehüteten Schranken zwischen Hoch- und Trivialkultur begannen für Karl Kraus unüberhörbar zu bröckeln. Ernst Bloch glossierte entsetzt: immerhin erstaunlich, »wie sich doch der zahlende Mob freut. Da hat ein besonders Süßer etwas für ihn gesungen. *Friederike* von Lehár, die Zeitungen schreiben glänzend darüber. Im Metropoltheater ist auch eine Orgel eingebaut. Damenwahl schallt's durch den Saal ... Niemals kennt man an Seele und Leib je das Weib, Weib, Weib, Weib. Auch das Heidenröslein hat der Mann komponiert. Und wie? Ja wie soll man das sagen? Die BZ am Mittag sagt: so, daß Lehárs Komposition ›vor Mozart bestehen kann‹. (Da das Heidenröslein meines Wissens nicht von Mozart, sondern von Schubert komponiert wurde, kann Lehár also auch vor Schubert bestehen.) Die Berliner Presse löst einen Salut von 101 Schuß. Und das fast ausnahmslos,

48 *»Es muß geschieden sein!«*
Tauber-Goethe nimmt ergreifend Abschied von
Käthe Dorsch als Friederike (Metropol-Theater 1928)

der Jubel ist auch noch echt. ›Gern hab ich die Frau'n geküßt‹, ja, das hat er gern gemacht, Lehárs Paganini. Jetzt aber singt Lehár Goethelieder, was vor Mozart bestehen kann ... Aus Mozart Lehár, aus Goethe Karlheinz«,[36] der Studenten-Prinz aus *Alt-Heidelberg*. Die Rettung Goethes durch Vermenschlichung bewältigte nicht einmal die Operette ganz problemlos. Wenn eine Berliner Rezension feststellte, Tauber sei »im 1. Akt etwas geniert, als wolle er sagen: ›Pardon, mein Name ist Goethe‹«[37] – illustriert das ebenso deutlich den Zwiespalt solcher Annäherung einer welthistorischen Figur, wie eine von Karl Kraus überlieferte Äußerung des Wiener Darstellers Hans Heinz Bollmann, er scheue sich »keineswegs, im 1. Akt als Goethe sogar das Tanzbein zu schwingen«.[38]

Die verwitwete Operette

Knapp drei Monate nach Uraufführung der *Friederike* wechselte das Werk mit Tauber und Dorsch ins Theater des Westens, um der *Lustigen Witwe* in Gestalt Fritzi Massarys Platz zu machen. Ein symbolischer Tausch und der Tod einer Ära. Auf dem Höhepunkt der Lyrischen Operette und des Tauberkults trat die Massary mit dem Musterbeispiel der alten Salonoperette, ihrer letzten Großproduktion, ab. Sie hatte die Rolle seltsamerweise noch nie gespielt; bis auf *Die Ideale Gattin* 1913 in Berlin auch keine andere Lehár-Partie. Jetzt, wo Lehár wieder das Repertoire beherrschte, ließ sie sich von Erik Charell eine opulente Revuefassung inszenieren, in der Montenegro nach Honduras verlegt wurde. Sämtliche Musiknummern wurden für die Massary umgestellt. Ihre Hanna Glavarios tauschte mit Valencienne das Reiterduett gegen die »anständige Frau«, riß das Grisetten-Couplet, den Weibermarsch und Teile der »Königskinder« an sich, hatte außerdem neben Danilos, wie der zum bloßen Partner degradierte Danilo Walter Jankuhns umgetauft wurde, mit Max Hansens Rosillon ausgiebig zu tun. Er war der zweite Star der Aufführung und »verschaffte sich Sondererfolge durch Tauberparodien«.[39] Vor allem aber ließ sie sich von ihren Leiblibrettisten Schanzer und Welisch sämtliche Gesangstexte umändern. Das Bemerkenswerte an diesen Texten ist, daß sie in ihrer pikanten Frivolität eine Gegenwelt zur edlen Operettenlyrik der

Friederike entwerfen. Das beginnt schon beim von einem »Negersänger« auf englisch gesungenen »Vilja, o Vilja the witch of the wood« und endete bei »Lippen schweigen,/'s flüstern Geigen:/I love you«. Im ursprünglichen Entrée der Hanna beschwor die Massary die alten Operettengeister: »Sich einzuleben in Paris/ scheint nicht zu leicht zu sein./Bis jetzt erkannte ich nur dies:/Man lebt sich aus statt ein!/Bei Tanz und Sekt...«. Von der anständigen Frau wüßte sie zu berichten: »Sie stellt sich prüd/und tut solid,/je mehr das Gegenteil sie macht ... Ich bin eine anständ'ge Frau,/ Das heißt: Es weiß keiner genau...«, wobei sie mokant lächelte, wie die Schallplattenaufnahmen unnachahmlich festhalten. Ihr neues Auftrittslied, zur Grisettenmusik inmitten von Cowboys gesungen, erzählt von ihrem »Freund aus Singapur ... Eine nur, die macht ihn scharf,/und wenn die mal was bedarf,/läßt sie sich's besorgen nur –/von dem Freund aus Singapur.« Lehár selbst steuerte bloß eine Tangoeinlage und ein Tanzduett des zweiten Paars bei. Für das berüchtigte Massary-Chanson verwendete er einfach den als ›Apatschen-Tanz‹ im Ausland populären Gigolette-Foxtrott aus dem *Libellentanz*, dem Schanzer und Welisch den Text »Ich hol' dir vom Himmel das Blau« anmaßen – »Man weiß, jeder brach,/was er versprach –/doch man gibt trotzdem nach.« Lehár begrüßte diese *Lustige Witwe* »in der Gestalt der großen Künstlerin Fritzi Massary« und beteuerte, »wie meine ganze Liebe dir auch im neuen Gewand gehört«,[40] als beherzige er Ernst Blochs nach *Friederike* ausgesprochene Mahnung: »Der junge Attaché Danilo in der *Lustigen Witwe* brauchte nicht dezent zu sein.«[41]

»*Das ewige Lied von Lust und Leid*«
Lehárs Lyrische Operette

> Es gibt drei Arten dramatischer Musik:
> Oper, Operette, Lehár.
> Paul Knepler[1]

Die Partitur seiner schönsten Ekstase

Zum ersten Mal, seit er nach der *Lustigen Witwe* seinen Opernambitionen abgeschworen hatte, wollte Lehár »das Wort Operette auch in der subtilsten Deutung des Genres, dem er ein großes Stück seiner Adligkeit verliehen, nicht hören, wenn von *Friederike* die Rede ist. Er nennt es das Werk seiner ›innersten Verinnerlichung‹, dem er seine tiefst erfühlte, ganze Hingabe weiht.«[2] Selten war Lehár so tief in sich gegangen. In einer sorgfältigen Musikdramaturgie versuchte er, den Nummerncharakter durch Querverweise innerhalb der einzelnen Nummern auf bereits angeklungene und noch anklingende Motive aufzulockern, und erreichte so eine in anderen Werken gar nicht erst beabsichtigte stilistische Geschlossenheit, selbst den Schlagergestus der Buffonummern zurücknehmend, als wolle er Adorno bestätigen: »Während das Musikdrama in der großen Kunst verfällt, hält es seinen nachträglichen Einzug in die Operette; der es ja nun wieder gerade angemessen sein mag.«[3]

In *Friederike* ist das Tauber-Lied mehr als effektvolle Einlage. Zum ersten Mal kommt ihm dramaturgische Bedeutung zu: das Kopfmotiv »O Mädchen, mein Mädchen, wie lieb ich Dich« wird zum Grundmotiv des Werkes. Der ›Meister‹ charakterisierte es folgendermaßen: »Schaun' S' her, hier im ›Mädel, o Mädel!‹, zeigt der junge Goethe seine junge, reine Herzensliebe zur stillen Friederike. Stets kehrt das Thema wieder, ob er nun um sie wirbt oder ob er, ihrem Verzichte gehorchend, für immer von ihr Abschied nimmt.«[4] Bereits im Vorspiel taucht es als flirrende Streicherfigur auf, in Nr. 1 kontrastiert es in Oktavparallelen der geteilten Geigen zum Klang der Orgel, um als rhythmische Figur tändelnd den

49 *»O Mädchen, mein Mädchen, wie lieb ich dich!«*
Hans Heinz Bollmann als Goethe und Mady Christians
als Titelfigur in der *Friederike*-Verfilmung von 1932

1. Akt zu durchziehen. Im ersten Finale schließlich erinnert es Goethe leitmotivisch daran, daß, wer ihn küßt, verflucht ist: scheinbar unbeschwert wirbt er um sein »›Mädchen ... wie liebst du mich!‹ Er will sie küssen«, vor der Subdominante »schreckt er aber zurück: ›O dieser unselige Fluch! Was gäb' ich drum, könnt' ich dich küssen!‹« Doch getragen vom Mädchen-Motiv, nimmt Friederike »seinen Kopf zwischen beide Hände und küßt ihn innig auf die Lippen«; dann: »›Von deinen Lippen hab' den Fluch ich weggeküßt!‹« Und siehe, das Lied erblüht zum triumphalen Schluß. Im 2. Akt erklingt das derart umgewertete Motiv dann beziehungsreich in der Stammbuchszene bei den Worten »geküßter Mund«,

in Friederikes großem Lied »Warum hast du mich wachgeküßt« noch beziehungsreicher zu ihrem Entschluß, Goethe freizugeben – »und bleib mit meinem Leid zurück,/damit du frei und herrlich bist«. Im zweiten Finale entfaltet es seinen ganzen Bedeutungszauber; so schildert es als geisterhafte Begleitfigur einer Gavotte Friederike, nachdem sie Goethe ihren Entschluß mitgeteilt hat, »dem Umsinken nahe«. Goethe, nicht gewillt, ihren Verzicht hinzunehmen, variiert das Mädchen-Motiv in »visionärer Verklärtheit« zum Arioso »Liebe, seliger Traum«, ehe er durch Friederikes »forciert helles Auflachen« bei ihrem Tanz mit Lenz aus diesem gerissen wird. Drohend schwelt das Motiv im Baß, danach leuchtet es grell in Trompeten auf: »Sie tanzt und lacht, während ich mich hier quäle«. Bei Trennung der Liebenden schließlich klaffen Innen- und Außenwelt auseinander – das auf den Rhythmus (der übrigens wörtlich Wagners Walküren-Ritt entspricht) reduzierte Mädchen-Motiv in Pauke und Kontrabaß verschmilzt nicht mehr mit dem reinen Dreiklang der Hörner. »Die Bühne bleibt leer.« Im piano-Ausklang des Finales erklingt hinter einem Triolenschleier das ganze Motiv noch einmal in gestopften Trompeten und Hörnern wie ein Echo seiner selbst. Als solches erscheint es im 3. Akt zu Goethes Rückkehr nach acht Jahren: erst in Flöte, Piccolo und Celesta, zu unerreichbarer Höhe entrückt, dann im Solocello mit sentimentaler Gebärde, getaucht in die nostalgische »Poesie« des längst Vergangenen: es war einmal – oder in Goethes schlichten Worten: »vorbei, vorbei«. Das Mädchen-Motiv wird in der Solovioline zum Märchen-Motiv, ehe es sich in den Begleitfiguren der letzten Takte verflüchtigt.

Um das Beziehungsgeflecht der Motive hörbar zu machen, bemüßigte sich Lehár einer beinahe kammermusikalischen Transparenz des Orchesters, das jede auftrumpfende Operettengeste vermeidet. Und so gestand er schon während der Arbeit trotzig ein, was er von einem seiner Werke nicht noch einmal sagen sollte: »Ohne es zu wollen, ist mir, glaube ich, *Friederike* zu einer Spieloper geworden. Angeblich hat man sie schon längst von mir erwartet. Vielleicht ist sie mir jetzt gelungen.«[5] Als der Kritiker Ludwig Ullmann vorsichtig ins Gespräch brachte, ob *Friederike* nicht an der Wiener Staatsoper aufgeführt werden solle, erhob sich jedoch »ein gewaltiges Gezeter scheinheilig inbrünstiger Goethe-Zeloten … *Friederike* hat keinen dümmeren und kaum einen blasphemischeren

Text als etwa *Margarete* oder *Werther* und ist vom Standpunkt handfesten Aktschlußbaues gesehen das weitaus gewiegtere Theaterstück.«[6]

Dramatische Musik der dritten Art?

»Hat Lehár wirklich Operetten geschrieben?«[7] Diese in bezug auf sein Spätwerk häufig gestellte Frage hatte Lehár selbst in die Diskussion gebracht. Noch immer stand im Raum, worin er bereits 1910 die Zukunft der Operette gesehen hatte, »daß es zwischen Oper und Operette, was künstlerische Qualität anlangt, keine Scheidewand mehr geben wird«.[8] Die Lyrische Operette löste Ende der zwanziger Jahre eine lebhafte theoretische Auseinandersetzung über beide Gattungen aus. Adornos Kritik setzte gerade bei solcher Verwischung der Ebenen Lehárscher Operetten »mit Niveau« an, »die sich um Psychologie bemühen, die den Typen nicht ansteht, und um eine kompositorische Form, die schon wegen der Rücksicht auf Faßlichkeit, der Gliederung in Strophe und Refrain sich nicht realisieren läßt«.[9] Als Křenek deshalb die ganze *Friederike* im ›Anbruch‹ kurzerhand zum Kitsch erklärte – »kitschig wirken also in der Operette vor allem opernhafte Allüren«[10] – konterte *Friederike*-Librettist Dr. Löhner mit einem Seitenhieb auf dessen Sensationsoper *Jonny spielt auf*: »Herr Krenek, der den Jonny schrieb,/hat einen Leitartikeltrieb ... Ein schwacher nachempfundner Blues/rechtfertigt nicht solch langen Schmues./Und dann: Herr Krenek, schreiben Sie/nur eine Lehár-Melodie!«[11] Der Verweis auf die Melodie und ihr Verschwinden in der Oper offenbarte einerseits das Dilemma ernster dramatischer Komposition, rechtfertigte andererseits Lehárs Ästhetik der Lückenbüßerei. Nicht zufällig berief er sich dabei auf den letzten Opernmelodiker von Rang: Giacomo Puccini. Selbst Adorno gestand, als dessen *Turandot* – immerhin eine der wenigen Repertoireopern des 20. Jahrhunderts – herauskam, dem »Rührkitsch immer noch die echteste Opernrealität«[12] zu. Umgekehrt warf er kurz darauf der Musik des *Land des Lächelns* vor: »Sie borgt das Pathos von Puccinis *Turandot*, das selber schon zur Operette gehört, hat auch ihren Elan mit rhapsodisch melodisierenden Bögen aus Italien bezogen.«[13]

Daß beide Komponisten, unabhängig voneinander »chinesisch

50 Englische *Frederika*-Karikatur: »Nobody loves a fatous man!«

kamen«, mag Zufall sein, die seltsamen von Adorno beobachteten Berührungspunkte der Gattungen hingegen nicht. Die ähnliche Gestaltung von Kantilenen, in den Tauber-Liedern kultiviert, die Verwandtschaft der – nach Maria von Peteanis treffendem Wort – »ins Melodische erhobenen Rede«,[14] ihre gemeinsame Triolenseligkeit, schließlich die mosaikhafte Anlage Lehárscher Operettenfinali, die der Tendenz Puccinis zur Gliederung in kurze, von einem Motiv geprägte Abschnitte entsprechen, verbinden die Komponisten über ihr Genre hinaus. Die drastischen Gefühlsumschwünge seiner Operetten, wie etwa im zweiten *Zarewitsch*-Finale, dessen Ausdrucksgehalt nicht zuletzt deshalb an Puccini erinnert, gelangen Lehár, dem dramatische Konflikte schon in *Kukuška* fremd geblieben waren, weniger als lyrische Stimmungsbilder wie im ersten Finale des *Land des Lächelns*: Durch Erinnerungsmotive, überraschende Modulationen und Dissonanzen entsteht ein differenziertes Psychogramm der zwei Hauptfiguren, das sich vor dem Vorbild nicht zu verstecken braucht. Dabei ist gerade in diesem Fall die Vorbildfunktion von Puccinis *Turandot*, wie sie auch Adorno suggerierte, durchaus fraglich. Schließlich arbeitete Lehár bereits 1916 mit Victor Léon am Entwurf der *Gelben Jacke*, hatte am 17. November 1919 mit dem Karczag-Verlag abgeschlossen und die

Partitur 1920 weitgehend skizziert, so daß Puccini das Werk bei seinem letzten Wien-Besuch 1923 im Theater an der Wien hören konnte. Schon das Duett Minnie/Johnson im 2. Akt von *La Fanciulla del West* und erst recht *La Rondine* zeigen, daß sich der maestro durchaus auch von Lehár inspirieren ließ. Die beiderseitige Verwandtschaft beschreibt bei allen Unterschieden die Umbruchsepoche, der sie angehörten. Korngolds *Tote Stadt* und die Opern Schrekers stehen im selben Kontext: während für Adorno daher die »Opera seria im süßen Kitsch heimisch wird, fühlt der süße Kitsch sich unwohl bei sich selber und möchte Oper tragieren: Zeichen der Verrücktheit aller Haftpunkte musikalischen Formens«.[15]

Tanzmusik der einfachen Art

Stärker noch als zwischen den kulturellen Sphären vollzog sich aber zu dieser Zeit die »Verrücktheit« innerhalb der Unterhaltungsmusik. Sturzflutartig war nach Ende des Ersten Weltkriegs der Jazz über Europa und auch über Wien hereingebrochen. Schon 1919 schuf Robert Stolz mit seiner *Salome* den ersten Wiener, sprich »orientalischen« Foxtrott, zwei Jahre später wurde in Kálmáns nicht minder orientalischer *Bajadere* gefragt: »Fräulein, können Sie Shimmy tanzen,/Shimmy ist der Clou vom Ganzen.« Lehár, der sich in seinen schon während des Weltkriegs geplanten Hauptwerken noch zurückhielt, blieb die Antwort dann im selben Jahr 1921 nicht schuldig und legte bezeichnenderweise für die Berliner Aufführung der *Blauen Mazur* den Bummelstep »Um acht beginnt die Nacht« und in die oberflächlich zur *Tangokönigin* aufgestiegene *Ideale Gattin* den Foxtrott »Schatz, wir woll'n ins Kino geh'n« ein. Gleichsam als Fingerübung komponierte er einige solche Nummern, die er dann zum Teil in seiner einzigen Revue-Operette *Der Libellentanz* von 1922 verwendete, die auch eine seiner besten derartigen Einlagen enthält, besagten Gigolette-Foxtrott. Als er im selben Jahr von einem amerikanischen Journalisten nach seiner Meinung über den Jazz gefragt wurde, antwortete er zu dessen Überraschung: »›Good! Good! Sehr gut!‹ ... His next words were still more shocking. ›As a matter of fact, I am writing some Jazz myself. A new operetta, especially for America. The world will be astonished...‹ He went eagerly to the piano ... and set himself fluently to the keys, playing what was certainly jazz of the American style, yet softer, quieter, with more melody.«[16] Eine treffende Beschreibung des Lehárschen ›Operettenjazz‹, der mit wirklichem Jazz kaum etwas zu tun hat und allenfalls als Salonjazz durchginge. Die Operette, die Lehár hier meinte, (wenn sie nicht bloß ein Werbetrick war, kann nur *Cloclo* gewesen sein, in welcher er am ausgiebigsten aus dem Repertoire amerikanischer Rhythmik schöpfte: Blues, Java und Foxtrott tauchten zum ersten Mal original in einem Hauptwerk auf. Für Lehár kann daher »die Bereicherung der Ausdrucksfähigkeit der abendländischen Musik durch Jazz und Neger gar nicht ernstlich bestritten werden ... Oder ist es nur deshalb nicht Musik, weil der Erfinder mit schwarzer Haut zur Welt kam? ... Man verzeihe mir die Gotteslästerung. Aber wenn ein gewisser Shakespeare einen schwarzen Gentleman in führender Rolle ins Burgtheater bringen konnte ... sollte es da wirklich so ganz ausgeschlossen sein, daß einmal auch ein Richard Strauß ein paar Takte schwarzer Musik in die Oper bringt? Auch die Tanzrhythmen der Neuen Welt ... sind ... selbstverständlich und überzeugend ... Der Mensch hat eben nur zwei Beine und bewegt sich daher fast ausschließlich im Zweivierteltakt. Es strengt ihn auch ... beim Tanzen am wenigsten an.« Dennoch hielt er es für »unmöglich, daß der wiegende, musikalisch unbedingt höher zu wertende Walzerschritt je verschwinden könnte«.[17] Als Tanz tat er es jedoch bis auf vereinzelte Buffonummern in der Lyrischen Operette weitgehend. Signifikant ist, daß Lehár noch kurz vor der Wiener *Paganini*-Premiere das Walzerduett des ersten Paars durch einen Foxtrott ersetzte, auf den Jenbach spät nachts folgenden Text-Schimmel verfaßte: »›Juden essen gerne fett, Tralalala, möchte in's Bett...‹ Kurz darauf entschlüpften dieser Hülle die nachher oft zitierten eleganten Worte: ›Niemand liebt dich so wie ich, bin auf der Welt nur für dich...‹«[18] Auch die Buffonummern in *Paganini* und *Zarewitsch* umspielen im Gewand von Polka und Marsch moderne Rhythmen. Die stilistische Geschlossenheit von *Friederike* und *Land des Lächelns* war der Lyrischen Operette also keineswegs in die Wiege gelegt. Aber selbst die Tauber-Lieder »Willst du« oder »Dein ist mein ganzes Herz« wurden von Tanzkapellen als Foxtrott und Tango gespielt. Der Tango selbst ist inzwischen so etabliert, daß er beim *Zarewitsch* gar im ersten Finale als »Trinkt man auf Du und Du ...« auftaucht. Und noch in *Giuditta* tanzten Jarmila Novotna und Richard Tauber einen Tango auf den Brettern der Wiener Staatsoper zu »Schön wie die blaue Sommernacht«. Daher hinterfragte Kálmán-Librettist Alfred Grünwald vor dem überraschenden Erscheinen *Friederikes* nicht zu Unrecht Lehárs experimentellen Anspruch in der Lyrischen Operette: »Was heißt das überhaupt, experimentieren? ... Ist es nicht gleich, ob der Held Bela Törek heißt oder Paganini? So lange er im zweiten Finale ... in dem die Fluten der Musik hoch aufrauschen ... von der betrübten Heldin gewaltsam getrennt wird, ist es ja doch das Gleiche ... Wenn nun Lehárs Operetten in den letzten Jahren stets verkappte Opern waren, so waren seine Opern auch immer verkappte Operetten. Er verzichtet ebensowenig wie Kálmán auf die lustige sogenannte Buffonummer mit dem dazugehörigen Tanzarrangement.«[19] In der Tat verzichtete Lehár selbst in seinen ambitioniertesten Werken wie *Friederike* und *Giuditta* niemals auf diese stereotype Konstellation, was besonders in *Giuditta* groteske Formen annahm, wenn zu philharmonischen Klangmassen neckische Tanzszenen gehüpft wurden. Doch davor kehrte Lehár noch einmal zur unverkappten Operette zurück und reihte dem Reigen seiner Tänze, allerdings erst für die Wiener Premiere 1931, eine Rumba ein: »Schön sind lachende Frau'n«, mindestens ebenso schön wie die Welt, in der sie auftraten und die dem Werk den Titel gab.

Schön ist die Welt

Diese Bearbeitung von *Endlich allein* ließ den unkonventionellen 2. Akt weitgehend unberührt und ersetzte den 1. und 3. um so konventioneller. Der Mozart-Biograph Alfred Einstein sah in *Schön ist die Welt* »ein Werk zwischen den Zeiten« und fand gerade an den neuen Einlagen Gefallen: »ein Duettchen des unsentimentalen Liebespaares (›Nur ein Viertelstündchen‹), das graziöseste Stück der Partitur, mündet in den Dreivierteltakt; der letzte Akt wurde belebt durch einen Walzer mit Ziervokalisen (›Ich bin verliebt‹) und wo Steprhythmen kommen, etwa in einem Duett, wo sich Sonnenglut auf Kreolenblut reimt, oder einer Tanzeinlage des Schlußakts, sind sie so dezent, daß sie die Wienerische Seligkeit nicht stören. Ja, was soll man machen? ... Die Handlung spielt in allerhöchsten Kreisen und auf allerhöchsten Bergen. Sie ist einfach, ergreifend und erschütternd ... die Naturstimmung mit dem Motto des Werkes ›Schön ist die Welt‹ sinfonisch verwoben. Und das alles ist liebenswürdig, voll echt empfunden, ohne die geringste Opernhaftigkeit und Pathetik.«[20] Paradoxerweise fand Lehár ausgerechnet mit dem so disparaten Werk endlich die Anerkennung der seriösen Musikgelehrten. Auch ein anderer, der Verfasser eines Standardwerkes über die Oper, Oscar Bie, mußte anerkennen, wenn auch aus entgegengesetzten Gründen: Lehár »zog es vor, so etwas wie eine komische Oper zu schreiben. Man denke, es kommt kein Chor vor ... Er schreibt eine Musik, die nicht nur angenehm im Ohr klingt, sondern auch gewisse Qualitäten hat ... er ist nicht so schmalzig und süßlich und kokett wie sonst. Gegen *Friederike* oder das *Land des Lächelns* gehalten, benimmt er sich tadellos. Im zweiten Akt steigt er sogar in entlegenere moderne Harmonien und macht unter Begleitung von charakteristischen Leitmotiven eine Bergpartie der Musik, die aller Ehren wert ist. Ich übertreibe nicht ... Tauber und die Alpar schwimmen gerne in dieser Musik, die ihnen einmal etwas bessere Aufgaben stellt. Sie können so tun, als ob sie Oper sängen.«[21]

Doch wo die Kritik lobte, ging das Publikum nicht mit, und auch Lehár selbst verfolgte den neuen Weg in Richtung echte komische Oper nicht weiter, obwohl er während der Arbeit zu *Schön ist die Welt* äußerte: »Mein lebhaftester Wunsch wäre freilich eine komische Oper zu komponieren. Ich finde aber kein passendes Buch.« Nachdem ihn auch Franz Molnár mit der vereinbarten Umarbeitung seines Kinderromans *Die Jungen der Paulsgasse* im Stich gelassen hatte, machte er sich an die dritte Umarbeitung eines früher durchgefallenen Lieblingswerkes, die des *Fürstenkinds*. Aber es kam anders, als gedacht. Schon bei den Proben zum *Land des Lächelns* war es ja zwischen Lehár und Rotters zum Konflikt gekommen, der sich bei *Schön ist die Welt* in verschärfter Form wiederholte. Lehár deutete die Gründe dafür an: »Ich bin mit meinem Werk, wie man ja weiß, künstlerisch so verwachsen, daß ich jede Aenderung als einen unerlaubten Eingriff in mein Heiligstes betrachte. Als ich da plötzlich eine Aenderung im zweiten Akt ... bemerkte, fragte ich, wer das getan hat. Als ich erfuhr, die Direktoren Rotter wären die Urheber, sagte ich in meiner Erregung: ›Das sind ja musikalische...‹ Wie es aber schon einmal beim Theater ist, wurde diese Aeußerung den Rotters überbracht, die nun ihrerseits gegen mich aggressiv wurden. Ich glaube heute tut es ihnen sehr leid und der ganze große ›Konflikt‹ ist meinerseits bereits ad acta gelegt.«[22] Doch dem war keineswegs so. Die Weigerung Victor Léons, das *Fürstenkind* im Rotterschen Sinn umzuarbeiten, kam Lehár nur gelegen, hatte er sich doch mittlerweile mit Hubert Marischka versöhnt und war im September 1930 mit dem *Land des Lächelns* ruhmreich ins Theater an der Wien zurückgekehrt. Zudem hatte er einige Tage zuvor in einem zu Ehren seines sechzigsten Geburtstags veranstalteten Konzert mit eigenen Kompositionen die Wiener Philharmoniker dirigiert, was für ihn dem musikalischen Ritterschlag gleichkam. Derart zum Klassiker geadelt, sah er keine Veranlassung mehr, sich mit den Rotters zu arrangieren, und verkündete bereits im Sommer 1931 hinsichtlich des *Fürstenkinds*: »Die Premiere, wo immer, ist sozusagen an Taubers Mitwirkung gebunden.«[23] Sie fand ohne ihn statt, am 23. September 1932 im Theater am Nollendorfplatz, wieder unter der Direktion von Heinz Saltenburg, kaum verändert, aber unter dem neuen Titel *Der Fürst der Berge*, mit Michael Bohnen in der Hauptrolle. Es war Lehárs letzte Berliner Premiere. Tauber, dem Korngold als Ersatz aus Johann-Strauß-Bruchstücken ein wenig zugkräftiges *Lied der Liebe* zimmerte, befand sich nach eigenem Bekunden »in einer sehr peinlichen Situation: mein Herz zog mich zu Lehár – mein Vertrag band mich an Rotters ... Die Ehe Lehár-Tauber ist ... weder getrübt noch gar geschieden, sondern jeder hat halt einen kleinen Seitensprung gemacht, aber das kann doch in der besten Ehe vorkommen!«[24]

Verrotterung zum zweiten

Trotz des enormen Werbeaufwands, den die Brüder Rotter »für die Wiederbelebung einer der entzückendsten Operettenmusiken, die Meister Lehár je geschrieben«, betrieben und mit dessen Hilfe zu einer »Höchstleistung deutscher Theaterkunst« stilisiert hatten, waren die spärliche Ausstattung und das Fehlen des Chors bei *Schön ist die Welt* verräterische Vorzeichen des kommenden Untergangs ihres inzwischen neun Bühnen umfassenden Konzerns. Die Weltwirtschaftskrise weitete sich in Berlin Anfang der dreißiger Jahre zu einer regelrechten Theaterkrise aus, von der nicht nur die privaten Bühnen betroffen waren. Fritz Rotter dementierte dies zwar in der Presse heftig: »Alles, was Sie aus Berlin hören von Theaterpleite ... Interesselosigkeit des Publikums, ist Quatsch! Bietet den Leuten etwas, setzt ihnen das vor, was sie fesselt ... und es gibt keine leeren Theater ... Wir spielen *Schön ist die Welt* allabendlich im Metropol-Theater, die Leute zahlen dreißig Mark für einen Sitz und toben vor Begeisterung, gehen aus dem Theater und erzählen ihren Bekannten, es sei ein ›Erlebnis‹ gewesen! Qualität, Lieber Freund, das ist es! Wirkliche Stars, nicht Leute, die sich so nennen, aber kein Publikumsmagnet sind, Kunstwerke, nicht Machwerke, großzügige Inszenierung – machen Sie den Leuten einen solchen Abend und sie stürmen die Kassen trotz aller Wirtschaftsnot, die da ist.«[25] Den großsprecherischen Worten zum Trotz, die so ganz den Stil ihrer Geschäftsführung verraten, führte diese Not jedoch bald zum völligen Zusammenbruch ihres hoch verschuldeten Theaterimperiums – obwohl sich die Brüder Rotter immerhin zwei Jahre mit drastischen Einsparungen bei den Nebenrollen und beim Orchester sowie mit sogenannten Vorzugsbons und zuletzt nur noch mit Gagenausständen des Personals über die Zeit retten konnten. Mit der Wirtschaftskrise hatte sich freilich auch der Publikumsgeschmack verändert. Die einzig wirklichen Erfolge dieser Zeit, *Das weiße Rößl* und die Operetten Paul Abrahams, zeigen sein schnelles, unberechenbares Umschwenken in Krisensituationen deutlich an: von der opulenten Lyrischen zur schlichten Schlager-Operette. Der jetzt gefragte Ralph Benatzky schloß seine Erfahrungen mit den Rotters, die wohl denen Lehárs entsprochen haben dürften, folgendermaßen ab: »Sie bringen die Vorstellungen mit einem Überladensein an Stars und Attraktionen heraus und bieten in dem Punkt dem Autor oft Unwahrscheinliches. Sie doktrinieren und argumentieren in Regiesitzungen in einer unmöglichen Ausdrucksform, aber nicht, ohne daß ihre Darlegungen irgendwo Hand und Fuß hätten. Dafür versuchen sie dann auch ihre oft geschmacklosen und meist auf einer nur ganz oberflächligen Kenntnis des Stücks beruhende Abänderungsvorschläge mit großer Brutalität in die Tat umzusetzen und das geschieht dann mit gänzlicher Nichtbeachtung des Autors ... Daraus entsteht dann ein gräßliches Stilgemisch ... willkürliche Zusammenstellung des

Ensembles, bei dem es ihnen hauptsächlich auf den Klang des Namens ankommt … diese beiden Leute und ihr System sind so typisch Berlin.«[26]

Die Jeritza-Operette

Nach seiner Nobilitierung durch die Wiener Philharmoniker und nachdem er dem schnöden Mammon der Rotters edel entsagt hatte, verbarg sich Lehár hinter sybillinischen Andeutungen. Im Mai 1931 lancierte er an die Presse, er habe ein »herrliches Libretto« in Arbeit, im September, Maria Jeritza habe ihm aus »nicht weniger als drei dutzend Libretti … sechs zur engeren Auswahl übergeben«.[27] Wo die Jeritza ins Spiel kam, konnte die Staatsoper nicht weit sein. Schon bei *Friederike* hatte sie verstohlen zwischen Lehár und Operndirektor Franz Schalk zu vermitteln versucht, wie Löhner-Beda bezeugte: »Eines Tages bekam der Meister eine Einladung zu Frau Jeritza, die sich in Unterach befand. Schalk sei bei ihr zu Gast und habe die Absicht das edle Singspiel kennenzulernen … Lehár … spielte dem Direktor seine *Friederike* vor. Schalk war stürmisch begeistert! Er sagte, Lehár müsse endlich für die Staatsoper gewonnen werden … Zwei Tage später erzählte mir der Kritiker E. K. … daß Schalk sich alles eher als nett über Lehárs Musik geäußert hätte. Trotz der Begeisterung in Unterach! Und nun nahm Lehár Stellung; er meinte, es wäre nicht an der Zeit, daß er in der Oper aufgeführt würde. ›Warum?‹ fragten wir. ›Da müßte ich doch tot sein‹, erwiderte der Meister, ›und ich habe noch einiges auf dieser Welt zu arbeiten!‹«[28]

Schließlich wollte Lehár doch nicht so lange warten, und als ihm im August 1931 die bewährten Mitarbeiter Paul Knepler und Löhner-Beda ein Szenarium mit fertigem 1. Akt vorlegten, hatten ihn »Milieu und Handlung dieses Aktes … gleich so gepackt, daß ich in der Nacht darauf so ziemlich die wichtigsten Hauptmotive meiner *Giuditta*, wenn auch selbstredend in flüchtigster Skizzenform, festgehalten habe«.[29] Erstmals seit fünf Jahren hatte er wieder ein neues Buch angenommen – beziehungsreicher Untertitel: Ein Spiel von Liebe und Leid, Hauptpersonen: Giulietta, eine Carmen ähnliche Spanierin und ein Fremdenlegionär. Doch das Szenarium gedieh lange nicht über den 1. Akt hinaus. Der unterbeschäf-

51 *»Marie Jeritzas erster Tonfilm«*
Das Produktionsteam des Films *Großfürstin Alexandra* 1933:
Paul Hartmann, Franz Lehár, Maria Jeritza, Leo Slezak, Sophie Lehár u. a.

tigte Komponist tat sich mit dem Stoff schwerer als gewohnt und beklagte im Juni 1932 bitter und aufschlußreich: »Lieber Freund Knepler! ... Wir kommen um keinen Schritt weiter. Ihr wartet immer darauf, daß ich Euch sage: Jetzt habe ich mit der Arbeit begonnen – und habt die Ausarbeitung der Bücher demzufolge immer verschoben. Ihr dachtet an eine gemeinsame Zusammenarbeit und das ist der Trugschluß. Tatsache ist, daß ich noch immer kein richtiges Libretto in Händen habe. Alle musikalischen Skizzen, die ich bis jetzt fertiggestellt habe, sind für mich bloß Anhaltspunkte. Jetzt benötige ich absolut eine textliche Grundlage. Ich vermisse absolut den Aufbau der Handlung, vermisse das folgerichtige Eingreifen der Nebenpersonen, kurz ich kann die Sache nicht anpacken. Private Angelegenheiten haben mir die Lust genommen, um die Fertigstellung des Librettos zu kämpfen und so kam es, daß wir heute genau dort stehn, wo wir im Herbst 31 in Ischl standen, wo ihr mich allein in Ischl zurückgelassen habt. D a s soll kein V o r w u r f sein. Ich will Euch nur beweisen, daß es nicht meine Schuld ist, daß die Arbeit zurückgeblieben ist. Es ist noch nicht eine Szene plastisch durchgearbeitet. Die Musik ist für mich in diesem Falle noch Nebensache. Musikalisch kann ich mich erst einfühlen, bis mir die ausgearbeiteten Szenen etwas sagen. Keine einzige Prosaszene ist ausgeführt. Ich habe das Empfinden, daß Ihr darauf wartet, daß ich Euch den ganzen Klavierauszug vorlege, daß Ihr dann für den Anfang die Worte unterlegt und daß ihr dann erst die verbindende Prosa dazu schreiben wollt. So will ich aber nicht arbeiten. Wenn ich nicht das starke, ausgearbeitete Buch erhalte, wird *Giulietta* nie fertig.«[30]

Eroberung der Oper

Hatte Tauber im Januar 1932 noch vom Theater an der Wien als Uraufführungsbühne gesprochen, kokettierte Lehár im Juli bereits mit der Wiener Staatsoper, indem er »Gerüchte« bestritt, das Haus am Opernring sei an einer Aufführung interessiert. »Das Interesse ist also ein rein platonisches und wird sich erst manifestieren, wenn man weiß, ob die Operette ... opernwürdig ... ist. Daß ich dies wünsche brauche ich wohl nicht zu sagen.«[31] Um diesem Wunsch Nachdruck zu verleihen, traf er sich im August mit Max Reinhardt in dessen Schloß Leopoldskron. Der war als Eigentümer des Großen Schauspielhauses auf der Suche nach einem zugkräftigen Ersatz für seinen auf dem *Weißen Rößl* in London und Paris abspenstigen Operettenregisseur Eric Charell. Lehár erklärte, er »würde das Werk nur dann im Großen Schauspielhaus aufführen lassen, wenn Max Reinhardt selbst die Regie übernimmt«.[32] Der ausgeworfene Köder schien Wirkung zu zeigen. Zwar war der neue Operndirektor Clemens Krauss als Richard Strauss-Intimus ebensowenig wie sein Vorgänger Franz Schalk vom Gedanken entzückt, Lehár die Pforten seines Hauses zu öffnen, doch ließ er sich »das Lied von Liebe und Leid« am 22. Oktober nach Zeugnis Dr. Walter Nagelstocks in dessen Wohnung vom Komponisten vorspielen, äußerte sich beifällig und hatte nur gewisse Bedenken, »ob Meister Lehár die Instrumentatierung für das Philharmonische Orchester voll und ganz gelingen werde«.[33] Ein Einwand, der Lehár zu Recht provozierte und den er durch »besonders sorgfältige Instrumentierung« zu widerlegen suchte. Doch vorerst war noch nicht einmal der Klavierauszug druckreif, geschweige denn eine

Zusage erfolgt. Am 7. Februar 1933 spielte Lehár die weitgehend vollendete Musik in der Villa Hubert Marischkas, der selbst sang, dem neuen Generalintendanten der Bundestheater, Dr. Pertner, und Unterrichtsminister Professor Rintelen vor, am 24. reichte er das Textbuch offiziell ein. Inzwischen bereitete Ernst Decsey im Neuen Wiener Tageblatt das Feld: »Nur der artistische Hochmut oder der Snobismus wird ihm den Eintritt ins Opernhaus verwehren ... Am leichtesten aber ... wird sich der Kassier an Lehár gewöhnen...«[34] Ein Argument, dem sich auch Clemens Krauss zähneknirschend fügen mußte. Zuckersüß gab er kund: »Es war seit langer Zeit mein Lieblingsgedanke, ein Werk Franz Lehárs in der Staatsoper zur Aufführung zu bringen«, doch den von ihm – wegen der nur dann möglichen Ensuite-Vorstellungen – vorgeschlagenen Termin im Juni konnte Lehár unmöglich einhalten, hatte er doch bis jetzt noch keine Note der Instrumentation geschrieben. Seinen Vorschlag einer Premiere im Herbst wies Clemens Krauss mit dem Hinweis auf die zu diesem Zeitpunkt geplante *Arabella* und die Tatsache zurück, »daß die beiden Hauptrollen der Operette für bestimmte Künstler, und zwar für Marie Jeritza und Richard Tauber geschrieben sind, und wenn das Werk ein Erfolg werden soll, auch von diesen beiden gesungen werden müssen«.[35] Als die Jeritza Ende April aus Amerika zurückgekehrt war, sang sie mit Lehár am Klavier in dessen Haus bei Schlagobers und Topfenbuchteln die ganze Partie durch, mit dem Fazit: »›Stimme hat der Lehár keine, aber komponieren kann er!‹ ... Auch Weltstars finden nicht oft eine neue Sensationsrolle, und wo sind heute schon die Meister, die Jeritza-Rollen schreiben ... *Giuditta* hat ihr Appetit gemacht ... Aber es wird Franz Lehárs Weltruhm nicht mindern, wenn die Welt erfährt, daß Marie Jeritza ... auch durch die Komposition der Wiener Mehlspeisen im Hause Lehár begeistert«[36] war. Kurz darauf erschien der Klavierauszug gedruckt, und Tauber unterschrieb einen Gastspielvertrag über zweieinhalb Monate, beginnend im Januar 1934. Mit Maria Jeritza wurde deswegen noch verhandelt, als am 29. Mai 1933 *Giuditta* offiziell angenommen wurde. Inzwischen war mit dem Karczag-Verlag eine günstige Tantiemenregelung von nur 6% erzielt worden, überdies hatte Hubert Marischka die Inszenierung ehrenamtlich, also unentgeltlich, übernommen und begab sich für Lokalstudien zu diesem Zweck sogar auf Afrikareise. Die u. a. von Alfred

Roller geschätzten Ausstattungskosten von 29 600 Schilling führten beinahe noch zum Eklat. Da die Verwaltung nur 20 000 Schillinge bewilligte, erging über einen Brief an Marischka die verdeckte Aufforderung an Lehár, »daß von dritter ... an der Sache interessierter ... Seite ein entsprechender Beitrag zu den Ausstattungskosten geleistet wird«.[37] Lehár fühlte sich sabotiert und wies die Zumutung gekränkt zurück. Der Austattungsetat von letztlich 32 479,7 Schilling wurde am Ende anstandslos von der Opernverwaltung übernommen, ja man spendierte sogar dem Herrenchor in letzter Minute neue Fräcke, eine zusätzliche Ausgabe von immerhin 3000 Schilling. Die Ausstattung war also das letzte Hindernis, das sich seinem Lebenstraum noch entgegenstellte, und sie stammte bei dieser letzten Lehár-Uraufführung ausgerechnet vom selben Mann wie bei der ersten: dem damaligen Theatermaler und jetzigen Professor Robert Kautsky. Damit schließt sich der Kreis schicksalhafter Verbindungen zu Frau von Peteanis blumigem Fazit: »Die nie erloschene Sehnsucht nach *Kukuška-Tatjana*, sie endet in *Giuditta*.«[38]

Die Sensationspremiere

Am 20. Januar 1934 schließlich zog *Giuditta* in die von *Tristan*-Klängen geweihte Stätte ein, nicht von Maria Jeritza, sondern überraschend und in blendender Schönheit von Jarmila Novotna verkörpert, dem früheren Mitglied des tschechischen Nationaltheaters Prag und der Staatsoper in Berlin, wo sie im Deutschen Theater Max Reinhardts *Schöne Helena* und im Admiralspalast schon einmal Richard Taubers Partnerin gewesen war. Von 120 Rundfunkstationen in alle Welt übertragen, war die Premiere ein mediales Großereignis, von der Presse zur beispiellosen Sensation verklärt. Man sprach von Caruso-Preisen, die für die wenigen Schwarzmarktkarten zu zahlen seien, denn es war »ausverkaufter als ausverkauft ... Man kann mit Hof- und Regierungsräten bekannt oder sogar mit der Schwester der Freundin des Schneiders von Richard Tauber bekannt sein, man bekommt trotzdem, schon seit zwei Wochen, keine Karten mehr!«[39] Ganz Wien wollte Zeuge des »symbolhaften Ereignisses« werden, wenn sich die so lange stolz verschlossenen Pforten der Oper, wenn auch widerwillig,

Lehár öffneten. Er selbst trug, wie gewohnt seine Genugtuung verbergend, »die unerhoffte Staatsoperngnade in aller Demut eines ebenso weltfremden wie entgegenkommend selbstbewußten Künstlers«[40] und tobte sich als Dirigent der Philharmoniker entsprechend aus.

Der Abend nahm einen turbulenten Verlauf, das Publikum war im Operettenrausch, verlangte das siebente Tauber-Lied dreimal zur jeweils variierten Wiederholung, bejubelte den Tango, den der Sänger mit Jarmila Novotna tanzte. »Sensation über Sensation. Staatsoper, Lehár, Tauber, Marischka – alles auf einmal! Herz, was willst du mehr!«[41] Als Tauber gar, vom Offizier zum Barpianisten heruntergekommen, klavierspielend von der mit ihrem neuen Liebhaber enteilenden Giuditta zurückgelassen wurde, blieb, wie Marcel Prawy als Augenzeuge beteuert, kein Auge trocken. Selbst die Rechnung des nur kurz und sporadisch auftauchenden Clemens Krauss ging auf. Die Kasse der Staatsoper hatte »am Premierenabend 44000 Schilling, die höchste aller Operneinnahmen, verbucht und verdankt dies Lehárs *Giuditta*. Was nicht Mozart und Weber, Wagner, Verdi, Puccini vermochten, vermochte das neue Genre: die vulgarisierte Oper.«[42] Der diese harten Worte schrieb, war niemand anderes als der bis dahin treu ergebene Ernst Decsey, der sich, Bernard Grun zufolge, auf diese Weise für die Ablehnung seiner Operettenentwürfe durch den Komponisten rächte. Die seriösen Operngelehrten, erstmals mit Lehár konfrontiert und etwas verwirrt, verfuhren gnädiger, lobten melodische Einfälle hier, tadelten dort Aufbau und Durchführung. Selbst der immer die Sache seines Sohns vertretende Julius Korngold, der mit *Tatjana* dreißig Jahre zuvor hart ins Gericht gegangen war und *Giuditta* ähnliche Faktur bescheinigte, resümierte seinen ausladenden Artikel konziliant: »Aufrichtig gönnen wir Lehár seinen Triumph, freuen uns mit ihm. Freuen uns vielleicht nicht minder auf seine nächste Operette«,[43] die es allerdings nicht mehr geben sollte. Die Einnahmen übertrafen alle Erwartungen und in den folgenden, immer ausverkauften 42 Vorstellungen den Operndurchschnitt um 50%. Auch was die Aufführungszahl betraf, ließ *Giuditta* repräsentative Neuerscheinungen der dreißiger Jahre wie *Wozzeck* mit 14 und selbst *Arabella* mit 20 weit hinter sich. Daß Ernst Křeneks *Karl V.*, obwohl er bestellt war, abgesetzt und statt dessen Lehárs *Giuditta* gespielt wurde, ist bezeichnend für die Opernsituation der

Zeit. »Je mehr Unverständlichkeitsopern sie gebar, je mehr Atonalität ihrem kreißenden Schoß entstieg, desto sicherer arbeitete sie ihm in die Hände; denn er, Lehár, besitzt die betörende, süßschmeckende, nachsummbare, dreimal nach Wiederholung verlangende, häuserfüllende Lehár-Melodie.«[44]

Der Lehár der Oper

Durch die triumphale Uraufführung in der Oper stellte sich bei *Giuditta* mehr denn je die Lehársche Gretchenfrage nach dem Genre, die er selbst, wie schon bei seinem Erstling *Rodrigo*, mit schlagender Naivität beantwortete: »Die Absicht, eine Oper zu schreiben? Nein, offen gestanden, diese Absicht habe ich nicht gehabt ... ich habe einfach in Noten gebracht, was ich empfand. Ob es eine Oper im traditionellen Sinn ist? ... Die Autoren und ich nannten es eine ›musikalische Komödie‹ ... weil wir glaubten, daß sich das Werk nicht leicht in eine der eingeführten Gattungen einreihen lasse.«[45] Im Textbuch nannten sie es noch unverhohlen »Spieloper«, und es scheint fast, als wäre Lehár damit zu den Anfängen seines Schaffens zurückgekehrt. Erstmals in der Operettengeschichte erschien bereits vor der Premiere eine gedruckte Orchesterpartitur. Wie zur Bekräftigung solcher Konzeption als ›summum opus‹, bekannte ihr Schöpfer – als spräche aus ihm das schlechte Gewissen der leichten Musik –, er habe sich »bei der *Giuditta* eine besonders sorgfältige Instrumentierung, wie sie das reiche und so wundervolle Orchester der Staatsoper auch verlangt, ebenso angelegen sein lassen wie wirkungsvolle Behandlung der Singstimmen und Gewähltheit der Thematik«.[46]

Die Kriterien sind verräterisch und bleiben äußerlich. Im für die Wiener Philharmoniker zwar aufgefächerten Orchester der *Giuditta* sind vor allem die Bläser verstärkt: drei statt zwei Flöten, davon zwei auch als Piccolo, Englischhorn, Baßklarinette, Kontrafagott, drei statt bisher zwei Trompeten, Baßtuba und als Lokalfarbe Kastagnetten. Doch wird die gewohnte Transparenz des Lehárschen Satzes durch das Überangebot eher getrübt, zumal in den stereotyp aus solchem Rahmen fallenden Buffoduetten, deren typische Texte wie »Rund ist die Welt/und Glück oder Geld ist zweierlei«, von der »besonders sorgfältigen Instrumentierung« geradezu erschlagen werden. Daß Lehár überhaupt auf das Klischee eines Buffopaars wie Pierrino und Anita nicht völlig verzichtete, deren Geschichte überdies nur mühsam mit der eigentlichen Fabel verbunden ist, bleibt rätselhaft und verträgt sich schwerlich, mit der beabsichtigten »Gewähltheit der Thematik«, die sich schon im betont exotischen Milieu operettenhaft selbst parodiert. Aber auch in den Hauptnummern des ersten Paares behaupten sich die Bestandteile der Lyrischen Operette ungebrochen. Octavios Lied »Du bist meine Sonne« bleibt der bewährten Rondoform des Tauber-Lieds, trotz bedeutungsschwangeren, rezitativischen Vorspanns, ebenso verpflichtet wie Giudittas großes Walzerlied »Meine Lippen, sie küssen so heiß« dem Couplet. Ihr großes Duett »Schön wie die blaue Sommernacht«, rhythmisch auf die berühmte Habanera aus *Carmen* anspielend, fällt genüßlich in einen Tango zurück.

So findet auch die Haupthandlung, »die das Schicksal zweier wertvoller Menschen darstellt«,[47] in einer Paraphrase von Bizets *Carmen* ihre Opernrealität. Die Titelfigur ist zwar keine Zigeunerin, profitiert aber von Nietzsches *Carmen*-Interpretation: »Ihre Heiterkeit ist afrikanisch; sie hat das Verhängnis über sich, ihr Glück ist kurz, ohne Pardon.«[48] Der Gang der Handlung bestätigt es, schließlich fließt »afrikanisches Blut ... in ihren Adern, südliches, heißes Blut ... die ganze wilde, sinnliche Glut des Südens« und folglich ist zu einem chromatisch düster umschatteten Motiv »verflucht ... jeder, der sie liebt«. Der da verflucht ist, Octavio, ein »etwa dreißigjähriger Offizier«, ist ebenfalls Nietzscheaner. »Molto espressivo« verkündet er sein Motto, von Zarathustra-Pauken tatkräftig unterstützt: »Freunde, das Leben ist lebenswert«. Ihm beschert »jeder Tag ein neues Erleben«, er kennt die ewige Wiederkehr: »Sinkt die Sonne Abends nieder,/strahlend steht sie morgen wieder/auf dem blauen Himmelszelt.« Auffällig am auftrumpfenden dreitaktigen musikalischen Motto ist seine zitathaft isolierte Stellung. Es hat keine musikalische Konsequenz, sein Pathos wird nicht eingelöst. Beißt sich sein Text tautologisch in den Schwanz, straft es die weitere Handlung Lügen. Unfähig zum dramatischen Konflikt zwischen Neigung und Pflicht, wie er dem schwankenden Opernhelden des späten 19. Jahrhunderts, Don José, in Bizets *Carmen* noch zukam, bleibt seinem Nachfahren Octavio jede Tragik verwehrt – er kann sich nicht entscheiden. Diese

Scheu vor dramatischen Konflikten kennzeichnet sowohl das Genre als auch den Komponisten selbst. Wie schon in *Kukuška* meidet er auch musikalisch die Konfrontation etwa in großen, mehrstimmigen Ensembleszenen. Typisch sind die drei entscheidenden Aktschlüsse Abschiedsszenen, die monologisch ausklingen. Die Figuren stehen sich nur mehr lyrisch entfremdet gegenüber. Der Konflikt bleibt verinnerlicht. Während Don José nach dem Kampf mit seinem Rivalen Escamillo die Geliebte ermordet, verfällt Octavio der stummen Verzweiflung. Ebensowenig wie der veristische Stoff zum tragischen Ende, findet die Musik zum dramatischen Ausdruck.

Drei Abschiede

Den Mangel an Verflechtung und Zuspitzung des musikalischen Materials versucht der Komponist durch verstärkt leitmotivischen Gebrauch wettzumachen, so wenn im dritten Bild der ewige Konflikt von Liebe und Pflicht angeschlagen wird. Passiv, »den Kopf in die Hand gestützt, Zigaretten rauchend«, brütet Octavio unschlüssig, ob er dem Marschbefehl folgen soll, und singt das Tauber-Lied. Als er kurzentschlossen schließlich doch von Giuditta Abschied nehmen will, wendet sie seine Liebeshymne »Schönste der Frau'n« zum Befehl: »Pflicht ... Ehre .../Alles mußt du vergessen in jauchzender Lust.« Nachdem in der Reminiszenz des Tauber-Lieds der Schein der Versöhnung beide noch einmal umfing, bricht im instrumentalen Zitat des Soldatenchors mit Trommel und Flöte die Realität ernüchternd ein. Wenn er im anschließenden Melodram seinem Freund Antonio mitteilt, daß er mit Giuditta fliehen, der aber seine »Hand nicht einem Deserteur« reichen will, zuckt Octavio »wie von einem Peitschenhieb getroffen zusammen. Nach kürzerem inneren Kampf rafft er sich auf, nimmt Käppi und Mantel«. Was sie »nie für möglich hielt, ist geschehen: Sein Pflichtgefühl war stärker als seine Liebe zu ihr« – und sie spricht jenen Fluch, der als Schicksalsmotiv musikalisch schon von Anfang an präsent war: »verflucht ist mein Blut ... so wie ... jeder, der mich liebt«. Ihr Ausbruchsmotiv aus dem ersten Bild steigert sich rhythmisch verbreitert zu einem wahren *Elektra*-Tanz, der über sie kommt wie ein Naturereignis: »ihrer Sinne kaum mächtig, gleichsam in Trance, beginnt sie wie unbewußt rhythmische Tanzbewegungen zu

52 *»Meine Lippen, sie küssen so heiß,*
meine Glieder sind schmiegsam und weiß…«
Jarmila Novotna als glänzende Giuditta (Wiener Staatsoper 1934)

machen, die sich bis zur Ekstase steigern«. Getanzter Abschied, zum ersten.

Ihre Dämonie, deren Verhängnis im dritten Bild scheinbar naturhaft noch »des Schicksals Macht« beschwor, entpuppt sich, wie sie im Rotlichtmilieu des vierten Bildes freimütig bekennt, als Ware, die sie schon immer gewesen sein mochte und Giudittas wahres Verhängnis ist. Ihr ekstatischer Tanz aus dem dritten wird im vierten Bild, einem Nachtlokal »mit orientalischem Einschlag«, zur Revuenummer vermarktet, groß aufgemacht mit Chor, »während das Ballett Tanzbewegungen macht«. Das einst traumverlorene »Meer von Liebe«-Motiv findet im Amüsierbetrieb seine Realität: »dann muß sie einen anderen küssen,/kann ja nichts dafür.« Mit der Mechanik der Revue stellt sich der unversehens ein – Lord Barrymore, »eine interessante Erscheinung im Smoking«. Mit dem Auftritt des mittlerweile doch desertierten Octavio im Finale ändert sich der Ton. Er »trägt einen dunklen Zivilanzug« und ein Arioso vor, in dem er das Wiedersehen mit Giuditta »sieghaft« sich ausmalt. Diese verzweifelte Vision des Glücks steht sowohl musikalisch als auch szenisch von vornherein auf verlorenem Posten – kann, ähnlich wie »Freunde, das Leben ist lebenswert«, nur noch leere Parolen behaupten. Die gewaltsame Geste des Rezitativs läuft ins Leere. Octavio verharrt im Abseits, eifersüchtig seine Geliebte beobachtend, während ihm das Orchester mit »Schönste der Frau'n«- und »Sonnen«-Motiv seine vergangene Liebe vorgaukelt. Erst in der Reminiszenz von Giudittas kurz zuvor gesungenem »Meine Lippen, sie küssen so heiß« kehrt die Musik zur Gegenwart zurück. »Das Auto des Lord Barrymore« ist vorgefahren. Giudittas Abgang, unter pompösen »Hoch«-Rufen der Konfetti werfenden Belegschaft eine Operettenkonvention, nimmt in der verzerrten Optik Octavios gespenstische Züge an. Traumatisch hält er dem fahnenflüchtigen Helden seinen Realitätsverlust vor Augen. Sein Opfer kam zu spät. Er betrachtet die Szene stumm, »voll Entsetzen ... macht eine Handbewegung, als wolle er nach dem Säbel greifen ... Da kommt ihm plötzlich zu Bewußtsein, daß er das Offizierskleid und die Waffen nicht mehr trägt«, daß er, wie Maria von Peteani mahnt, »kein veristischer Opernheld, sondern der jugendliche Liebhaber einer musikalischen Komödie«[49] ist. »Kraftlos läßt er seine Hand sinken. Nun erkennt er die ganze Tragik seines Schicksals.« Vielmehr erinnern die Flöten höhnisch an die umgekehrte Situation im Finale des vorigen Bildes (Soldatenmarsch in Terzen), mithin an seine eigene Handlungsunfähigkeit, bevor das schon dort drohende Schicksalsmotiv fff sich erfüllt, in das Octavio nur noch unisono einstimmen kann – »Mein Glück, mein Leben zerstört«. Stummer Abschied, zum zweiten.

Das fünfte Bild ist ein Bild des Jammers, die Kulisse ein »sehr eleganter Gesellschaftsraum in einem mondänen Großstadthotel«. Man erfährt, daß Giudittas Fluch im verstrichenen »Zeitraum von vier Jahren« auch Lord Barrymore ereilte, »der sich ihretwegen umgebracht hat«. Octavio aber lebt, als Pianospieler des Hotels – »irgendwie muß man sich seinen Lebensunterhalt verdienen«. Zwar ist sein »Hemd ... ein wenig zerknittert; man sieht, daß er es heute nicht zum ersten Male trägt«, doch ist er seelisch geläutert: »sein temperamentvolles Wesen ist stiller Resignation gewichen«. In einem Lied setzt er die »Schönste der Frau'n« als musikalische Reminiszenz perfekt ins Imperfekt: »Es war ein Märchen«. Das ganze Bild ist Reminiszenz und Abschied und nachträgliche Entsagung – »still will ich sein,/will dem Schicksal verzeihn',/alles wagen allein«. Selbst als unvermutet noch einmal Giuditta auftaucht, bleibt ihm einzig übrig, die erzwungene Entsagung von damals zu einer gewollten zu machen – er »spielt die folgende Szene in abgeklärter Ruhe«. Er begegnet der einstigen Geliebten mit Erinnerungen, ihrem Fluch aus dem dritten Bild – vom »Meer von Liebe«-Motiv in gestopften Trompeten ironisch kommentiert – »sein totes Herz, es liebt nicht mehr«. Das Herz, einst imaginäres Zentrum Lehárscher Operetten, schlägt kaum noch, wenn im Tauber-Lied ihr Schwanengesang pp ertönt: »Nun ist verklungen ... das ewige Lied von Lust und Leid«. Die Operette nimmt von sich selbst Abschied und Giuditta entschwebt am Arm eines Herzogs »in den besten Jahren«. Octavio bleibt zurück, das Finaletto bis auf den kurzen Orchesterschluß am Klavier allein bestreitend, und – um es erneut mit Frau von Peteani zu sagen – »seine Affekte verglimmen in bittersüßer Wehmut«.[50] Angesichts des sonstigen Orchesteraufwands klingt die »musikalische Komödie« geradezu spärlich aus. Der zu längst verklungenen Reminiszenzen Klavier spielende Operettenheld kann nur noch abtreten. »Er nimmt seinen Hut.« Endgültiger Abschied, zum dritten.

Wenn Lehár *Giuditta* als sein »liebstes Kind« bezeichnete – »in sie habe ich etwas hineinlegen können, was aus meinem tiefsten Innern geschöpft worden ist … Mit *Giuditta* habe ich mein Bestes gegeben«[51] – dann verrät diese Feier des Abschieds tiefe Resignation, auch wenn Richard Tauber versicherte: »Ich habe eine so schöne Musik noch nie gehört.«[52] Mit Lehárs Schwanengesang erlischt paradoxerweise auch die Operette. War einst Operette – als Travestie der Oper bei Offenbach – entstanden aus dem schlechten Gewissen ernster Musik, travestierte in *Giuditta* Operette schließlich zur Oper: das schlechte Gewissen der leichten Musik ereilt sich selbst. Das Telos der Operette scheint ihr Verschwinden.

»Es geht auch ohne Lehár«
Doppelexistenz 1933-1938

> A good fox-trot could prevent a war,
> I am sure.
> Franz Lehár[1]

Operettenheld im Schatten des Faschismus

Zum ersten Mal seit *Cloclo* spielt in *Giuditta* die Handlung einer Lehár-Operette wieder ausdrücklich in der »Gegenwart«. Zwar verweisen die Ortsangaben nur auf »eine südliche Hafenstadt« und »eine kleine Garnisonsstadt an der Nordküste Afrikas«, doch sprechen zumindest die Namen und das Ambiente – Mandolinen und »Palazzo« – eine deutliche Sprache: italienisch. Die vom staatlichen italienischen Reisebüro »Itala« arrangierte Studienreise, die Hubert Marischka zur Feldforschung von *Giuditta* unternahm, führte ihn denn auch nach Sizilien und Tripolis, den eigentlichen Orten der Handlung. Noch 1932 sollte das Werk *Giulietta* heißen und in Spanien spielen, mit einem Fremdenlegionär als Hauptrolle. Selbst im jetzigen Text finden sich noch Spuren dieser Konzeption, so hat die Titelfigur noch immer einen spanischen Vater oder die Straßenmusikanten im 1. Akt besingen »die Schönste von Aragonia«. Seit dem entscheidenden Treffen der Autoren mit Vertretern der österreichischen Regierung ist zuerst im März 1933 von einem italienischen Sujet namens *Giuditta* die Rede. Ob man ihnen das Staatsopernprojekt dadurch schmackhaft machen wollte, sei dahingestellt, unzweifelhaft war es zu einer politischen Angelegenheit geworden. Mit Hitlers Machtergreifung in Deutschland kurz davor war für das Dollfuß-Regime, in Österreich seit 1932 an der Macht, der Schutz des faschistischen Italien wichtiger denn je geworden. Lehár selbst kannte Mussolini persönlich seit einer Audienz vom 25. März 1924, bei welcher der Diktator auf der Geige Kreislers *Frasquita*-Serenade zum besten gab und über die sich der Komponist aus gutem Grund beeindruckt geäußert hat: »Sono entusiasta di Benito Mussolini, il quale ha …

promesso di assistire alle mie prossime nuove rappresentazioni operettistiche.«[2] In einer Karikatur auf diese Begegnung sind dem Duce hingegen die prophetischen Worte in den Mund gelegt: »Carissimo maestro, da Sie mit der *Gelben Jacke* so großen Erfolg hatten, sollten Sie jetzt eine Operette *Das schwarze Hemd* schreiben.«[3] Als der ungarische Journalist Géza Herczeg, gemeinsamer Freund Lehárs und Mussolinis, jenem laut Bernard Grun vorschlug, *Giuditta* dem Duce zu widmen, mochte er in Verkennung der Umstände auf eine solche Operette spekuliert haben. »Buch und Klavierauszug wurden gebunden und mit dem Ausdruck tiefster Ergebenheit nach Rom expediert.« Doch schon bald kehrte Lehárs »liebstes Kind« geschlagen aus Italien zurück – mit dem rüden Vermerk, »daß seine Exzellenz das Ansinnen einer Widmung mit Empörung ablehne. Die Hauptfigur des Stückes – ein Offizier, der eines Weibes wegen fahnenflüchtig wird – sei im faschistischen Italien völlig undenkbar!«[4]

Instinktiv schien Mussolini begriffen zu haben, daß in diesem Hauptmann seiner Armee, so fiktiv er auch war, mehr Wahrheit steckte, als ihm lieb sein konnte. Der prototypische Operetten-Offizier Octavio aus *Giuditta* entpuppt sich damit unfreiwillig als durchaus politische Figur. Sein Scheitern liegt nicht nur in einer fragwürdigen Dramaturgie begründet, vielmehr spiegelt sich in ihm die Fragwürdigkeit einer Zeit des Heldenkults. Schon sein Motto: »Freunde, das Leben ist lebenswert«, das textlich noch dem bloßen Klischee der Lebensfreude zu entsprechen scheint, wird, so prägnant es daherkommt, durch pompöse musikalische Aufmachung zur falschen Propagandaformel. Das aufgedonnerte Rezitativ behauptet seine Aussage, mit übertriebenem rhythmischem Akzent auf »l e -benswert«, als wolle es den berechtigten Zweifel daran übertönen. Daß auch der vermeintliche Held letztlich am eigenen vitalistischen Anspruch scheitert, ist kein Zufall. Wie der musikalische Gestus seines Mottos will er über sich hinaus und muß doch in seinen engen Grenzen verharren. Wenn Octavio mit Giuditta nach Afrika flieht, führt ihn sein Ausbruchsversuch in eine Kolonie. Dem »Land der Träume« gilt der Eroberungsfeldzug seiner eigenen Armee. Der Freiheitsdrang Giudittas, in deren Adern bekanntlich »afrikanisches Blut« fließt, ist mit solcher Kolonisierung kaum vereinbar. So ist der Konflikt zwischen ihr und der Armee nur konsequent. Octavio liebt nicht ungestraft, was er unterwerfen soll. Unfähig zu individueller Freiheit, verläßt er sie. Unfähig, sich wieder ins Kollektiv einzuordnen, fällt er der eigenen Selbstbeschränkung zum Opfer. Sein Schwanken zwischen zügelloser Begierde und politischer Ordnung führt zu einem doppelten Identitätsverlust. So ist sein Sturz ins Bodenlose auch ohne eigentlich tragischen Konflikt. Ihm bleibt nur die Resignation, der selbst das verklärende Licht der Entsagung keinen höheren Sinn mehr verleiht. War für Adorno bereits diese Fähigkeit zum »Überstehen des eigenen Untergangs, von der die Tragik überholt wird ... die der neuen Generation«[5] im Faschismus, so beschreibt sie im Fall Octavios zumindest eine Grundbefindlichkeit. In seinem Ende als Hotelpianist, ein inneres Exil von überraschend prosaischem Realismus, erscheint die durch und durch fiktive Figur erstaunlich konkret, das Verstummen vor der Geschichte unfreiwillig beredt und sogar die Kolportagehandlung folgerichtig. Tatsächlich ließ sich damit kein Staat machen. Aus diesem naheliegenden Grund konnte, wie schon Mussolini, auch das NS-Regime, zu Lehárs großem Kummer, *Giuditta* nichts abgewinnen. Es kam nie zu einer repräsentativen Aufführung wie in Frankreich, wo die Pariser Grand opéra noch zwei Jahre vor Ausbruch des Zweiten Weltkriegs den in aller Naivität beglückten ›Meister‹ und sein ›liebstes Kind‹ feierte.[6] Die deutsche Erstaufführung fand erst 1939 in der Hamburger Schiller-Oper mit der jungen Brigitte Mira als Anita statt.

Boykott in Deutschland?

Im November 1933 war in der gleichgeschalteten Zeitschrift für Musik zu lesen, Mussolini habe »die Widmung der neuesten Lehár-Operette abgelehnt«, schließlich ginge »diese Operette textlich darauf aus, Führerprinzip und Autorität in jeder nur denkbaren Form lächerlich zu machen«.[7] Doch nicht nur deshalb wurde *Giuditta* in Deutschland lange nicht aufgeführt, vielmehr wurde ihr Komponist unversehens in die politischen Folgen von Hitlers Machtergreifung verwickelt. Schon am 24. April 1933 hatten die Funktionäre der Genossenschaft deutscher Tonkünstler und der GEMA die sogenannte »Griechenbeisl«-Affäre vom Zaun gebrochen, in die auch Lehár hineingezogen wurde. Anlaß war die versuchte Kündigung eines bis 1937 laufenden Kooperationsvertrages der deutschen Urheberrechtsorganisationen mit der österreichischen Schwestergesellschaft AKM, die sich seit geraumer Zeit zu einer gemeinsamen Gebührenerhebungsstelle unter dem Namen »Musikschutzverband« zusammengeschlossen hatten. Deren Präsident war Baron Anton von Lehár, der Bruder des Komponisten. Bei einem geschäftlichen Zusammentreffen der Vorstände im Wiener »Griechenbeisl« hat er die deutschen Kollegen nach eigener Aussage vor einem Vertragsbruch, wie folgt, gewarnt: »Denken Sie doch daran, welch schlechte Erfahrungen die Deutschen mit der Verletzung ihrer Neutralitätsverpflichtung gegenüber Belgien gemacht haben, und wie sich das später gerächt habe.«[8] Aufgrund dieser Äußerung wurde Baron Lehár am 5. Mai fristlos gekündigt; sein Bruder wandte sich umgehend an den zuständigen Reichsminister mit der dringenden Bitte, »dem General a. D. und Mariatheresienritter Anton Freiherr von Lehár eine kürzere Unterredung zu gewähren«. Noch unter den Brief setzte der Minister den Vermerk: »kommt nicht in Frage«.[9] Es war Lehárs erster Kontakt mit Joseph Goebbels.

In der deutschen Presse fand Lehár bald besagte Äußerung im »Griechenbeisl« sich selbst untergeschoben. Von der nationalsozialistischen preußischen Landtagsfraktion wurde gar der Boykott seiner Werke in Deutschland verlangt. Franz Lehár dementierte in sämtlichen Wiener Zeitungen: »Ich stelle hiermit fest, daß ich diese Äußerung nicht gemacht habe.« In seiner Stellungnahme erklärte er die deutsche Begründung der Kündigung, »daß das österreichische Repertoire ein ausgesprochen jüdisches Repertoire ist und jüdische Komponisten und Autoren im Deutschen Reich nicht mehr aufgeführt werden dürfen« zum bloßen Vorwand. »Abgesehen davon, daß mir bekannt ist, daß Werke von nichtarischen Komponisten nach wie vor in Deutschland zur Aufführung gelangen, und daß ich als Künstler auf dem Standpunkt stehe, daß die Konfession für den Wert eines Musikwerkes nicht maßgeblich sein kann, ist die Behauptung … unrichtig … Ich lebe als Künstler für mein Schaffen und kümmere mich nicht um die Politik. Leider werde ich durch derartige Artikel gezwungen zu erwidern.«[10] Die Reaktion aus Berlin ließ nicht auf sich warten: »Franz Lehár wird nicht mehr im Rundfunk gespielt. Er hat es für nötig gehalten, die deutsche Politik zu kritisieren … Nun, es wird auch ohne Lehár gehen.«[11] Für Lehár ein »neuer Beweis dafür, daß man mit allen Mitteln versucht, um sogenannte ausländische Komponisten oder Autoren, die in Deutschland Erfolg haben, zugunsten parteipolitisch eingestellter ›Kollegen‹ zu verdrängen«.[12] Lehár, nach der Annahme der *Giuditta* zum offiziellen Aushängeschild Österreichs geworden, ging auf Distanz und auf Reisen. Die Uraufführung der Opernfassung seiner *Frasquita* in der Pariser Opéra comique am 3. Mai 1933, welche ihm »die Ehre eines Empfangs durch den Präsidenten der Republik Frankreich und einige Tage später«, während einer Aufführung des *Land des Lächelns*, das im Gaîté lyrique über 1000 Vorstellungen erlebte, »die Überreichung des Kommandeurskreuzes der Ehrenlegion brachte, wird immer«, wie er beteuerte, zu seinen »schönsten Erinnerungen zählen«.[13] Inzwischen wurde er in Deutschland auf die parteiinterne »schwarze Liste« gesetzt: »Auch Lehár dürfte sich damit alle Sympathien des deutschen Volkes verscherzt haben.«[14]

Die »verjudete« Operette

Mitte Januar 1933, noch vor Machtergreifung der Nationalsozialisten, war es in Berlin zum großen Theaterkrach gekommen, dessen prominenteste Opfer neben Max Reinhardt die Rotters mit ihren sieben Bühnen geworden waren. Sie hinterließen Schulden in Millionenhöhe und setzten sich nach Liechtenstein ab. Dort wurden sie aufgespürt und mit vorgehaltener Pistole von sieben Gestapo-Agenten am 5. April in Vaduz entführt. Bei der Flucht aus dem rasenden Auto stürzten sich Alfred und seine Frau Trude zu Tode, Fritz konnte sich mit Schädelbasisbruch retten und nach Paris entkommen. Trotz dieses Vorfalls war vielen österreichischen Theaterleuten der Ernst der Lage noch immer nicht bewußt. Verstört beobachteten sie von Wien aus das Geschehen. Zwar soll Richard Tauber im Februar vor seinem Berliner Hotel von SA-Männern verprügelt worden sein, aber dies scheint wenig plausibel, richtete er doch am 25. Mai aus Den Haag folgende »Erklärung« an den Theaterausschuß im preußischen Kultusministerium: »Ich, der Unterzeichnende Richard Tauber, Mitglied Nr. 34141 der Genossenschaft Deutscher Bühnenangehöriger, erkläre, dass ich den Zielen der nationalen Regierung des heutigen mir zur zweiten Heimat gewordenen Deutschland volles Verständnis entgegenbringe. Ich füge mich bewußt in die nationale Bewegung ein und stelle mich und meine Kunst dem Aufbau eines neuen deutschen Theaters zur Verfügung.«[15] Am 6. Juni folgte ein Brief des befreundeten Kammersängers Erich Mauch, der darauf hinwies, daß Tauber als »Halbjude in rein arischem Familienkreise erzogen« wurde, und ihn wie folgt zitierte: »Ich will deshalb nur deutsch singen, weil die Schönheit der deutschen Musik nur in der deutschen Sprache erfüllt werden kann.« Der briefschreibende Kollege konnte sich die Richtigkeit der Einwände eines ausländischen Freundes nicht vorstellen, daß man nämlich aus »parteilicher Engstirnigkeit ... schematisch nach so und so viel Mischung jüdischen Blutes es fertig bringt, einen prominenten Künstler ... aus brutalen Gründen heraus zu sabotieren«.[16] Der zuständige Staatskommissar, Hans Hinkel, der später in der Reichskulturkammer eine entscheidende Rolle spielte, antwortete umgehend, »dass Herr Tauber als freischaffender Künstler sich in Deutschland betätigen kann, ohne Gefahr zu laufen, hier Schwierigkeiten zu begegnen, vorausgesetzt, daß er nicht gegen die Belange des heutigen Deutschland verstösst«.[17] Tauber trat in diesem Deutschland nicht mehr auf, seine Schallplatten aber waren noch einige Jahre im Handel. Wie überhaupt in den ersten Jahren des Dritten Reiches eine gewisse Unsicherheit im Bereich der Unterhaltungsmusik festzustellen ist. So standen bis 1935 beispielsweise Kálmáns *Csárdásfürstin*, Leon Jessels *Schwarzwaldmädel*, Georg Jarnos *Förster-Christl* und sogar Bertés *Dreimäderlhaus* auf dem Spielplan des Gärtnerplatztheaters in München, obwohl die Abstammung dieser Komponisten einschlägig bekannt war. Schließlich waren ein Großteil der Operettenkomponisten Juden, wie Ralph Benatzky schon 1928 in seinem Tagebuch vermerkte: »Die geistige Beweglichkeit dieser Rasse, die rasche Auffassung, die Cultur, der Sinn für die Pointe sind ideal für den Künstler, und nicht umsonst rekrutiert sich das Hauptkontingent der ausübenden und schaffenden Künstler aus dieser Nation. Von uns Wiener Componisten z.B. ... Strauß (Oscar), Kalman, Fall (Leo und Richard), Granichstaedten, Eysler, Stolz, Erwin, Krausz ... etc. ... sind nur ich und Lehár Christen ... von den Librettisten kenne ich zur Zeit überhaupt keinen, der es wäre. Ebenso sind von den Schauspielern und Schauspielerinnen, Sängern, Sängerinnen und Tänzerinnen die Nichtjuden nur ganz selten, von den Direktoren gar nicht zu reden. Vielleicht ist es bei der (sogenannten) ernsten Kunst etwas anders...«[18] Die Folgen der nationalsozialistischen Kulturpolitik waren daher in kaum einem Bereich so einschneidend wie in der Operette. Einer vitalen Kunst wurde damit der Boden entzogen, über die Hälfte des Repertoires fiel der Rassenideologie zum Opfer. Dabei hatte Ralph Benatzky Paul Abrahám, Leo Ascher, Jean Gilbert, Victor und Friedrich Holländer unterschlagen. Mit Robert Stolz erging es ihm so wie den Nazis mit ihm – er hielt ihn fälschlich für einen Juden. Erst 1938 entdeckte nämlich Goebbels zu seinem Erstaunen, daß »Benatzky ... kein Jude« ist. »Ich rehabilitiere ihn und lasse eine Untersuchung anstrengen gegen die, die ihn zu Unrecht beschuldigt haben.«[19] Überhaupt herrschte teils durch blühendes Denunziantentum, teils durch Unwissenheit eine heillose Verwirrung, welcher Komponist nun jüdisch ist. Lange gab es keine Liste der jüdischen Operettenkomponisten, so daß anläßlich einer Besprechung der *Giuditta*-Premiere zu lesen war: »Die Hauptrolle spielte natürlich sein intimster Freund, der wohl den Deutschen noch nicht restlos unbekannt gewordene Sänger Richard Tauber, Lehárs Gesinnungsgenosse und Rassekollege.«[20]

»Kulturpolitisch ein strittiges Problem«

Solche Gerüchte blieben nach wie vor im Umlauf, obwohl »Lehár selbst ... in einem Schreiben vom 16. August 1933 der Reichsleitung des Reichsverbandes Deutsche Bühne e.V. seine eigene arische Abstammung versichert«[21] hatte. Selbst die rassisch genehmen Operettenkomponisten waren also anfangs der allgemeinen Denunziation gegen die als »verjudet« geltende Operette ausgesetzt. Eduard Künneke, mit einer Halbjüdin verheiratet, hatte gar »aufgrund dieser Tatsache ... seinen Austritt aus der NSDAP erklären müssen«, der er vermutlich aus diesem Grund beigetreten war. Er wurde an Silvester 1935 durch die Uraufführung seiner *Großen Sünderin* in der Berliner Staatsoper rehabilitiert. In denselben »Informationen des Kulturpolitischen Archivs im Amt für Kulturpflege« vom Januar 1935 fand sich der Hinweis, daß Lehár »sich ausnahmslos jüdischer Textbuchverfasser bei seinen Operetten bedient: Leo Stein, Béla Jenbach, Bodanzky, Reichert, Julius

Bauer, Brammer, Grünwald, Herzer, Löhner-Beda, Marton, Willner« – nicht zu vergessen Viktor Léon und Paul Knepler – zudem bewege sich Lehár »in Wien ausschliesslich in jüdischen Kreisen«.[22] Was die Texte betraf, stand für Hans Severus Ziegler, den Organisator der Ausstellung »Entartete Musik«, in seiner »Abrechnung« mit dem gleichen Titel fest, daß sich »eine ganz spezifisch jüdische Wortmelodie ... bei der Komposition auch als besondere Tonmelodie widerspiegeln muß. Ein gemauschelter Text läßt sich ... nicht durch die Musik ins geliebte Deutsch übertragen. Mit dem ... Textdichter gleitet auch der Komponist abwärts.«[23] Demnach wurde selbst der durch seine Abstammung tragbare Franz Lehár »für die Kulturpolitik des Dritten Reiches ein strittiges Problem ... Der Aufbau seiner Operetten zeigt eine gewisse internationale Kitsch-Schablone. Die von Lehár laufend vertonten Texte entbehren, von Juden geliefert, jeglichen deutschen Empfindens. Lehárs Können verschwendet sich an diese Sujets in kulturpolitisch bedauerlichem Sinne ... Lehár hat einen Walzer komponiert, den er Frankreich widmete ... Seine nach langjähriger Bekanntschaft vor einigen Jahren geheiratete Ehefrau soll jüdisch sein. Lehár selbst hat ... seine arische Abstammung versichert. Trotzdem ist eine Annahme von Aufführungswerken Lehárs für die NS-Kulturgemeinde nicht tragbar ... hat Lehár sich durch seinen ständigen Umgang mit Juden, seine Freundschaft zu Richard Tauber, nicht zuletzt durch hämische Bemerkungen über den Nationalsozialismus außerhalb des Kreises der Mitarbeiter an der Kulturpolitik des Dritten Reiches gestellt, soweit von einem Werturteil über sein musikalisches Schaffen abgesehen werden kann.«[24]

Dies war der offizielle Standpunkt der Parteiideologen im Amt für Kulturpflege unter der Leitung des »Beauftragten des Führers für die gesamte geistige und weltanschauliche Erziehung«, Alfred Rosenberg, dem außerdem die Besucherorganisation der NS-Kulturgemeinde unterstand. Da die entsprechende staatliche Stelle, Joseph Goebbels' Ministerium für Volksaufklärung und Propaganda, und der diesem unterstellte Reichsdramaturg Schlösser keine Richtlinien erließ, vielmehr stillschweigend das bisherige Operettenrepertoire duldete, entstand für die einzelnen Theater eine undurchschaubare Situation. Stellvertretend für andere lassen sich die Querelen um eine Aufführung des *Grafen von Luxemburg* anführen, den das Stadttheater Freiburg für die Spielzeit 1935/36

53 *»Ausschließlich in jüdischer Gesellschaft«*
Franz Lehár mit Dr. Ludwig Herzer, Gitta Alpar,
Dr. Fritz Löhner-Beda und Richard Tauber nach
dem Krach mit Rotters bei *Schön ist die Welt* 1930

angekündigt hatte. Umgehend erging vom Leiter des kulturpolitischen Archivs im Amt für Kulturpflege, Dr. Gerigk, aus Berlin der Hinweis an den Freiburger Ortsverband der NS-Kulturgemeinde, das Werk sei »unter allen Umständen nicht tragbar, da die Textverfasser die beiden Juden Leo Stein und Dr. Willner sind« – was im Fall Leo Steins zwar zutraf (der jedoch am *Luxemburg* gar nicht beteiligt war) bei Willner hingegen nicht, der mit Robert Bodanzky den Text verfaßt hatte, auf den es wiederum zutraf. Es herrschte offensichtlich Verwirrung; ungeachtet dessen ging es Gerigk darum, »gegebenenfalls noch eine Änderung des Spielplans durchzusetzen«. Als der zuständige Ortsleiter Franz Prandhof bei der Theaterleitung intervenierte, antwortete ihm in deren Namen der Freiburger Oberbürgermeister und Kreisleiter der NSDAP, Dr. Kerber: »Über die grundsätzliche Richtigkeit Ihrer Anschauungen gibt es keine Debatte. Operetten, deren Text von Juden stammt, müssen von der Bühne verschwinden. Nur läßt sich das zur Zeit nicht durchführen, weil nämlich dann das deutsche Theater überhaupt ohne Operetten wäre ... In den letzten Wochen wurde *Der Graf von Luxemburg* gespielt in Altona, München, Wiesbaden, Koblenz, Liegnitz, Magdeburg ... So erkläre ich mir den Standpunkt des Reichsdramaturgen ... Ich muß Sie bitten, zunächst einmal dafür zu sorgen, daß in den obersten Instanzen der Stellen des Staates und der Partei, die sich mit der Überwachung unserer Kultur befassen, eine einheitliche Haltung erzielt wird.« Ratlos schickte daraufhin der Freiburger Ortsleiter eine Abschrift des Schreibens an das kulturpolitische Archiv nach Berlin: »Aber ein aus städtischen und zum Teil staatlichen Mitteln subventioniertes deutsches Theater sollte Gefahr laufen, ganz geschlossen werden zu müssen, wenn es nicht die Möglichkeit hätte, Operetten, deren Textdichter Juden sind, aufführen zu können ... Armes deutsches Theater. Mich persönlich interessiert wirklich, ob derartige Zustände unseren führenden Parteigenossen Dr. Goebbels und Rudolf Hess bekannt sind und ob sie von ihnen gutgeheißen werden ... sollte es dem Amt für Kulturpflege in der NSDAP nicht mehr möglich sein, zu erreichen, daß sich der Reichsdramaturg bei Genehmigung der Spielpläne nicht nur von wirtschaftlichen, sondern auch wenigstens von kulturpolitischen Erwägungen leiten läßt? Man fragt sich unwillkürlich, wer hat eigentlich die Macht in diesem Staat?«[25] Goebbels' pragmatische Kulturpolitik schien sich also auch auf dem Gebiet der Operette gegenüber dem rassenideologischen Fundamentalismus der Parteistelle Rosenberg durchzusetzen, was zur paradoxen Folge hatte, daß Lehárs jüdische Librettisten Tantiemen aus Nazi-Deutschland erhielten und man in Wien die Konsequenzen der deutschen Kulturpolitik lange unterschätzen konnte. Doch bald schon wurde das inkrimierte Repertoire jüdischer Autoren ersetzt. Kálmáns Stil der großen traditionellen Operette wurde von Nico Dostal übernommen, die Schlageroperette à la Abrahám von Fred Raymond. Ausdrücklich verboten waren bisher jedoch nur Falls *Fideler Bauer* und Eyslers, von Brammer und Grünwald getextete *Goldene Meisterin*, obwohl in ihr sogar, grotesk genug, der Anschluß explizit gepriesen wurde: »Du, lieber alter Stephansturm,/was wirst du noch erleiden!/Bevor der Anschluß Wahrheit wird,/wann wird es sich entscheiden?!«

Was die Glocken läuten...

Die veränderte Spielplanpolitik des Dritten Reiches zeigte dennoch langsam Wirkung. Immer weniger wurden die Werke Eyslers, Falls, Kálmáns, Granichstaedtens oder Oscar Straus' aufgeführt, allesamt vertreten durch den Karczag-Verlag. Hubert Marischka, in dessen Besitz auch der Verlag übergegangen war, sah sich durch die schleichende Weltwirtschaftskrise, die außerdem zu einer Wiener Operettenkrise geworden war, immer öfter gezwungen, die Defizite des Theaters an der Wien mit den nach wie vor reichlichen Einnahmen seines Verlags auszugleichen. Schon am 6. August 1932 hatte er dem darüber besorgten Lehár versichert: »Ich denke gar nicht daran, den Verlag zu verkaufen, wenn es aber jemals durch irgendwelche Umstände dazu kommen sollte, werde ich mich bezüglich Deines Werkes *Giulietta* ins Einvernehmen setzen ... Dein aufrichtiger Freund H. M.«[26] Anfang des Jahres 1935 machten sich die Einnahmeausfälle des Karczag-Verlags zunehmend bemerkbar und stürzten das Theater an der Wien in eine Krise, die nicht mehr zu vertuschen war. Am 1. März mußten die Marischka-Bühnen den Betrieb einstellen. Bereits am 21. Februar hatte Lehár von der Stadt Wien eine Konzession als Verleger erhalten, seine Werke dem Karczag-Verlag entzogen und dem neugegründeten Glocken-Verlag zugeführt. Was geschehen war, läßt sich kaum mehr rekonstruieren. Der Anwalt Lehárs, Dr. Sigfried Fraenkel, sprach von einer außergerichtlichen Einigung Lehárs mit Marischka, der gegen Stornierung sämtlicher entstandener Außenstände jenem »die Rechte aller seiner Werke aus dem Karczag-Verlag, samt dem vorhandenen Lager an Musikalien und Materialien zur freien Verfügung«[27] stellte. Demnach habe Lehár rechtzeitig von den Vorgängen im Theater an der Wien läuten hören und seinem Verlag daher den sprechenden Namen gegeben. Marischkas dritte Frau Gertrud hingegen sah eine von langer Hand durch die Leiterin des Karczag-Verlags, Frau Herz, vorbereitete Verschwörung am Werk: »Ganz ohne vorherige Verständigung fuhr eines Tages ein großer Speditionswagen vor dem Eingang des Hauses Linke Wienzeile 6 vor, durch den Lehár sein gesamtes Noten- und Buchmaterial ... einfach abtransportieren ließ ... Daß daraufhin alle anderen Komponisten und Autoren nun auch ihrerseits ihre Verträge für null und nichtig erklärten ... war einfach eine Kettenreaktion.«[28] Erst danach sei es zum Konkurs gekommen und Frau Herz zur Geschäftsführerin des Glokken-Verlags avanciert. In einer Mitteilung besagter Frau Herz an Lehár, der sich anläßlich einer *Giuditta*-Aufführung am Théâtre de la Monnaie mit Löhner-Beda in Brüssel aufhielt, ist jedoch von einem Übereinkommen mit Marischka vom Juni 1934 die Rede. Wie ein Brief Lehárs vom 28. Juni belegt, hatte er nämlich festgestellt, daß die Fertigstellung des Orchestermaterials für *Giuditta* »deshalb verzögert werde, weil die laufenden Rechnungen vom Karczag-Verlag nicht bezahlt worden sind«. Der Komponist drohte Marischka daraufhin nichts weniger als heimlich: »Du wirst einsehen, daß Du mir nicht noch größeren Schaden zufügen kannst und teile Dir daher mit, daß ich *Giuditta* auch in Namen der Buchautoren zurückziehen muß, da uns sonst durch die Nichtlieferung des Materials wieder ein großer Verlust erwachsen würde ... Ich bitte Dich um Stellungnahme innerhalb 3 Tagen, da ich dann meine Disposition in dieser Angelegenheit treffen muß. Herzlichst Dein getreuer Lehár.«[29]

Zwar nahm das Theater an der Wien unter der Direktion Arthur Helmers den Spielbetrieb wieder auf, doch ähnlich wie im Berliner Metropol-Theater mit seinen berüchtigten Hentschke-Revuen beherrschte von nun an die Schlageroperette mit ihren vom Tonfilm beeinflußten Sujets das Repertoire. Erfolge wie Abráháms *Roxy und ihr Wunderteam* spielten im Fußball-, Benatzkys *Axel an der Himmelstür* im Filmmilieu. Die Zeit der großen Operetten alten Stils war damit auch in Wien vorüber. Kálmán und Oscar Straus brachten ihre Werke jetzt in Zürich heraus oder wandten sich Operettenfilmen zu. Auch Lehár, der sich interessanterweise deshalb so lange dem Tonfilm widersetzt hatte, weil angeblich die einzelnen Instrumente nicht zu hören wären, versuchte sich Anfang der dreißiger Jahre auf diesem Gebiet, denn »der Tonfilm ist heute technisch bereits so ausgebaut, daß jede Musik, jedes Instrument klangrein reproduziert werden kann ... Die Filme also, die meine Musik enthalten, sind Operettenfilme und keine – eigens komponierten – Filmoperetten ... wenn ich natürlich auch einige Musikstellen, auch ganze Lieder für den Film hinzukomponiere.«[30] Tatsächlich schrieb er Originalmusiken nur für zwei komplette Filme: 1932 für *Es war einmal ein Walzer* mit Marta Eggerth und Paul Hörbiger und einem

Drehbuch von Billie Wilder und 1933 für *Großfürstin Alexandra* neben Leo Slezak, Paul Hartmann und Szöke Szakáll mit Maria Jeritza in der Hauptrolle. Nachdem in den zwanziger Jahren eine Reihe von Lehár-Operetten in Stummfilmversionen erschienen waren: *Der Graf von Luxemburg*, *Der Zarewitsch*, *Paganini* unter dem Titel *Gern hab' ich die Frau'n geküßt* und *Das Fürstenkind* mit Käthe Dorschs Ehemann, Harry Liedke, wurden zwischen 1930 und 1935 allein in Deutschland und Österreich fast sämtliche späten Lehár-Operetten verfilmt: *Das Land des Lächelns* mit Tauber war der Anfang, *Friederike* mit Hans Heinz Bollmann, Mady Christians, Paul Hörbiger und Adele Sandrock, *Frasquita* mit Bollmann, Jarmila Novotna, Hans Moser und Heinz Rühmann, *Eva* ebenfalls mit Rühmann, Sandrock und Moser sowie Magda Schneider in der Titelrolle, *Paganini* mit Ivan Petrovich, Theo Lingen als Pimpinelli und wieder Sandrock – dann jeweils mit Marta Eggerth: *Cloclo* unter dem Titel *Die ganze Welt dreht sich um Liebe* (außerdem: Leo Slezak, Hans Moser) und mit Hans Söhnker als Partner *Wo die Lerche singt* und *Zarewitsch.* Lehár selbst war an diesen Filmen kaum beteiligt, und wenn Darsteller wie Marta Eggerth neue Einlagen wünschten, legte er ihnen alte Lieder zur Auswahl vor. Auch in Hollywood wurde zum Beispiel *Zigeunerliebe* als *The Rogue Song* mit dem Bariton der Metropolitan Opera Lawrence Tibbett in der Hauptrolle verfilmt, allerdings mit stark veränderter Handlung, in der Stan Laurel und Oliver Hardy als Komiker auftraten. 1935 schloß Lehár mit der Paramount einen Vertrag über eine Verfilmung des *Grafen von Luxemburg* ab, die aber nie realisiert wurde. Als ihn Metro-Goldwyn-Mayer als musikalischen Leiter der Verfilmung der *Lustigen Witwe* unter der Regie von Lubitsch nach Hollywood einlud, gab er sich unentschlossen: »Ob ich nach Hollywood zu reisen gedenke? ... Verlocken würde mich solch ein Ausflug über den großen Teich natürlich sehr, und zwar schon deshalb, weil es mir bisher in meinem Leben noch nicht vergönnt war, eine Amerikareise anzutreten. Um einen endgültigen Entschluß zu fassen, müßte ich natürlich den Termin kennen, zu dem meine Anwesenheit in Hollywood notwendig wäre.«[31] Es kam nie zu einer Amerikareise, und das Foto, das Lehár beim Dirigieren dieses Films zeigt, wurde für die französische Version in Paris nachgestellt.

»Haben die Amerikaner andere Ohren…«

Warum Lehár zeitlebens dem Lockruf Amerikas nicht folgte, hat verschiedene Gründe. Vor dem Ersten Weltkrieg hielt ihn die enorme Operettenkonjunktur in Europa zurück, danach knüpfte er zwar Kontakte, schob die vor allem aus finanziellen Erwägungen geplante Reise aber so lange vor sich her, bis sie der überraschende Erfolg der Lyrischen Operette Mitte der zwanziger Jahre überflüssig machte. Hinzu kam, daß seine späten Werke in Amerika erst in den dreißiger Jahren und, ohne Lehárs Einwilligung, stark bearbeitet aufgeführt wurden, so daß *Paganini* und *Das Land des Lächelns* bereits bei Probeläufen in Boston und Philadelphia durchgefallen waren und nicht einmal Geraldine Farrar *Frasquita* retten konnte. Lehár war verbittert: »›My reputation in the United States has been ruined‹ … According to Lehár, the American rights of his later works, including *The Yellow Jacket*, which he later transformed into the record-breaking *Pays du Sourire*, were sold in the midst of the economic confusion following the war for $ 500 apiece by an agent to interests that have never attempted to produce them in their original form but still exercise absolute control over them.«[32] Von diesem Agenten hatte mittlerweile der Theatermogul J.J. Shubert die Rechte erworben, der so weit ging, Richard Tauber und Maria Jeritza zu hindern, Lehár im amerikanischen Rundfunk zu singen. Die neue Leiterin des Glocken-Verlags, Frau Tauer, versuchte, im September 1936 J.J. Shubert zum Einlenken zu bewegen: »Sie müßten doch im Gegenteil bemüht sein, dass die Lehársche Musik recht fleißig im Radio und in Konzerten gespielt wird, damit sie in Amerika genau so populär wird wie überall … Ich kann's nicht begreifen! … Das hat auch Herrn Lehár sehr, sehr aufgeregt und erbittert … Die letzten Werke Franz Lehár's … sind keine richtigen Operetten mehr, sondern eigentlich Opern. Von diesem Standpunkt aus sollten Sie dieselben betrachten! Es muß doch nicht unbedingt und überall ein Happy End sein … Der Meister ist außer sich darüber, dass Sie sein Lieblingswerk *Land des Lächelns* schon so oft umarbeiten ließen … Ich wollte ja eben, dass wir den Meister dazu bringen, die Reise nach Amerika zu machen, dort ein oder zwei Konzerte zu dirigieren … hieran soll eine Premiere eines seiner Werke – am besten *Land des Lächelns* in einem guten New-Yorker Theater unter seiner Leitung – mit ihm als Dirigent stattfinden ... Sie sollten ihn nicht kränken, lieber Mr. Shubert.«[33] Kurz zuvor hatte sie auch Lehár zu beruhigen versucht: »Er ist bestimmt ein ekelhafter Kerl mit seinem Starrkopf, aber wir müssen unbedingt in Güte zu einem Resultat kommen. Ich habe das Gefühl, dass es halt herrlich wäre, wenn sich mein verehrter Meister mit seiner lieben Gattin entschliessen würde, gelegentlich nach Amerika zu fahren. Dem von diesem Ehepaar ausstrahlenden Charme kann sich niemand auf der Welt verschliessen! ... die ganzen Geschichten und Zaghaftigkeiten seitens Shubert's wären dann auf die einfachste Art überwunden. Glauben Sie nicht, dass ich recht habe, verehrter Meister und liebe Gnädige Frau?«[34] Die Strategie schien zu fruchten. Zwei Monate später jedenfalls verkündete Mr. Shubert, er plane einen Lehár-Zyklus in New York, eingeleitet von *Friederike*, die bereits am 26. Dezember 1936 in Boston Vorpremiere hatte und am 4. Februar 1937 im New Yorker Imperial Theater mit Dennis King in der Hauptrolle herauskam. Doch die Sache hatte einen Haken. Nicht nur das Buch, auch die Musik war zu Lehárs Entsetzen bearbeitet worden. »Das ist ja nicht mehr zum Aushalten. Shubert schickt das Orchester Material zurück mit der Begründung, er habe es nicht benutzt, weil es nicht brauchbar ist. Er habe es selbst instrumentieren lassen. Ja, haben denn die Amerikaner andere Ohren als die übrige Welt? Jetzt will er Tantiemen-Kürzungen vornehmen etc. etc. Es ist zum Auswachsen ... Werde ich nicht gequält?? Soll ich den Tag verfluchen, an dem ich mich mit Mr. Shubert verbunden habe?«[35] Der sah umgekehrt keine Veranlassung dazu: »Lehár is the only foreigner I've ever known who doesn't care about money... Music is everything for him.«[36] Auch beim letzten Gespräch der beiden unfreiwilligen Vertragspartner im April 1937 konnte keine Einigung erzielt werden.

Komponistenstreik

Da der Glocken-Verlag ansonsten »über flaues Geschäft« nicht klagen konnte, ihr Inhaber aber seit Jahren keine neue Operette mehr in Angriff nahm, kam in Wien das Gerücht auf, er sei in den »Komponistenstreik getreten«. Lehár dementierte und betonte, er

»denke gar nicht daran, das Komponieren aufzugeben«, habe »schon ein ganz bestimmtes Buch in Aussicht« und wolle es »einfach in Musik setzen – ohne lange zu fragen, ob das, was entsteht, eine Operette oder eine Oper ist...« Er mußte eingestehen, daß es Komplikationen gegeben hatte. »Es stimmt allerdings, daß mir die leidigen Plagiatbeschuldigungen der Frau Lanik-Laval, die das Textbuch zu *Giuditta* als ihr geistiges Eigentum reklamiert, viel Zeit geraubt haben; aber ich fühlte mich um der Ehre meiner Librettisten willen verpflichtet, diesen Beschuldigungen entgegenzutreten, obwohl sie mich, den Komponisten eigentlich nicht treffen können.«[37] Diese an sich haltlosen Beschuldigungen, verbunden mit handfesten Schadensersatzansprüchen, trafen den Komponisten mehr, als er zugeben wollte, wurden sie doch von prominenten Wiener Persönlichkeiten bestätigt, darunter dem fast achtzigjährigen Kollegen und *Evangelimann*-Schöpfer Wilhelm Kienzl, der nicht verwinden konnte, daß die Staatsoper Lehárs *Giuditta* und nicht eines seiner Werke spielte. Der von Lehár 1934 angestrengte Prozeß zog sich in die Länge, Kienzl mitsamt Kombattanden mußte nach drei Jahren öffentlich widerrufen, in einem weiteren Verleumdungsverfahren wurde Frau Lanik-Laval zwei Jahre später schuldig gesprochen. Hinzu kamen zur gleichen Zeit Erpressungsversuche, sein Privatleben betreffend, die noch Folgen und erst 1939 ihr unrühmliches, noch zu erwähnendes Ende haben sollten, sowie ein Einbruch in seine Villa. Anstatt neue Werke zu komponieren, ging Lehár nach Gründung des Glocken-Verlages daran, ähnliche Veränderungen seiner alten Werke, wie er sie seitens Shuberts gewärtigen mußte, zu untersagen und späteren Bearbeitungen durch eigene zuvorzukommen. So erschienen in dieser Zeit noch heute gebräuchliche Ausgaben »letzter Hand« von *Der Graf von Luxemburg*, *Zigeunerliebe*, *Der Zarewitsch*, die zum Teil erheblich von den Urfassungen abweichen. Niemand sollte seine Instrumentation modernisieren oder fremde Nummern in die Partituren einlegen dürfen, ein Anliegen, das ihn bis zu seinem Tode beschäftigte. Daß gerade das, was er verhindern wollte, mit seinen Werken im Dritten Reich geschah, ist noch der kleinste Widerspruch, in dem sich Lehár zu dieser Zeit befand.

54 *»Alle sind begeistert...«*
Joseph Goebbels im Gespräch mit Bernhard Herzmansky und Franz Lehár beim 9. Komponisten- und Autorenkongreß 1936 in Berlin

»Schmalz für Auge und Ohr«

Standen die Werke Lehárs allen Boykottdrohungen der Nazi-Presse zum Trotz weiterhin, mit der Zeit mehr denn je auf deutschen Spielplänen, hielten sich die Berliner Theater lange auffällig zurück. Erst zu Silvester 1935 setzte das Deutsche, vormals Städtische Opernhaus Charlottenburg eine Neuinszenierung der *Lustigen Witwe* an, obwohl das Werk, wie es im Programmheft vorsichtig hieß, »einer Epoche angehört, deren Bestreben nur zu oft dahin ging, die Ideale des Staatsbürgers zu verspotten«. Der Text wurde vom Regisseur Hans Batteux dahingehend verändert, daß »die pontevedrinischen Staatsfiguren als in Paris lebende Pensionäre angenommen wurden. An Stelle der Anspielungen vaterländischer Art mußten familiäre Begebenheiten eingeflochten werden, die stets und immer einer lustvollen Spöttelei unterzogen werden können.«[38] Ob Lehár an dieser Fassung beteiligt war, darf bezweifelt werden. Die erste verbürgte Berlin-Reise seit vier Jahren führte ihn 1936 zum 9. Komponisten- und Autorenkongreß. Beim abschließenden Empfang im Hotel Kaiserhof am 3. Oktober erschien er mit reich bestückter Ordensbrust und wurde von Goebbels entsprechend hofiert. Der vertraute seinem Tagebuch an: »Ich unterhalte mich lange mit Léhar, Pirandello ... Der Kongreß war für uns ein voller Erfolg. Alle sind begeistert...«[39] Lehár scheinbar auch, denn bereits am 27. November nahm er an der 3. Jahrestagung der Reichskulturkammer in der Berliner Philharmonie teil, wo er auch Hitler kennenlernte, der nach Albert Speers Zeugnis noch »Tage danach beglückt über dieses bedeutungsvolle Zusammentreffen« war. »Für ihn war er in allem Ernst einer der größten Komponisten der Musikgeschichte. Seine *Lustige Witwe* rangierte für Hitler gleichrangig neben den schönsten Opern.«[40] Drei Tage später besuchte er eine Vorstellung des *Zarewitsch*, der am 25. November im Theater am Nollendorfplatz Premiere hatte, zusammen mit dem protokollierenden Goebbels: »Der Führer ist ganz groß in Aktion. Er ist ein wahres Genie. Er versteht von allem das Wesentliche. Das ist so bewundernswert an ihm. Abends gehen wir mit ihm in den *Zarewitsch*. Léhar dirigiert. Ein richtiges Schmalz für Auge und Ohr. Das Publikum ist begeistert. Das ist auch schön so. Wir haben alle viel Spaß daran, und Lehár ist ganz glücklich.«[41] Das eigentlich Erstaunliche an dieser Produktion aber war der Programmzettel, auf dem groß die Namen der jüdischen Librettisten Béla Jenbach und Heinz Reichert geschrieben standen. Bei der von Lehár erstellten Neufassung des *Grafen von Luxemburg* hingegen, die am 4. März 1937 im Theater des Volkes, dem früheren Großen Schauspielhaus, unter Lehárs Dirigat und mit Hans Heinz Bollmann in der Titelrolle Premiere hatte, waren die bereits verstorbenen Librettisten nicht mehr vermerkt. Wieder besuchte Goebbels die Vorstellung, diesmal »den Arbeitern zuliebe ... die Aufführung ist sehr farbig und lustig. Und dazu die wunderbaren Melodien Léhars. Das Publikum ist begeistert. Das gefällt immer.«[42] Goebbels, der sich mit Hilfe der NS-Gemeinschaft »Kraft durch Freude«, welcher auch das Theater des Volkes unterstand, gegenüber Rosenbergs NS-Kulturgemeinde im internen Machtkampf des Dritten Reiches durchgesetzt hatte, räumte Lehár damit die letzten Hindernisse hinsichtlich seiner unumstrittenen Position im deutschen Operettenspielplan aus dem Weg und band ihn immer enger an seine Kulturpolitik. Im Gegenzug will ihn Goebbels, was seinen Juristen zuvor nicht gelungen war, »in den Genuß der Tantiemen der *Lustigen Witwe* bringen. Ich werde auch das schaffen«. Die im Besitz der Aufführungsrechte befindliche Firma Felix Bloch Erben war zwar nicht ›arisiert‹ worden, mußte sich aber in ›Die Drehbühne‹ umbenennen. Am 16. Dezember 1937 notierte Goebbels: »Tantiemenfrage Léhar auch erledigt. Da habe ich nun Fraktur geredet.«[43]

Zermürbt von dem Konflikt mit Shubert, dem Plagiatsprozeß und den Erpressungsversuchen in Wien, fand sich Lehár unvermutet als Großmeister der Operette vom Dritten Reich umworben. Diese plötzliche offizielle Anerkennung schien die langersehnte Krönung seines Lebenswerkes zu bedeuten. Peter Herz, in den dreißiger Jahren Verfasser einiger Liedtexte für Lehár und ihm auch privat verbunden, war, wie etliche andere Mitarbeiter, entsetzt. »Franz Lehár, das muß wahrheitsgemäß festgestellt werden, war ein verblendeter Bewunderer Hitlers, besonders in der ersten Zeit des Unrechtsregimes. Schon im Jahr 1925 sprach er mit seinem Lieblingslibrettisten Béla Jenbach über die ›Bedeutung‹ des Naziführers, eine Einschätzung, die Jenbach als Jude natürlich nicht gelten ließ ... Lehár in seiner Naivität, ganz benommen von der Gunst des Diktators, genoß es in vollen Zügen, nunmehr auf allen staatlichen und privaten Bühnen Deutschlands als Lieblingskomponist Hitlers Persona grata zu sein.«[44] Lehár blieb somit auch während des Dritten Reiches der meistgespielte Operettenkomponist. Während seine Librettisten, wie die Verlagskorrespondenz belegt, im Glocken-Verlag ein und aus gingen, hatte sich in Deutschland die »Gewohnheit eingebürgert, die Namen der jüdischen Mitverfasser auf den Programmzetteln fortzulassen«.[45] Wie sich dieser Zwiespalt auf das Verhältnis der Librettisten zu Lehár auswirkte, bleibt eine offene Frage. Zumindest kamen sie im Gegensatz zu ihren Kollegen weiterhin in den Genuß der nicht unbeträchtlichen deutschen Tantiemen. Wenn Bernard Grun, ebenfalls ein Zeitzeuge, berichtet, daß Lehár, aufgrund der erwähnten Ärgernisse mißtrauisch geworden, begann, alte Freundschaften aufzugeben, mag auch sein verändertes Verhalten gegenüber Nazi-Deutschland eine Rolle gespielt haben. Frau Tauer vom Glocken-Verlag bemerkte im April 1937 über Löhner-Beda: »für alle Fälle scheint er sehr mit seinen Nerven fertig zu sein«.[46]

Ein deutsches Urhebergesetz

Wie sich die Gewichte der NS-Kulturpolitik im Laufe der dreißiger Jahre verlagerten, ist exemplarisch an den Positionen abzulesen, die Franz Lehár und Richard Strauss innehatten. Die Beförderung des letzteren zum Präsidenten der Reichsmusikkammer schien ihm endlich die Handhabe zu geben, seine langgehegten Reformwünsche zu realisieren, wie er sie bereits 1930 in einem Brief an seinen Vorgänger, Max von Schillings, formuliert hatte: »ein deutsches Urhebergesetz ... müßte ein *Dreimäderlhaus* ... Verarbeitung Goethe'scher Lieder in eine Lehár'sche Schmachtoperette und all der Unfug ... auch jene Art von Potpourrie, wie sie besonders in Badekapellen mit Vorliebe verzapft werden ... polizeilich verboten werden können ... während Gounods *Faust* vom deutschen Geschmacke ebenso zu verurteilen wäre, wie die Verballhornung Schiller'scher Dramen durch den jungen Verdi...«[47] In Amt und Würden setzte er alles daran, seinen Forderungen Nachdruck zu verleihen: »Ebenso habe ich schon des öfteren beim Herrn Minister darauf gedrungen, daß aus unseren subventionierten Opernhäusern, vielleicht mit Ausnahme der *Fledermaus*, die Operette gänzlich verbannt und der Privatinitiative überlassen werde.«[48] Doch stellten sich ihm Hindernisse vor allem in Gestalt »dieses Herrn Ministers« entgegen, der auf seinen Reisen durch die Provinz selten eine Lehár-Operette versäumte und mit solch elitärer Kulturarbeit kaum einverstanden war. An Stefan Zweig schrieb der Komponist noch hoffnungsfroh: »Endlich jetzt habe ich, glaube ich, an Staatskommissar Hinkel einen Kämpfer gefunden, der mir ... bei Dr. Goebbels meine langgehegten Reformideen zur Hebung der deutschen Opernkultur endlich durchzusetzen hilft! Diese bestehen aber nicht darin, große und schwere Kunstwerke den Bedürfnissen der kleinen Schmierendirektoren anzupassen (dafür sorgt Lehár und Puccini)...«[49] Durchaus in Übereinstimmung mit Herbert Gerigk von Rosenbergs Kulturpolitischem Archiv stellte für ihn Lehárs Werk einen »Abstieg in die untersten Bezirke einer entarteten Kunstauffassung«[50] dar. Als er bereits von seinem Posten zurückgetreten war, soll er, »bald grimmig, bald schalkhaft« gegenüber dem Organisator der Düsseldorfer Ausstellung »Entartete Musik« von 1938 geäußert haben, er habe »den ganzen Franz Lehár (!!) vergessen – das sei die Entartung der Operette! ... und die vier Juden in seiner *Salomé*, die rein atonal sängen!«[51]

Joseph Goebbels war solcher Humor nicht gegeben. Noch am 28. Februar 1941 zitierte er den ehemaligen Präsidenten seiner Reichsmusikkammer wegen dessen eigenmächtiger Urheberrechtsvorstellungen, in die sich »der Dr. Goebbels nicht einzumischen« hätte, zu sich nach Berlin und machte ihm die Prioritäten seiner Kulturpolitik unmißverständlich klar. Werner Egk hat als unfreiwilliger Zeuge die Begegnung festgehalten. »Goebbels: ›... nehmen Sie zur Kenntnis, daß Sie keine Vorstellung haben, wer Sie sind und wer ich bin!‹ Strauss kam nicht mehr zu Wort. Goebbels: ›Außerdem höre ich, daß Sie Lehár als Gassenmusikanten bezeichnet haben ... Ich habe die Möglichkeit, ihre Unverschämtheiten in die Weltpresse zu lancieren! Ist Ihnen klar, was dann geschieht? Lehár hat die Massen, Sie nicht! Hören Sie endlich auf mit dem Geschwätz von der Bedeutung der Ernsten Musik! Damit werden Sie sich nicht aufwerten! Die Kultur von morgen ist eine andere als die von gestern! Sie, Herr Strauss, sind von gestern!‹ ... Für Strauss war es eine unerträgliche persönliche Demütigung ... Die Hände vor das Gesicht geschlagen, murmelte er vor sich hin: ›Hätte ich doch meiner Frau gefolgt und wäre in Garmisch geblieben.‹«[52] Schon in seiner Rede zur Jahrestagung der Reichskulturkammer 1936, bei der Richard Strauss bereits ausgebootet war, sich hingegen Hitler und Lehár kennenlernten, sprach Goebbels Lehár und seiner ästhetischen Lückenbüßerei für »Halbgebildete« das Wort, denn »nicht jedermann sei musikalisch genug, etwa eine große Wagneroper zu hören und zu genießen. Sollte er deshalb überhaupt von der Musik ausgeschlossen werden? Nein, es sei gut, daß es auch andere Musik gebe, von der er etwas habe. Und auch die, die diese Musik schrieben, machten sich verdient um das Volk.«[53] Lehár hat Jahre später die vermeintliche Richtigkeit dieser Kulturpolitik für seine Person bestätigt, wenn er berichtet, wie ihm nach einem Konzert in München einer der 2000 Arbeiter im Publikum gestand: »›Wir hören Symphonien. Wir fühlen, daß es etwas Großes sein muß, aber wir können es nicht auffassen. Heute hörten wir Musik, die unser Herz bewegte, die uns bezauberte.‹ Mit Tränen in den Augen dankte er mir. Soll das alles bloß ›Unterhaltungsmusik‹ sein? ...«[54]

»Immer nur lächeln ... wie immer sich's fügt«
Lehár unterm Hakenkreuz

Viel ist's, was deutsche Waffen zwingen –
Doch viel siegt Lehár mit Musik.
Die Gefolgschaft des Glocken-Verlags[1]

Was sich an den Anschluß anschloß...

Mit dem 12. März 1938 änderte sich Lehárs Doppelexistenz zwischen Berlin und Wien schlagartig. Viele seiner Freunde und Kollegen waren Freiwild geworden. Tauber, der noch am 7. März *Giuditta* in der Staatsoper gesungen hatte, befand sich in Mailand. Er hatte 1936 die englische Schauspielerin Diana Napier geheiratet – die kirchliche Trauung fand in der Kapelle von Lehárs Schikaneder-Schlößl statt – und seinen Wohnsitz nach London verlegt. *Giuditta* verschwand übrigens ebenso wie *Das Land des Lächelns*, das noch am 30. Januar 1938 mit Tauber eine rauschende Premiere erlebt hatte, vom Spielplan der Staatsoper, was Lehár lange nicht verwinden konnte, bis 1940, zu seinem 70. Geburtstag, *Das Land des Lächelns* wiederaufgenommen wurde, allerdings in stark veränderter Besetzung. Doch das waren noch die geringsten Widrigkeiten. Zwar hatte er nicht wie Karl Böhm oder der später widerständige Paul Hörbiger öffentlich den Anschluß befürwortet, doch verhielt er sich von nun an ausgesprochen indifferent. Seine größte Sorge galt begreiflicherweise seiner jüdischen Frau, die sich damals von ihm zur Taufe überreden ließ. In grenzenloser Naivität betonte er fortan, seine Frau sei katholisch; schließlich soll es gar laut Peter Herz eine mittlerweile verschollene Fotografie gegeben haben, auf der ihr Goebbels vollendet die Hand küßte und die Lehár in vollem Ernst seinen jüdischen Bekannten als Beweis der Harmlosigkeit des nazistischen Antisemitismus zu zeigen beliebte. Wie verhielt er sich gegenüber diesen Bekannten, als auch er sehen mußte, daß es so harmlos nicht zuging? Vera Kálmán berichtet in ihren Memoiren von ihrem vergeblichen Versuch, Lehárs Hilfe zu erbitten, um die Beschlagnahmung ihrer Villa zu verhindern. »Lehár sagte nur: ›Selbstverständlich mache ich das.‹ – ›Dann komm' bitte morgen um drei zu uns, da erscheinen wieder diese SA-Leute.‹ – ›Natürlich bin ich da!‹ Aber wer nicht da war, das war unser guter Freund Franz Lehár. Er war für uns überhaupt nicht mehr da. Wenn man ihn anrief ließ er sich verleugnen. Das sollten auch andere seiner Freunde erfahren.«[2] Ihr Sohn Charles hingegen erwähnt einen regelrechten Abschiedsbesuch seines Vaters Emmerich Kálmán bei Lehár vor der erzwungenen Emigration, bei dem ihm dieser besagtes Foto zeigte, auf welchem nicht mehr Goebbels, sondern sogar »Hitler in Wien (1938) Frau Lehár die Hand küßt ... und ihm sagte, die Juden hätten ihm in seiner Karriere geschadet, weil zwei jüdische Kritiker *Luxemburg* und *Endlich allein* verrissen hatten. Mein Vater erinnerte ihn höflich daran, dass Lehárs Karriere eigentlich am meisten von Juden gefördert wurde – den meisten Schauspielern und Sängern seiner Operetten, seinen Verlegern und seinen Theaterdirektoren, sowie dem damals berühmten jüdischen Publikum. Und Vater riet ihm auch, in die Emigration zu gehen.«[3]

Von seinen Bekannten emigrierten Richard Tauber, Bernard Grun, Peter Herz und Paul Knepler nach England, Marta Eggerth, Vera Schwarz, Gitta Alpar, Fritzi Massary, Jarmila Novotna, Alfred Grünwald, Heinz Reichert, Emmerich Kálmán, Oscar Straus und Robert Stolz in die USA, Ludwig Herzer in die Schweiz. Die ›arisch‹ verheirateten Béla Jenbach, Edmund Eysler und Ernst Decsey tauchten in Wien unter; der greise Victor Léon weigerte sich hingegen, seine Hietzinger Villa zu verlassen. Als er Anfang 1939 dazu aufgefordert wurde, wandte sich seine spätere Universalerbin Annie Hebein-Stift, wie sie eidesstattlich erklärte, an Lehár, der versprach, »alles zu versuchen, um der bedrohten Familie zu helfen. Seine Intervention hatte auch vollen Erfolg. Victor Léon konnte bis zu seinem Tod im Jahre 1940 und (seine Lebensgefährtin) Ottilie Popper bis zu ihrem Ableben 1942 unangefochten in ihrer Villa bleiben.«[4] Zu Paul Knepler und Richard Tauber hielt Lehár auch nach deren Emigration, so lange dies möglich war, brieflichen Kontakt; Béla Jenbach blieb dem Komponisten, wie die Verlagskorrespondenz des Glocken-Verlags belegt, bis zu seinem Tod 1943 persönlich verbunden, obwohl solche Besuche in Wien mittlerweile nicht ungefährlich waren.

Im Fall eines anderen alten Mitstreiters, Louis Treumann, der

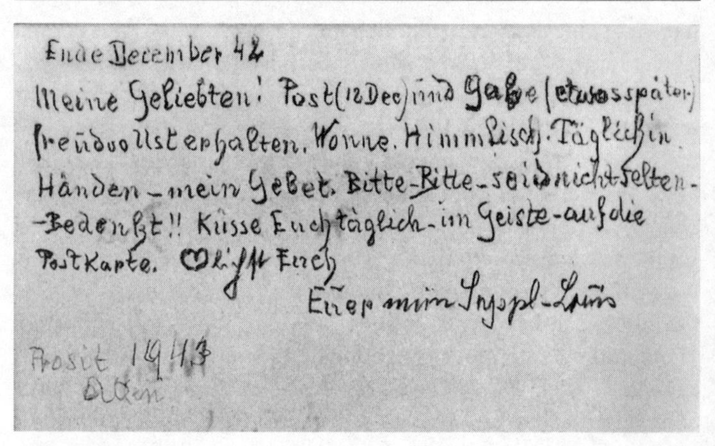

Ende December 42
Meine Geliebten! Post (12 Dec) und Gabe (etwas später) freudvollst erhalten. Wonne. Himmlisch. Täglich in Händen – mein Gebet. Bitte – Bitte – seid nicht selten – Bedenkt!! Küsse Euch täglich – im Geiste – auf die Postkarte. [illegible] Euch
Euer [illegible] – Louis
Prosit 1943
[illegible]

55 Louis Treumanns letztes Lebenszeichen aus dem KZ Theresienstadt (Dezember 1942)

sich seit seinem letzten verbürgten Auftritt 1935 in Abráháms *Maya* am Theater an der Wien in finanziellen Schwierigkeiten befand, konnte auch die Verbindung zu Lehár die Deportation nicht verhindern. Er wohnte zuletzt im Wiener Sammellager Obere Donaustraße 111. Willi Forst berichtet von einem Schauspieler, der jeweils erfuhr, wann Transporte abgingen und dies Lehár über ein verabredetes Stichwort mitteilte. »Dann pflegte sich der Meister hinzusetzen und an die Stellen zu schreiben, zu kabeln, zu telephonieren, bei denen sein Name und Ansehen sich noch Geltung zu verschaffen wußte. Zwei-, drei-, vier-, x-mal wurde der alte Treumann so gerettet. Aber schließlich wollte es ein grausames Schicksal, daß Lehár in den wenigen Tagen, ja Stunden, in denen das Leben von Menschen an einem Faden hing, nicht erreichbar, zufällig auf irgendeiner Tournee war. Als er zurückkam, war es zu spät. Louis Treumann ist nicht wiedergekommen.«[5] Er wurde am 28. Juli 1942 nach Theresienstadt deportiert, wo er nach offizieller Version am 5. März 1943 den »Tod durch Entzehrung« erlitt. Die letzten Postkarten Treumanns, gerichtet an den Kollegen Max Brod, der womöglich jener informierte Schauspieler war, sind ein erschütterndes Zeugnis der Verzweiflung, nachdem seine Frau Stefanie zwei Monate nach Ankunft in Theresienstadt gestorben war: »Lieber Max und alle meine Lieben! Elly! Ponny! Dora; Seppelheim, Schwarzspanier, Dr. Julius Kohl, Franz L., Gestl, Steininger und Frau, die 2 Grazer, Teltscher, Verwalter; meine Steffi seit 14. zu 15. September nicht mehr unter uns! Bin nun allein – wenn ich Euch meine Lieben nicht habe. An Euch denken ist mein täglich Sein. Bleibt nur treu. Bin gesund! Viele bekommen hier Post und Päckchen von auswärts. Kohl aus Cumberlandstrasse! ♡lichst Euer Louis.« Die letzte Postkarte, kurz nach Weihnachten 1942 geschrieben, dokumentiert nur noch den langsamen Verfall. »Meine Geliebten! Post (12. Dec) und Gabe (etwas später) freudvollst erhalten. Wonne. Himmlisch. Täglich in Händen – mein Gebet. Bitte – Bitte – seid nicht selten – Bedenkt!! Küsse Euch täglich – im Geiste – auf die Postkarte ...«[6]

Dr. Fritz Löhner-Beda

Der Fall Löhner-Beda gehört zum düstersten Kapitel der Biographie Lehárs. Er war der engste Mitarbeiter seiner letzten Schaffensphase, hatte sich stets loyal verhalten und bis zuletzt, so in der Auseinandersetzung mit J. J. Shubert, seinen ›Meister‹ beraten. Er wurde im Gegensatz zu anderen Mitarbeitern Lehárs unmittelbar nach dem Anschluß verhaftet und mit dem sogenannten Prominententransport u. a. zusammen mit Fritz Grünbaum, dem Librettisten von *Mitislaw, der Moderne*, am 1. April 1938 nach Dachau verschleppt. Der Grund dafür war zweifellos, daß Löhner-Beda, wie sein Freund Grünbaum, als einer der wenigen Operettenlibrettisten politisch aktiv, schon früh Position gegen die Nazis bezogen hatte. Es ist kaum vorstellbar, daß er nicht auch Lehár gewarnt hat. Die Parteistellen hatten ihn schon lange auf ihre schwarze Liste gesetzt – in der Lehár-Akte des Rosenbergschen Kulturarchivs findet sich 1934 der Vermerk: »Löhner-Beda gehört den Kreisen der Zionisten um Theodor Herzl an und ist Mitbegründer der jüdischen Sportklubs ›Hakoah‹ und ›Bar-Kochba‹. Er ist ausgesprochener jüdischer Aktivist und verhöhnte durch satirische Gedichte seinerzeit den Nationalsozialismus.«[7] So bereits 1924 über den Hitler-Putsch: »Ist der Hitler noch so wacker, / ist dem Münchner heut sein Rat wurscht; / friedlich trinkt er seinen Hacker / und genießt die zarte Bratwurscht ...« oder er hatte, wie sein Freund und Kollege Hugo Wiener erzählt, »Dummheiten gemacht. So hatte er täglich beim Betreten des Café Heinrichshof dem Ober zugerufen: ›Bringen Sie mir den Völkischen Beobachter! Ich möchte sehen, was der Tapezierer macht!‹«[8]

Geboren am 24. Juni 1883 als Fritz Löwy im mährischen Wildenschwert, hat er sein Jurastudium in Wien 1908 mit dem Doktortitel und dem neuen Namen Löhner abgeschlossen. Fritz Löwy hatte seinen Namen geändert, obwohl er als bekennender Jude Mitglied der zionistischen Verbindung ›Kadimah‹ war und in der Folge erste satirische Gedichtbände wie *Getaufte und Bald-Getaufte* (1909) und *Israeliten und andere Antisemiten* veröffentlichte, die scharf mit der zunehmenden Assimilation ins Gericht gingen. Auf Juden, die, um gesellschaftlich anerkannt zu werden, sich taufen ließen, ihre Namen christianisierten oder gar deutschnationale Sympathien hegten, machte er sich folgenden Vers: »Jeder Jud wird toleriert,/wenn man gut bei ihm soupiert.« Hellsichtig entlarvte er schon damals das scheinbar liberale Wien: »Willst Du als Jude ein Tänzchen wagen,/hei, mußt du starke Musike vertragen:/Die Neid-Violine, die Nörgel-Flöte ... die Deine Seele zusammenschnürt,/ein Blutsgenosse dirigiert...«[9] Doch blieb auch sein weiterer Werdegang widersprüchlich. Während des Ersten Weltkriegs verfaßte er für Lehár das *Trutzlied* aus dem Liederzyklus *In eiserner Zeit* mit den Zeilen: »Wir haben das Schreckliche nicht gewollt,/ nun gnad' aber Gott ihren Seelen!« und das Textbuch zur Operette *Der Sterngucker*, einem vollständigen Versager. Aber Löhner hatte Blut geleckt, schrieb weiterhin Operettenlibretti und vor allem nach Kriegsende Schlagertexte für den Wiener Bohème-Verlag seines Freundes Otto Hein. Mit diesen wurde er berühmt und zum Begründer des typischen Nonsense-Stils der zwanziger Jahre. Schon sein dadaistischer Foxtrott *Dada* machte 1920 den Dadaismus parodistisch für den Schlager nutzbar. Sein schlagfertiger Witz und die ironische Leichtigkeit seiner Verse waren unerschöpflich. Von Löhners annähernd zweitausend Schlagern wurden viele populär wie *Der schwarze Zigeuner*; *O Donna Clara*; *Es geht die Lou lila*; *Benjamin, ich hab nichts anzuziehen*; *Ich hab' mein Herz in Heidelberg verloren*; *Was machst du mit dem Knie, lieber Hans*; *In der Bar zum Krokodil* oder seine zündenden Übersetzungen amerikanischer Originale wie *Valencia* und *Ausgerechnet Bananen*. Zudem schrieb er Kabarettsketche u. a. für Hans Moser, dem er damit eine große Karriere eröffnete. Daß der gleiche Mann zur gleichen Zeit den in

Poesie getauchten Text der *Friederike* verfaßte und dem entzückten Lehár vorlegte, wäre kaum zu glauben, wüßte man nicht, daß hinter dem Pseudonym Beda, mit dem die Schlager unterzeichnet waren, die tschechische Kurzform seines deutschen Vornamens Fritz steckte. Er hatte sich für die zwei widersprüchlichen Seiten seines Charakters zwei verschiedene Autorennamen zugelegt. Auch die Texte, die er für Paul Abráhams *Victoria und ihr Husar*, *Blume von Hawai* oder *Ball im Savoy* schrieb, unterschieden sich grundlegend von seiner gewählten Lehár-Lyrik, die ihren Zauber letztlich ihm verdankte. Bis zuletzt versuchte er den ›Meister‹ zum Komponieren zu bewegen.

Zu seiner Verhaftung liegen nur vage Zeugnisse vor. Wenig wahrscheinlich scheint die Version, er sei in seiner Ischler Villa, die sich vorher im Besitz der Kaiser-Geliebten Katharina Schratt befunden hatte, verhaftet worden, nachdem er die einheimischen Nazis, die ihn bedrohten, hinausgeworfen habe. Einem anderen Gerücht zufolge soll ihn sein Chauffeur, der Parteimitglied war, in Wien verraten haben. Nach der Deportation ins KZ Dachau wurde er noch im selben Jahr nach Buchenwald überstellt, wo er mit Hermann Leopoldi, dem populären Komponisten von Wiener Liedern und alten Bekannten, das *Buchenwaldlied* schrieb, das er laut Leopoldi für sein bestes Lied hielt. Es wurde zum Lagerlied erklärt und mußte von den Häftlingen beim Appell bis zum Überdruß gesungen werden. Im Oktober 1942 wurde Löhner-Beda nach Auschwitz verlegt, wo er in Monowitz, einem Außenlager der IG Farben, arbeiten mußte. Ob er dort erschlagen wurde, wie der Mithäftling Ozkár Betlen bezeugte, oder in den Gaskammern von Birkenau umkam, wie ein Soldat seiner früheren Verlobten Friedl Weiß erzählt haben soll, bleibt ungeklärt. Als Todestag gilt der 4. Dezember 1942. Ebensowenig verbürgt ist, daß er jeden Sonntag zum Wunschkonzert in die Wachbaracke in Buchenwald bestellt wurde; »jedesmal, wenn der Großdeutsche Rundfunk ein Lied von ihm brachte, mußte er sich vor dem Lautsprecher verbeugen und ausrufen: ›Der Autor dankt.‹«[10] Löhner-Beda, der sportlich und groß gewachsen war, hielt den Schikanen lange und zäh stand. Seine Zuversicht, der er im *Buchenwaldlied* Ausdruck verlieh – »und was auch unsere Zukunft sei,/wir wollen trotzdem Ja zum Leben sagen,/denn einmal kommt der Tag, dann sind wir frei!« – hatte einen Namen: Lehár. Er konnte nicht glauben, daß ihn sein ›Meister‹ im Stich ließ.

Was tat Lehár? Sein jüdischer Textdichter Peter Herz meinte: »Er scheute nicht die Reise nach Berlin, um persönlich beim ›Führer‹ vorzusprechen und diesen zu bitten, Löhner-Beda aus dem KZ zu entlassen. Hitlers Antwort auf diese Bitte war, er werde sich den betreffenden Akt kommen lassen.«[11] Weil der Akt in Hitlers Augen wenig für den Nazihasser Löhner-Beda gesprochen haben dürfte, hätte ihn Lehárs Bitte kaum bewegen können, den berüchtigten Librettisten freizulassen. Da keine Augenzeugen für die Fürsprache vorhanden sind, ist sie nicht weiter überprüfbar. Zumindest Vera Kálmán erwähnt eine plötzliche Berlin-Reise Lehárs in dieser Zeit. Ferner bestätigte die besagte Ex-Verlobte Bedas, Friedl Weiß, die sich selbst wegen dessen Schicksal bittere Vorwürfe machte, daß ihr Lehár im Café Bayer in Gegenwart Mizzi Günthers von seinem vergeblichen Einsatz für Löhner erzählt habe.[12]

»Hitler zur Operette«

Am 5. März 1945 fand ein Hauptmann der zweiten französischen Panzerdivision, im Zivilberuf Advokat am Appellationsgericht Colmar, auf dem Obersalzberg ein in rotes Maroquin-Leder gebundenes Bändchen mit einem silbernen Hakenkreuz und der Aufschrift: »Meinem lieben Führer gewidmet. Lehár.« Der Hauptmann schickte eine Fotografie mit Beschreibung anonym an die Basler National-Zeitung, die sie am 1. März 1947 veröffentlichte. »Das Innere besteht aus einer Broschüre von sechs Seiten, auf deren Titelblatt zu lesen ist: Erinnerung an die 50. Aufführung der Operette *Die Lustige Witwe* am 17. Februar 1906, und die zwei Lieder enthält: ›Es waren zwei Königskinder‹ und ›Zauber der Häuslichkeit‹. In die Broschüre hat Lehár im Manuskript den Walzer ›Lippen schweigen, 's flüstern Geigen, hab mich lieb‹ eingelegt, gefolgt von dem Datum 20. April 1938.«[13] Das Original ist bis heute nicht aufgetaucht, dennoch ist die Echtheit der berüchtigten Widmung nicht zu bestreiten. Nicht einmal Lehár tat das, als er kurz nach Erscheinen des Artikels eingestand, Staatssekretär Walter Funk habe ihn darauf hingewiesen, daß Hitler, »als er in Wien war und kein Geld hatte, immer auf der Galerie war, um *Die Lustige Witwe* zu hören. Insbesondere erinnere er sich an das erste Jubiläum, an die 50. Aufführung ... Wie unerfahren ich damals war, bezeugt, daß am Titel die Hauptdarsteller Mizzi Günther und Louis Treumann (ein Jude) abgebildet waren...«[14] – was auch diesen nicht vor dem KZ bewahrte. Ob Lehár Hitler mit der Widmung wegen Löhner-Beda gnädig stimmen wollte, ist eher fragwürdig. Ebenso fragwürdig ist, ob Hitler tatsächlich jenem Jubiläum beigewohnt hat, datierte doch laut Brigitte Hamann seine erste Wienreise auf den Mai 1906, so daß Hitler höchstens die 150. Vorstellung besucht haben könnte.

Daß seine Begeisterung für *Die Lustige Witwe* von seiner Wiener Zeit herrührte, hat Hitler selbst des öfteren bestätigt; ob sie allerdings so weit ging, wie Romy Schneiders Großmutter, die Burgschauspielerin Rosa Albach-Retty, von Wilhelm Karczag erfahren haben will, sei dahingestellt, auch wenn die Geschichte von Betty Fischer, der Operettendiva der zwanziger Jahre, wiederum nach Aussage von Friedl Weiß, ebenfalls überliefert wurde. Demnach erschien beim Direktor des Theater an der Wien »eines Tages ein schmächtiger junger Mann zum Vorsingen ... Er wollte als Chorsänger unterkommen. ›Sind Sie Tenor oder Bariton?‹ fragte Karczag. ›Tenor!‹ – ›Na, dann legen Sie los!‹ Der junge Mann sang Danilos Auftrittslied ›Da geh ich zu Maxim‹ so gut, daß ihn Karczag aufforderte, sich unverzüglich beim Chorleiter zu melden. Kaum hatte er das gesagt, kamen ihm jedoch angesichts des fadenscheinigen, vielfach geflickten Anzugs, den der junge Mann trug, Zweifel, ob dieser auch über die nötige Abendgarderobe verfügte. ›Haben Sie einen Frack?‹ fragte er ihn. ›Leider nicht. Dazu reichen meine Mittel nicht!‹ kam kleinlaut und verlegen die Antwort. ›Dann kann ich Sie leider nicht engagieren!‹ rief Karczag bedauernd. ›Es ist bei uns üblich, daß die Choristen für ihre Kleidung selbst aufkommen!‹«[15]

Ähnlich seinen bürgerlichen Zeitgenossen und der ideologischen Parteilinie war Hitlers Vorliebe für die leichtgeschürzte Muse ins Private abgedrängt. Offiziell schlug der Demagoge vor allem in seinen Reden andere Töne an, so am 13. August 1920 im Hofbräuhaus in München: »Wir erleben es, daß wohl ein Friedrich Schiller für eine *Maria Stuart* 346 Taler erhalten hat, aber auch, daß man für die *Lustige Witwe* 3 1/2 Millionen heute erhält, daß man für den größten Kitsch heute Millionen verdient.«[16] – oder zum selben Thema zwei Jahre später im Thomasbräu: »Schiller und Beethoven schaffen nicht aus Geschäftsinteressen, sondern aus inwendigem, unbändigem Drang. Heute betrachtet man das Dichten vom Standpunkt der Rentabilität. Die Folge ist dann z. B. nicht eine *Maria Stuart*, sondern eine *Lustige Witwe*. Diesen idealistischen Trieb hat der Jude nie besessen.«[17]

Doch der *Hitler, wie er wirklich war* und im gleichnamigen Buch von einem Vertrauten geschildert wird, ließ es sich später selbst mitten im Krieg nicht nehmen, in der ›Wolfsschanze‹ dem Produkt der Rentabilität zu lauschen: »Hatte Hitler über Tag viel Ärger gehabt, hörte er sich auf dem – ihm 1942 von Furtwängler zum Geburtstag geschenkten – Magnetophon-Standgerät Tonbänder mit Beethoven-, Bruckner-, bzw. Richard Wagner-Kompositionen an … und Franz Lehár (*Lustige Witwe*).«[18] In diesem Zusammenhang wurde Gottfried Benn diese Vorliebe zum Thema Geschichte: »Nein, es ist ganz Deutschland, alles eint sich in dieser Genesungsbewegung, dieser großen geistigen Bewegung, die nach Lodz den *Grafen von Luxemburg* … trägt.«[19] 1943, als dies Lodz noch Litzmannstadt hieß und Stalingrad bereits verloren war, wollte sich Hitler zu seinem Geburtstag »eine besondere Freude machen und … die *Lustige Witwe* hören. Auf die Frage seines Sekretärs, ob er die Aufnahme mit Johannes Heesters und anderen Kräften des Gärtnerplatztheaters zu hören wünsche oder die Berliner Aufführung, die Lehár selbst für ihn dirigiert habe, erging sich Hitler in Erinnerungen und Vergleichen, ehe er abschließend befand, die Münchner Aufführung sei doch, wie er wörtlich formulierte ›zehn Prozent besser‹ gewesen.«[20]

Johannes Heesters, der Danilo dieser Aufführung, steuert in seinen Memoiren ein weiteres Detail zum Thema bei, wenn er von einem Gespräch mit Hitlers Münchner Haushälterin, Frau Winter, berichtet. Einmal also sagte sie zu ihm: »›Ach, Herr Heesters, ich habe wieder mal was mitgemacht mit dem Chef.‹ Ich fragte: ›Was denn?‹ – ›Also neulich, nach Ihrer Vorstellung im Gärtnerplatztheater, als er noch im Frack war, da hat er sich vor den großen Spiegel gestellt, der Arme …!‹ Wörtlich hat sie das gesagt: ›… vor den großen Spiegel gestellt, der Arme, den Zylinder aufgesetzt, sich einen Schal umgeworfen, so wie Sie das machen und mich gefragt: ‚Na, Winterin, was sagen Sie? Bin ich vielleicht kein Danilo?'‹ … Mein Gott, dachte ich mir, wenn Hitler zur Operette gegangen wäre … nicht auszudenken.«[21]

Hitlers *Lustige Witwen*

Die beiden erwähnten Aufführungen der *Lustigen Witwe* hatten jeweils am Silvesterabend 1938 Premiere und sind durchaus repräsentativ für die gegensätzlichen Operettenstile im Dritten Reich. Die Berliner Aufführung fand wieder im Deutschen Opernhaus statt, da Goebbels mit der ersten Version von 1935 des ihm unterstehenden Hauses nicht zufrieden war. Schon im November 1937 besprach er mit Lehár die neue »Ausgestaltung der *Lustigen Witwe* ... Er ist begeistert davon und will gleich an die Arbeit gehen.«[22] Obgleich kein Freund solcher Umarbeitungen, ließ sich Lehár darauf ein, wenn auch weniger begeistert als Goebbels annahm. Der hatte den Intendanten Wilhelm Rode angewiesen, keine Mittel zu scheuen. Tatsächlich lagen schließlich die Mehrkosten gegenüber einer mit ungefähr 30 000 RM angesetzten Normalinszenierung bei 490 400 RM. Rode monierte: »Ohne Zweifel ist die allzu späte Anlieferung des umgearbeiteten Werkes durch Herrn Lehár die Ursache dafür, dass eine Gesamtsumme von so außergewöhnlichem Ausmass entstehen musste.«[23] Goebbels bestritt die Ausgaben aus seinem eigenen Verfügungsfond. Hitlers Lieblings- und Reichsbühnenbildner Benno von Arent, der bereits die Uraufführungen von *Paganini*, *Zarewitsch* und *Friederike* ausgestattet hatte, griff entsprechend ins volle: Hunderte von neuen Effektscheinwerfern, 869 Prachtkostüme, ein Bühnenbild mit versenkbarem Pavillon und gangbarer Wasserfontäne sowie einer bombastischen Hochzeitstorte zur Schlußapotheose wurden aufgeboten. Vergeblich hatte Lehár »auf allerhöchsten Wunsch« bei Zarah Leander nachgefragt, ob sie geneigt wäre, die Titelpartie zu übernehmen. Sie wurde letztlich unspektakulär mit Margret Pfahl aus dem Ensemble besetzt. Nachdem Goebbels das Ergebnis am 4. Januar 1939 begutachtet hatte, notierte er in sein Tagebuch: »... etwas kalte Pracht. Sonst sehr schön und farbenfreudig. Das, was Lehár hier komponiert hat, ist ... nicht mit der jungen *Lustigen Witwe* zu vergleichen. Dadurch bekommt die Aufführung etwas sehr ... Man muß noch etwas raffen« – und nach Hitlers Besuch der Vorstellung am 12. Januar unter Lehárs Dirigat – »Arents *Lustige Witwe* begegnet großer Kritik, auch beim Führer«.[24]

Der hatte nämlich zuvor die Münchner Aufführung am Gärt-

56 *»... dann kann ich leicht vergessen, das teu're Vaterland!«*
Jarmila Ksirova in der Titelrolle mit dem »wirklich besten Danilo«
Johannes Heesters in der *Lustigen Witwe* (Theater im Admiralspalast 1940)

nerplatz gesehen, die mit Johannes Heesters als Danilo bald zur Legende wurde. Die Inszenierung des Intendanten Fritz Fischer war eine Revuefassung in 33 Bildern, die zudem von Peter Kreuder ohne Lehárs Einwilligung »ein jazz-zeitiges Gewand« verpaßt bekam, wie selbst der Völkische Beobachter anerkannte: »Klavier und Schlagzeug, neue Instrumentation, melodramatisches Untermalen des Dialogs und Leitmotive...«[25] Drohte der in Berlin mit seiner Premiere beschäftigte Lehár noch vor der Generalprobe, das Werk zurückzuziehen, mußte er klein beigeben, als er von Hitlers Begeisterung für gerade diese modernisierte Version erfuhr, die soweit ging, daß er die Aufführung mindestens dreimal besuchte und Johannes Heesters zum besten Danilo überhaupt erklärte – eine Meinung, der sich später auch Lehár anschloß. Ob er die Münchner Revue-*Witwe* jemals gesehen hat, wie Peter Kreuder behauptete, ist eher unwahrscheinlich, denn bereits am 22. Oktober 1940 brachte der Admiralspalast in Berlin eine ähnlich aufgemachte Inszenierung Georg Jacobys heraus, der als Spezialist für Revuefilme mit seiner Frau Marika Rökk die nötige Leichtigkeit garantierte. Wieder war Heesters der Danilo, und Lehár bekräftigte ihm gegenüber das Urteil Hitlers, worauf der Tenor entgegnete, das sage er bestimmt jedem Darsteller. Lehár verschwand daraufhin unvermittelt, denn, ohne es zu wissen, hatte Heesters recht. Eine der gemeinen Lehár-Anekdoten besagte nämlich, daß es Hunderte von solchen ›besten Danilos‹ gäbe. Erst als Heesters den Komponisten kurz vor Kriegsende in Ischl besuchte, konnte er die Verstimmung beseitigen: »Seine Frau servierte Kaffee, und als er für einen Augenblick im Nebenzimmer verschwand, flüsterte sie mir zu: ›Sie haben meinen Mann damals sehr verletzt, als Sie sein Kompliment nicht ernst nehmen wollten.‹«[26] Und Lehár kam aus dem Nebenzimmer mit einer Porträtwidmung »dem wirklich besten Danilo«, was nach dem Tod Louis Treumanns wieder stimmen mochte.

»Ehrlich, deutsch empfunden...«

Auch die Berliner Aufführung des *Grafen von Luxemburg* am 15. Dezember 1941 war bezeichnenderweise als Revue in acht Bildern aufgezogen worden. Heinz Hentschke, der Direktor des Metropol-

Theaters huldigte wie sein Münchner Kollege Fischer diesem Stil ausgiebig und ließ für den *Luxemburg* ein glamouröses Bühnenbild mit aufwendiger Leuchtschrift errichten. Als Lehár von ihm aufgefordert wurde, für Johannes Heesters, der erneut die Hauptrolle spielte, Einlagen zu schreiben, schickte er eine Auswahl von zehn Liedern, von denen Günther Schwenn drei neu textierte. Aus der Nr. 14 der *Cloclo* »Ich habe la Garçonne gelesen« wurde »Eine nach der andern«, aus dem Tauber gewidmeten Lied für den Film *Die große Attraktion* »Wenn eine schöne Frau befiehlt« – »Wann sagst du Ja« und aus einer der letzten Löhner-Beda-Vertonungen »Ich liebe Dich!« wurde »Jede Nacht träume ich«. Die neuen Nummern brachten es über den Rundfunk zu einiger Popularität. Die von Lehár neuerstellte Fassung von 1937 wurde schlicht ignoriert. Wohl lag ihm »daran, daß Heesters ein ihm passendes Lied«[27] erhielt, er entzog sich aber ansonsten diskret der Auflösung des *Grafen von Luxemburg* in die typische Metropol-Schlageroperette. Es ist paradox, daß trotz der offiziellen Anerkennung gerade Lehárs Veroperungstendenz im Dritten Reich nicht aufgegriffen wurde, hingegen vor allem sein Frühwerk eine Renaissance erlebte. Zwar erfreuten sich *Zarewitsch* und *Land des Lächelns* großer Beliebtheit, doch es gab keine repräsentativen Großaufführungen mehr in Berlin, geschweige in einem Opernhaus. Und an *Giuditta* bestand im Großdeutschen Reich verständlicherweise kaum Interesse, zumal nach Kriegsbeginn und Afrikafeldzug. Seit 1942 war *Giuditta* zumindest in Sachsen auch offiziell verboten und teilte damit das Schicksal eines anderen Sorgenkinds des ›Meisters‹, *Friederike*, über das während der ganzen Naziherrschaft ein Verbot verhängt war. Da konnte Lehár noch so oft, ausgerechnet mit den falschen Worten der Machthaber, betonen, es sei »das deutscheste unter meinen allen möglichen Nationen angehörenden Kindern (eines ist sogar ein Chinese geworden...) ... Ehrlich, deutsch empfunden, in tiefster Ehrfurcht vor Goethe, mir vom Herzen geschrieben...«[28]

Schon bei der Uraufführung 1928 hatten die Nazis gegen die ›Verjudung‹ Goethes gehetzt, und als Lehár 1940 zu seinem 70. Geburtstag geehrt werden sollte, entbrannte innerhalb der Kulturbürokratie eine heftige Debatte. Hieß es einerseits, die in Aussicht genommene »Goethe-Medaille dürfte sich im Hinblick auf Lehárs *Friederike* nicht empfehlen«, würde er andererseits durch die vorgeschlagene Verleihung des »›Ordens vom deutschen Adler‹ ... als

Ausländer abgestempelt ... Franz Lehár ist ungarischer Staatsbürger deutscher Abstammung. Die Magyaren führen einen erbitterten Kampf um den Nachweis, dass Lehár Magyar sei ... Es liegt außerordentlich viel daran, zu erreichen, dass ... Franz Lehár ... dem deutschen Volk und der Welt gegenüber als Deutscher hingestellt wird ... Die Magyaren beabsichtigen ferner, Franz Lehár die Ehrenbürgerschaft der Stadt Ödenburg zu geben ... seit Jahrhunderten ein Streitobjekt zwischen Deutschen und Magyaren ... Es ist deshalb zu überlegen, ob Lehár auf geeignete Weise die Ablehnung dieser Ehrenbürgerschaft plausibel gemacht werden soll. Dazu wäre allerdings notwendig, ihm, da er für solche Ehrungen bekanntlich sehr empfänglich ist, beispielsweise die Aufführung seiner Operette *Friederike* freizugeben. Seitens des Reichsdramaturgen sind gegen die Operette eine Reihe Bedenken geäußert worden, darunter vor allem, dass Goethe in einem Singspiel auf der Bühne erschien und dass der Führer eine Aufführung abgelehnt habe. Das letzte Argument soll nach einer mir zugegangenen Schilderung nicht absolut stichhaltig sein, da keine notorische Ablehnung des Führers vorliegt, sondern lediglich eine im freundschaftlichen Sinne gehaltene Erklärung, vorerst von einer Aufführung abzusehen. Wir sind es uns und unserem Volke schuldig, einen Komponisten wie Lehár, der sich zum Deutschtum bekennt und dessen Operetten vom Führer ausserordentlich geschätzt werden, nicht kampflos in die Hände minderwertiger Magyaren abgehen zu lassen.«[29] So wurde Lehár zu seinem 70. Geburtstag die Goethe-Medaille verliehen, was ihn jedoch nicht hinderte, die Ödenburger Ehrenbürgerschaft ebenfalls anzunehmen. Immerhin arrangierte er für Goebbels am 17. September 1940 eine »Privataufführung von ... *Friederike* im Theatersaal durch das ›Theater des Volkes‹. Text und Vorwurf etwas kitschig. Frage, ob man Goethe so auf die Singspielbühne bringen kann. Aber musikalisch von einem unendlichen Reichtum des Einfalls und der Melodienfreudigkeit. Ich bin schwankend, ob man das Stück freigeben soll. Goethe ist nicht taktlos behandelt, aber schließlich ist er Goethe. Ich werde nochmal mit dem Führer sprechen.«[30] Obwohl Goebbels schwankend blieb, versuchte Lehár bis zuletzt, *Friederike* zu rehabilitieren. Noch 1944 wollte er die Wiener Staatsoper für sein Goethe-Opus gewinnen.

Außer der nicht ganz freiwilligen Umarbeitung der *Zigeunerliebe* in den durchkomponierten *Garabonciás* für die Budapester Oper 1943 – wobei der Zigeuner des Originals in einen ungarischen Freiheitshelden verwandelt wurde – entstanden kaum noch bemerkenswerte Kompositionen wie das 1942 den Wiener Philharmonikern gewidmete Lied *Wien, du bist das Herz der Welt!* oder die überladene Ouvertüre zur *Lustigen Witwe* für die Salzburger Festspiele zwei Jahre zuvor. An neue Bühnenwerke dachte Lehár scheinbar nicht mehr, dafür versuchte die Reichsstelle für Musikbearbeitungen, ihn im Fall seiner jüdischen Operette *Der Rastelbinder* zu einer solchen zu bewegen. Noch am 6. August 1944 wurde der renommierte Musikgelehrte Hans Joachim Moser nach Ischl geschickt, um »mit Franz Lehár über die Bearbeitung des *Rastelbinder* zu verhandeln«, am 30. August sind »an Herrn Dr. Rudolf Weys … ein Betrag von RM 2000,– als 2. Rate für die Operette *Rastelbinder* gezahlt worden«.[31] Hans Joachim Moser, der zuvor bei der Uraufführung der Strauss'schen *Danae* in Salzburg gewesen war, arbeitete pikanterweise zwischenzeitlich für Lehárs Uraufführungs-Paganini Carl Clewing. Der wiederum war Hitlers erster Bayreuther Parsifal gewesen und als strammer Nationalsozialist »eine Zeit lang Dirigent der SS-Kapelle der Leibstandarte Adolf Hitler«, bis er »aus der SS ausgeschlossen« wurde. »Es heißt … daß er homosexuellen Kreisen nahe gestanden habe …«[32] Daß sich Lehár noch auf Weys' Text einließ, ist kaum anzunehmen. In einem anderen Fall war er weniger widerständig. Für einen Film über Oberst Gerloch, Ritterkreuzträger und Kommandant eines Panzerregiments, wurde im September 1941 von diesem ein Lehár-Marsch gewünscht, zu dem der Sohn des verstorbenen Massary-Librettisten Ernst Welisch den Text verfassen sollte. Lehár, der sich im Vorbereitungsstreß für den Berliner *Grafen von Luxemburg* befand, antwortete verhängnisvoll: »Wenn Welisch das Husarenstück vollbringt, mir postwendend einen zündenden Text zu schicken, so schreibe ich den Marsch gern … Umgekehrt, daß ich die Melodie früher schreibe und Welisch den Text unterlegt – ist eine Sache, die viel zu lange dauert. Welisch soll zeigen, was er kann – und ich – ich, ich steh' bloß meinen Mann. Also los! … Das ist die einzige Lösung.«[33] Innerhalb einer Woche war der *Marsch der Kanoniere* vollendet. Der zündende Text auf »die besten Geschütze der Welt« lautete: »Aus den Rohren blitzt der Feuerstrahl/ und wir selbst sind hart wie aus Stahl!/Vorwärts rollt jedes Rad,/

denn der Führer rief: ›Zur Tat!‹ … Schießt alles in lodernden Brand! … Sieg! Heil! Deutsches Vaterland! Sieg! Heil!« Der Marsch blieb Lehárs einzige Komposition für die Wehrmacht. Als die am Wolgastrand stand, erhielt er 1943, kurz vor dem Fall Stalingrads, von »Oberleutnant Petzold und seinen Getreuen« folgende Feldpost: »Bei den Klängen des Liedes ›Es steht ein Soldat am Wolgastrand‹, das aus der Membrane eines für die Ostfront gespendeten Grammophones tönt, erlauben wir uns, den Wunsch auszusprechen, Sie, hochverehrter Meister, zu bitten uns ein Bild von Ihnen mit Widmung zu senden. Wir werden dem Bild einen Ehrenplatz in unsrem Wolga-Bunker einräumen.«[34] Die am 11. Februar 1943 abgeschickte Fotografie dürfte kaum an der Wolga angekommen sein. Die Episode stimmt zu Gottfried Benns Satz: »Der Held und der Durchschnitt – ein affektives Begegnen! ›Wo du nicht bist, kann ich nicht sein‹ – Lehársche Melodik und dies *Land des Lächelns* heißt Geschichte – ein Lächeln allerdings auf den Zügen von Leichen und eine Geschichte, erhellt allein vom Gold und Purpurrot geistig einfacher, gutbezahlter, moralisch undifferenzierter Generale.«[35]

»Schleierlos kommt Lehár Franz«

Im Jahre 1935 war Lehár mit der Drohung erpreßt worden, kompromittierende Fotografien zu veröffentlichen, die ihn in Gesellschaft leichter Damen aus dem Kreis der einschlägig bekannten Frau W. zeigten, deren Papagei Coco von Peter Herz folgender Satz in den Mund gelegt wurde: »Ein Fisch, das ist der Schleierschwanz, doch schleierlos kommt Lehár Franz!«[36] Lehár setzte damals alle Hebel in Bewegung, um solche Entschleierung seines geheimen Privatlebens zu verhindern, bis er sich nicht anders zu helfen wußte, als Anzeige zu erstatten; den drohenden Prozeß jedoch ließ er immer wieder verschieben. Als er im November 1938 ohne sein Wissen anberaumt wurde, wandte er sich an den ›Reichskulturwalter‹ Hans Hinkel, Staatsrat und SS-Obersturmführer, zuständig für »besondere Kulturaufgaben« in der vom Propagandaministerium gesteuerten Reichskulturkammer und seitdem Lehárs Vertrauensperson in der Nazibürokratie: »Hochverehrter Herr Staatsrat! Es betrifft eine Erpressungs-Anzeige gegen den jüdischen Schauspieler Arthur Guttmann und seinen jüdischen Rechtsanwalt Dr. Samuely, die der Herr Staatsanwalt Dr. Hans Pulpan ... führt. Der Vertreter dieser zwei Juden ist der jüdische Advokat Dr. Eitelberg ... der der berüchtigtste jüdische Anwalt Wiens ist ... Der Tatbestand ist folgender: Arthur Guttmann, der schon wiederholt an mir Erpressungsversuche verüben wollte, wandte sich seinerzeit schriftlich an Dr. Samuely, er möge ihn gegen mich vertreten ... nachdem er mir einen Brief schrieb, aus dem ich klar die Situation übersah, zeigte ich die schon berüchtigten zwei Herren beim Landgericht an. Die 2 Juden wurden sofort in Haft gesetzt. Während dieser Zeit fand bei Dr. Samuely eine Hausdurchsuchung statt und man fand den an Dr. Samuely gerichteten Brief Guttmanns, worin folgender Passus stand: ›Ich habe an Franz Lehár eine Erpressung begangen‹ ... unter solchen Umständen durfte er die Vertretung nicht übernehmen. Die Sache ruhte längere Zeit – es kam der Umbruch – es kamen die Gerichtsferien. Heut erfahre ich, daß die Verhandlung für Montag, Dienstag und Mittwoch angesetzt ist. Man will also die Sache mit einer vor mehreren Jahren stattgefundenen Affaire verquicken, deren Hergang ich hier nicht schildern kann. Es genügt, wenn ich mitteile, daß ein halbes dutzend jüdischer Anwälte gegen mich Sturm gelaufen sind. Meine ganze Arbeitskraft war gelähmt ... Es drohte ein Riesenprozeß. Diese Sache wäre unter den damaligen Verhältnissen durch die ganze jüdische Weltpresse gegangen, und wenn auch alle verurteilt worden wären – mein Name wäre in den Schmutz gezerrt worden. Als nun die in Untersuchungshaft befindlichen Angeklagten ein Absolvierungsgesuch einreichten, befürwortete ich es, um endlich ein für allemal Ruhe zu haben. Es trat auch vollkommene Ruhe ein, bloß Guttmann tauchte von Zeit zu Zeit auf, um wieder Erpressungsversuche zu unternehmen ... Der berüchtigte Advokat Dr. Eitelberg hat nun die Sache in der Hand und daß eine 3 tägige Verhandlungsdauer angesetzt wurde, beweist, dass er seinen wahrscheinlich nahe bevorstehenden Abgang mit einem Knalleffekt erster Ordnung bewerkstelligen will. Ich bitte Sie herzlich, Herr Staatsrat, daß Sie sich die gesamten Akten kommen lassen. Sie werden daraus ersehen, wie früher anerkannte Künstler von jüdischen Advokaten und Konsorten als Freiwild betrachtet werden konnten. In Verehrung Ihr ergebener Lehár.«[37] Die Echtheit dieses fatalen Briefes, der 1946 auszugsweise von der Baseler Natio-

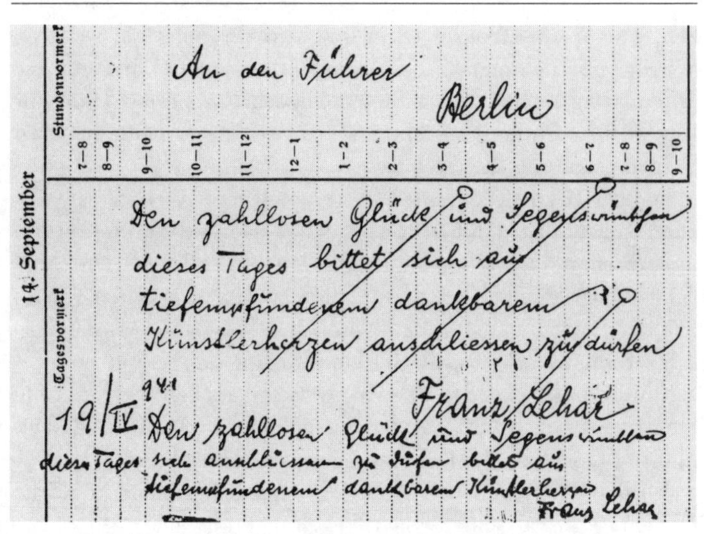

14. September

Stundenvormerk

An den Führer
Berlin

7–8 | 8–9 | 9–10 | 10–11 | 11–12 | 12–1 | 1–2 | 2–3 | 3–4 | 4–5 | 5–6 | 6–7 | 7–8 | 8–9 | 9–10

Tagesvormerk

Den zahllosen Glück und Segenswünschen
dieses Tages bittet sich aus
tiefempfundenem dankbarem
Künstlerherzen anschliessen zu dürfen
Franz Lehár

19/IV 941 Den zahllosen Glück und Segenswünschen
dieses Tages sich anschliessen zu dürfen bittet aus
tiefempfundenem dankbarem Künstlerherzen
Franz Lehár

57 Korrigierter Entwurf eines Geburtstagstelegramms Lehárs an Hitler vom 19. April 1941

nal-Zeitung veröffentlicht wurde, war vor allem von Otto Schneidereit bezweifelt worden, der bis zu seinem Tod vergeblich versuchte, ihn als Fälschung zu entlarven. Seit der Freigabe des Berlin Document Centers steht die Echtheit des Briefes zweifelsfrei fest, denn das Original sowie der gesamte Briefwechsel mit Hinkel befindet sich in der Personalakte Franz Lehárs. Immerhin gelang es Schneidereit nachzuweisen, daß der erwähnte Dr. Eitelberg als Mittelsmann der Gestapo das Geld, das er für Fluchthilfe von Juden kassierte, an Eichmanns berüchtigte Auswanderungsbehörde weiterleitete. Die auf Lehárs Brief folgende Anweisung Hinkels an die zuständigen Wiener Stellen unterschlug daher Eitelberg und erwähnte nur Guttmann und Samuely, der ja bereits 1914 Popescu im Plagiatsprozeß gegen Lehár vertreten hatte und im Jahr 1939 verstarb. Arthur Guttmann jedoch wurde später verurteilt und nach halbjähriger Haft im November 1941 deportiert, ebenso Eitelberg, dessen man sich nach erwiesenen Diensten schnell entledigen wollte. Waren Lehár die Folgen seiner Intervention bekannt? Bezeichnenderweise schrieb er noch im Juni 1944 an Hinkel: »Ich danke Ihnen von Herzen, daß Sie sich meiner angenommen haben. Die Wiener Polizei Direktion wird für mich die weiteren Schritte übernehmen … Im Wiener Staatstheater wird jetzt die *Friederike* vorbereitet. Nochmals meinen herzinnigsten Dank für Ihre Befürwortung. Heil Hitler!«[38] – als hätte er keine anderen Sorgen gehabt als diese *Friederike*.

Die geradezu zwanghafte Fixierung auf sein Werk, die aus solchen Sätzen spricht, führte soweit, daß er nicht versäumte, auf von ihm dirigierte Rundfunkübertragungen seiner Operetten sämtliche Nazigrößen per Telegramm aufmerksam zu machen, wie im Fall des *Paganini* 1942 mit dem nämlichen Wortlaut: »Wäre glücklich, wenn Sie *Paganini*-Radio-Übertragung am 4. Juli 20h15 – 22h mithören würden. Es wirken unter meiner Stabführung Staatsopernsänger mit … zu senden an: Führer – Berlin … Reichsminister Goebbels … Hermann Göring … Hinkel, Prof. Dr. Gregor, Wien … Benno von Arent … Staatsschauspielerin Käthe Dorsch«, selbst an seinen erklärten Feind »Frauenfeld – Wien, Leiter des Reichspropagandaamtes«.[39] Ähnlich gründlich hielt er bis zuletzt an der Gepflogenheit fest, jenen Persönlichkeiten alle Jahre wieder schriftlich zu ihrem Geburtstag zu gratulieren. Begnügte er sich bei Göring noch mit »aufrichtigen Glückwünschen«, waren es bei Goebbels »wirklich aufrichtige vom Herzen kommende Glückwünsche. Mögen Eurer Exzellenz, dem Förderer und Schutzgeist aller schönen Künste, der ernstlich aus innerster Berufung mit dem schaffenden Künstler denkt und fühlt noch viele Jahre segensreicher Tätigkeit beschieden sein. Heil Hitler F. L.«[40]

Die Ehrenarierin

Geblendet durch die Duldung seiner Frau auf den Nazi-Empfängen vor der Annexion Österreichs, gab sich Lehár auch danach der Illusion hin, man werde es nicht wagen, sie zu behelligen. Als dies durch erwähnten Wiener Parteibonzen Frauenfeld doch geschah, wandte er sich nach Berlin. Goebbels notierte am 2. Juli 1938: »Lehár hat wegen seiner Frau Schwierigkeiten mit der Partei gehabt. Ich helfe ihm« – und zwei Wochen vorher: »Ich spreche mit dem Führer … der Fall Lehár findet nun seine endgültige Erledigung.«[41] Ob damit die berüchtigte Ernennung Sophie Lehárs zur ›Ehrenarierin‹ gemeint ist, ein im Dritten Reich außergewöhnliches Faktum, läßt sich nicht mehr überprüfen. Daß ein solcher Schutzbrief Hitlers jedoch existierte, bezeugt der Ischler Fotograf Hugo Hofer, der das Dokument im Auftrag Lehárs fotografiert hat. Dennoch blieb Lehár damit nicht erspart, auch weiterhin seine Frau zu schützen, die er auf keinen Fall Repressalien preisgeben wollte. So wurde er im Juli 1938 nochmals aufgefordert, den ›Ariernachweis‹ zu erbringen, in dem unter Nr. 7 nach der Abstammung seiner Frau gefragt wurde. Hilfesuchend wandte er sich wieder an den ›Reichskulturwalter‹ Hinkel: »Meine Frau ist römisch katholisch und Sie werden verstehen, daß es mir peinlich ist, Angaben geben zu müssen, die nach ungarischem Gesetz nicht notwendig sind.« Hinkel entband ihn daraufhin dieser Verpflichtung. Auch im Fall der Anmeldung jüdischen Vermögens, zu der seine Frau verpflichtet war, erbat Lehár die Hilfe Hinkels. Im Gegensatz zum vorherigen Brief unterzeichnete er diesen bereits mit »Heil Hitler!«, wie um seinem Anliegen Nachdruck zu verleihen: »Warte sehnsüchtig auf die erlösenden Worte bezüglich der Vermögens-Anmeldung meiner Frau. In Wahrheit besitzt meine Frau gar nichts. Sie brachte nichts in die Ehe und der Schmuck, den sie trägt, ist ja im wahrsten Sinne des Wortes mein Eigentum. Da ich ungarischer Staatsbürger bin und meine Frau der katholischen Kirche angehört, so glaube ich, daß nichts geschehen wird.«[42] Der nicht gerade galanten Bitte wurde im Auftrag Goebbels' durch Wirtschaftsminister Funk entsprochen. Ein ähnlicher Beleg vorauseilenden Gehorsams findet sich in den Akten über die Ehrungen zu seinem 70. Geburtstag, wo es über Lehár heißt: »Er hat mir jedoch mitgeteilt, dass er die Absicht habe, seine Ehefrau künftig im Ausland leben zu lassen.«[43]

Erklärungen wie diese machen deutlich, daß selbst Lehár die Verschärfung der Rassenpolitik nicht mehr übersehen konnte. Im Sommer 1939 verlegte er seinen Wohnsitz von Wien nach Bad Ischl, wo er fünf Jahre nicht mehr gewesen war. Aber auch hier sah sich seine Frau nicht nur freundlicher Anteilnahme ausgesetzt, so daß sie immer seltener das Haus verließ, zumal auch ihr die beginnenden Deportationen nicht verborgen bleiben konnten. »Niemand weiß und kann nachempfinden, was diese reiche Frau auf diese Weise zu fühlen und zu leiden hatte, welche Tragik sich in ihrem Dasein immer mehr ausbreitete.«[44] Genausowenig läßt sich freilich Lehárs Umgang mit dieser Situation vorstellen. Bernard

Grun zitiert eine zumindest mögliche Begebenheit, die der Komponist nach Kriegsende Paul Knepler anvertraute: »Eines Tages ... klopften bei mir zwei Männer an, die sich als Gestapoleute entpuppten. Sie zeigten auf ihre Abzeichen und sagten: ›Wir sollen ihre Frau abholen.‹ Meine Frau, die zugegen war, fiel natürlich in Ohnmacht. Ich fragte: ›Warum denn?‹ Darauf kamen energisch wieder die Worte: ›Wir sollen ihre Frau abholen.‹ Ich war in einer verzweifelten Lage, da fiel mir ein, daß ich den damaligen Gauleiter Bürkel anrufen könnte. Ich erhielt die Verbindung ... und in erregten Worten schilderte ich die Situation. Er sagte: ›Einer der Männer soll zum Telephon kommen!‹ Dieser Mann sprach längere Zeit mit ihm, dann wendete er sich zu mir und sagte: ›Wir sollen gehen.‹ Wenn ich nicht zufällig zu Hause gewesen wäre, hätte ich meine Frau nie mehr gesehen!«[45]

Lehár, der sich mit seiner Frau seit dieser Zeit häufig und ausgedehnt in der Schweiz aufhielt, bevorzugt im Züricher Nobelhotel Baur Au Lac, erreichte dort am 20. Juni 1941 ein Brief seines Betriebsführers im Glocken-Verlag: »Mein lieber Meister! Ich bin glücklich von meiner Reise am Dienstag zurückgekehrt ... Den Aufenthalt und die Abreise Ihres Herrn Schwager konnte ich, wie ich Ihnen schon telegraphierte, bezw. fernmündlich mitteilte, so angenehm wie möglich gestalten. – Es gelang mir schließlich auch die Transportfrage zu lösen, dass selbst in Stuttgart keine Schwierigkeiten mehr entstanden. Sie haben sicher unterdessen schon Nachricht von der guten Ankunft. Es war gut, dass meine Schwester mit war, damit Frau Lilly ebenfalls beschäftigt und aufgeheitert werden konnte.« Da Lehár außer dem Mann seiner Schwester Emmy keinen Schwager hatte, kann es sich bei besagter Mission nur um die Flucht des Bruders seiner Frau, Hans Paschkis, handeln, dem es dank Lehárs Hilfe gelang, mit seiner Frau Lilly nach New York zu emigrieren, wo er 1947 in 968 Lexington Avenue unter dem Namen Parker gemeldet war. Im selben Brief bestätigt sich die Vermutung: »Gestern abend erhielt ich einen Anruf der Kanzlei Dr. Geutebrück betreffs einer zusätzlichen Überweisung durch die Deutsche Gold und Discontobank zu Gunsten des Herrn Paschkis. Es wären 25 000 Mark zu zahlen. Ich nehme an, dass ich dies ohne weiteres tun könnte.«[46]

Warum Lehár nicht wenigstens seiner Frau zuliebe selbst emigrierte, läßt sich aus der Furcht, seinen Besitz zu verlieren, nur unzureichend erklären. Bernard Grun gegenüber äußerte er noch kurz vor dem Anschluß, die Emigration sei kein Honigschlecken. Alma Mahler-Werfel, in deren Pariser Exilsalon Lehár bis 1939 oft zu sehen war, bemerkte dazu, er »könnte nicht einen Monat von seinem Verdienst leben, denn es gibt in den USA kein einziges Operettentheater und Herumreisen, Tourneen erleiden – dazu ist er viel zu alt und müde und krank. Aber Lehár wollte um jeden Preis hinaus aus Deutschland.«[47] Zwar bestätigte letzteres auch Robert Stolz, wußte aber: »William Paley von der Columbia Broadcasting Corporation kam nach Paris und bot Lehár einen glänzenden Vertrag mit einer Garantie von 1000 US-Dollar die Woche. Aber Lehárs Heimweh war stärker!«[48] Daß er in Pariser Emigrantenkreisen wegen seiner Nazikontakte nicht gerade gern gesehen war, liegt auf der Hand. Dennoch versuchte Lehár beispielsweise, Verbindung zu Kálmán aufzunehmen, was der jedoch brüsk ablehnte. Zumindest schien er in dieser Zeit noch mit dem Gedanken an Emigration gespielt zu haben. Richard Tauber versuchte ihn vergeblich zu überreden. Während in Berlin die STAGMA ein Verfahren gegen J.J. Shubert anstrengte, erhielt Lehár 1939 von dem Hollywooder Agenten Markey ein lukratives Tourneeangebot, mit der Aussicht, aus dem Shubertvertrag auszusteigen. Lehár telegraphierte zurück: »Bitte genau spezifizieren was unter Shubert Kontrakt Neutralisierung zu verstehen ist und grosse Tournee Bedingungen genau angeben ebenso Zeitdauer dann kann ich erst entscheiden bezüglich notarieller Vollmacht.« Noch vom 6. Mai 1940 datierte ein Telegramm Lehárs an Alexander Ince, New York: »Bevor ich mich entscheide Amerika zu kommen müsste ich unbedingt nähere Einzelheiten über projektierte Aufführung erhalten.« Diese Absicherung im voraus war mit einer Emigration natürlich kaum vereinbar, macht aber Lehárs mißtrauisch abwartende Haltung deutlich, erklärbar nur aus den schlechten Erfahrungen mit J.J. Shubert. Wie wenig berechtigt Lehárs Zaudern jedoch war, zeigte die Broadway-Inszenierung der *Merry Widow*, von Robert Stolz musikalisch betreut, von George Balanchine choreographiert und mit Marta Eggerth, Jan Kiepura und Karl Farkas prominent besetzt, die 1943 eine Laufzeit von über einem Jahr erzielte und im Anschluß doppelt so lang durch ganz Amerika tourte. Es war das erfolgreichste Operettenrevival des amerikanischen Theaters, übrigens unter der Produktionsleitung von Lina Abanarell, 1901 Girardis Partnerin der Uraufführung von *Wiener Frauen* und 1907 erste Chicagoer *Witwe*. Allein durch diesen Erfolg hätte Lehár in Amerika Fuß fassen können – im Gegensatz zu vielen seiner Kollegen wie Kálmán oder Benatzky, die auf eine große Broadway-Produktion ihrer Operetten vergeblich hofften. Falls er ernstlich eine Amerikatournee beabsichtigt hatte, rächte sich seine Unentschiedenheit, die fatal an den *Giuditta*-Octavio erinnert, spätestens mit Kriegseintritt der USA 1941. Die zumindest im Unterbewußtsein stets offen gehaltene Hintertür war damit zugefallen.

»Wie Lehár in den Himmel kommt...«

Nach der Premiere von *Garabonciás Diák* am 22. Februar 1943 in Budapest erlitt Lehár – zu dieser Bearbeitung seiner *Zigeunerliebe* förmlich überrumpelt und mit ihr über Wochen in einem schlecht beheizten Hotelzimmer bis in die Morgenstunden beschäftigt – einen schweren Zusammenbruch. Er wurde umgehend von Budapest über Wien nach Ischl transportiert. Sophie Lehár absolvierte einen Krankenschwesternkurs und pflegte ihren körperlich zunehmend verfallenden Mann. Im Sommer 1944 war er weitgehend wiederhergestellt, wenn auch sein Sehvermögen durch eine Glaskörpertrübung der Augen stark beeinträchtigt war. Als die Amerikaner am 6. Mai 1945 Ischl erreichten und dem ›Meister‹ überraschend ein Ständchen brachten, war er sichtlich gerührt und mag den historischen Augenblick tatsächlich als Befreiung empfunden haben. Am 19. Mai wurde *Friederike* endlich am Wiener Stadttheater gegeben, kurz danach Lehárs Schikaneder-Schlößl geplündert, wobei ein Großteil der dort gelagerten Dokumente zerstört wurde oder verlorenging. Lehár sah daraufhin keine Veranlassung mehr, nach Wien zurückzukehren, sondern siedelte am 23. Januar 1946 endgültig nach Zürich über, in sein Stammhotel Baur Au Lac, wo er ein Appartement für über 100 Franken pro Tag anmietete. Die Medikamente für seine mittlerweile an einer schweren Angina pectoris erkrankten Frau waren in Österreich nicht aufzutreiben gewesen. In der Schweiz besserte sich ihr Zustand, auch sein Sehvermögen konnte weitgehend wiederhergestellt werden, er nahm zehn Kilo zu, doch schon bald holten ihn die Schatten der Vergangenheit ein.

58 »Composer of *Merry Widow* Is Delighted to Meet Yanks«
Amerikanische Soldaten bei Lehár zu Hause in Bad Ischl, 6. Mai 1945

Der erste Schatten war der J.J. Shuberts, der am 5. September 1946 endlich das *Land des Lächelns* in dem nach ihm benannten Theater am Broadway groß herausbrachte. Richard Tauber mußte seine Leib- und Magenrolle jedoch mit einem drittklassigen Ensemble, sein großes Lied, »Yours is my Heart«, das dem Werk den amerikanischen Titel gab, vor der Kulisse des Eiffelturms singen; Handlung und Milieu waren völlig verändert. Die amerikanische Neufassung übertraf Lehárs schlimmste, bereits vor zehn Jahren gegen Shuberts Absichten geäußerte Befürchtungen und fiel gnadenlos durch. Tauber sagte nach wenigen Tagen ab. Lehár war außer sich und sah sich veranlaßt, sein *Bekenntnis* zu veröffentlichen: »Nun wage ich ein offenes Wort auszusprechen! Man sagte mir, daß das amerikanische Publikum anders geartet sei wie das europäische. Ich bin aber der Meinung, daß die Menschen überall gleich empfinden ... Meine Original-Librettisten Beda-Löhner und Ludwig Herzer wurden einfach totgeschwiegen, kamen auf dem Theaterzettel gar nicht vor, aus dem Grunde, weil Karl Farkas als Verfasser des Librettos genannt wurde. Sein ›Mitautor‹ Alfred Grünwald wollte nicht genannt sein.«[49] Lehár schien verdrängt zu haben, daß schon im Dritten Reich die Original-Librettisten nicht mehr auf dem Theaterzettel standen und im Fall Bedas nicht nur totgeschwiegen wurden. Geradezu makaber mutet an, daß die Generalprobe unter dem deutschen Originaltitel für jüdische Emigranten zugunsten des Hakoah Relief Funds, mithin der Überlebenden des Holocaust stattfand.

Die nächsten Schatten waren die Überlebenden der Konzentrationslager selbst. Als solcher schrieb Victor Matejka, der neue Wiener Kulturstadtrat, an Lehár, »er solle von den in der Hitlerzeit kassierten Millionen freiwillig einen Betrag spenden für Hinterbliebene von Kollegen, die wie Beda im KZ umgekommen waren. Lehár schickte mir 20 Fotos mit faksimilierter Unterschrift, ich solle sie verkaufen und den Erlös verwenden. So billig zog sich einer – nicht viel anders als andere – aus der Affaire.«[50] Mit diesem Zeugnis korrespondiert Lehárs Reaktion auf die Veröffentlichung seiner Hitler-Widmung und von Auszügen aus dem besagten Brief an Hinkel durch die Basler National-Zeitung, die in Wien eine scheinheilige Welle der Entrüstung hervorriefen, verstärkt durch die Bekanntgabe von Lehárs Plänen, den Glocken-Verlag in die Schweiz zu verlegen. Lehár, der schon die Plünderung seines Schlößls den Wienern nicht verzeihen konnte, war tief getroffen, und nicht einmal der gleichfalls im Baur Au Lac residierende Willi Forst, der einen Film über Lehárs Leben drehen wollte, konnte ihn danach zu einer Rückkehr nach Wien bewegen. Lehár verschanzte sich in seinem Luxusappartement mitsamt feuerfestem Panzerschrank für seine Partiturmanuskripte und kümmerte sich um seine kranke Sophie, die zu den Vorwürfen gegen ihren Mann keine Stellung nahm. Sie hätte ihn, er hätte sich entlasten können; sie zogen es vor zu schweigen: »Ich habe keine Verteidigung nötig! Sie würde ja doch wieder falsch ausgelegt werden. Wer mich kennt, der weiß wie ich bin.«[51]

Wie sehr ihn jedoch Selbstvorwürfe gequält haben müssen, verrät ein geradezu erschütterndes Radio-Interview, das Andreas Reischek für den Salzburger Rundfunksender 1945, unmittelbar nach Kriegsende, aufnahm. Lehár, der keine Fragen beantworten wollte, erzählte aus seinem bewegten Leben und spielte dazu auf einem verstimmten Klavier aus seinen Werken. Mitten in der Erzählung unterbrach er sich selbst und holte die vergessene Erwähnung der Librettisten nach, wobei sich der Fünfundsiebzigjährige bei der Aufzählung der Namen verhedderte und bei ›Dr. Beda‹ den

Faden verlor. Als er auf »den leider verstorbenen Louis Treumann« zu sprechen kam, versagte ihm die Stimme. Dann holte ihn die Erinnerung endgültig ein: »Wenn ich aufgeregt war und dort und dort ein bißchen gepatzt habe, müssen Sie verzeihen, aber wissen Sie, wenn ein ganzes Menschenleben vor einem ist...«[52] – und brach schluchzend ab. Beinahe bekenntnishaft hatte er vorher eine einzige Textzeile gesungen: »Wie's da drin aussieht, / geht niemand was an.«

Freundlichere Schatten hingegen bedrängten Lehár aus England. Richard Tauber besuchte ihn im Mai 1947 in Zürich. Hinter seinem Rücken hatte Lehár in heimlicher Vorfreude beim Radio Beromünster das später berühmt gewordene Abschiedskonzert arrangiert, auf dessen Programm er programmatisch die von Tauber vorher nie gesungene ›Resignation‹ aus dem *Fürstenkind* setzte: »Schweig, zagendes Herz!« Es war ihre letzte Begegnung, Tauber starb am 8. Januar 1948. Schon vorher war Paul Knepler, der letzte überlebende Librettist, aus London herübergekommen, ein Libretto im Gewande, das einen französischen Stoff aus der Zeit Napoleon III. behandelte. Er bot es Lehár an. »Und dann sprach er die Worte, die mir noch heute im Ohr klingen: ›Glaub' mir‹, rief er aus, ›ich bin noch nicht ausgeschrieben; ich hab' noch so viel Musik in mir, so viel Musik!‹« Es war ein letztes Aufflackern. Am 1. September 1947 starb Sophie Lehár an Herzschlag. Als Paul Knepler daraufhin wieder nach Zürich eilte, fand er »einen alten kranken, gebrochenen Mann und ... wußte, daß die Melodien, die in ihm schlummerten, niemals mehr zum Leben erwachen werden. ›Nein‹, sagte er, ›ich will nicht mehr arbeiten.‹«[53] Oder wie er bereits in seinem *Bekenntnis* schrieb: »Um aber neue Werke zu schaffen, dazu gehört Begeisterung. Man muß die Welt um sich vergessen. Das ist natürlich in der jetzigen Zeit fast unmöglich.«[54]

Mit dem Tod seiner geliebten Frau war auch die Hoffnung auf ein neues Werk erloschen. Jetzt erst schien er realisiert zu haben, daß er seit seiner letzten Operette vor dreizehn Jahren die eigene Geschichte überlebt hatte. Als er Ende Juni 1948 schwerkrank nach Ischl zurückkehrte, bestellte er dennoch unverzüglich Maria von Peteani ans Krankenbett, um die Lehár-Legende unter seiner Aufsicht für die Nachwelt festzuhalten. Sie schilderte in ihrer Biographie eindrucksvoll die letzten Wochen vom Sterben eines reichen

Mannes inmitten eines längst zum Museum gewordenen Ambientes, das bis auf den heutigen Tag, seinem letzten Willen entsprechend, als solches erhalten wird. Die Fama vom bevorstehenden Ende des ›Meisters‹ brachte ihm endlich wieder lange vermißte Ehrungen ein. Oscar Straus, aus dem amerikanischen Exil ebenfalls nach Ischl zurückgekehrt, besuchte seinen Kollegen, Emmerich Kálmán versöhnte sich noch telegraphisch von New York aus mit dem Lieblingskomponisten jenes Hitler, dem seine zwei Schwestern zum Opfer gefallen waren. Franz Lehár starb am 24. Oktober 1948 gegen 15 Uhr eines friedlichen Todes. Nach eigenem Wunsch wurde er zu den Klängen des Wolgalieds im Ischler Familiengrab an der Seite seiner Mutter und seiner Frau beigesetzt. Willi Forst, der dem Ereignis beiwohnte – im Gegensatz zu vielen österreichischen Künstlern, die selbst noch Lehárs Begräbnis boykottierten – inspirierte es zur imaginären Schlußszene seines nie realisierten Lehár-Filmes, einem wahrhaft überzuckerten, filmischen Himmelfahrtskommando mit dem Titel: »Wie Lehár in den Himmel kommt«.

Beim himmlischen Empfang des Verstorbenen, inszeniert von Ernst Lubitsch, wird er zu seinem Entsetzen im himmlischen Prater, dem »höchsten Punkt der ... Unterhaltung«, von allen großen Darstellern seiner Operetten herzlich willkommen geheißen. Doch sogleich wird der verkannte himmlische Lehár an der Hand seines Freundes Puccini zum Parnaß geleitet, wo ihn bereits ein himmlisches Orchester erwartet. »Ihm stockt der Atem, er glaubt seinen Augen nicht zu trauen: da sitzen wahrhaftig an den verschiedensten Pulten Rossini und Händel, Bizet, Gluck, Meyerbeer; Liszt, Tschaikowsky ... Er sieht Brahms am Schlagzeug und Bruckner an der Orgel, und eben setzt sich Richard Wagner an den Platz der ersten Posaune ... Tatsächlich: Franz Schubert sitzt am ersten Pult ... Mozart ... nimmt den Platz des ersten Kapellmeisters ein ... dann aber sieht er, daß schimpfend ein Herr mit einem Hörrohr eintritt, dem sogar Johann Sebastian ... und Haydn achselzuckend Platz machen: Beethoven ... Puccini nickt und sagt: ›Heute fehlt wirklich keiner ... und bei der Wahl des Dirigenten gab es nur eine Entscheidung: Johann Strauß‹ ... Damit geht er ... zu seinem Platz am zweiten Pult der ersten Geigen, gleich neben Verdi ... Johann Strauß gibt mit dem Fidelbogen den Einsatz ... Lehár wird es schwindelig. Was spielen sie denn da? ... Ja, es ist seine Musik ... ein himmlisches Potpourri seiner Weisen ... Lehár steht da wie gebannt, aus seinen Augen stürzen Tränen, es sind die Tränen des Glückes, der letzten Erfüllung, der inneren Befreiung.

So oder so ähnlich denke ich mir die Erlösung unseres Meisters von seinem irdischen Kummer, wenn er in den Himmel kommt. Daß er dort hinkommt, ist für mich kein Zweifel.«[55]

Anhang

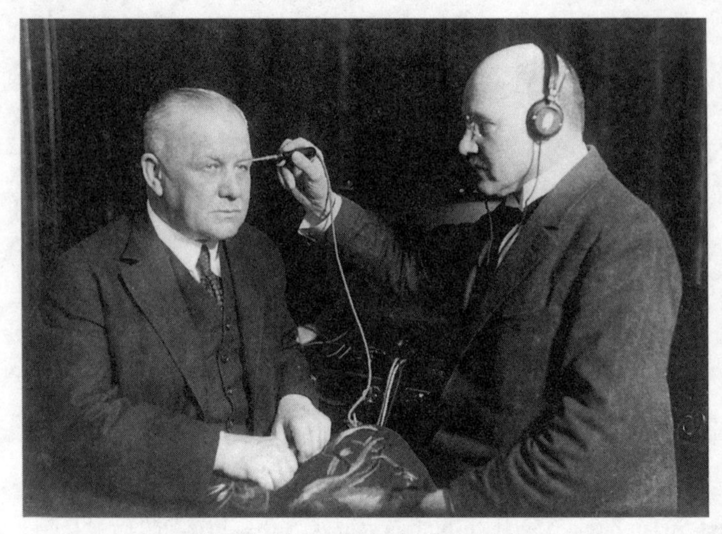

59 *»Wie's da drin aussieht, geht niemand was an…«*
Vergeblicher Versuch Zachar Bißkys, mit seinem Diaknoskop das Innere Franz Lehárs zu ergründen

Anmerkungen

Vorwort

1 Theodor W. Adorno, Erich Wolfgang Korngold. Drei Lieder für Sopran und Klavier, op. 22; Suite für 2 Violinen, Violoncello und Klavier (linke Hand), op. 23, Mainz: B. Schott's Söhne 1930, in: Ders., Gesammelte Schriften 19 – Musikalische Schriften VI, hg. v. Rolf Tiedemann und Klaus Schulz, Frankfurt a. M. 1984, S. 324.

2 Karl Kraus, Salten, in: Ders., Die Fackel, hg. v. – – , Bd. 11, XXXII. Jahr, (Wien) September 1930, Nr. 838-844, S. 52.

3 Kurt Tucholsky, Lehár am Klavier, in: Ders., Gesammelte Werke, hg. v. Mary Gerold-Tucholsky u. Fritz J. Raddatz, Reinbek 1972, Bd. 3, S. 922 ff.

4 Stefan Zweig, Tagebuch-Eintrag vom 25. August 1936, in: Ders., Tagebücher (Gesammelte Werke in Einzelbänden, hg. v. Ursula Michaels-Wentz), Frankfurt a. M. 1984, S. 406.

5 H. Btt., Wiener Neuigkeiten. Fremdensaison. Was man in Wien sucht, in: Die Zeit, (Wien) 2. Oktober 1910.

6 Carl Sternheim, Tagebuch-Eintrag vom 26. Februar - 14. März 1907, in: Ders., Nachträge, Anmerkungen zu den Bänden 1-9, Lebenschronik, hg. v. Wilhelm Endrich, Neuwied/Darmstadt 1976, S. 1132.

7 Albrecht Rethmüller, Musik zwischen Hellenismus und Spätantike, in: Neues Handbuch der Musikwissenschaft, hg. v. Carl Dahlhaus, Laaber 1989, Bd. 1, S. 231.

8 Gottfried Benn, Briefe an Tilly Wedekind vom 5. Februar und 27. Oktober 1936, in: Ders., Briefe an Tilly Wedekind 1930-55, (Briefe IV), Nachwort v. Marguerite-Valerie Schlüter, Stuttgart 1986, S. 158 und 237.

9 August Strindberg, zit. n. S., Strindberg als Dramaturg. Sein Urteil über die Operette, in: Neues Wiener Journal, 27. Oktober 1916.

10 Theodor W. Adorno, Arabesken zur Operette (1932), in: Ders., Gesammelte Schriften 19, S. 517.

11 o. A., Lehár-Rummel im Prater, in: Weltblatt, (Wien) 30. April 1929. (Weinberger-Archiv/Mappe 365)

12 Maria von Peteani, Franz Lehár. Seine Musik – Sein Leben, Wien/London 1950, S. 7

13 Theodor W. Adorno, Die Geschichte der deutschen Musik von 1908-1933, in: Ders., Gesammelte Schriften 19, S. 623.

14 Franz Lehár, Mein Paganini, in: Die Bühne, (Wien) 29. Oktober 1925.
15 Ludwig Ullmann, Franz Lehár zum Sechziger, zit. n. Karl Kraus, Die Fackel, Bd. 11, XXXII. Jahr, Sept. 1930, Nr. 838-844, S. 55.
16 Ernst Bloch, Lehár – Mozart (1928), in: Ders., Zur Philosophie der Musik, Frankfurt a. M. 1974, S. 192 ff.
17 Theodor W. Adorno/Max Horkheimer, Dialektik der Aufklärung. Philosophische Fragmente, in: Max Horkheimer, Gesammelte Schriften, hg. v. Alfred Schmidt u. Gunzelin Schmid Noerr, Bd. 5, Frankfurt a. M. 1987, S. 160.
18 Theodor W. Adorno, Arabesken zur Operette, a. a. O., S. 516.

Vom Wunderkind zum Militärkapellmeister

1 Franz Lehár, Meine Biographie und ich, in: Neues Wiener Journal, 20. April 1924.
2 Ebd.
3 o. A., o. T., in: Moderne Welt, Heft 2, Februar 1920 (WA/364).
4 Alfred Deutsch-German, Wiener Porträts XLIX. Franz Lehár, in: Neues Wiener Journal, 26. April 1903.
5 Brief Christine Lehárs an Anton Lehár, Wien 1903, zit. n. Anton von Lehár, Unsere Mutter, Wien/Berlin 1930, S. 42.
6 Ernst Decsey, Franz Lehár, Wien 1924, S. 101.
7 Wolfgang Huschke, Zur Herkunft Franz Lehárs. Musikgeschichte und Genealogie XXII, in: Genealogie. Deutsche Zeitschrift für Ahnenkunde, Heft 4, 19. Jg., April 1970, S. 107.
8 o. A., o. T., in: Neues Wiener Journal, 9. Juni 1929 (WA/365).
9 Anton von Lehár, Unsere Mutter, S. 12 f.
10 Franz Lehár, Mein Werdegang. Feuilleton, in: Die Zeit, 13. Oktober 1907.
11 Franz Lehár, Franz Lehár über die Wiener Musikwoche und die Operette, in: Der Sonntag, (Wien) 29. Februar 1920.
12 Ernst Decsey, Zu Franz Lehárs Künstlerjubiläum, in: Radio-Wien, Nr. 41, 9. bis 15. Juli 1928.
13 Franz Lehár, zit. n. Karl Kraus, Mähä, in: Die Fackel, Bd. 6, XIII. Jahr, April 1912, Nr. 345/6, S. 47 – 1916 wurde anläßlich eines Konzerts Lehárs in Prag von einem tschechischen Abgeordneten polemisiert, er »sei ebenso wie sein Vater als Militärkapellmeister ein ehrlicher Czeche gewesen und spiele sich nunmehr auf einen Deutschen heraus« (o. A., o. T., in: Neue Freie Presse, (Wien) 16. April 1916).

14 Franz Lehár, Vom Schreibtisch und aus dem Atelier. Bis zur Lustigen Witwe. Autobiographisches von Franz Lehár, in: Velhagen & Klasing's Monatshefte, Bielefeld/Leipzig 1912 (WA/363).
15 zit. n. o. A., Franz Lehár erzählt, in: Das Deutsche Podium, Berlin, 26. April 1940.
16 A. Deutsch-G., Wiener Porträts XLIX. Franz Lehár, a. a. O.
17 Franz Lehár, Meine Jugend, zit. n. Bernard Grun, Gold und Silber. Franz Lehár und seine Welt, München/Wien 1970, S. 29.
18 Franz Lehár, zit. n. Anton Lehár, »Der junge Mann wird seinen Weg machen...« Lehárs Begegnung mit berühmten Zeitgenossen, in: Neues Österreich, 4. November 1951.
19 Franz Lehár, Mein Werdegang, a. a. O.
20 Franz Lehár, Musik – mein Leben, Neues Wiener Tagblatt, 23. September 1944.
21 Anton von Lehár, Unsere Mutter, S. 14f.
22 Franz Lehár, Mein Werdegang, a. a. O.
23 Franz Lehár, Aller Anfang ist schwer..., Chronikbeilage der Neuen Freien Presse, 30. April 1930 – wörtlich in: Franz Lehár, Mein Werdegang, a. a. O. (1907).
24 Franz Lehár, Die Idylle und der Anzug. Mein erstes Honorar, in: Mittags-Blatt, Hamburg, 18. Oktober 1927.
25 u. a. Franz Lehár, Aller Anfang ist schwer..., a. a. O.
26 Maria von Peteani, Franz Lehár, S. 25.
27 Franz Lehár, Mein Werdegang, a. a. O.
28 Franz Lehár, Vom Schreibtisch und aus dem Atelier, a. a. O.
29 Ludwig Karpath, Tatjana, in: Neues Wiener Tagblatt, 11. Februar 1906.
30 Franz Lehár, Mein Werdegang, a. a. O.
31 Franz Lehár, Erinnerungen an Leo Fall, in: Neue Freie Presse, 17. September 1930 (WA/366).
32 Franz Lehár, Mein Werdegang, a. a. O.
33 zit. n. A. Deutsch-G., Wiener Porträts XLIX. Franz Lehár, a. a. O.
34 Franz Lehár, Mein Werdegang, a. a. O.
35 Franz Lehár, Wie entsteht eine Melodie?, in: Neues Wiener Journal, 25. Dezember 1937.
36 Franz Lehár, Mein Werdegang, a. a. O.
37 Maria von Peteani, Franz Lehár, S. 33.
38 Franz Lehár, Mein Werdegang, a. a. O.
39 Franz Lehár, Musik – mein Leben, a. a. O.
40 Auf dem Titelblatt der Partitur im Weinberger-Archiv.

41 Franz Lehár, Mein Werdegang, a. a. O.

42 Fürst Philipp zu Eulenburg, zit. n. Salutschießen und Lehár. Aus den Erinnerungen des Fürsten Philipp zu Eulenburg, in: Der Beobachter, Stuttgart, 12. Juli 1930.

43 Franz Lehár, Lehár als Marinekapellmeister. Erinnerungen des Komponisten, in: Neues Wiener Tagblatt, 10. Juni 1916.

44 Wie alle folgenden Zitate dem erhaltenen Programmzettel entnommen – Abbildung 4 (WA).

45 Maria von Peteani, Franz Lehár, S. 39.

46 Anton von Lehár, Unsere Mutter, S. 109.

47 Franz Lehár, Mein Werdegang, a. a. O.

48 Franz Lehár, Wie ich anfing, in: Neues Wiener Journal, 25. Dezember 1929.

49 Ernst Decsey, Franz Lehár. Mit 15 Text- und 18 Tafelbildern, 12 Notenbeispielen und einer Partiturbeilage, Berlin/München 1930, S. 29.

Der Opernkomponist Franz Lehár

1 Franz Lehár, Musikalische Splitter, in: Neues Wiener Journal, o. D. (WA/363).

2 Maria von Peteani, Franz Lehar, S. 25.

3 Brief der Mutter an Anton Lehár, Budapest 1896, in: Anton von Lehár, Unsere Mutter, S. 28 ff.

4 Giacomo Puccini, Manon Lescaut. Dramma lirico in quattro atti di M. Praga, D. Oliva, G. Ricordi e L. Illica. Ridazione per canto e pianoforte di Carlo Carignani. Nuova edizione a cara di Mario Parenti, Milano 1984, S. 274/288 f.

5 Richard Specht, Tatjana, in: Die Zeit, 11. Februar 1906.

6 zit. n. o. A., Franz Lehár erzählt, a. a. O.

7 Julius Korngold, Die romantische Oper der Gegenwart. Kritische Aufsätze, Wien/Leipzig 1922, S. 214.

8 A. Deutsch-G., Wiener Porträts XLIX. Franz Lehar, a. a. O.

9 o. A., Kukuška, in: Berliner Börsen-Courier, 29. November 1896.

10 Otto Sonne, Kukuška, in: Leipziger Gerichts-Zeitung, 2. Dezember 1896.

11 Ludwig Hartmann, Kukuška, in: Dresdner Zeitung, 29. November 1896.

12 F. R. Pfau, Neues Theater, in: Leipziger Zeitung, 28. November 1896.

13 Prof. Bernhard Vogel, in: Leipziger Neueste Nachrichten, 28. November 1896.
14 Brief Christine Lehárs an Anton Lehár, Budapest 10. Dezember 1896, in: Anton von Lehár, Unsere Mutter, S. 30 f.
15 A. Deutsch-G., Wiener Porträts XLIX. Franz Lehár, a. a. O.
16 zit. n. o. A., Wie Franz Lehár berühmt wurde, in: Neues Wiener Journal, 28. Januar 1912.
17 A. Deutsch-G., Wiener Porträts, XLIX. Franz Lehár, a. a. O.
18 August Beer, o. T., in: Pester Lloyd, 3. Mai 1899.
19 Brief Franz Lehárs an Dr. Karl Muck, Budapest 6. Juni 1899; aus dem Nachlaß Dr. Karl Mucks, Deutsche Musiksammlung der Staatsbibliothek zu Berlin (DMS/239106).
20 zit. n. Ernst Decsey, Franz Lehár (1924), S. 62.
21 Franz Lehár, Bekenntnis, Zürich 1947, S. 2.
22 Franz Lehár, Mein interessantestes Reiseabenteuer, Manuskript aus dem Jahre 1930 (WA/366); gekürzt als ›Die vergebene Chance‹, in: Neues Wiener Journal, 24. Mai 1931.
23 Ludwig Karpath, Wie Franz Lehár wurde. Aus meinen Erinnerungen, in: Neues Wiener Journal, 24. Juni 1923.
24 Julius Stern, in: Volkszeitung, (Wien) 9. März 1924; vgl. Zeitungsmeldung von 1907 (WA/363).

Operettenkomponist wider Willen

1 zit. n. C. de Vidal Hunt, 1000 Merry Widows. ›Shahzada of Operetta‹ Calls a Congress, o. D. 1925 (WA/365).
2 Franz Lehár, Mein Werdegang (Fortsetzung), in: Die Zeit, 25. Oktober 1907.
3 o. A., o. T., in: Neue Freie Presse, 15. November 1900 (WA/363).
4 Otto Römisch (Präsident der Kapellmeister-Union Österreichs), Franz Lehár, mein Kapellmeister, in: Der Führer. Fachzeitschrift des Kapellmeisters. Offizielles Organ der Kapellmeister-Union, 2. Jg., Nr. 9, Berlin, September 1929, S. 2 f. (WA/365).
5 Victor Léon, Meinem Freunde Lehár. Zu seinem 60. Geburtstag am 30. April, in: Neues Wiener Journal, 27. April 1930.
6 Franz Lehár, Vom Schreibtisch und aus dem Atelier, a. a. O.
7 I. Akt, 3. Scene, laut Manuskript im WA.
8 Felix Salten, Operette. Ouvertüre zum Lehár-Jubiläum, in: Neue Freie Presse, 6. Mai 1928.

9 o. A., o. T., in: Neues Wiener Tagblatt, 28. Januar 1902.
10 Victor Léon, Meinem Freunde Lehár, a. a. O.
11 Ernst Decsey, Jubilierende Operetten. Wie Lehár wurde – Die Fledermaus, in: Grazer Tagespost, 25. März 1924.
12 Franz Lehár, zit. n. Was Franz Lehár aus der Geschichte seiner Karriere erzählt, in: Die Stunde, (Wien) 26. November 1927.
13 Ottokar Tann-Bergler, in: Die Reichswehr, (Wien) 21. Oktober 1902.
14 o. A., o. T., in: Wiener Morgenblatt, 15. Juni 1902.
15 o. A., o. T., in: Neue Freie Presse, 15. Juni 1902.
16 Emil Steininger, Vom unbekannten Lehár und dem durchgefallenen Leo Fall, in: Neues Wiener Journal, 16. Dezember 1928.
17 Franz Lehár, zit. n. Was Franz Lehár aus der Geschichte seiner Karriere erzählt, a. a. O.
18 Leopold Jacobson, Theater an der Wien, in: Neues Wiener Journal, 22. November 1902.
19 E., Theater an der Wien, in: Neues Wiener Tagblatt, 22. November 1902.
20 mm., Wiener Frauen, in: Die Zeit, 22. November 1902.
21 K. Schreder, Theater an der Wien, in: Deutsches Volksblatt, (Wien) 22. November 1902.
22 W. St., Karl-Theater, in: Wiener Allgemeine Zeitung, 21. Dezember 1902.
23 Oscar Straus, Die Operette als Kunstgenre, in: Neues Wiener Journal, 23. März 1906.
24 o. A., o. T., in: Fremden-Blatt, 23. Dezember 1904.
25 o. A., o. T., in: Neues Wiener Journal, 15. November 1902.
26 Moritz Csáky, Ideologie der Operette und Wiener Moderne: ein kulturhistorischer Essay zur österreichischen Identität, Wien/Köln/Weimar 1996, S. 219.
27 Ludwig Karpath, Carl-Theater, in: Neues Wiener Tagblatt, 21. Dezember 1902.
28 o. A. [Julius Bauer], Carl-Theater, in: Fremden-Blatt, (Wien) 21. Dezember 1902.
29 zit. n. Ernst Decsey, Jubilierende Operetten, a. a. O.
30 mm., Der Rastelbinder, in: Die Zeit, 21. Dezember 1902.
31 W. St., Karl-Theater, in: Wiener Allgemeine Zeitung, 21. Dezember 1902.
32 o. A., Carl-Theater, in: Deutsches Volksblatt, 21. Dezember 1902.
33 Richard Specht, Carl-Theater, in: Die Zeit, 19. September 1903.
34 Karl Kraus, Ritter Sonett und Ritter Tonreich, in: Die Fackel, Bd. 6, XIII. Jahr, 29. Februar 1912, Nr. 343, S. 7.

35 Franz Lehár, Vom Schreibtisch und aus dem Atelier, a. a. O.
36 zit. n. Richard Specht, Tatjana, in: Die Zeit, 11. Februar 1906.
37 A. Deutsch-G., Wiener Porträts XLIX. Franz Lehár, a. a. O.
38 Franz Lehár, zit. n. o. A., Wiener Porträts. Direktor Franz Lehár, in: Neues Wiener Journal, 8. Dezember 1907.
39 Franz Lehár, zit. n. o. A., Aus Hamburg…, in: Neues Wiener Journal, 27. Oktober 1910 (WA/363, S. 8).
40 Programm zu Eine Vision (WA/Manuskript-Mappe 29).

Die Entstehung eines Welterfolgs

1 Victor Léon, Meinem Freunde Lehár, a. a. O.
2 Brief Leo Steins an Victor Léon, Vöslau 7. Juli 1910 (Sammlung Schulz-Hohenstein).
3 Leo Stein, zit. n. Wie eine Operette entsteht. Eine Rundfrage, in: Neues Wiener Journal, 11. Juni 1905.
4 Louis Treumann, Entstehungsgeschichte eines Welterfolges (Aus einem Gespräch), in: Neue Freie Presse, 30. Dezember 1936.
5 Brief Victor Léons an Franz Lehár, Unterach 21. Juli 1905, zit. n. Franz Lehár, Militärkapellmeister und Lustige Witwe. Erzählt vom Komponisten…, in: Neues Wiener Tagblatt, 24. Dezember 1911.
6 Leopold Jacobson, Theater an der Wien, in: Neues Wiener Journal, 31. Dezember 1905.
7 zit. n. Viktor Léon, »Das is ka Musik…«. Die wahre Wahrheit über Die Lustige Witwe, in: Neues Wiener Journal, 6. Januar 1931.
8 Ebd.
9 Louis Treumann, Entstehungsgeschichte eines Welterfolgs, a. a. O.
10 Franz Lehár, Ungarische Theaterdirektoren, in: Pester Lloyd, (Budapest) 7. Juni 1923.
11 Victor Léon, »Das is ka Musik…«, a. a. O.
12 Ludwig Karpath, Theater an der Wien, in: Neues Wiener Tagblatt, 31. Dezember 1905.
13 Julius Stern, Theater an der Wien, in: Fremden-Blatt, 31. Dezember 1905.
14 Alexander Landsberg, Die Lustige Witwe, in: Oesterreichische Volkszeitung, (Wien) 31. Dezember 1905.
15 Karl Wallner, Die Wahrheit über Lehárs Lustige Witwe, in: Neues Wiener Journal, 1. Januar 1931.
16 Louis Treumann, Entstehungsgeschichte eines Welterfolges, a. a. O.

17 Emil Steininger, Vom unbekannten Lehár und dem durchgefallenen Leo Fall, a. a. O. – Zu Karl Wallners Angabe, s. Anm. 15.
18 M. S., Theater und Musik. Im Berliner Theater, in: Berliner Lokalanzeiger, 2. Mai 1906.
19 W. Macqueen-Pope and D. L. Murray, Fortune's Favourite. The Life and Times of Franz Lehár, London 1953, S. 98.
20 zit. n. o. A., Ein Besuch bei Franz Lehár, in: Pester Lloyd, Oktober 1913 (WA/363).
21 Felix Günther, Operettendämmerung, in: Die Schaubühne (Vollständiger Nachdruck der Jahrgänge 1905-1918, Königstein/Ts. 1980) IX. Jg., (Berlin) 4. September 1913, S. 839.
22 Paul Bekker, Die Lustige Witwe und ihre Familie, in: Allgemeine Musik-Zeitung, 34. Jg., Berlin 20. September 1907, Nr. 38, S. 614 f. – Beziehungsreich schließt der Artikel: »Uns bleibt das Haupt des Jochanaan.«
23 Franz Lehár, Militärkapellmeister und Lustige Witwe, a. a. O.
24 Felix Salten, Die neue Operette, in: Die Zeit, 8. Dezember 1906.
25 Macqueen-Pope/Murray, Fortune's Favourite, S. 107 f.
26 Felix Salten, Die neue Operette, a. a. O.
27 Carl Dahlhaus, Zur musikalischen Dramaturgie der Lustigen Witwe, in: Österreichische Musikzeitung, 40. Jg., Wien 1985, Heft 12, S. 662.
28 Ludwig Hirschfeld, Wiedersehen mit einer Witwe. Ein Rückblick im Operettenformat, in: Neue Freie Presse, 23. September 1923.
29 Alexander Landsberg, Die Lustige Witwe, a. a. O.
30 Sch., Theater an der Wien, in: Illustriertes Wiener Extrablatt, 31. Dezember 1905 – Ausdrücklich heißt es zu Beginn dieser Rezension: »Das Glück der gestrigen Operettennovität von Franz Lehár hat eine Tanzszene im *2. Akte* entschieden … Eigentlich ist es eine *stumme Liebesszene*, durch welche ein ruhiges, einschmeichelndes Walzerthema gaukelt …«
31 Felix Salten, Die neue Operette, a. a. O.
32 Franz Lehár, Wie entsteht eine Lehár-Operette?, in: 8 Uhr Blatt, 22. Dezember 1916.
33 Emil Steininger, Kleine Geschichten von Wilhelm Karczag. Aus den Erinnerungen Direktor – –, in: Neues Wiener Journal, 9. Juni 1929.
34 Victor Léon, »Das is ka Musik …«, a. a. O.
35 David Bach, Theater an der Wien, in: Arbeiter-Zeitung, (Wien) 31. Dezember 1905.
36 Louis Treumann, Entstehungsgeschichte eines Welterfolges, a. a. O.
37 Felix Salten, Die neue Operette, a. a. O.
38 Brief Victor Léons an Louis Treumann, Unterach 20. September 1905 (MA 90/1-OP 69 – Sammlung Schulz-Hohenstein).

39 René Kraus, Der Klassiker unserer Operette. Lehár, der Sechziger erzählt, in: Neue Freie Presse, 15. April 1930.

Konjunktur und Kult der *Lustigen Witwe*

1 Karl Kraus, Grimassen über Kultur und Bühne, in: Die Fackel, Bd. 5, X. Jahr, 19. Januar 1909, Nr. 275-71, S. 5.
2 o. A., Die Lustige Witwe am Zambesi, in: Berliner Tageblatt, 22. Februar 1910.
3 Felix Salten, Die neue Operette, a. a. O.
4 Dieter Zimmerschied, Operette. Phänomen und Entwicklung, in: Materialien zur Didaktik und Methodik des Musikunterrichts, Bd. 15, Wiesbaden 1988, S. 111.
5 zit. n. C. de Vidal Hunt, 1000 Merry Widows, a. a. O.
6 Joseph Stolzing, Deutsche Tonkünstler der Gegenwart, in: Die Propyläen. Wochenschrift. Beilage der Münchener- bzw. Bayerischen Zeitung, 9. Jg., Nr. 19, 9. Februar 1912, S. 294f.
7 Ernst Decsey, Franz Lehár (1930), S. 60.
8 Karl Kraus, Zwei Meister, in: Die Fackel, Bd. 6, XIII. Jahr, 23. November 1911, Nr. 336-337, S. 26.
9 Arnold Schönberg, Gesammelte Schriften. 1. Stil und Gedanke. Aufsätze zur Musik, hg. v. Ivan Voitech, Frankfurt a. M. 1976, S. 365.
10 Ingrid Grünberg, Operette und Rundfunk. Die Entstehung eines spezifischen Typs massenwirksamer Unterhaltungsmusik, in: Argumente Sonderband AS 24, Angewandte Musik – 20er Jahre. Exemplarische Versuche gesellschaftsbezogener musikalischer Arbeit für Theater, Film, Radio, Massenveranstaltung, Redaktion: Dietrich Stern, hg. v. Wolfgang Fritz Haug, Berlin 1984, S. 61.
11 o. A., o. T., in: Die Post, Berlin, 4. Mai 1910 (WA/363).
12 Leonard Bernstein, Das amerikanische Musical. Fernsehsendung vom 7. Oktober 1956, in: Ders., Freude an der Musik, München 1963, S. 156.
13 Geoffrey S. Cahn, Weimar culture and society as seen through American eyes: Weimar music – the view from America [St. John's University, Diss.] Ann Arbor 1982, S. 443 und S. 383, Anm. 22.
14 Ernst Klein, Aus der Wiener Operetten-Werkstatt, in: Berliner Lokal-Anzeiger, 29. April 1912.
15 zit. n. o. A., New Yorker Spaziergänge, in: New Yorker Herold, 19. März 1908.
16 zit. n. Ernst Decsey, Franz Lehár (1924), S. 49.

17 MacQueen-Pope/Murray, Fortunes's Favourite, S. 114.
18 Franz Lehár, Das moderne Mädchen und die Musik, in: Die Bühne, 1929 (WA/365).
19 Rudolf Bernauer, Das Theater meines Lebens. Erinnerungen, Berlin 1955, S. 210.
20 Jérôme Savary, Randbemerkungen zu einer Inszenierung, in: Programmheft: Lehár, Die Lustige Witwe, Volksoper Wien, Saison 1987/88.
21 o.A., Die Lustige Witwe, in: Mein Film, (Wien) o.D. (WA/Filmmappe).
22 Richard Koszaski, The man You Loved to hate, Oxford 1983, S. 151, zit. n. Erich von Stroheim, hg. v. Wolfgang Jacobsen, Helga Belach u. Nobert Grob, Berlin 1994, S. 115.
23 zit. n. Franz Lehár über die Verfilmung der Lustigen Witwe, in: Mein Film, o. D. (WA/Film).
24 zit. n. Egon Michael Salzer, Maurice Chevalier verfilmt die Lustige Witwe. Gespräch mit dem berühmten Tonfilmstar, in: Neues Wiener Journal, 29. November 1933.
25 Robert de Laroche, Les Veuves au cinéma, in: L'Avant Scène. Opéra/Operette/Musique, La Veuve Joyeuse, Paris, Novembre 1982, Nr. 45, S. 99.
26 zit. n. Weltspiegel. Illustrierte Nachrichten aus dem Weltspiegelkino. Lehár-Festnummer, Wien, Sept./Okt. 1935.
27 zit. n. Herbert Spaich, Ernst Lubitsch und seine Filme, München 1992, S. 260.
28 Theodor W. Adorno, Zur gesellschaftlichen Lage der Musik (1932), in: Ders., Gesammelte Schriften 18, Musikalische Schriften V, hg. v. Rolf Tiedemann u. Klaus Schulz, Frankfurt a. M. 1984, S. 772.
29 Joseph Stolzing, Deutsche Tonkünstler der Gegenwart, a. a. O., S. 294.
30 Karl Kraus, Grimassen über Kultur und Bühne, a. a. O., S. 2.
31 Karl Kraus, Glossen, Notizen, Aphorismen, in: Die Fackel, Bd. 5, X. Jahr, 27. Februar 1909, Nr. 274, S. 18.
32 Karl Kraus, Sturz aus allen himmlischen Reichen, in: Die Fackel, Bd. 6, XII. Jahr, 23. November 1911, Nr. 336-337, S. 12.
33 Ernst Decsey, Franz Lehár (1930), S. 48 f.
34 Karl Kraus, Grimassen über Kultur und Bühne, a. a. O., S. 14.
35 Felix Salten, Die neue Operette, a. a. O.
36 Thomas Mann, Die Bekenntnisse des Hochstaplers Felix Krull, Stuttgart/Zürich/Salzburg 1954, S. 30 f.

37 Ferdinand Scherber, Franz Lehár Feuilleton, in: Österreichische Rundschau, Bd. LXIII, Wien/München, April/Juni 1920, S. 90.
38 Ludwig Hirschfeld, Wiedersehen mit einer Witwe, a. a. O.
39 o. A., Theater an der Wien, in: Neue Freie Presse, 31. Dezember 1905.
40 Felix Salten, Die neue Operette, a. a. O.
41 Karl Kraus, Grimassen über Kultur und Bühne, a. a. O., S. 5.
42 Ebd.
43 Klaus Pringsheim, Operette, in: Süddeutsche Monatshefte: unter Mitwirkung von Josef Hofmiller, Friedrich Neumann, Hans Pfitzner, Hans Thoma, Karl Voll, hg. v. Paul Nikolaus Cossmann, 9. Jg., München 1912, Bd. 2, S. 185.
44 Hans F. Redlich, Zur Typologie der Operette, in: Der Anbruch, 11. Jg., Berlin, März 1929, Heft 3, S. 97.
45 Ludwig Thoma, Männer von Berlin!, in: Ders., Gesammelte Werke, Bd. 8 – Ausgewählte Gedichte und Aufsätze, München 1956, S. 430.

Lehár als Operettenerneuerer

1 Franz Lehár, Musikalische Splitter, a. a. O.
2 Ludwig Karpath, Theater an der Wien, in: Neues Wiener Tagblatt, 31. Dezember 1905.
3 David Bach, Theater an der Wien, in: Arbeiter-Zeitung, 31. Dezember 1905.
4 Leopold Jacobson, Theater an der Wien, in: Neues Wiener Journal, 31. Dezember 1905.
5 Theodor W. Adorno, Versuch über Wagner, Frankfurt a. M. 1974, S. 45.
6 Gottfried Benn, Kunst und Drittes Reich, in: Ders., Das Hauptwerk, hg. v. Marguerite Schlüter, Bd. 2, Essays. Reden. Vorträge, Wiesbaden/München 1980, S. 183.
7 Felix Salten, Die neue Operette, a. a. O.
8 Theodor W. Adorno, Frankfurter Opern- und Konzertkritiken. Januar 1934, in: Ders., Gesammelte Schriften 19, S. 249.
9 Oscar Straus, zit. n. Robert und Einzi Stolz, Servus Du. Robert Stolz und sein Jahrhundert, München 1980, S. 180.
10 zit. n. o. A., King of the Viennese Operette Domain. Franz Lehár. An Interview with the famous composer. From our own Correspondent, in: Music Magazine, Boston, February 22, 1913 (WA/363).

11 o. A., Wiener Porträts. Direktor Franz Lehár, a. a. O.
12 o. A., Eine neue Operette von Lehár, in: Neues Wiener Tagblatt, 8. Januar 1907.
13 Franz Lehár, Bekenntnis, S. 3.
14 o. A., King of the Viennese Operette Domain. Franz Lehár. An Interview, a. a. O.
15 Franz Lehár, zit. n. Karl Kraus, Ernst ist das Leben, heiter war die Operette, in: Die Fackel, Bd. 5, XII. Jahr, 31. Dezember 1910, Nr. 313/14, S. 16.
16 Oscar Straus, Die Operette als Kunstgenre, in: Neues Wiener Journal, 25. März 1906.
17 Alfred Wolf, Der Operettenmoloch, in: Die Musik, 9. Jg., Berlin/Leipzig September 1909, Bd. 20, Heft 23, S. 259/263.
18 Theodor W. Adorno, Zur gesellschaftlichen Lage der Musik, a. a. O., S. 771.
19 Dr. Erich Urban, Die Wiedergeburt der Operette, in: Die Musik, Bd. 9, 3. Jg., Berlin/Leipzig, November 1903, Heft 3, S. 183.
20 Alfred Wolf, Der Operettenmoloch, a. a. O., S. 259.
21 Joseph Stolzing, Deutsche Tonkünstler der Gegenwart, a. a. O., S. 295.
22 Theodor W. Adorno, Versuch über Wagner, S. 26 f.
23 Franz Lehár, Vom Schreibtisch und aus dem Atelier, a. a. O.
24 Ernst Křenek, Operette, in: Ders., Zur Sprache gebracht. Essays über Musik, München 1958, S. 52.
25 Franz Lehár, Wie entsteht eine Lehár-Operette?, a. a. O.
26 Karl Kraus, Grimassen über Kultur und Bühne, a. a. O., S. 5.
27 Victor Léon, zit. n. Gegen die Wiener Operette. Eine Umfrage und ihre Antworten, von Dr. Erich Eckertz, in: Neue Musik-Zeitung, 32. Jg., Stuttgart/Leipzig 1911, Heft 9, S. 191.
28 Karl Kraus, Grimassen über Kultur und Bühne, a. a. O., S. 4 ff.
29 Wilhelm Karczag, Operette und musikalische Komödie, in: Neues Wiener Journal, 12. April 1914.
30 zit. n. Ilka Horovitz-Barnay, Bei Franz Lehár, in: Neues Wiener Journal, 14. November 1909.
31 Franz Lehár, Militärkapellmeister und Lustige Witwe, a. a. O.
32 o. A., Wer instrumentiert die Wiener Operetten?, in: Die Stunde, 3. Juli 1926.
33 zit. n. o. A., Bei Franz Lehár. Der Komponist über seine neueste Operette, in: Komödie. Wochenrevue für Bühne und Film, Jg. I, Nr. 11, Wien 18. Dezember 1920.

34 Franz Lehár, Militärkapellmeister und Lustige Witwe, a. a. O.
35 Franz Lehár, Bekenntnis, S. 3.
36 Karl Kraus, Ernst ist das Leben, heiter war die Operette, a. a. O., S. 13.
37 Franz Lehár, Militärkapellmeister und Lustige Witwe, a. a. O.
38 Max Schönherr, Die Instrumentation bei Lehár. Referat zum Kongreß Franz Lehár (Bad Ischl 14.-16. Juli 1978), Baden bei Wien 1978, S. 10.
39 o. A., Wer schreibt die Berliner Operettenmusik?, in: o. T., Bremen 29. Juli 1926 (WA/365).
40 zit. n. o. A., in: Neues Wiener Journal, 28. Januar 1912 (WA/363).
41 Franz Lehár, zit. n. o. A., Ein Besuch bei Franz Lehár, in: Pester Lloyd, September 1913 (WA/363).
42 Max Schönherr, Die Instrumentation bei Lehár, S. 1.
43 Ferdinand Scherber, Franz Lehár Feuilleton, a. a. O., S. 90.
44 Karl Kraus, Grimassen über Kultur und Bühne, a. a. O., S. 13.

Operettengeschäft und Unterhaltungsmusik

1 Franz Lehár, Vom Schreibtisch und aus dem Atelier, a. a. O.
2 zit. n. o. A., Franz Lehár über die Zukunft der Operette, in: Neues Wiener Journal, 29. Dezember 1911.
3 Wr., Frankfurter Theater, in: Volksstimme, Frankfurt a. M. 23. April 1914, zit. n. Otto Schneidereit, Franz Lehár. Eine Biographie in Zitaten, Berlin (Ost) 1984, S. 162.
4 Arnold Schönberg, Kriterien für die Beurteilung von Musik, in: Ders., Stil und Gedanke, S. 131.
5 Franz Lehár, zit. n. o. A., o. T., in: Volkszeitung, (Wien) 19. Juni 1934.
6 Theodor W. Adorno, Zur gesellschaftlichen Lage der Musik, a. a. O., S. 772.
7 Alfred Döblin, Der Graf von Luxemburg (Januar 1910), in: Ders., Kleine Schriften, Bd. 1, hg. v. Anthony W. Riley, Olten 1985, S. 76.
8 Joseph Stolzing, Deutsche Tonkünstler der Gegenwart, a. a. O., S. 295.
9 Ernst Klein, Aus der Wiener Operettenwerkstatt, a. a. O.
10 Theodor W. Adorno, Zur gesellschaftlichen Lage der Musik, a. a. O., S. 772.
11 Jean Gilbert, Das Libretto ist schuld!, in: Die Scene, 19. Jg., Berlin, Februar 1929, Heft 2 – Die Krisis der Operette, S. 33.
12 Karl Westermeyer, Die Operette im Wandel des Zeitgeistes von Offenbach bis in die Gegenwart, München 1931, S. 18.

13 Stan Czech, Schön ist die Welt. Franz Lehárs Leben und Werk, Berlin 1957, S. 158.
14 Paul Wilhelm, Bei Direktor Wilhelm Karczag, in: Neues Wiener Journal, 21. September 1911.
15 Karl Kraus, Eine Musik- und Theaterausstellung, in: Die Fackel, Bd. 4, IX. Jahr, 31. Dezember 1907, Nr. 239-240, S. 40.
16 Paul Marsop, o. T., zit. n.: Gegen die Wiener Operette – Eine Umfrage, a. a. O., S. 191.
17 Felix Günther, Operettendämmerung, a. a. O., S. 839.
18 Franz Lehár, Wie entsteht eine Lehár-Operette?, a. a. O.
19 Ludwig Hirschfeld, Die Zirkusprinzessin, in: Neue Freie Presse, 27. Februar 1926.
20 Theodor W. Adorno/Max Horkheimer, Dialektik der Aufklärung, S. 179.
21 W. Kellerbauer, Die Operette als Kunstform, zit n.: Gegen die Wiener Operette – Eine Umfrage, a. a. O., S. 192.
22 Franz Lehár, zit. n. Karl Kraus, Mähä, in: Die Fackel, Bd. 6., XIII. Jahr, April 1912, Nr. 345/6, S. 46f.
23 Artur Ernst, Besuch bei ... Franz Lehár, in: Neues Wiener Tagblatt, 13. Mai 1928.
24 Theodor W. Adorno, Zur gesellschaftlichen Lage der Musik, a. a. O., S. 775.
25 Carl Dahlhaus, Zur musikalischen Dramaturgie der Lustigen Witwe, a. a. O., S. 660.
26 Theodor W. Adorno, Schlageranalysen (1932), in: Ders., Gesammelte Schriften 18, S. 781.
27 Volker Klotz, Operette. Porträt und Handbuch einer unerhörten Kunst, München 1991, S. 447.
28 Carl Dahlhaus, Zur musikalischen Dramaturgie der Lustigen Witwe, a. a. O., S. 663.
29 Hanns Eisler, Die Kunst zu erben, in: Ders., Gesammelte Werke, Schriften 1924-48, Ausgew. v. Günther Mayer, Leipzig 1983, Serie III, Bd. 1, S. 408 – »Andererseits aber sind gewisse Kunstmittel Beethovens, wie z. B. der verminderte Septimakkord, die neapolitanische Sext durch Abnützung gesellschaftlich dermaßen verbraucht, daß sie heute nur noch in der leichten Unterhaltungsmusik auftauchen.« (Ebd.)
30 Klaus Pringsheim, Operette, a. a. O., S. 186.
31 Alfred Grünwald, Ein Wort für Emmerich Kalman, in: Wiener Allgemeine Zeitung, 19. August 1928.
32 Franz Lehár, zit. n. Ilka Horovitz-Barnay, Bei Franz Lehár, a. a. O.

33 zit. n. Emil Steininger, Bevor der Vorhang aufgeht ... Einiges über die Geburt der Operetten. Aus den Erinnerungen Direktor --, in: Neues Wiener Journal, 6. Januar 1929.
34 zit. n. o. A., Lehár rehabilitiert den Graf von Luxemburg. Das Ende einer Stammtischlegende, in: Neues Wiener Journal, 22. September 1929.
35 Julius Stern, Die Lehár-Premiere im Theater an der Wien, in: Fremden-Blatt, 13. November 1909.
36 o. A., Franz Lehárs Operette Der Graf von Luxemburg, in: Neue Freie Presse, 13. November 1909.
37 o. A., Der Graf von Luxemburg, in: Deutsches Volksblatt, 13. November 1909.
38 Alfred Döblin, Der Graf von Luxemburg, a. a. O., S. 76.
39 Julius Stern, Lehár-Premiere im Theater an der Wien, a. a. O.
40 Guido Ruberti, Il conte di Lussemburgo, in: Il Giornale d' Italia, (Roma) 7 Ottobre 1910.
41 o. A., The New Play at Daly's. Brillant Succes. A Wonderful Waltz, in: The Observer, (London) May 21, 1911.
42 E. B., The King at a First Night. His Majesty and Herr Lehár, in: The Daily Mail, (London) May 21, 1911.
43 Macqueen-Pope/Murray, Fortune's Favourite, S. 131.
44 E. B., The King at a First Night, a. a. O.
45 zit. n. o. A., Die Wiener Operette im Ausland, in: Neue Freie Presse, 18. Juni 1912.
46 Karl Kraus, Wiener Musik im Ausland, in: Die Fackel, Bd. 11, XXXIV. Jahr, Mitte Oktober 1932, Nr. 876-84, S. 124.

Warenhaus Operette

1 Klaus Pringsheim, Operette, a. a. O., S. 185f.
2 Karl Neisser, Die Operette ist tot, es lebe die Operette!, in: Die Scene, 19. Jg., Berlin Februar 1929, Heft 2 – Die Krisis der Operette, S. 44.
3 Arthur Maria Rabenalt, Operette als Aufgabe, Berlin/Mainz/Rastatt 1948, S. 34ff.
4 Franz Lehár, Schön ist die Welt, Operette in drei Akten von Ludwig Herzer und Fritz Löhner, Musik von --, Klavierauszug mit Text, Originalausgabe des Komponisten, Leipzig/Wien/New York o. J., S. 70.
5 Hermann Broch, Hofmannsthal und seine Zeit. Eine Studie. Mit einem Nachwort von Hannah Arendt, München 1964, S. 16.

6 Kurt Tucholsky, Operetten (1914), in: Ders., Gesammelte Werke, Bd. 1, S. 143.
7 Volker Klotz, Bürgerliches Lachtheater. Komödie – Posse – Schwank – Operette, Reinbek 1987, S. 186.
8 Karl Kraus, Grimassen über Kultur und Bühne, a. a. O., S. 12.
9 Volker Klotz, Operette, S. 183.
10 Jérôme Savary, Randbemerkungen zu einer Inszenierung, a. a. O.
11 Karl Kraus, Ritter Sonett und Ritter Tonreich, a. a. O., S. 8.
12 Felix Günther, Operettendämmerung, a. a. O., S. 840.
13 Klaus Pringsheim, Operette, a. a. O., S. 182.
14 Ferdinand Scherber, Die Operette, in: Neue Musik-Zeitung, 26. Jg., Stuttgart/Leipzig 10. November 1904, Nr. 3, S. 46.
15 Ernst Bloch, Das Prinzip Hoffnung, Frankfurt a. M. 1978, Bd. 1, S. 513.
16 Franz Lehár, Schön ist die Welt, S. 58f.
17 Johann Strauß, Die Fledermaus, Operette in drei Akten nach Meilhac und Halévy von Carl Hafner und Richard Genée, Musik von – –, Vollständiger Klavierauszug mit Text von Anton Paulik, Wiesbaden/Bruxelles/London o. J., S. 47.
18 Emmerich Kálmán, Die Zirkusprinzessin, Operette in drei Akten von Julius Brammer und Alfred Grünwald, Musik von – –, Klavierauszug mit Text, Wien/Leipzig 1926, S. 30.
19 Theodor W. Adorno/Max Horkheimer, Dialektik der Aufklärung, S. 162.
20 Karl Kraus, Grimassen über Kultur und Bühne, a. a. O., S. 2ff.
21 Theodor W. Adorno, Versuch über Wagner, S. 117.
22 Karl Battka, zit. n. Karl Kraus, Der gelehrte Musikgelehrte, in: Die Fackel, Bd. 6, XIV. Jahr, März 1913, Nr. 370-71, S. 19.
23 Volker Klotz, Operette, S. 451ff.
24 Franz Lehár, Zigeunerliebe, Romantische Operette in drei Bildern, Text von Alfred Maria Willner und Robert Bodanzky, Musik von – –, Klavierauszug mit Text, Wien o. J., S. 25.
25 Wilhelm Karczag, Operette und musikalische Komödie, a. a. O., S. 13.
26 Franz Lehár, Schön ist die Welt, S. 89.
27 Klaus Pringsheim, Operette, a. a. O., S. 186.
28 Ebd. – Adorno spricht im Zusammenhang mit der *Lustigen Witwe* von jener schmunzelnden »Zweideutigkeit, die ein namenloses Unheil anrichtete, indem sie weithin jede freimütige erotische Fragestellung diskreditierte« (Theodor W. Adorno, Frankfurter Opern- und Konzertkritiken. Januar 1934, a. a. O., S. 249f.).

29 Martin Lichtfuss, Operette im Ausverkauf. Studien zum Libretto des musikalischen Unterhaltungstheaters im Österreich der Zwischenkriegszeit, Wien/Köln 1989, S. 105.
30 Franz Lehár, Zigeunerliebe, S. 89.
31 Franz Lehár, Cloclo, Operette in drei Akten von Béla Jenbach, Musik von – –, Klavierauszug mit Text, Berlin/Wien/München 1924, S. 41.
32 Franz Lehár, Frasquita, Komische Oper in drei Akten von Alfred Maria Willner und Heinz Reichert, Musik von – –, Neufassung nach der Aufführung an der Opéra comique in Paris, Vollständiger Klavierauszug, Berlin/Leipzig/Wien o.J., S. 96f.
33 Karl Kraus, Grimassen über Kultur und Bühne, a.a.O., S. 12.
34 Franz Lehár, Die blaue Mazur, Operette in zwei Akten und einem Zwischenspiel von Leo Stein und Béla Jenbach, Musik von – –, Klavierauszug mit Text, Leipzig/Wien/New York o.J., S. 22/16ff.
35 Franz Lehár, Cloclo, S. 25.
36 Franz Lehár, Frasquita, S. 145.
37 Karl Kraus, Offenbach-Renaissance. Zum Vortrag von Pariser Leben, in: Die Fackel, Bd. 10, XXIX. Jahr, April 1927, Nr. 757/58, S. 39.
38 Franz Lehár, Die Ideale Gattin, Operette in drei Akten von Julius Brammer und Alfred Grünwald, Musik von – –, Klavierauszug mit Text, Leipzig/Paris/Bukarest o.J., S. 96.
39 Klaus Pringsheim, Operette, a.a.O., S. 181.
40 Theodor W. Adorno, Schlageranalysen, a.a.O., S. 782.
41 Franz Lehár, Die Ideale Gattin, S. 88.
42 Ebd., S. 96.
43 Franz Lehár, Eva, Operette in drei Akten von Alfred Maria Willner und Robert Bodansky, Musik von – –, Klavierauszug mit Text, Wien/Wiesbaden o.J., S. 32.
44 Franz Lehár, Frasquita, S. 32.
45 Franz Lehár, Endlich allein, Operette in drei Akten von Alfred Maria Willner und Robert Bodansky, Musik von – –, Klavierauszug mit Text. Originalausgabe des Komponisten, Leipzig/Wien/New York o.J., S. 40.
46 Franz Lehár, Frasquita, S. 56.
47 Franz Lehár, Eva, S. 110.
48 Franz Lehár, Die Ideale Gattin, S. 100f.
49 Franz Lehár, Eva, S. 55.
50 Theodor W. Adorno, Versuch über Wagner, S. 85.

Libretto und Librettisten

1 Franz Lehár, Musikalische Splitter, a. a. O.
2 Franz Lehár, zit. n. Die Zukunft der Operette. Eine Rundfrage, in: BZ am Mittag, (Berlin) 28. Dezember 1911.
3 Franz Lehár, zit. n. Josef Sebastian, Bei Franz Lehár, in: BZ am Abend, 31. Dezember 1922.
4 Alfred Polgar, Der Sterngucker, in: Die Schaubühne, XII. Jg., 10. Februar 1916, S. 139.
5 Franz Lehár, Militärkapellmeister und Lustige Witwe, a. a. O.
6 Franz Lehár, Das Geheimnis meines Erfolges. Das Bündnis von Libretto und Musik, in: Neue Freie Presse, 19. Juli 1928.
7 zit. n. Ilka Horovitz-Barnay, Bei Franz Lehár, a. a. O.
8 Franz Lehár, Militärkapellmeister und Lustige Witwe, a. a. O.
9 Franz Lehár, Wie entsteht eine Lehár-Operette?, a. a. O.
10 Edmund Eysler, zit. n. Wie eine Operette entsteht? Eine Rundfrage, in: Neues Wiener Journal, 11. Juni 1905.
11 zit. n. Artur Ernst, Besuch bei ... Franz Lehár, a. a. O. – Gerade die Entstehung dieser Nummer beweist jedoch das Gegenteil, s. S. 281.
12 Franz Lehár, Wie entsteht eine Lehár-Operette?, a. a. O.
13 zit. n. Artur Ernst, Besuch bei ... Franz Lehár, a. a. O.
14 zit. n. Wie eine Operette entsteht? Eine Rundfrage, a. a. O.
15 Franz Lehár, Wie entsteht eine Lehár-Operette?, a. a. O.
16 zit. n. Claire Patek, Franz Lehár. Zu seinem fünfzigsten Geburtstag am 30. April, in: Illustrierte Zeitung, (Leipzig/Berlin/Wien/Budapest) 29. April 1920.
17 Franz Lehár, Das Geheimnis meines Erfolges, a. a. O.
18 Brief Lehárs an Dr. Hugo Wollmann, Wien 8. April 1918 (Wiener Stadt- und Landesbibliothek, Handschriftensammlung, IN 65416).
19 Brief Lehárs an einen nicht genannten Adressaten, Wien 30. Mai 1913 (Wiener Stadt- und Landesbibliothek, Handschriftensammlung, IN 122.487).
20 Brief Lehárs an Leo Stein, Wien 24. Juni 1918 (Wiener Stadt- und Landesbibliothek, Handschriftensammlung, IN 129.554).
21 zit. n. Karl Kraus, Woran sie arbeiten, in: Die Fackel, Bd. 11, XXXII. Jahr, September 1930, Nr. 838-844, S. 58.
22 zit. n. Ein Walzer muß es sein. Alfred Grünwald und die Wiener Operette. Mit Beiträgen von Henry Grunwald, Georg Markus, Marcel Prawy, Hans Weigel, Wien 1991 , S. 45 ff.

23 Alfred Grünwald, o. T., in: Neues Wiener Journal, 31. Mai 1936, zit. n. Martin Lichtfuss, Operette im Ausverkauf, S. 54.
24 Karl Kraus, Wien, in: Die Fackel, Bd. 10, XXVIII. Jahr, Mai 1926, Nr. 726, S. 30.
25 Dr. Alfred M. Willner, zit. n. Wie eine Operette entsteht? Eine Rundfrage, a. a. O.
26 Karl Kraus, Die Welt der Bühne, in: Die Fackel, Bd. 9, XXVII. Jahr, Oktober 1925, Nr. 697, S. 141.
27 Heinrich von Waldberg, zit. n. Otto Schneidereit, Operettenbuch, Berlin (Ost) 1961, S. 276.
28 Fritz Grünbaum, Was das Publikum will und was es nicht will. Grübeleien eines Bühnenschriftstellers, in: Neues Wiener Journal, 12. April 1914.
29 zit. n. Robert und Einzi Stolz, Servus Du, S. 312.
30 St-g., Der Mann mit den drei Frauen, in: Neue Freie Presse, 22. Januar 1908.
31 K. Sch., o. T., in: Deutsches Volksblatt, 23. Dezember 1904.
32 zit. n. Fritz Grünbaum, Die Schöpfung und andere Kabarettstücke. Mit einer Vorrede von Georg Kreisler, hg. v. Pierre Genée und Hans Veigl, Wien 1985, S. 94.
33 zit. n. Victor Léon, Regie. Notizen zu einem Handbuch. Mit einem Geleitwort von Hermann Bahr, München 1897, S. III.
34 Ebd. S. 33.
35 Tagebuch-Eintrag vom 12. November 1895, in: Arthur Schnitzler, Tagebuch 1893-1902, Vorgelegt v. Werner Welzig, Wien 1989, S. 161.
36 Tagebuch-Eintrag vom 20. November 1908, in: Arthur Schnitzler, Tagebuch 1903-1908, Wien 1991, S. 368.
37 Tagebuch-Eintrag vom 5. Dezember 1911, in: Arthur Schnitzler Tagebuch 1909-12, Wien 1981, S. 287.
38 Brief an Olga Schnitzler vom 19. Februar 1923, in: Arthur Schnitzler, Briefe 1913-31, hg. v. Peter Michael Braunwarth, Richard Miklin, Susanne Pertlik, Heinrich Schnitzler, Frankfurt a. M. 1984, S. 306.
39 Karl Kraus, Die demolirte Literatur, in: Ders., Frühe Schriften 1892-1900, hg. v. J. J. Braakenburg, 2. Bd.: 1897-1900, München 1979, S. 293.
40 Alfred Polgar, Wiener Premieren, in: Die Schaubühne, V. Jg., 28. Oktober 1909, S. 462.
41 Ernst Decsey, Musik war sein Leben. Lebenserinnerungen, hg. v. Harald R. Hampel (Hans Deutsch), Wien 1962, S. 130.
42 Telegramm Franz Lehárs an Victor Léon, Baden-Baden 29. April 1930 (WA).

Franz Lehárs Experimente

1 zit. n. Lehár als Satiriker, in: Neuigkeits-Weltblatt, 9. Januar 1912 (WA/363).
2 Franz Lehár, zit. n. o. A. Lehárs Giuditta. Gespräch mit dem Komponisten, in: Wiener Zeitung, 4. März 1933.
3 Franz Lehár, Bekenntnis, S. 4f.
4 Franz Lehár, Was ich gerne komponiere?, in: Neues Wiener Tagblatt, 31. März 1919.
5 Emil Steininger, Bevor der Vorhang aufgeht, a. a. O.
6 bgr., Zigeunerliebe, in: Die Zeit, 9. Januar 1910.
7 Volker Klotz, Operette, S. 449.
8 Theodor W. Adorno/Max Horkheimer, Dialektik der Aufklärung, S. 166f.
9 zit. n. o. A., Die Wiener Operette im Ausland, in: Neue Freie Presse, 18. Juni 1912.
10 o. A., Lehár's Gipsy Love Charms Big Audience, in: San Francisco Chronicle, February 11, 1913.
11 zit. n. o. A., Dippel praises Sylva, in: Philadelphia Star, October 3, 1912 – Gipsy Love First Production to Be at the Metropolitan, in: New York World, September 9, 1909.
12 Fritz Jacobsohn, Zigeunerliebe, in: Die Schaubühne, VI. Jg., 24. Februar 1910, S. 213.
13 Theodor W. Adorno/Max Horkheimer, Dialektik der Aufklärung, S. 165.
14 vgl. Richard Wagner, Tristan und Isolde, Handlung in drei Aufzügen. Orchesterpartitur, London/Zürich/Mainz/New York o. J., S. 721f.
15 Maria von Peteani, Franz Lehár, S. 127.
16 o. A., Lehárs Musik. Musikalische Analyse mit Notenbeispielen, in: Programmheftbeilage zu Schön ist die Welt! Metropol-Theater, Berlin 1930, o. S.
17 vgl. Richard Wagner, Tristan und Isolde, 2. Aufzug, T. 10/11 und 14/15 (Hörnersignale), S. 311ff.
18 vgl. ebd., S. 577ff.
19 Alfred Einstein, Schön ist die Welt, in: Berliner Tageblatt, 4. Dezember 1930.
20 o. A., Lehárs Musik. Musikalische Analyse mit Notenbeispielen, a. a. O.
21 Franz Lehár, Was ich gerne komponiere?, a. a. O.

22 Rudolph Lothar, Lehár-Premiere in Berlin, in: Neues Wiener Journal, 7. Dezember 1930.
23 Wilhelm Karczag, Operette und musikalische Komödie, a. a. O.
24 Victor Junk, Wiener Musik, in: Zeitschrift für Musik, 101. Jg., März 1934, Heft 3, S. 301.
25 Franz Lehár, Meine Erfahrungen mit dem Film, in: Die Kinowoche. Zeitschrift für das gesamte Kinowesen, II. Jg., Nr. 2, Zweites Jännerheft 1920.
26 Franz Lehár, Bekenntnis, S. 4 f.
27 Julius Stern, Die Neue Operette Franz Lehárs im Theater an der Wien, in: Volkszeitung, (Wien) 13. Mai 1922.
28 zit. n. o. A., Ein Besuch bei Franz Lehár, in: Pester Lloyd, September 1913.
29 K., Die blaue Mazur. Lehár-Premiere im Metropol-Theater, in: BZ am Mittag, 29. März 1921.
30 Ebd.
31 zit. n. In memoriam Dr. Hugo Zuckermann, in: Jüdische Front. Offizielles Organ des Bundes Jüdischer Frontsoldaten Österreichs, 2. Jg., Nr. 2, Wien, 27. Februar 1933.
32 zit. n. Karl Marilaun, Franz Lehár über Oberst Lehár. Aus einem Gespräch mit dem Komponisten, in: Neues Wiener Journal, 12. November 1919.
33 zit. n. Ilka Horovitz-Barnay, Bei Franz Lehár, a. a. O.
34 Anton von Lehár, Lehár-Geschichten, erzählt von – –, in: Erinnerungen, Bd. 1, Wien 1903-1943, S. 109.
35 Ernst Decsey, Franz Lehár (1924), S. 117/119.

Komponisten unter sich

1 Franz Lehár, Operetten-Zukunft, in: Deutsches Wochenheft, 24. Oktober 1920.
2 o. A., Bei Franz Lehár. Der Komponist über seine neueste Operette, in: Komödie. Wochenrevue für Bühne und Film, 1. Jg., Nr. 11, (Wien) 18. Dezember 1920, S. 2.
3 Geoffrey S. Cahn, S. 384.
4 Hanns Eisler, Musik und Politik. Schriften 1948-62, Textkritische Ausgabe von Günther Mayer, in: Gesammelte Werke, Leipzig 1982, Serie III, Bd. 2, S. 530.
5 Brief Anton von Weberns an Alexander Zemlinsky, Leoben 25. Fe-

bruar 1916, zit. n. Briefwechsel der Wiener Schule, Bd. 1, Alexander Zemlinsky Briefwechsel, hg. v. Horst Weber, Darmstadt 1995, S. 286.

6 Brief vom 31. Dezember 1914, in: Alban Berg, Briefe an seine Frau, München/Wien 1965, S. 281.

7 Brief vom Juli 1909, ebd., S. 101.

8 Alma Mahler-Werfel, Erinnerungen an Gustav Mahler, hg. v. Donald Mitchell, Frankfurt a. M./Berlin/Wien 1978, S. 148.

9 Brief an Clemens Krauss vom 24. Januar 1940, in: Richard Strauss – Clemens Krauss Briefwechsel, ausgew. und hg. v. Götz Klaus Kende u. Willi Schuh, München 1964, S. 109.

10 Brief von Clemens Krauss an Richard Strauss vom Mai 1940, ebd., S. 140.

11 Brief an Clemens Krauss vom 24. Januar 1940, ebd., S. 108.

12 Brief an Stefan Zweig vom 28. Juni 1935, zit. n. Richard Strauss – Stefan Zweig, Briefwechsel, Frankfurt a. M. 1957, S. 144.

13 zit. n. Walter Thomas, Richard Strauss und seine Zeitgenossen, München/Wien 1964, S. 101.

14 Dr. Erich Urban, Der Graf von Luxemburg. Lehár im Metropol-Theater, in: BZ am Mittag, 25. Februar 1928.

15 Brief an Hugo von Hofmannsthal vom 23. Juli 1928 und Antwortbrief Hofmannsthals an Richard Strauss vom 26. Juli 1928, in: Richard Strauss – Hugo von Hofmannsthal Briefwechsel. Gesamtausgabe, im Auftrag von Franz und Alice Strauss hg. v. Willi Schuh, Zürich 1964, S. 644 und S. 648 f.

16 Brief an Richard Strauss vom 10. September 1910, ebd., S. 103.

17 Brief an Richard Strauss vom 26. Juli 1928, ebd., S. 650 f.

18 Ein Werk, in dem Willner und Lombardo u. a. dichteten: »Bleibt mein Herz auf Null?/Or am I loving true and full?« – (Franz Lehár, Libellentanz, Operette in drei Akten von Carlo Lombardo und Dr. A. M. Willner, Musik von – –, Klavierauszug mit Text, Leipzig/Wien 1923, S. 4).

19 Alma Mahler-Werfel, Mein Leben, Frankfurt a. M. 1981, S. 299.

20 Alfred Polgar, Der Unbestechliche, in: Prager Zeitung, 20. März 1923.

21 Alfred Döblin, Zwei Liederabende (1911), in: Ders., Kleine Schriften I, S. 100.

22 Brief an Willi Schuh vom 4. September 1946, zit. n. Richard Strauss. Briefwechsel mit Willi Schuh, Zürich 1969, S. 102.

23 Brief an Clemens Krauss vom 24. Januar 1940, zit. n. Richard Strauss – Clemens Krauss Briefwechsel, S. 109 – Das Verlassen der Züricher Erstaufführung von *Giuditta* erwähnt Otto Blau, der spätere Geschäfts-

führer des Glocken-Verlags in einem Brief an Evelyn Weber, Gentilino 21. März 1973 (Archiv Francis P. Lehár).

24 Brief an Willi Schuh vom 17. November 1948, zit. n. Richard Strauss. Briefwechsel mit Will Schuh, S. 165.

25 zit. n. Othmar Schoeck im Gespräch, Tagebuchaufzeichnungen von Werner Vogel, Zürich 1965, S. 161.

26 Brief Schönbergs an Fritz Stiedry und Erika Stiedry-Wagner vom 31. August 1940, zit. n. Arnold Schönberg 1874-1951, Lebensgeschichte in Begegnungen, hg. v. Nuria Nono-Schönberg, Klagenfurt 1992, S. 370.

27 Hans Heinz Stuckenschmidt, Schönberg. Leben. Umwelt. Werk. Mit 42 Abbildungen, München 1989, S. 306.

28 Brief Franz Lehárs an Anton von Lehár vom 24. Februar 1913, zit. n. Otto Schneidereit, Franz Lehár, S. 206.

29 Hans Heinz Stuckenschmidt, Schönberg, S. 300 und 318.

30 Hanns Eisler, Gespräche mit Hans Bunge – Fragen Sie mehr über Brecht, Übertragen und erläutert von Hans Bunge, Leipzig 1975, S. 54.

31 Musik bei Brecht, von Joachim Lucchesi und Ronald K. Shull, Frankfurt a. M. 1988, S. 336.

32 Bertolt Brecht, zit. n.: Die Scene, 19. Jg., Berlin, Februar 1929, Heft 2 – Die Krisis der Operette, S. 60.

33 Theodor W. Adorno, Arabesken zur Operette, a. a. O., S. 516.

34 Alma Mahler-Werfel, Mein Leben, S. 65.

35 Franz Lehár, Musik – mein Leben, a. a. O.

36 o. A., Aus der Theaterwelt, in: Fremden-Blatt, 19. Oktober 1913.

37 Ebd.

38 o. A., Hinter den Kulissen, in: Neues Wiener Journal, 21. März 1914.

39 Brief Giacomo Puccinis an Sybil Seligman, zit. n. Mosco Carner, Puccini. Biographie, Frankfurt a. M./Leipzig 1996, S. 366.

40 zit. n. Puccini und Wien. Ein Brief Puccinis an Franz Lehár, in: Neues Wiener Journal, 18. November 1919 (WA/364).

41 zit. n. Berndt W. Wessling, Lotte Lehmann. »Sie sang, daß es Sterne rührte«, Köln 1995, S. 117.

42 Anton von Lehár, o. T., in: Neue Zürcher Zeitung, 20. Mai 1951, zit. n. Otto Schneidereit, Franz Lehár, S. 181.

43 Brief Giacomo Puccinis an Franz Lehár vom 11. Januar 1920, zit. n. Puccinis letzte Grüße an Wien. Briefe an Franz Lehár, in: Neues Wiener Journal, 7. Dezember 1924 – Die angegebene Datierung ist ein Irrtum. Leider ist das Original verschollen, die Daten der Wien-Reise

sprechen jedoch für den 11. November desselben Jahres. Ernst Decsey datierte den Brief in der 2. Auflage seiner Lehár-Biographie von 1930 auf den 11. Januar 1921 (S. 89).

44 vgl. Jürgen Leukelt, Puccini und Lehár, in: Schweizerische Musikzeitung, 122. Jg., Zürich, Februar 1982, Nr. 2, S. 65.

45 Desiderius Papp, Bei Giacomo Puccini, in: Neues Wiener Journal, 11. Mai 1923.

46 zit. n. c. m., Als Puccini zum letzten Mal in Wien war. Das »Wiener Testament« des Maestro, in: Neues Wiener Journal, 22. Dezember 1933.

47 Géza Herczeg, Am Klavier: Puccini ..., in: Wiener Allgemeine Zeitung, 2. Dezember 1924.

48 Franz Lehár, Puccinis Turandot, in: Pester Lloyd, 13. Mai 1926.

49 Brief Antonio Puccinis an Franz Lehár, Brüssel, 29. November 1924, zit. n. Puccinis letzte Grüße an Wien, a. a. O.

50 Antonio Puccinis Widmung auf Lehárs KA Turandot zu deren Premiere am 25. April 1926 (WA).

51 Richard Specht, Giacomo Puccini. Das Leben, der Mensch, das Werk. Mit 28 Bildern, Berlin-Schöneberg 1931, S. 23.

52 Franz Lehár, Erinnerungen an Leo Fall, a. a. O.

53 zit. n. o. A., Ein Interview, in: Wiener Verkehrszeitung, 26. Oktober 1913.

54 zit. n. Neues Pester Journal, 12. Januar 1909.

55 zit. n. Ein Walzer muß es sein, Alfred Grünwald und die Wiener Operette, S. 115.

56 zit. n. Emmerich Kálmán über Franz Lehár. Randbemerkungen zur Giuditta-Premiere, in: Neues Wiener Journal, 23. Januar 1923.

57 Brief Charles Kalmans an den Autor vom Januar 1998.

58 Tagebuch-Eintrag vom 28. Februar 1933, in: Benatzky-Tagebücher, Bd. VI, S. 33 (Typoskript – Akademie der Künste, Berlin).

59 Robert und Einzi Stolz, Servus Du, S. 186.

Das Privatleben eines Operettenkomponisten

1 Erwin Engel, An Meister Lehár, in: Weltspiegel. Illustrierte Nachrichten aus dem Weltspiegelkino. Lehár-Festnummer, Wien Sept./Okt. 1935.

2 Wie alle folgenden Zitate in: Franz Lehár, Notizbuch 1928 (Wiener Stadt- und Landesbibliothek, Handschriftensammlung).

3 Felix Salten, Franz Lehár zum 60. Geburtstag, in: Neue Freie Presse, 27. April 1930.

4 Maria von Peteani, Franz Lehár, S. 113.
5 Maria von Peteani, Sommerbesuch bei Lehár, in: Tages-Post, (Linz) 19. September 1928.
6 Grete Donau, Gespräch mit dem Jubilar Franz Lehár, in: Wiener Allgemeine Zeitung, 12. Mai 1928.
7 C. Benedek, Wie Franz Lehár in Paris gefeiert wurde, in: Neues Wiener Journal, 18. April 1933.
8 Felix Salten, Franz Lehár. Bilder aus dem Konzertsaal, in: Neue Freie Presse, 15. April 1934.
9 Ernst Decsey, Franz Lehár (1924), S. 139.
10 o. A., Wiener Porträts. Direktor Franz Lehár, a. a. O.
11 K. K. Kitchen, o. T., in: Neues Wiener Journal, o. D. (WA/364, S. 11).
12 o. A., King of the Viennese Operette Domain. Franz Lehár. An Interview, a. a. O.
13 J. H., Franz Lehár über Tango und Walzer. Ein Gespräch in seinem Atelier, in: Neues Wiener Tagblatt, 3. Oktober 1913.
14 Ernst Decsey, Franz Lehár (1924), S. 52.
15 Franz Lehár, Das moderne junge Mädchen und die Musik, in: Die Bühne, o. D. (1927 – WA).
16 Ernst Decsey, Franz Lehár (1924), S. 43.
17 Bernard Grun, Gold und Silber, S. 162f.
18 Franz Lehár, Das moderne junge Mädchen und die Musik, a. a. O.
19 Postkarte von Vilma-Drude Seyall, Bucaresti 1. Oktober 1932 (Lehár-Nachlaß, Stadtgemeinde Bad Ischl).
20 Peter Herz, Gestern war ein schöner Tag. Liebeserklärung eines Librettisten an die Vergangenheit, Wien 1985, S. 178ff.
21 nn., Mit Franz Lehár am Flügel, in: Der Tag, (Berlin) 28. September 1928.
22 vgl. Die andere Frau in Franz Lehárs Leben. 7 TAGE enthüllt exklusiv alles über die große Liebe, die der Operettenkönig verschweigen mußte, in: 7 TAGE, Nr. 23-27, 30. Mai - 27. Juni 1979.
23 (WA/Memorandum – Durchschreibebuch 15).
24 Karl K. Kitchen, The Operetta Factory, in: World Magazine, New York 1916 (WA/363).
25 Karl Kraus, Und dann kommt plötzlich ein Tag, in: Die Fackel, Nr. 876-884, XXXIV, Mitte Oktober 1932, Bd. 11, S. 121.
26 Franz Lehár, Musikalische Splitter, a. a. O.
27 Victor Léon, Menagerie-Direktor Franz Lehár. Wahrheitsgetreue Reportage, in: Neues Wiener Journal, 25. Juli 1937.
28 o. A., o. T., in: Das Tiermagazin. Offizielles Organ des österreichischen Tierschutzvereins, 32. Jg., Nr. 2, Februar 1932.

29 Sophie Lehár, o. T., in: Neues Wiener Journal, 24. Mai 1931.
30 Brief Christine Lehárs an Anton Lehár, Wien 1906, zit. n. Anton von Lehár, Unsere Mutter, S. 50 f.
31 Franz Rajna, Von der Ischler Operettenbörse, in: Pester Lloyd, 28. August 1927.
32 zit. n. o. A., King of Viennese Operette Domain. Franz Lehár. An Interview, a. a. O.
33 Franz Lehár, zit. n. o. A., Aus Hamburg, in: Neues Wiener Journal, 27. Oktober 1910 (WA/363, S. 8).
34 Franz Lehár, Mein Werdegang, a. a. O.
35 zit. n. o. A., Lehár mehrfacher Millionär, in: New Yorker Zeitung, 19. Dezember 1911.
36 o. A., Wiener Porträts. Direktor Franz Lehár, a. a. O.
37 o. A., o. T., in: Radio-Wien, 31. Mai 1929.
38 Franz Lehár, Kampf um die Operette, in: Berliner Lokalanzeiger, 2. Januar 1930.
39 Weriand, Ein Gespräch mit Franz Lehár, in: Neues Wiener Journal, 31. Dezember 1917.
40 Franz Lehár, Wie es zum ›Krach‹ kam, in: Neues Wiener Journal, 28. Dezember 1930.
41 Nico Dostal, An's Ende deiner Träume kommst du nie. Berichte. Bekenntnisse. Betrachtungen, Innsbruck 1982, S. 123.
42 Dr. Samuely, zit. n. o. A., Aus dem Gerichtssaal, in: Neue Freie Presse, 17. Juli 1914.
43 Erna, o. T., in: Montagsblatt der Publizistischen Blätter, 12. Juni 1916.
44 Ernst Decsey, Franz Lehár (1924), S. 127 f.
45 Arthur Ernst, Besuch bei … Franz Lehár, a. a. O.
46 Karl Marilaun, Bei Lehár, in: Neues Wiener Journal, 15. April 1917.
47 Emil Steininger, Bevor der Vorhang aufgeht…, a. a. O.
48 zit. n. o. A., Eine Stunde bei Meister Lehár, in: Wiener Allgemeine Zeitung, 23. Oktober 1927.
49 zit. n. Ein Besuch bei Franz Lehár, in: Pester Lloyd, September 1913 (WA/363).
50 Brief Lehárs an Victor Léon, Bad Ischl 22. August 1908 (WA/Mappe Spieluhr).
51 René Kraus, Der Klassiker unserer Operette. Lehár, der Sechziger, erzählt, in: Neue Freie Presse, 25. April 1930.
52 Josef Sebastian, Bei Franz Lehár, in: BZ am Abend, 31. Dezember 1922.
53 Franz Lehár, Beantwortung der Umfrage zum Schubertjahr 1928: ›Wie

sehen Sie Franz Schubert und was er für uns bedeutet?‹, Typoskript (WA/365, S. 11).

Operettenbetrieb

1 zit. n. C. de Vidal Hunt, 1000 Merry Widows, a. a. O.
2 zit. n. Artur Ernst, Besuch bei ... Franz Lehár, a. a. O.
3 Franz Lehár, Das Geheimnis meines Erfolges, a. a. O.
4 zit. n. o. A., Ein Besuch bei Franz Lehár, in: Pester Lloyd, September 1913 (WA/363).
5 St-g., Operettenverträge, in: Neue Freie Presse, 17. Januar 1909.
6 Alfred Holzbock, Aus dem Reich der modernen Operette, in: Berliner Lokalanzeiger, 29. September 1912.
7 Felix Salten, Ouvertüre zum Lehár-Jubiläum, in: Neue Freie Presse, 6. Mai 1928.
8 Hofrat Julian Weiß, Wie Wilhelm Karczag über Publikum und Theaterdirektoren dachte. Der Weg von Debreczin nach Wien, in: Neues Wiener Journal, 24. Dezember 1933.
9 Franz Lehár, Mein Freund Karczag, in: Illustriertes Wiener Extrablatt, 1. April 1923.
10 Brief Franz Lehárs an Hubert Marischka, Bad Ischl 11. Oktober 1923 (Wiener Stadt- und Landesbibliothek, Handschriftensammlung, IN 155.562).
11 Gertrud Marischka, o. T. – Biographie Hubert Marischka, Wien o. J., S. 44 (Unveröffentlichtes Typoskript von ca. 1970/Archiv des Raimund-Theaters).
12 Ebd., S. 50.
13 Hubert Marischka, zit. n. ebd., S. 59.
14 Max Schönherr, An den Marischka-Bühnen, zit. n. Unterhaltungsmusik aus Österreich. Max Schönherr in seinen Erinnerungen und Schriften, hg. v. Andrew Lamb, in: Austrian Culture, Vol. 6, New York/San Francisco/Bern/Frankfurt a. M./Berlin/Wien/Paris 1992, S. 15.
15 Ehekontrakt der Hochzeit Lizzy Léon und Hubert Marischka (OP 166/1, Sammlung Schulz-Hohenstein).
16 Brief Victor Léons an Louis Treumann, Unterach 20. September 1905 (MA 90/1 – OP 69, Sammlung Schulz-Hohenstein).
17 Karl Kraus, Grimassen über Kultur und Bühne, a. a. O., S. 17.
18 Alfred Polgar, Der Sterngucker, a. a. O.
19 Brief Franz Lehárs an Louis Treumann, Wien 28. Mai 1913 (MA 52/1 – OP 60, Sammlung Schulz- Hohenstein).

20 zit. n. einem Brief Franz Lehárs an Louis Treumann, Bad Ischl 28. August 1911 (Sammlung Schulz-Hohenstein).
21 zit. n. »Hallo ... ist dort Richard Tauber?« Peter Sachse interviewt den Kammersänger, o. D. (WA/365).
22 Eintrag Taubers in Lehárs Gästebuch, zit. n. Peter Hell, Bei Lehár auf dem Franz-Lehár-Kai. Besuch in seiner Ischler Villa, in: Neue Freie Presse, o. D. [Sommer 1930] (WA/366).
23 zit. n. Hasta., Gespräch mit Tauber und Lehár, in: Breslauer Neueste Nachrichten, 26. Mai 1930.
24 Franz Schreker, Ich bin böse, in: Richard Tauber, hg. v. Heinz Ludwig, Gesicht und Maske. Bd. 1, Berlin 1928, S. 70.
25 Lotte Lehmann, Aber ..., ebd., S. 72.
26 zit. n. Artur Ernst, Besuch bei ... Franz Lehár, a. a. O.
27 Franz Lehár, Mein Paganini, in: Die Bühne, 29. Oktober 1925.
28 Richard Tauber, Wie Schlager entstehen, in: Breslauer Neueste Nachrichten, 11. Februar 1928 (WA/365).
29 zit. n. Otto Schneidereit, Richard Tauber. Ein Leben – eine Stimme, Berlin (Ost) 1988, S. 72.
30 zit. n. o. A., Plauderstunde mit Franz Lehár, in: Reichspost, (Wien) 21. September 1930.
31 Franz Lehár, Richard Tauber and I, in: The Music Lover, (London) November 14, 1931.
32 Hasta., Gespräch mit Tauber und Lehár, a. a. O.
33 Richard Tauber, Wie Schlager entstehen, a. a. O.
34 Franz Lehár, Das moderne junge Mädchen und die Musik, a. a. O.
35 Ludwig Hirschfeld, Jeritza-Gastspiel im Theater an der Wien. Festaufführung des Graf von Luxemburg, in: Neue Freie Presse, 20. September 1929.
36 zit. n. Ernst Decsey, Maria Jeritza. Mit 57 Bildern/With 57 pictures, Wien 1931, S. 18.
37 ld., Bei Lehár, in: Neues Wiener Tagblatt, 19. Oktober 1926.

Lehárs zweiter Frühling

1 Richard Tauber, Gruss an Lehár, in: Berliner Tageblatt, 3. Dezember 1930.
2 Franz Lehár, zit. n. or., Bei Lehár, in: Filmkurier, 1926 (WA/365).
3 Franz Lehár, zit. n. Was Franz Lehár aus der Geschichte seiner Karriere erzählt. 25 Jahre Operettenkomponist, in: Die Stunde, 26. Februar 1927.

4 Franz Lehár über sich selbst, in: Neues Wiener Tagblatt, 27. Februar 1930.
5 Klaus Pringsheim, Schön ist die Welt, in: Vorwärts, 4. Dezember 1930.
6 Ernst Křenek, Zum Problem der Oper, in: Programmheft zu Der Diktator, Märchen, Schwergewicht oder die Ehre der Nation, Staatstheater Stuttgart 1990/91, S. 17.
7 Richard Tauber, Wie Schlager entstehen, a. a. O.
8 Otto Schneidereit, Richard Tauber, S. 74.
9 Maria von Peteani, Franz Lehár, S. 156 [Berliner Aufführung aus dem Thalia-Theater 1924].
10 Paul Dessau, zit. n. Otto Schneidereit, Richard Tauber, S. 146.
11 Karl Westermeyer, Die Operette im Wandel des Zeitgeistes, S. 161.
12 o. A., Warum Marischka das Theater an der Wien weitergibt. Marischka mußte das Defizit durch Jahre aus seinen Barbeständen decken, in: Die Stunde, 9. August 1928.
13 Ernst Decsey, An einer Ecke der Theatergeschichte. Zum ›Standpunkt‹ Direktor Marischkas, in: Neues Wiener Tagblatt, 15. August 1928.
14 Alfred Grünwald, Ein Wort für Emmerich Kálmán, in: Wiener Allgemeine Zeitung, 19. August 1928.
15 Franz Lehár, o. T., in: Neues Wiener Journal, 11. August 1928.
16 Nico Dostal, An's Ende deiner Träume kommst du nie, S. 120.
17 Franz Lehár, Dank an eine Stadt, in: Berliner Tageblatt, 3. Dezember 1930.
18 Stefan Großmann, Die Brüder Rotter. Feuilleton, in: Freie Presse. Morgenblatt, 28. Januar 1933.
19 Franz Lehár, Der neue Weg der Operette, in: Neues Wiener Journal, 19. Oktober 1929.
20 Herbert Ihering, zit. n. Otto Schneidereit, Richard Tauber, S. 94.
21 Franz Lehár, Der neue Weg der Operette, a. a. O.
22 Theodor W. Adorno, Schlageranalysen, a. a. O., S. 786.
23 zit. n. Kurt Tucholsky, Lehár am Klavier, a. a. O., S. 924.
24 zit. n. Hamburger 8 Uhr-Abendblatt, 4. August 1926.
25 Karl Kraus, Lehár und die Sozialdemokratie, in: Die Fackel, Bd. 11, XXXII. Jahr, September 1930, Nr. 838-844, S. 53.
26 Theodor W. Adorno, Zur gesellschaftlichen Lage der Musik, a. a. O., S. 768.
27 zit. n. o. A., Lehár, Wien und ›Joujou‹. Gespräch mit dem Meister, in: Neues Wiener Journal, 7. Dezember 1929.
28 Walter Benjamin, Das Kunstwerk im Zeitalter seiner technischen Re-

produzierbarkeit. Drei Studien zur Kunstsoziologie, Frankfurt a. M. 1977, S. 33.

29 Franz Lehár, o. T., in: Der Tag, (Wien) 11. März 1924.

30 Ernst Křenek, Zur Sprache gebracht, S. 52.

31 Theodor W. Adorno, Frankfurter Opern- und Konzertkritiken, a. a. O., S. 190.

32 Brief P. Gheusis aus dem Jahre 1931, o. D. (Wiener Stadt- und Landesbibliothek, Handschriftensammlung I. N. 177864).

33 zit. n. o. A., Kammersänger Richard Tauber widmet sein Bild den Lesern der Wiener Allgemeinen Zeitung, in: Wiener Allgemeine Zeitung, 8. Februar 1928.

34 Otto Schneidereit, Richard Tauber, S. 75.

35 zit. n. o. A., Plauderstunde mit Franz Lehár. Vor dem Philharmonikerkonzert und der Erstaufführung des Land des Lächelns, in: Reichspost, 21. September 1930.

36 Herbert Ihering, Der neue Tauberfilm, in: Berliner Börsen-Courier, 18. November 1930.

37 zit. n. Hasta., Gespräch mit Tauber und Lehár, a. a. O.

38 Richard Tauber, zit. n. o. A., Richard Tauber ist bei schönstem Tenor und läßt die Wiener grüßen. Ein Telephonanruf des Künstlers aus dem Londoner Hyde-Park-Hotel, in: Der Morgen, (Wien) 26. Mai 1931.

39 Harold Conway, Can the £1,500-A-Week-Tenor Fill Drury Lane?, in: Daily Mail, (London) April 29, 1931.

40 E. A. Baughan, London in Love with a voice, in: Daly News and Chronicle, (London) May 9, 1931.

41 o. A., o. T., in: Everbody's Weekly, (London) June 6, 1932.

42 zit. n. o. A., Richard Tauber in Wien. Der Künstler über seine Amerikatournee, in: Neue Freie Presse, 11. Oktober 1931.

43 Richard Tauber, Ich werde wieder Oper singen. Aus einem Gespräch, in: Neues Wiener Journal, 23. Juni 1932.

44 Hans F. Redlich, Zur Typologie der Operette, a. a. O.

45 Moritz Loeb, Schön ist die Welt, in: Berliner Allgemeine Zeitung, 4. Dezember 1930.

46 Alfred Einstein, Schön ist die Welt, in: Berliner Tageblatt, 4. Dezember 1930.

47 Karl Kraus, Mer lächelt, in: Die Fackel, Bd. 10, XXX. Jahr, Ende Oktober 1929, Nr. 820-26, S. 52.

48 Ebd.

49 Ernst Bloch, Brief vom 4. November 1928, in: Ders., Briefe 1903-1975,

hg. v. Karola Bloch u. a., Gesamtredaktion Uwe Opalka, Frankfurt a. M. 1985, Bd. 2, S. 412.

50 Friedrich Holländer, O Tauber, mein Tauber, zit. n. Otto Schneidereit, Richard Tauber, S. 88 f.

Operettenlyrik

1 Karl Kraus, Der Offenbach-Biograph schreibt, in: Die Fackel, Bd. 10, XXX. Jahr, Anfang August 1929, Nr. 811-819, S. 74.

2 Franz Lehár, Der neue Weg der Operette, a. a. O.

3 Alfred Polgar, Wiener Theater, in: Die Schaubühne, XIII. Jg., 27. September 1917, S. 302.

4 zit. n. Franz Lehár über sich selbst, in: Neues Wiener Tagblatt, 27. Februar 1930.

5 Arthur Kahane, Die moderne Operette. Eine geisteswissenschaftliche Untersuchung, in: Die Scene, 19. Jg., Berlin, März 1929, Heft 3, S. 73.

6 Theodor W. Adorno, Schlageranalysen, a. a. O., S. 781.

7 Theodor W. Adorno, Arabesken zur Operette, a. a. O., S. 519.

8 Erich Urban, Paganini in Berlin, in: BZ am Mittag, 31. Januar 1926.

9 Alan Dent, Thick and Thin. The Tauber-Paganini Variations, in: Sunday Times, (London) May 23, 1937.

10 zit. n. Hamburger 8 Uhr-Abendblatt, 4. August 1926.

11 Walter Benjamin, Das Kunstwerk im Zeitalter seiner technischen Reproduzierbarkeit, S. 15.

12 Franz Lehár, zit. n. Kurt Tucholsky, Lehár am Klavier, a. a. O., S. 923.

13 Franz Lehár, Operette, in: Schallkiste, (Berlin) März 1926 (WA/Paganini I).

14 Theodor W. Adorno, Arabesken zur Operette, a. a. O., S. 519.

15 Theodor W. Adorno, Schlageranalysen, a. a. O., S. 781.

16 Franz Lehár, o. T., in: Neue Freie Presse, 21. September 1930, zit. n. Martin Lichtfuss, Ausverkauf der Operette, S. 212.

17 Theodor W. Adorno/Max Horkheimer, Dialektik der Aufklärung, S. 178.

18 Cosima Wagner, Die Tagebücher, ediert und kommentiert von Martin Gregor-Dellin u. Dietrich Mack, München 1976, Bd. IV/1881-83, S. 1004.

19 Theodor W. Adorno/Max Horkheimer, Dialektik der Aufklärung, S. 96 f.

20 zit. n. r., Gespräch mit Franz Lehár, in: Wiener Allgemeine Zeitung, 29. Mai 1930.
21 Franz Lehár, Der neue Weg der Operette, a. a. O.
22 zit. n. Gertrud Marischka, Biographie Hubert Marischka, S. 76.
23 zit. n. o. A., Hochsaison in Ischl, in: Wiener Allgemeine Zeitung, 31. Juli 1929.
24 zit. n. K. F., Lehár über sein neues Werk. Das Land des Lächelns (ohne Quellenangabe [1930] – WA/365).
25 Theodor W. Adorno, Schlageranalysen, a. a. O., S. 784.
26 Franz Lehár, Goethe in der Operette, in: Heute zum 100. Mal. Eine Rundfrage des Berliner Lokal-Anzeigers, 25. Dezember 1928.
27 Franz Lehár, Das Geheimnis meines Erfolges, a. a. O.
28 zit. n. Eugen Gömöri, Gespräch mit Franz Lehár vor seiner Abreise, in: Wiener Allgemeine Zeitung, 28. Februar 1928.
29 Kurt Tucholsky, Lehár am Klavier, a. a. O., S. 923
30 Dr. Ludwig Herzer, Wie Friederike entstand, in: Die Bühne, 6. Jg., Heft Nr. 224, 21. Februar 1929.
31 o. A., zit. n. Friederike. 25 Jahre Lehár. 1903/1928. Nebst Einführungen in Lehárs Friederike mit Noten von des Meisters Hand, Programmheftbeilage des Metropol-Theaters, Berlin 1928, S. 23 f.
32 zit. n. nn., Mit Franz Lehár am Flügel, in: Der Tag, 28. September 1928.
33 Theodor W. Adorno/Max Horkheimer, Dialektik der Aufklärung, S. 170/129.
34 Mizzi Neumann, Aus der Zeit der Romantik. Zu Lehárs Singspiel Friederike, in: Neues Wiener Journal, 17. Februar 1929.
35 Karl Kraus, Was tut sich in Ischl?, in: Die Fackel, Bd. 10, XXXXI. Jahr, Ende Oktober 1929, Nr. 820-826, S. 50.
36 Ernst Bloch, Lehár – Mozart, in: Ders., Zur Philosophie der Musik, Frankfurt a. M. 1974, S. 192 ff.
37 Dr. Erich Urban, Lehárs Friederike. Im erneuerten Metropol-Theater, in: BZ am Mittag, 5. Oktober 1928.
38 Hans Heinz Bollmann, zit. n. Karl Kraus, Was es jetzt gibt, in: Die Fackel, Bd. 10, XXXI. Jahr, Anfang Mai 1929, Nr. 806-809, S. 24.
39 Emil Faktor, Die Lustige Witwe. Metropol-Theater, in: Berliner Börsen-Courier, 3. Januar 1929.
40 Franz Lehár, An die Lustige Witwe, in: Programmheft Metropol-Theater, 1928.
41 Ernst Bloch, Lehár – Mozart, a. a. O., S. 193.

Lehárs Lyrische Operette

1 Paul Knepler, Erinnerungen an Franz Lehár. Festrede anläßlich der Denkmal-Enthüllung am 6. Juli 1958 [in Bad Ischl], gehalten von – – (WA/367).
2 Franz Rajna, Von der Ischler Operettenbörse, in: Pester Lloyd, 28. August 1927.
3 Theodor W. Adorno, Frankfurter Opern- und Konzertkritiken. November 1930, in: Ders., Gesammelte Schriften 19, S. 191.
4 zit. n. nn., Mit Franz Lehár am Flügel, a. a. O.
5 zit. n. o. A., Was Franz Lehár aus der Geschichte seiner Karriere erzählt, in: Die Stunde, 26. Februar 1927.
6 Ludwig Ullmann, Der opernfähige Lehár, in: Wiener Allgemeine Zeitung, 3. Februar 1933.
7 Ferdinand Scherber, Lehárs Giuditta, besprochen von Prof. – –, in: Signale für die musikalische Welt, 92. Jg., (Berlin) 31. Januar 1934, Nr. 5, S. 66.
8 Franz Lehár, zit. n. Karl Kraus, Ernst ist das Leben, heiter war die Operette, in: Die Fackel, Bd. 5, XII. Jahr, 31. Dezember 1910, Nr. 313/14, S. 16.
9 Theodor W. Adorno, Arabesken zur Operette, a. a. O., S. 517.
10 Ernst Křenek, Zur Sprache gebracht, S. 49.
11 Fritz Löhner-Beda, Antwort an Krenek (ohne Quellenangabe [1929] – WA/365).
12 Theodor W. Adorno, Frankfurter Opern- und Konzertkritiken. Juli 1927, in: Ders., Gesammelte Schriften 19, S. 97.
13 Ders., Frankfurter Opern- und Konzertkritiken. Februar 1930, in: ebd., S. 170.
14 Maria von Peteani, Franz Lehár, S. 62.
15 Theodor W. Adorno, Frankfurter Opern- und Konzertkritiken. Dezember 1924, in: Ders., Gesammelte Schriften 19, S. 44. – Auf die Ähnlichkeit besagten Duetts aus Puccinis *La Fanciulla del West* mit Lehárs *Graf von Luxemburg* machte den Autor dankenswerterweise Marcel Prawy aufmerksam.
16 William F. McDermott, Franz Lehár, Famous Viennese Composer, Says Kind Word for Jazz, in: Cleveland Plain Dealer. Amusement and Feature Section, August 12, 1923.
17 Franz Lehár, Einfluß von Jazz und Negerrhythmen auf unsere Musik, in: Neue Freie Presse, 25. Dezember 1925.

18 Ernst Decsey, Franz Lehár (1930), S. 71.
19 Alfred Grünwald, Ein Wort für Emmerich Kálmán, a. a. O.
20 Alfred Einstein, Schön ist die Welt, in: Berliner Tageblatt, 4. Dezember 1930.
21 Oscar Bie, Schön ist die Welt, in: Berliner Börsen-Courier, 4. Dezember 1930.
22 Franz Lehár, Wie es zum ›Krach‹ kam, in: Neues Wiener Journal, 28. Dezember 1930.
23 zit. n. o. A., Franz Lehár und Richard Tauber aus London zurück, in: Wiener Allgemeine Zeitung, 29. Juli 1931.
24 Kammersänger Richard Tauber, Mein Seitensprung nach sechsjähriger Lehár-Ehe, in: Neues Wiener Journal, 6. Januar 1932.
25 zit. n. o. A., Direktoren, die Stars sind. Gespräch mit Direktor Fritz Rotter und Friedmann-Frederichs, in: Neues Wiener Journal, 14. Januar 1931.
26 Ralph Benatzky, Tagebuch-Eintrag vom 21. Mai 1930, in: Benatzky-Tagebücher, Bd. III, S. 45 (Typoskript – Akademie der Künste, Berlin).
27 zit. n. km., Franz Lehár über seine Jeritza-Operette, in: Wiener Allgemeine Zeitung, 9. September 1931.
28 Dr. Fritz Löhner-Beda, Lehár nimmt Stellung. Zu seinem 60. Geburtstag, in: Neues Wiener Journal, 30. April 1930.
29 Franz Lehár, Über seine Giuditta, in: Neues Wiener Journal, 17. Jänner 1934.
30 Brief Franz Lehárs an Paul Knepler, Wien 15. Juni 1932 (Wiener Stadt- und Landesbibliothek, Handschriftensammlung, I. N. 190.070).
31 zit. n. o. A., Franz Lehár und die Staatsoper. Ein Gespräch über sein neuestes Werk, in: Wiener Allgemeine Zeitung, 13. Juli 1932.
32 o. A., Franz Lehár bei Max Reinhardt in Salzburg, in: Neues Wiener Journal, 14. August 1932.
33 Dr. Walter Nagelstock, Schwerer Konflikt zwischen Franz Lehár und der Oper, in: Neues Wiener Journal, 18. Juni 1933.
34 Ernst Decsey, Reizung ungereizter Nerven. Ausgrabung der Mumie, in: Neues Wiener Tagblatt, 11. Februar 1933.
35 Clemens Krauß, Ich möchte Lehárs Giuditta während der Festwochen bringen. Eine Aufführung im Herbst unmöglich, in: Neues Wiener Journal, 14. März 1933.
36 Carl Marilaun, Die Jeritza hört Franz Lehárs Giuditta. Kleine Uraufführung von Lehárs neuem Werk im Hause des Meisters, in: Neues Wiener Journal, 28. April 1933.

37 Brief Herrn Eckmanns von der Bundestheaterverwaltung an Hubert Marischka vom Juni 1933 (Bthv 1933: 1015/1), zit. n. Susanne Rode-Breymann, Die Wiener Staatsoper in den Zwischenkriegsjahren. Ihr Beitrag zum zeitgenössischen Musiktheater, Tutzing 1994, S. 172f.
38 Maria von Peteani, Franz Lehár, S. 200.
39 o. A., Giuditta bei Tag, in: Illustrierte Kronen-Zeitung, (Wien) 19. Januar 1934.
40 Ludwig Ullmann, Die große Lehár-Sensation, in: Wiener Allgemeine Zeitung, Wien, 15. Januar 1934.
41 Jarosch, Giuditta. Lehár-Premiere in der Staatsoper, in: Wiener Neueste Nachrichten, 21. Jänner 1934.
42 Ernst Decsey, Der Esel Aristoteles. Graue Gedanken im glänzenden Haus, in: Neues Wiener Tagblatt, 27. Jänner 1934.
43 Julius Korngold, Staatsoper, in: Neue Freie Presse, 21. Januar 1934.
44 Ernst Decsey, Der Esel Aristoteles, a. a. O.
45 zit. n. o. A., Lehárs Giuditta. Gespräch mit dem Komponisten, in: Wiener Zeitung, 4. Juni 1933.
46 zit. n. PP., Franz Lehár über seine Giuditta, Neues Wiener Tagblatt, 17. Jänner 1934.
47 zit. n. o. A., Lehárs Giuditta. Gespräch mit dem Komponisten, a. a. O.
48 Friedrich Nietzsche, Der Fall Wagner, Stuttgart 1973, S. 91.
49 Maria von Peteani, Franz Lehár, S. 199.
50 Ebd.
51 Franz Lehár, zit. n. Erich Müller, Da geh ich ins Maxim, in: Große Österreichische Illustrierte, 9. Januar 1955.
52 zit. n. K. M., Ein Gastspiel Richard Taubers an der Wiener Staatsoper, in: Wiener Allgemeine Zeitung, 9. Juli 1932.

Doppelexistenz 1933-1938

1 zit. n., C. de Vidal Hunt, 1000 Merry Widows, a. a. O.
2 Franz Lehár, zit. n. o. A., Lehár ricevuto da Mussolini, in: Il Nuovo Paese, (Roma) 26 Marzo 1924 – *Frasquita-Serenade*: Fritz Kreislers Violinversion des »blauen Himmelbetts« aus Lehárs Operette.
3 o. A., Franz Lehár bei Mussolini, in: Der Abend, 27. März 1924.
4 Bernard Grun, Gold und Silber, S. 270.
5 Theodor W. Adorno/Max Horkheimer, Dialektik der Aufklärung, S. 181.
6 Dafür zählte *Giuditta* – wahrscheinlich durch Vermittlung der von Lehár in diesem Werk protegierten Brigitte Mira – immerhin zu Fassbin-

ders sieben Lieblingsopern (vgl. Fassbinder's Favourites. Beste Opern, in: Text und Kritik. Zeitschrift für Literatur, hg. v. Heinz Ludwig Arnold, Heft 103, Rainer Werner Fassbinder, München Juli 1989, S. 87).

7 o. A., o. T., in: Zeitschrift für Musik. Monatsschrift für die geistige Erneuerung der deutschen Musik, gegr. 1834 von Robert Schumann, hg. v. Gustav Bosse, 100. Jg., Berlin/Köln/Leipzig/Regensburg/Wien, November 1933, Heft 11, S. 1184ff.

8 Brief Anton von Lehárs an den Vorstand der GEMA, 8. Mai 1933 (Bundesarchiv – R55/1138, S. 197).

9 Brief Franz Lehárs an Joseph Goebbels, 11. Mai 1933 (BA – R55/1138, S. 191).

10 Franz Lehár, In eigener Sache! Meine Werke sollen in Deutschland boykottiert werden, in: Neues Wiener Journal, 7. Juli 1933. – Am selben Tag unter dem Titel »Eine Erklärung Franz Lehárs« wörtlich auch in der Neuen Freien Presse und im Neuen Wiener Tagblatt erschienen.

11 o. A., Es geht auch ohne Lehár!, in: Der Berliner Herold, 23. Juli 1933.

12 Franz Lehár, Warum ich in Deutschland boykottiert werden soll. Bewußte Verwechslung mit dem Bruder, Baron Lehár – Alles ist für die Nazi Geschäft, in: Wiener Allgemeine Zeitung, 7. Juli 1933.

13 Franz Lehár, Meine Frasquita-Premiere in Paris, in: Neues Wiener Journal, 10. Mai 1933.

14 Die schwarze Liste, in: KFM-Kulturkorrespondenz für Musik Nr. 5, 16. Mai 1933 (BA – R 55/1138, S. 24).

15 Erklärung Richard Taubers, Den Haag 25. Mai 1933 (BA – RK 2200/ Personalakte Tauber, Richard, 16. 5. 91; Berlin Document Center).

16 Brief des Kammersängers Erich Mauch, Berlin 6. Juni 1933 (BA – RK 2200/Tauber; BDC).

17 Brief Hans Hinkels, M. d. R., Berlin 12. Juni 1933 (BA – RK 2200/Tauber; BDC).

18 Tagebuch-Eintrag vom 1. Januar 1928, in: Benatzky-Tagebücher, Bd. II, S. 7 (Typoskript – Akademie der Künste, Berlin).

19 Tagebuch-Eintrag vom 12. Juli 1938, in: Die Tagebücher von Joseph Goebbels. Sämtliche Fragmente, hg. v. Elke Fröhlich im Auftrag des Instituts für Zeitgeschichte und in Verbindung mit dem Bundesarchiv, Teil I – Aufzeichnungen 1924-1941, München/New York/London/Paris 1987, Bd. 3, S. 478.

20 A. F. K., Lehár, Tauber, Klabund und Kreidekreis, in: Die Wahrheit, (Berlin) 3. Februar 1934.

21 Brief des Kulturpolitischen Archivs der Dienststelle Rosenberg an den Ortsverband Halle der NS-Kulturgemeinde vom 27. November 1934,

Akt CXLV-604, zit. n. Joseph Wulf, Musik im Dritten Reich. Eine Dokumentation, Frankfurt a. M./Berlin/Wien 1983, S. 322.

22 Informationen des Kulturpolitischen Archivs im ›Amt für Kulturpflege‹ beim Beauftragten des Führers für die gesamte geistige und weltanschauliche Erziehung der N. S. D. A. P. – Vertraulich!, Berlin 9. Januar 1935 (BA – NS 15/187, Erste Folge, S. 1).

23 Staatsrat Dr. Hans Severus Ziegler, Entartete Musik. Eine Abrechnung, Düsseldorf 1938, S. 26, zit. n. Entartete Musik. Dokumentation und Kommentar, hg. v. Albrecht Dümling und Peter Girth, Düsseldorf 1933, S. 187.

24 Brief des Kulturpolitischen Archivs der Dienststelle Rosenberg an den Ortsverband Halle der NS-Kulturgemeinde vom 27. November 1934, Akt CXLV-604, a. a. O.

25 Brief Dr. Herbert Gerigks vom Kulturpolitischen Archiv an die NS-Kulturgemeinde, Ortsverband Freiburg, Berlin 3. August 1935 – Brief des Oberbürgermeisters der Stadt Freiburg, Dr. Kerber, an die NS-Kulturgemeinde, Ortsverband Freiburg, Freiburg 4. September 1935 – Brief Franz Prandhofers, Leiter der NS-Kulturgemeinde Freiburg, an das NS-Kulturpolitische Archiv, Freiburg 8. September 1935 (BA – NS 15/97, Bl. 64, 67, 68, 70).

26 Brief Hubert Marischkas an Lehár, Wien 6. August 1932 (WA/Verlagskorrespondenz 1929-1942).

27 Offizielle Erklärung Dr. Fraenkels, abgegeben am 16. August 1950, zit. n. Bernard Grun, Gold und Silber, S. 275.

28 Gertrud Marischka, Biographie Hubert Marischka, S. 131.

29 Brief Lehárs an Hubert Marischka, Wien 28. Juni 1934 (WA/Verlagskorrespondenz 1929-1942).

30 Franz Lehár, zit. n. Musik im Film muß sein! Eine Rundfrage an die Komponisten, in: Mein Film, 1933, Nr. 374, S. 3 (WA/367).

31 zit. n. o. A., Fahren Sie nach Hollywood, Meister Lehár? Franz Lehárs Antwort, in: Neues Wiener Journal, 11. Januar 1934.

32 B. J. Kospoth, Lehár Says His Reputation in U. S. Was Ruined by Counterfeit Music, in: New York Herald Tribune, (Ausgabe Paris) November 3, 1935.

33 Brief Fr. Tauers an Mr. Shubert, Wien 30. September 1936 (WA/Verlagskorrespondenz 1929-1942).

34 Brief Fr. Tauers an Lehár, Wien 25. September 1936 (WA/Verlagskorrespondenz 1929-1942).

35 Brief Lehárs an RA Dr. Klein, Berlin 1. März 1937 (WA/Verlagskorrespondenz 1929-1942).

36 zit. n. Robert Coleman, Shuberts Will Present Lehár Cycle in New York, Merry Widow's Genius Likes The Plan, in: Daily Mirror, (New York) December 9, 1936.
37 Franz Lehár, Ich bin noch zu jung, um nicht zu komponieren, in: Neues Wiener Journal, 26. Juli 1936.
38 Der Vorhang. Blätter des Deutschen Opernhauses Berlin, Heft 13, (Berlin) 1. Juni 1936, zit. n. Ingrid Grünberg, »Wer sich die Welt mit einem Donnerschlag erobern will...« Zur Situation und Funktion der deutschsprachigen Operette in den Jahren 1933 bis 1945, in: Musik und Musikpolitik im faschistischen Deutschland, hg. v. Hanns-Werner Heister und Hans-Günther Klein, Frankfurt a. M. 1984, S. 230ff.
39 Tagebuch-Eintrag vom 3. Oktober 1936, in: Die Tagebücher von Joseph Goebbels, Teil I, Bd. 2, S. 692.
40 Albert Speer, Spandauer Tagebücher, Frankfurt a. M./Berlin/Wien 1975, S. 157.
41 Tagebuch-Eintrag vom 30. November 1936, in: Die Tagebücher von Joseph Goebbels, Teil I, Bd. 2, S. 741.
42 Tagebuch-Eintrag vom 1. Mai 1937, in: Die Tagebücher von Joseph Goebbels, Teil I, Bd. 3, S. 130.
43 Tagebuch-Eintragungen vom 9. und 16. Dezember 1937, in: Die Tagebücher von Joseph Goebbels, Teil I, Bd. 3, S. 361 und 370.
44 Peter Herz, Der Fall Lehár. Eine authentische Darlegung von – –, in: Die Gemeinde, (Wien) 24. April 1968.
45 Herbert Gerigk, Die leichte Musik und der Rassegedanke, in: Nationalsozialistische Monatshefte, Januar 1936, zit. n. Joseph Wulf, Musik im Dritten Reich, S. 360.
46 Brief Fr. Tauers an Lehár, Wien 14. April 1937 (WA/Verlagskorrespondenz 1929-1942).
47 Brief von Richard Strauss an Max von Schillings, Garmisch 29. November 1930, in: Roswitha Schlötter, Richard Strauss – Max von Schillings. Ein Briefwechsel, Pfaffenhofen 1987, S. 228.
48 Brief von Richard Strauss an Otto Laubinger, Garmisch 12. Dezember 1934, in: Der Strom der Töne trug mich fort. Die Welt um Richard Strauss in Briefen, in Zusammenarbeit mit Franz und Alice Strauss hg. v. Franz Grasberger, Tutzing 1967, S. 357.
49 Brief von Richard Strauss an Stefan Zweig, Garmisch 28. Juni 1935, in: Richard Strauss – Stefan Zweig. Briefwechsel, S. 144.
50 Herbert Gerigk, Die leichte Musik und der Rassegedanke, a. a. O.
51 Brief Hans Severus Zieglers an Fred K. Prieberg vom 18. Januar 1965, zit. n. Fred K. Prieberg, Musik im NS-Staat, Frankfurt a. M. 1989, S. 212.

52 Werner Egk, Die Zeit wartet nicht, Percha/Kempfenhausen 1973, S. 342f.
53 Joseph Goebbels, zit. n. Der Völkische Beobachter, 28. November 1936.
54 Brief Franz Lehárs an Hans Hinkel, Bad Ischl 1. September 1943 (BA – RKK 2300/Personalakte Lehár, Franz, 30. 4. 70; Berlin Document Center).

Lehár unterm Hakenkreuz

1 Die Gefolgschaft des Glocken-Verlags, An Meister Lehár. Zum 71. Geburtstag, 30. April 1941 (WA/Spieluhr).
2 Vera Kálmán, Die Welt ist mein Zuhause. Erinnerungen, München 1980, S. 114.
3 Brief Charles Kalmans an den Autor vom Januar 1998.
4 Erklärung Frau Hebein-Stifts, o.D. (Aus dem Nachlaß Otto Blaus, im Besitz von Dr. Francis P. Lehár).
5 Willi Forst, zit.n. Robert Dachs, Willi Forst. Eine Biographie, Wien 1986, S. 113.
6 Die letzten zwei Postkarten Louis Treumanns aus dem KZ Theresienstadt, 15. November und Ende Dezember 1942 (Sammlung Schulz-Hohenstein).
7 Brief des Kulturpolitischen Archivs der Dienststelle Rosenberg an den Ortsverband Halle der NS-Kulturgemeinde vom 27. November 1934, Akt CXLV-604, a.a.O.
8 Hugo Wiener, Zeitensprünge. Erinnerungen eines alten Jünglings, Wien 1991, S. 140.
9 Fritz Löhner, Der Jour/Ghetto-Musik, zit. n. Luftmenschen spielen Theater. Jüdisches Kabarett in Wien 1890-1938, hg. v. Hans Veigl, Wien 1992, S. 173/162.
10 Günther Schwarberg, Ein Mann und sein ganzes Herz, in: Die Zeit, (Hamburg) 23. Oktober 1992.
11 Peter Herz, Der Fall Franz Lehár. Eine authentische Darlegung von – –, in: Die Gemeinde, 24. April 1968.
12 Brief von Friedl Weiß an Ernst Stankovski, Klosterneuburg im Januar 1998 – von diesem freundlicherweise dem Autor zur Verfügung gestellt.
13 o.A., Kulturspiegel, in: Basler National-Zeitung, 1./2. März 1947.
14 Schreiben Franz Lehárs, Zürich 14. März 1947, zit. n. Bernard Grun, Gold und Silber, S. 284.

15 Rosa Albach-Retty, So kurz sind hundert Jahre. Erinnerungen, aufgezeichnet von Gertrud Svoboda-Srncik, München/Berlin 1978, S. 238.

16 Aus einer Rede der NSDAP-Versammlung im Hofbräuhaus/München am 13. August 1920, Warum sind wir Antisemiten?, zit. n. Hitler. Sämtliche Aufzeichnungen 1905-1924, hg. v. Eberhard Jäckel zusammen mit Axel Kuhn, in: Quellen und Darstellungen zur Zeitgeschichte, Bd. 21, Stuttgart 1980, S. 197.

17 Aus einer Rede der NSDAP-Versammlung im Thomasbräu/München am 2. November 1922, Positiver Antisemitismus der Bayerischen Volkspartei, zit. n. Der Völkische Beobachter, 4. November 1922, in: Hitler. Sämtliche Aufzeichnungen 1905-1924, S. 718.

18 Dr. Henry Picker, Hitlers Tischgespräche im Führerhauptquartier. Hitler wie er wirklich war. Vollständig überarbeitete und erweiterte Neuausgabe mit bisher unbekannten Selbstzeugnissen Adolf Hitlers, Abbildungen, Augenzeugenberichten und Erläuterungen des Autors, Stuttgart 1976, S. 252 – Merkwürdige Koinzidenz am Rande: Furtwängler debütierte als Dirigent in Zürich am 8. Februar 1907 ausgerechnet mit der *Lustigen Witwe*.

19 Gottfried Benn, Zum Thema Geschichte, in: Ders., Das Hauptwerk, Bd. 2. Essays. Reden. Vorträge, hg. v. Marguerite Schlüter, Wiesbaden/München 1980, S. 240.

20 Albert Speer, Spandauer Tagebücher, S. 101.

21 Johannes Heesters, Es kommt auf die Sekunde an, München 1978, S. 127.

22 Tagebuch-Eintrag vom 20. November 1937, in: Die Tagebücher des Joseph Goebbels, Teil I, Bd. 3, S. 341.

23 Schreiben des Generalintendanten des Deutschen Opernhauses Berlin Wilhelm Rode an den Reichsminister für Volksaufklärung und Propaganda, Berlin 23. Februar 1939 (BA – R55/989, S. 159).

24 Tagebuch-Eintragungen vom 4. und 19. Januar 1939, in: Tagebücher des Joseph Goebbels, Teil I, Bd. 3, S. 553 u. 556 – Zarah Leander hatte bereits in Stockholm die *Witwe* gespielt.

25 Der Völkische Beobachter, (Münchener Ausgabe) 1./2. Januar 1939, zit. n. Klaus Kieser, Das Gärtnerplatztheater in München 1932-1944. Zur Operette im Nationalsozialismus, Frankfurt a. M./Bern/New York/Paris 1991, S. 92.

26 Johannes Heesters, Ich bin Gottseidank nicht mehr so jung, Aufgezeichnet von Willibald Eser, München 1993, S. 92.

27 Brief Lehárs an Herrn Fleischer (Glocken-Verlag), Bad Ischl 21. September 1941 (WA/Verlagskorrespondenz 1929-1942).

28 Franz Lehár, Rundfunk-Interview vom 17. April 1940, Reichssender Wien (ORF-Archiv, Wien).

29 Abteilung T. des Propagandaministeriums an Herrn Minister, Berlin 5. April 1940 und Abteilungsleiter Propaganda an den Herrn Minister, Berlin 11. April 1940 (BA – R55/1136, S. 301-303).

30 Tagebuch-Eintrag vom 17. September 1940, in: Die Tagebücher des Joseph Goebbels, Teil I, Bd. 4, S. 328.

31 Honorarzahlungen Rechnungsjahr 1944 (April 1944-März 1945) der Reichsstelle für Musikbearbeitungen (BA – R55/20581, Titel 150 und 154).

32 Hauptstelle Kulturpolitisches Archiv an die Geheime Staatspolizei, Berlin 12. Januar 1939 (BA – NS 15/69, S. 146, 147).

33 Brief Franz Lehárs an Herrn Fleischer, Bad Ischl 20. September 1941 (WA/Verlagskorrespondenz 1929-1942).

34 Feldpost Nr. 08919 C, Petzold, Oblt. und seine Getreuen an Franz Lehár, An der Wolga 30. Januar 1943 (Lehár-Nachlaß, Stadtgemeinde Bad Ischl/F. L. 514).

35 Gottfried Benn, Zum Thema Geschichte, a. a. O., S. 233.

36 Coco, zit. n. Peter Herz, Gestern war ein schöner Tag. S. 156.

37 Brief Franz Lehárs an Hans Hinkel, Berlin 3. November 1938 (BA – RKK 2300/Léhar; BDC).

38 Brief Lehárs an Hinkel, Bad Ischl 17. Juni 1944 (BA – RKK 2300/Lehár; BDC).

39 Telegramm Franz Lehárs mit Adressatenliste, Juli 1942 (Lehár-Nachlaß, Stadtgemeinde Bad Ischl/F. L. 523).

40 Telegrammentwürfe vom 12. Januar und 28. Oktober 1940, in: Notizbuch Franz Lehárs 1939-1941 (Lehár-Nachlaß, Stadtgemeinde Bad Ischl).

41 Tagebuch-Eintragungen vom 2. Juli und 17. Juni 1938, in: Die Tagebücher des Joseph Goebbels, Teil I, Bd. 3, S. 470 und 458.

42 Briefe Franz Lehárs aus Wien an Hans Hinkel vom 27. Juli und 19. August 1938 (BA – RKK 2300/Lehár; BDC).

43 Vorschlag für die Verleihung des Titels ›Professor‹, Propagandaministerium, Berlin 20. April 1940 (BA – R55/1136, S. 316).

44 Peter Herz, Die Ehrenarierin. Die Tragik im Leben der jüdischen Gattin Franz Lehárs, in: Die Gemeinde, 10. April 1973.

45 Franz Lehár, zit. n. Bernard Grun, Gold und Silber, S. 291.

46 Brief an Lehár vom Betriebsleiter des Glocken-Verlags, Herrn Fleischer, Wien 20. Juni 1941 (WA/Verlagskorrespondenz 1929-1942) – Aufgrund einer gegen Lehár gerichteten Denunziation wurde Herr Fleischer nach Rußland eingezogen und ist von dort nicht mehr zurückgekehrt.

47 Alma Mahler-Werfel, Mein Leben, S. 248/277.
48 Robert und Einzi Stolz, Servus Du, S. 334.
49 Franz Lehár, Bekenntnis, S. 5f.
50 Victor Matejka, Widerstand ist alles, Wien 1993, S. 88.
51 zit. n. Otto Schneidereit, Hinweise eines Regisseurs auf einen unbekannten Operettenkomponisten namens Franz Lehár [Unveröffentlichtes Manuskript/Lehár-Symposion], Bad Ischl 1978.
52 Lehár-Interview von 1945 (nach Kriegsende), Moderator: Andreas Reischek, Rundfunksender Salzburg (Archiv des ORF-Studios Salzburg).
53 Paul Knepler, Erinnerungen an Franz Lehár (WA/367).
54 Franz Lehár, Bekenntnis, S. 5/7.
55 Willi Forst, Wie Lehár in den Himmel kommt ..., zit. n. Robert Dachs, Willi Forst. Eine Biographie, S. 163ff.

Werkverzeichnis

(Erklärung der Abkürzungen: UA = Uraufführung; P = Premiere; AUE = Australische Erstaufführung; DE = Deutsche Erstaufführung; EE = Englische Erstaufführung; FE = Französische Erstaufführung; IE = Italienische Erstaufführung; ÖE = Österreichische Erstaufführung; RE = Russische Erstaufführung; SE = Spanische Erstaufführung; SKE = Skandinavische Erstaufführung; UE = Ungarische Erstaufführung; USE = US-Amerikanische Erstaufführung; WE = Wiener Erstaufführung / B = Bühne; C = Choreographie; D = Dirigat; DB = Drehbuch; GA = Gesamtaufnahme; K = Kostüm; KA = Klavierauszug; R = Regie; S = Sänger o. Schauspieler; WA = Weinberger-Archiv)

1. Bühnenwerke

RODRIGO. Oper in 1 Vorspiel und 1 Akt/Text: Rudolf Mlčoch; Partiturmanuskript mit Orchestermaterial, u. a. für das Instrumentalstück »Preludium religioso« (Glocken-Verlag) – Autograph: WA

KUKUŠKA. Lyrisches Drama in 3 Aufzügen/Text: Felix Falzari
UA: Vereinigte Stadttheater, Leipzig (Direktion: Max Staegemann) – 27. November 1896 – D: Panzer, R: Albert Goldberg, B: Robert Kautsky, S: Richard Merkel (Alexis), Paula Dönges (Anuška), Hans Schütz (Saša) u. a.
UE: (Ungarische Fassung: Várody Sándor) – Magyar Király Operaház (Königliche Oper), Budapest (Káldy) – 2. Mai 1899 – D: Raul Mader.
Bearbeitung: *Tatjana*. Oper in drei Akten (vier Bildern)/Text: Felix Falzari und Max Kalbeck
P: Stadttheater Brünn – 10. Februar 1905 – D: Robert Stolz, S: Aschner, Nagel, Desider u. a.
WE: Volksoper, Wien (Rainer Simons) – 12. Februar 1906 – D: Franz Lehár, R: Emmerich Walter, S: Johannes Reinhardt, Helene Oberländer, Hans Melms u. a.
Ausgaben: Vollständige Partitur: *Kukuška*, Leipzig 1896 (C. Hofbauer); Orchesterpartitur: *Tatjana* (*Kukuška*), Wien o. J. [1906] (Karczag; jetzt: Glokken-Verlag) – Autograph: Stadtgemeinde Bad Ischl
Discographie: 3 Vorspiele und *Russische Tänze* aus *Tatjana* in: Franz Lehár

Symphonic Works – Radio-Philharmonie Hannover des NDR; Seibel (cpo 1997)

Wiener Frauen [*Der Klavierstimmer*]. Operette in 3 Akten/Text: Ottokar Tann-Bergler und Emil Norini [nach dem französischen Schwank *Der Schlüssel des Paradieses*]

UA: Theater an der Wien, Wien (Wilhelm Karczag/Karl Wallner) – 21. November 1902 – D: Franz Lehár, R: Karl Wallner, S: Alexander Girardi (Willibald Brandl), Lina Abanarell (Claire Rosner), Karl Meister (Phillip Rosner), Oskar Sachs (Johann Nepomuck Nechledil) u. a.

UE: *Pesti nök.* (Föld Aurel u. Mérei Adolf) – Budai Szinkör, Budapest – 15. August 1903

Bearbeitung: *Der Schlüssel zum Paradies.* Operette in 3 Akten/Text: Emil Norini und Julius Horst

P: Neues Operetten-Theater Leipzig – 20. Oktober 1906 – S: Robert Hesse (Casimir Camenbert), Luise Ronell (Claire Duval), Max Heller (Phillip Duval), Friedrich Becker (Nechledil) u. a.

Ausgaben: Vollständiges Regie- und Soufflierbuch, KA: – –, Wien o. J. (Emil Berté & Cie., Wien 1902; jetzt: Glocken-Verlag) – Autograph: Verbleib unbekannt

Der Rastelbinder. Operette in 1 Vorspiel und 2 Akten/Text: Victor Léon

UA: Carl-Theater, Wien (Leopold Müller/Aman) – 20. Dezember 1902 – D: Alexander von Zemlinsky, R: Victor Léon, S: Louis Treumann (Wolf Bär Pfefferkorn), Mizzi Günther (Souza Voitech), Karl Streitmann (Milosch Blacek), Therese Biedermann (Mizzi Glöpler), Karl Blasel (Glöpler), Wilhelm Bauer (Janku) u. a.

UE: *A Drótostót.* (Mérei Adolf u. Ruttkay György) – Magyar Színház, Budapest – 21. April 1903 – S: Sziklay Kornel (Pfefferkorn) u. a.

USE: Irving Place Theater, New York 1909 (auf Deutsch)

Ausgaben: Vollständiges Regie- und Soufflierbuch, KA: – –, Leipzig 1902 (Weinberger) – Autograph: Stadtgemeinde Bad Ischl

Film: *Der Rastelbinder.* Ö 1927 [Stummfilm] – R: Morris Mondet, Prod.: Artur Gottlein, S: Louis Treumann, Franz Glawatsch u. a.

Der Göttergatte. Operette in 1 szenischen Prolog und 3 Bildern/Text: Victor Léon und Leo Stein [Adaption des *Amphitryon*-Stoffes]

UA: Carl-Theater, Wien (Müller/Aman) – 20. Januar 1904 – D: Franz Lehár, R: Victor Léon, B: Radlmesser, S: Willy Bauer (Jupiter), Karl

Streitmann (Amphitryon), Mizzi Günther (Juno/Alkmene), Friedrich Becker (Merkur), Louis Treumann (Sosias), Therese Biedermann (Charis), Karl Blasel (Maenandros) u. a.

UE: *Mulató istenek.* (Heltai Jenö) – Magyar Színház, Budapest – 10. Februar 1905

Neufassungen: siehe *Die ideale Gattin*, *Die Tangokönigin*

Ausgaben: Vollständiges Regie- und Soufflierbuch, KA: – –, Wien o. J. [1904] (Doblinger, Bühnenvertrieb: Glocken-Verlag) – Autograph: Stadtgemeinde Bad Ischl

Die Juxheirat. Operette in 3 Akten/Text: Julius Bauer

UA: Theater an der Wien, Wien (Karczag/Wallner) – 22. Dezember 1904 – D: Franz Lehár, R: Siegmund Natzler, S: Alexander Girardi (Philly Kaps), Phila Wolf (Selma Brockwiller), Gerda Walde (Phoebe), Karl Meister, Franz Glawatsch, Annie Wünsch u. a.

Ausgaben: Vollständiges Regie- und Soufflierbuch, KA: – –, Wien/Leipzig o. J. [1904] (Weinberger) – Autograph: Verbleib unbekannt

Die Lustige Witwe. Operette in 3 Akten (teilweise nach einer fremden Grundidee)/Text: Victor Léon und Leo Stein [nach Henri Meilhacs *L'Attaché d'ambassade*]

UA: Theater an der Wien, Wien (Karczag/Wallner) – 30. Dezember 1905 – D: Franz Lehár, R: Victor Léon, B: Burgbart u. Frank, K: Hoffmann, Skreischofsky, Staray, C: von Hamme S: Mizzi Günther (Hanna Glawari), Louis Treumann (Danilo), Karl Meister (Camille de Rosillon), Annie Wünsch (Valencienne), Siegmund Natzler (Zeta), Oskar Sachs (Njegus), Julius Brammer (Pritschisch) u. a.

DE: Neues Operettentheater, Hamburg (Max Monti) – 3. März 1906 – R: Max Monti u. Edmund Binder, S: Marie Ottmann (Hanna), Gustav Matzner (Danilo), Albert Kutzner (Rosillon), Vilma Conti (Valencienne), Poldi Deutsch (Zeta), Alfred Walters (Njegus) u. a.; als Gastspiel im Berliner Theater (Ferdinand Bonn) seit 1. Mai 1906 – später Theater des Westens – D: Franz Lehár, Besetzung: s. o.

UE: *Víz özvegy.* – Magyar Sínház, Budapest – 27. November 1906 – S: Küry Klara (Hanna), Ráthonyi Akos (Danilo) u. a.

SKE: *Den Glade Enke.* – Kristiania [Oslo] – 26. Dezember 1906 – S: Anna Fossum, Ingolf Schanche u. a.

RE: St. Petersburg – 29. Dezember 1906

IE: *La Vedova Allegra* (Fernando Fontana) – Teatro dal Verme, Milano – 7. April 1907 – S: Emma Vecla u. a.

EE: *The Merry Widow*. New musical Play (Adrian Ross u. Basil Hood) – Daly's Theatre, London (George Edwardes) – 8. Juni 1907 – D: Franz Lehár u. Barter Johns/Harold Vicars, R: J. A. E. Malone u. G. E. Minor [Georges Edwardes], B: Joseph Harker, C: Freddy Farren, S: Lily Elsie (Sonia), Joseph Coyne (Danilo), Robert Evett (Jolidon), Elizabeth Firth (Natalie), George Graves (Popoff), W. H. Berry (Nisch) u. a.

USE: New Amsterdam Theater, New York (George Manon) – 21. Oktober 1907 – D: Louis Gottschalk, R u. Prod.: Colonel Henry Wilson Savage, B: Walter Burridge, K: Percy Anderson, Mme. Hermann, Mme. Zimmermann, S: Ethel Jackson (Sonia), Donald Brian (Danilo) u. a.

SE: *La Viuda alegre*. Opereta (M. Linares Rivas y Astray u. F. Reparaz) – Madrid – 8. Februar 1909

FE: *La Veuve Joyeuse*. Opérette en 3 actes d'après Meilhac (Gaston de Caillavet u. Robert de Flers) – Théâtre Apollo, Paris (Alphonse Franck) – 28. April 1909 [1000. Vorstellung: 16. Januar 1914] – D: L. V. Célansky, R: Paul Edmond, C: Stichel, B: Chambouleron u. Mignard, Amable, Paquereau, K: Drecoli, Hugo Barich, Mueller, S: Constance Drever (Missia), Henry Defreyn (Danilo), Félix Galipaux (Popoff), Soudieux (Camille), Thérèse Cernay (Nadia) u. a.

Bearbeitungen: a) – –. Neue Gesangstexte: Rudolph Schanzer u. Ernst Welisch [Textbuch, Leipzig/Berlin 1929 (Doblinger)]

P: Metropol-Theater, Berlin (Alfred u. Fritz Rotter) – 25. Dezember 1928 – D: Ernst Hauke, R: Eric Charell, B: Ernst Stern, S: Fritzi Massary (Hanna Glavarios), Walter Jankuhn (Danilos), Uschi Ellert (Valencienne), Max Hansen (Rosillon), Willi Schaeffers (Negro) u. a. – ab 3. Mai 1930 im Großen Schauspielhaus, Berlin (Eric Charell), S: Trude Hesterberg (Hanna), übrige Besetzung: s. o.

b) – –. Operette in 8 Bildern/Text: keine Namensnennung (Neue Liedertexte: Helmut Käutner, Rudolf Weys [2. Bild] u. Wolfram Krupka [6. Bild]) – Autograph: Wiener Stadt- und Landesbibliothek, Musiksammlung [u. a. ›Diplomatenduett‹ u. Marschballett mit Niegus]; WA [»Heimatland, ade«]

P: Deutsches Opernhaus, Berlin (Wilhelm Rode) – 31. Dezember 1938 – D: Franz Lehár, R: Hans Batteux (Künstl. Gesamtltg.: Rode), B u. K: Benno von Arent, S.: Margret Pfahl (Hannah), Walter Ludwig (Danilo), Mimi Shorp (Valencienne), Valentin Haller (Rosillon), Arnim Süßengut (Zeta), Eduard Kandl (Njegus) u. a.

c) – –. Nach dem Original *Der Attaché* bearbeitet in 33 Episoden von Fritz Fischer, Musikbearbeitung: Peter Kreuder

P: Theater am Gärtnerplatz, München (Fritz Fischer) – 31. Dezember

1938 – D: Peter Kreuder u. Franz Willi Strauß, R: Fritz Fischer, B u. K: Ludwig Sievert, C: Werner Stammer, S: Lisa Herzog (Hannah), Johannes Heesters (Danilo), Ruth Gerntholtz (Valencienne), Hans Tetscherin (Rosillon), Gustav Waldau (Zeta), Otto Brüggemann (Njegus) u. a.

d) *The Merry Widow.* New Musical Version: Robert Stolz; Adaption (Neue Texte): Felix Brentano

P: The New Opera Company (Prod: Yolanda Mero-Irons) im Majestic Theater, New York (Prod. Ltg.: Lina Abanarell) – 22. Oktober 1943 – D: Robert Stolz/Isaac van Grove, R: Felix Brentano, C: George Balanchine, S: Marta Eggerth (Sonia), Jan Kiepura (Danilo), Melville Cooper (Nisch), Karl Farkas (Popoff) u. a.

Ausgaben: Vollständiges Regie- und Soufflierbuch, KA: – –, Wien/Leipzig 1906 (Doblinger, Bühnenvertrieb: Felix Bloch Erben) – Autograph: Stadtgemeinde Bad Ischl

Filme: – *Den Glade Enke.* S 1907 [Kurzstummfilm] – (Nordisk-Films-Co.)

– *La valse de Veuve Joyeuse.* F 1908 [Kurzstummfilm] – (Pathé-Frères-Film)

– *The Merry Widow Waltz Craze.* USA 1908 [Kurzstummfilm] – (Edison-Kinetoscop-Film)

– *Ballsirenenwalzer/Da geh ich ins Maxim/Dummer Reitersmann/Es waren zwei Königskinder.* D 1909 [4 Tonbild-Filme mit Szenen aus der *Lustigen Witwe*] – (Deutsche Bioscop-Film)

– *Die Lustige Witwe.* D 1911 [Stummfilm] – (Elge-Gaumont [Dt. Gaumont])

– *La Veuve Joyeuse.* F 1913 [Stummfilm] – (Eclair-Film)

– *The Merry Widow.* USA 1925 [Stummfilm] – R u. DB: Erich von Stroheim, Prod.: Irving Thalberg, Musikarrang.: David Mendoza u. William Axt, S: Mae Murray, John Gilbert, Roy d'Arcy, Tully Marshall, George Fawcett, Joephine Crowell, Clark Gable [als Statist] u. a. (Metro-Goldwyn-Mayer)

– *The Merry Widow.* USA 1934 [Tonfilm] – R: Ernst Lubitsch, DB: Ernest Vajda u. Samson Raphaelson (Mitarbeit: Vicki Baum u. Anita Loos), Lyrics: Richard Rodgers u. Lorenz Hart, Prod.: Irving Thalberg, Musik. Bearb.: Herbert Stothart, S: Maurice Chevalier, Jeanette MacDonald, Edward Everett Horton, Una Merkel, George Barbier, Herman Bing u. a. (Metro-Goldwyn-Mayer)

– *The Merry Widow.* USA 1952 [Farbfilm] – R: Curtis Bernard, DB: Sonya Levien u. William Ludwig, Prod.: Joe Pasternak, S: Lana Turner, Fernando Lamas, Una Merkel, Richard Haydn, Ludwig Stössel, John Abbott u. a. (Metro-Goldwyn-Mayer)

– *Die Lustige Witwe*. Ö/F 1962 [Farbfilm] – R: Werner Jacobs, DB: Janne Furch, Musik. Bearb.: Hagen Galatis, S: Peter Alexander, Karin Hübner, Gunther Philipp, Maurice Teynac, Geneviève Cluny, Harald Maresch u. a. (Sascha Filmproduktion u. Criterion Film S. A., Paris)

Discographie: – GA: Schwarzkopf/Kunz/Gedda/Loose – Philharmonia Orchestra; Ackermann (EMI 1953)

– Schwarzkopf/Wächter/Gedda/Steffek – Philharmonia Orchestra London; Matacic (EMI 1963)

– Schramm/Schock/Gruber – Berliner Symphoniker; Stolz (Ariola 1966)

– Harwood/Kollo/Stratas/Hollweg/Kelemen/Krenn – Berliner Philharmoniker; Karajan (DGG 1972)

– Moser/Prey/Donath/Jerusalem/Kusche – Münchner Rundfunkorchester; Wallberg (EMI 1979)

– Lott/Hampson/Aller/Azesberger/Szmytka – London Philharmonic Orchestra; Welser-Möst (EMI 1993)

– Studer/Skovhus/Bonney/Trost/Terfel – Wiener Philharmoniker; Gardiner (DGG 1994)

– Tiboldi/Nemeth/Vasari/Leblanc/Kokas/Csere – Orchester des Nationaltheaters Budapest; Maklary (Laserlight 1994)

– Trojani/Hochschwender/Schuchter/Lehmann – Orchester der Staatsoper Bratislava; Schenk (RCA 1995)

Ausz.: – Rothenberger/Gedda/Köth – Symphonieorchester Graunke; Mattes (EMI 1966)

– Hallstein/Alexander/Popp/Hoppe/Kusche – Operettenorchester; Marszalek (Polydor 1967)

Franz.: Vivalda/Dens/Benoit/Amadé – Société des Concerts du Conservatoire; Pourcel (EMI-Pathé); Dax/Deus/Lafaye/Mallabrera – Société des Concerts du Conservatoire; Leenart (EMI-Pathé) u. a. – Engl.: June Bronhill (CSD) u. a. – Ital.: Lia Origoni (EDM) u. a. – Russ.: (Melodya) u. a. – Schwed.: Sonja Sternquist (London) – Span.: Lily Berchmann (Montilla) – u. a.

Peter und Paul reisen ins Schlaraffenland. Operette für Kinder in 1 Vorspiel und 5 Bildern (Zaubermärchen)/Text: Fritz Grünbaum und Robert Bodanzky

UA: Theater an der Wien, Wien (Karczag/Wallner) – 1. Dezember 1906 – D: Franz Lehár, S: Carlo Böhm (Peter), Heinrich Pirk (Paul), Gusti Macha (Laborosa), Franz Glawatsch (Schlampamprius), Fritz Albin (Schlendrianus) u. a.

Ausgaben: Vollständiges Regie- und Soufflierbuch, KA: – –, Wien 1907 (Karczag; jetzt: Glocken-Verlag) – Autograph: Stadtgemeinde Bad Ischl

MITISLAW DER MODERNE. Operette in 1 Akt/Text: Fritz Grünbaum und Robert Bodanzky

UA: Hölle, Kabarett im Theater an der Wien, Wien (Siegmund Natzler) – 5. Januar 1907 – D: Béla Laszky, R: Siegmund Natzler, S: Emil Richter-Roland (Mitislaw), Mela Mars (Amaranth), Siegmund Natzler (Minister)

UE: *Miciszlav.* – Király Színház; Budapest – 3. April 1907

DE: Apollotheater, Berlin – 1. Februar 1908

EE: *Mitislaw, or the Love Match.* – Hippodrome, London – November 1909 – S: Maurice Farkoa (Mitislaw) u. a.

Ausgaben: Vollständiges Regie- und Soufflierbuch, KA: – –, Wien, o.J. [1907](Verlag und Vertrieb des k.k. Privat-Theater an der Wien [Breitkopf & Härtel, New York 1905]; jetzt: Glocken-Verlag) – Autograph: Verbleib unbekannt

DER MANN MIT DEN DREI FRAUEN. Operette in 3 Akten/Text: Julius Bauer [nach Alexandre Bissons Schwank *Der Schlafwagenkontrolleur*]

UA: Theater an der Wien, Wien (Karczag/Wallner) – 21. Januar 1908 – D: Franz Lehár, R: Franz Glawatsch, B: Robert Kautsky u. Rottonara, S: Rudolf Christians (Hans Zipfer), Mizzi Günther (Lori), Luise Kartousch (Coralie), Mizzi Schütz (Olivia), Poldi Deutsch (Baron Hünneberg) u. a.

DE: Neues Operettentheater, Berlin (Monti) – 20. März 1908 – D: Franz Lehár, R: Julius Spielmann (auch: Hans Zipfer), S: Phila Wolff (Lori), Mizzi Wirth (Coralie) u. a.

UE: *Három feleség.* (Mérei Adolf) – Népszinház-Vigopera, Budapest – 31. März 1908

USE: *The Man with the Three Wives.* (Paul Potter, Harold Atteridge u. Agnes Bangs Morgan) – Weber and Fields Theater, New York (Messrs. Shubert) – 23. Januar 1913 – Cecil Lean (Hans), Alice Yorke (Lori), Cleo Mayfield (Alice), Charlotte Greenwood (Sidonie), Dolly Castles (Olivia) u. a.

Ausgaben: Vollständiges Regie- und Soufflierbuch, KA: – –, Wien/Leipzig 1907 (Doblinger; Bühnenvertrieb: Glocken-Verlag) – Autograph: Stadtgemeinde Bad Ischl

Das Fürstenkind. Operette in 1 Vorspiel und 2 Akten (teilweise nach der Erzählung *Le Roi des Montagnes* von Edmond About)/Text: Victor Léon

UA: Johann Strauß-Theater, Wien (Erich Müller) – 7. Oktober 1909 – D: Franz Lehár, R: Victor Léon, S: Mizzi Günther (Photini), Louis Treumann (Hadschi-Stavros), Erich Deutsch-Haupt (Harris), Gabriele Freund (Mary-Ann), Oskar Sachs (Barley) u. a.

DE: Neues Operetten-Theater, Leipzig (Anton Hartmann) – 5. März 1910 – D: Franz Lehár, R: August Kretschmer, S: Therese Miet (Photini), Julius Spielmann a. G. (Hadschi-Stavros) u. a.

IE: *La Figlia del Brigante*. – Teatro Constanzi, Roma – April 1910 – D: Franz Lehár

UE: *Hercegkisasszony*. (Gábor Andor) – Magyar Király Operaház, Budapest – 20. Dezember 1910

FE: *Le Roi des montagnes*. Opéra Comique en 3 Actes (Maurice Ordonneau u. Jean Bénédict) – Théâtre Molière, Bruxelles (F. Munié) – 21. Dezember 1913 – S: Eva Retty (Photini), Guillot (Hadji-Stavros), Nandès (Bill Harris), Alice Favier (Mary-Ann) u. a. – später: Trianon Lyrique, Paris

USE: *Maids of Athens*. (Carolyn Wells) – New Amsterdam Theater, New York (Savage) – 18. März 1914 – S: Leila Hughes (Photini), Elbert Fretwell (Stavros), Albert Pellaton (Bill), Cecil Cunningham (Mary-Ann) u. a.

Bearbeitung: *Der Fürst der Berge*. Operette in 1 Vorspiel und 2 Akten/Text: Victor Léon

P: Theater am Nollendorfplatz, Berlin (Heinz Saltenburg) – 22. September 1932 – D: Franz Lehár, R: Heinz Saltenburg, B: Edwin Suhr, C: Heinz Lingen, S: Michael Bohnen (Hadschi-Stavrios), Mimi Gyenes (Photini), Irene Eisinger (Mary-Ann), Kurt Mühlhardt (Harris), Rosa Valetti, Eugen Rex u. a.

Ausgaben: Vollständiges Regie- und Soufflierbuch, KA: – –, London/Leipzig/Wien/Paris 1908 (Doblinger; Bühnenvertrieb: Glocken-Verlag) – Autograph: Stadtgemeinde Bad Ischl

Film: *Das Fürstenkind* (*Der Fürst der schwarzen Berge*). D 1927 [Stummfilm] – R: Julius u. Luise Fleck, DB: Adolf Lantz u. Julius Fleck, S: Harry Liedtke, Vivian Gibson, Evi Eva, Louis Lerch, Iwa Wanja, Teddy Bill u. a. (Hegewald-Film)

Der Graf von Luxemburg. Operette in 3 Akten/Text: Alfred Maria Willner und Robert Bodanzky [nach dem Libretto der Operette *Die Göttin der Vernunft* von Johann Strauß (1897)/Text: A. M. Willner und Bernhard Buchbinder]

UA: *Der Graf von Luxemburg.* – Theater an der Wien, Wien (Karczag/Wallner) – 12. November 1909 – D: Franz Lehár, R: Karl Wallner, C: Louis Gundlach, S: Otto Storm (René), Annie von Ligety (Angèle Didier), Max Pallenberg (Basil Basilowitsch), Luise Kartousch (Juliette Vermont), Bernhard Bötel (Armand Brissart) u. a.

DE: *Der Graf von Luxemburg.* Neues Operettentheater, Berlin (Max Monti/Victor Palfi) – 23. Dezember 1909 – D: Franz Lehár, S: Fritz Werner (René), Mizzi Wirth (Angèle), Julius Sachs (Basil), Karl Bachmann (Armand), Lisa Weise (Juliette) u. a.

UE: *Luxemburg grófia.* (Gábor Andor) – Király Színház, Budapest – 14. Januar 1910 – mit Király Ernö (René), Petráss Sári (Angèle), Rátkai Márton (Basil) u. a.

IE: *Il conte di Lussemburgo.* Teatro Apollo, Roma – 7. Oktober 1910 – D: Franz Lehár, S: Pinelli (Il Conte), Marcella D'Orea (Anna Didier), Lambiase (Basilio), Rosa (Brissard), Baroni (Giulietta) u. a.

EE: *The Count of Luxemburg.* A New Musical Play in 2 Acts (Adrian Ross u. Basil Hood) – Daly's Theatre, London (Edwardes) – 20. Mai 1911 – D: Franz Lehár u. Ernest Fleckner, R: Edward Royce (u. George Edwardes), B: Alfred Terraine, K: Attilo Comelli, C: Beatrice Collier u. Jan Oy-Ra, S: Bertram Wallis (Count René), Lily Elsie (Angèle), Huntley Wright (Grand Duke Rutzinow), W. H. Berry (Brissac), May de Sousa (Juliette) u. a.

FE: *Le Comte de Luxembourg.* Opérette en 3 actes (Robert de Flers u. Gaston A. de Caillavet u. Jean Bénédict) – Théâtre Apollo, Paris (Alphonse Frank) – 13. März 1912 – D: L. V. Célansky, R: Paul-Edmond, C: Christine Boss, B: Chambouleron u. Mignard/Paquereau, K: Landolff, S: Henry Defreyn (Fernand de Luxembourg), Brigitte Regent (Suzanne Didier), Félix Galipaux (Le Prince Basil), Fernand Frey (Brissard), Angèle Gril (Juliette) u. a.

USE: *The Count of Luxemburg.* (Glen MacDonough) – New Amsterdam Theater, New York (Klaw u. Erlanger) – 16. September 1912 – R: Herbert Gresham, B: Klaw u. Erlanger, C: Julian Mitchell, S: George L. Moore (Count René), Ann Swinburne (Angèle), Frank Moulan (Grand Duke), Fred Walton (Brissard), Frances Cameron (Juliette) u. a.

AUE: – –. (engl. Version) – His Majesty's Theatre, Sidney (J. C. Williamson) – 5. April 1913 – mit Talleur Andrews (René), Florence Young (Angèle), W. S. Perry (Basil), Phil Smith (Brissac), Sybil Arundale (Juliette) u. a.

Bearbeitungen: a) – –. [Neue Walzerszene nach Nr. 10: »Lieber Freund ...«/Walzerquartett der EE]

P: Theater an der Wien, Wien (Hubert Marischka) – 19. September 1929 – D: Franz Lehár, R: Hubert Marischka, S: Hubert Marischka (René), Maria Jeritza (Angèle), Marton Ratkay (Basil), Ernst Tautenhayn (Brissard), Ossi Oswalda (Juliette), Mizzi Zwerenz (Kokozow) u. a.

b) – –. Operette in 3 Akten von Franz Lehár/Text: keine Namensnennung (Bearbeiter: Wolf Völker)

P: Theater des Volkes, Berlin – 4. März 1937 – D: Franz Lehár u. Edmund Nick, R: Wolf Völker, B: Ludwig Hornsteiner, C: Jens Keith, S: Hans Heinz Bollmann (René), Elisa Eliard (Angèle), Hans Heßling (Armand), Mara Jakisch (Juliette), Alfred Haase (Basil) u. a.

c) – –. Neufassung in 8 Bildern von Heinz Hentschke (Gesangstexte: Günther Schwenn)

P: Metropol-Theater, Berlin (Hentschke) – 15. Dezember 1941 – D: Werner Schmidt-Boelcke, R: Heinz Hentschke, B u. K: Ludwig Sievert, C: Jens Keith, S: Johannes Heesters (René), Else Schulz (Angèle), Walter Müller (Brissard), Ingeborg von Kusserow (Juliette), Paul Westermeier (Basil) u. a.

Ausgabe: Vollständiges Regie- und Soufflierbuch, KA: – –, Wien/Leipzig 1909 (Karczag & Wallner) – Bearbeitung von 1937 (Glocken-Verlag) – Autograph: Verbleib unbekannt

Filme: *Der Graf von Luxemburg.* D 1910 [Kurzstummfilm mit Grammophonbegleitung] – (Oskar Meßter-Film)

– *Der Graf von Luxemburg.* D 1926 [Stummfilm] – S: George Walsh (Chadwick-Film/Celebrity Pictures, Bayerische Film G. m. b. H. im Emelka Konzern)

– *Der Graf von Luxemburg.* D 1957 [Farbfilm] – R: Werner Jacobs, DB: Rudolf Joseph u. Willibald Eser, Musik. Bearb.: Dr. Gerhard Becker, S: Gerhard Riedmann, Renate Holm, Gunther Philipp, Gustav Knuth, Alice u. Ellen Kessler, Susi Nicoletti, Clarissa Stolz u. a. (CCC-Film im Verleih der Constantin)

Discographie: – GA: Gedda/Böhme/Popp/Holm/Grimm/Brokmeier – Symphonieorchester Graunke; Mattes (EMI 1968)

Ausz.: – Schock/Schramm/Nicolai – Berliner Symphoniker; Stolz (Ariola)

– Wächter/Sukis/Kunz – Symphonieorchester Graunke; Goldschmidt (Philips 1974)

Franz.: Dens/Berton/Lost/Roux – Association des Concerts Lamoureux; Nuvolone (EMI-Pathé), außerdem: (Decca, Adria, Odéon) – Engl.: (TER, Columbia) – Ital.: (EDM) – Span.: (Montilla) – u. a.

ZIGEUNERLIEBE. Romantische Operette in 3 Bildern/Text: Alfred Maria Willner und Robert Bodanzky [nach dem Operneinakter *Viljia, das Waldmägdelein*]

UA: Carl-Theater, Wien (Eibenschütz u. Kadelburg) – 8. Januar 1910 – D: Franz Lehár, R: Heinrich Kadelburg, S: Grete Holm (Zorika), Willy Strehl (Józsi), Max Rohr (Jonel), Mizzi Zwerenz (Ilona), Karl Blasel (Dragotin), Littl Koppel (Jolán), Hubert Marischka (Kajetan), Richard Waldemar (Mihály) u. a.

DE: Komische Oper, Berlin (Hans Gregor) – 12. Februar 1910 – D: Selmar Meyrowitz, R: Hans Gregor, S: Martha Winteritz-Dorda (Zorika), Jean Nadolowitsch (Józsi), Carl Grünwald (Jonel), Mary Hagen (Ilona), Desider Zador (Dragotin), Käthe Peters (Jolán), Peter Kreuder (Kajetan) u. a.

SKE: *Zigenarkärlek*, – Oscarsteatern, Kopenhagen – 28. Oktober 1910 – S: Grünberg (Zorika), Schweback (Józsi), Strandberg (Jonel), Meissner (Ilona), Svenson (Dragotin) u. a.

UE: *Ciganyszerelem.* (Gábor Andor) – Király Színház, Budapest – 12. November 1910 – S: Fedák Sári (Zorika) u. a.

IE: *Amor di Zingaro.* – Teatro della Pergola, Trieste – 6. April 1911 – S: Stefania Cillag, Gugliemi, Righi u. a.

FE: *Amour Tzigane.* Opéra comique (Jean Bénédict u. Henry Gauthiers-Villars) – Théâtre Molière, Bruxelles (F. Munié) – 19. Januar 1911 – S: Germaine Huber (Zorika) u. a./Version définitive (Saugey): Grand Théâtre, L'Opéra de Marseilles (A. Saugey) – 16. Dezember 1911 – S: Suzanne Cesbron (Zorika), F. Lemaire (Józsi), Marny (Jonel), Jenny Bernals (Arany = Ilona), Boyer (Dragotin), Ista (Lilia = Jolán), Durou (Kajetan) u. a./später: Trianon Lyrique, Paris

USE: *Gipsy Love.* (Amerikan. Version in 3 Akten: Harry B. u. Robert B. Smith) – Globe Theater, New York (A. H. Woods) – 17. Oktober 1911 – S: Marguerite Namara (Ilona), Phyllis Partington (Zorika) u. a./später: Forrest Theater, Philadelphia – 2. Oktober 1912 – S: Marguerita Sylva (Zorika), Arthur Albro (Józsi), Carl Haydn (Fedor = Jonel), Frances Demarest (Ilma, a young widow = Ilona), Henry E. Dixey (Niklas = Dragotin) u. a.

EE: *Gipsy Love.* A new Musical Play in 3 acts (Adrian Ross u. Basil Hood) – Daly's Theatre, London (Edwardes) – 1. Juni 1912 – D: Franz Lehár u. Franz Ziegler, R: Edward Royce (u. George Edwardes), B: E. H. Ryan/ Joseph Harker, K: Attilo Comelli, C: Dorma Leigh u. Jan Oy-Ra, S: Sári Petráss (Ilona = Zorika), Robert Michaelis (Józsi), Webster Millar (Jonel), Gertie Millar (Lady Babby = Ilona), W. H. Berry (Dragotin), Mabel Russell (Jolan), Lauri de Frece (Kajetan) u. a.

AUE: *Gipsy Love*. Her Majesty's Theatre, Sidney (J.C. Williamson) – 13. Juni 1914 – D: A. MacCunn, R: D. Shortland, S: Elsie Spain (Ilona), Derek Hudson (Józsi), Gertrude Glyn (Lady Babby), Field Fisher (Dragotin), Phil Smith (Kajetan), Dorothy Brunton (Jolan) u. a.

Bearbeitung: *Garabonciás diák*. (*Der fahrende Scholar*) Oper in 3 Akten/Text: Vincze Ernö Innocent – Autograph: Budapester Dirigierauszug [unter Verwendung des KA von *Zigeunerliebe* durchkomponiert] – WA
P: Magyar Kiraly Operaház, Budapest – 20. Februar 1943 – D: Franz Lehár u. Rubanyi Vilmos, R: Nádasdy Koloman, S: Orosz Julia (Sarika), Udvardy Tibor (Diák), Hamory Imre (Gutsherr) u. a.

Ausgaben: Partitur: – –, Wien 1909 (Karczag & Wallner) – Vollständiges Regie- und Soufflierbuch, KA: – –, Wien 1909 (Karczag & Wallner [Breitkopf & Härtel, New York 1908]); Wien/Wiesbaden 1937 (Glocken-Verlag) – Autograph: Stadtgemeinde Bad Ischl

Film: *The Rogue Song*. USA 1929 [Tonfilm] – S: Lawrence Tibbett, Oliver Hardy, Stan Laurel u. a. (Metro-Goldwyn-Mayer)

Discographie: – Ausz.: Schramm/Schock/Chryst – Berliner Symphoniker; Stolz (Ariola)
– Barabas/Hoppe/Friedauer/Görner – Symphonieorchester Graunke; Michalski (EMI/Columbia)
Ung.: (Urania) – Russ.: (Melodya) – u. a.

Eva. Operette in 3 Akten/Text: Dr. Alfred Maria Willner, Robert Bodanzky, Eugen Spero (auf dem Theaterzettel und in späteren Ausgaben nicht vermerkt) [nach Ernst von Wildenbruchs *Die Haubenlerche*]

UA: Theater an der Wien, Wien (Karczag) – 24. November 1911 – D: Franz Lehár, R: Paul Guttmann (auch: Prunelles), S: Mizzi Günther (Eva), Louis Treumann (Octave Flaubert), Luise Kartousch (Pipsi), Ernst Tautenhayn (Dagobert), Albin (Larousse) u. a.

DE: Neues Operetten-Theater, Berlin (Monti u. Palfi) – 23. Dezember 1911 – D: Franz Lehár

IE: – –. (Giuseppe Adami) – Teatro Lirico, Milano – 18. Januar 1912 – D: Franz Lehár, S: Ivanisi (Eva), Zoffoli (Ottavio), Vecla (Gipsy), Orlandi (Dagoberto) u. a.

RE: Passage-Theater, St. Petersburg – 28. Januar 1912 – D: Franz Lehár, S: Piont-Kowska (Eva), Dalski (Flaubert), Swetlona (Pipsi), Grekow (Dagobert) u. a.

UE: – –. (Gábor Andor) – Király Színház, Budapest – 12. Oktober 1912 – S: Fedák Sári (Eva) u. a.

FE: – –. Comédie musicale en 3 actes (Maurice Ordonneau u. Jean Bénédict) – Théâtre de l'Alhambra, Bruxelles (Paul Clerget) – 4. Dezember 1912 – D: Paul Goddéré, R: Duquesne, C: Mériadec, S: Germaine Huber (Eva), Charles Casella (Octave de St. Florent), Hélène Gérard (Bobette = Pipsi), Rousseau (Dagobert), Camus (Grivolin = Prunelles) u. a.

USE: – –. (Glen MacDonough) – New Amsterdam Theater, New York (Klaw u. Erlanger) – 30. Dezember 1912 – S: Sallie Fisher (Eva), Walter Percival (Octave), Alma Francis (Pipsi), Walter Lawrence (Dagobert) u. a.

SE: – –. Opereta – Teatro de la Zarzuela, Madrid – 27. September 1913

Ausgaben: Vollständiges Regie- und Soufflierbuch, KA: – –, Wien 1911 (Doblinger; Bühnenvertrieb: Glocken-Verlag) – Autograph: Stadtgemeinde Bad Ischl

Film: *Eva*. Ö 1935 [Tonfilm] – R: Johannes Riemann, DB: Ernst Marischka, Musik. Leit.: Willy Schmidt-Gentner, S: Magda Schneider, Hans Söhnker, Heinz Rühmann, Adele Sandrock, Hans Moser, Paul von Henried, Fritz Imhof u. a. (Atlantis-Film der Tobis-Sascha)

Discographie: – Ausz. u. a. in: Lotte Lehmann singt Arien (Pearl)/Span.: (Montilla) – u. a.

Rosenstock und Edelweiss. Singspiel in 1 Akt/Text: Julius Bauer

UA: Hölle, Kabarett im Theater an der Wien, Wien (Natzler) – 1. Dezember 1912 – S: Mizzi Zwerenz (Everl Edelweiß), Josef König (Rosenstock)

Ausgaben: Vollständiger KA: – –, Leipzig/Wien 1912 (Weinberger) – Autograph: Verbleib unbekannt

Die Ideale Gattin. Operette in 3 Akten (Mit Benutzung einiger Motive aus *Der Göttergatte*) [Neufassung]/Text: Julius Brammer und Alfred Grünwald [nach Ludwig Fuldas *Die Zwillingsschwester*]

UA: Theater an der Wien, Wien (Karczag) – 11. Oktober 1913 – D: Franz Lehár, R: Paul Guttmann, S: Mizzi Günther (Elvira/Carola), Hubert Marischka (Visconte Pablo de Cavaletti), Luise Kartousch (Carmen), Ernst Tautenhayn (Don Gil Tenorio de Sevilla), Otto Storm (Sartrewski) u. a.

DE: Montis Operetten-Theater, Berlin (Max Monti) – 25. Oktober 1913 – D: Franz Lehár u. Redl, R: Franz Groß, S: Fritzi Massary (Elvira/Carola), Gustav Matzner (Pablo de Cavaletti), Else Alder (Carmen), Kurt Harden (Don Gil), Julius Spielmann (Sartrewski) u. a.

UE: *Tökéletes feleség*. – Király Színház, Budapest – 26. November 1913

IE: *La moglie ideale.* – Teatro Carcano, Milano (Compagnia Mauro) – 16. Juli 1914 – D: Ranghino, S: Amelia Sanipoli (Elvira/Carola), Bertini (Cavaletti), Zanoncelli (Carmen), Zera (Don Gil), Zacchetti (Sartrewski) u. a.

Bearbeitung: *Die Tangokönigin.* Operette in 3 Akten/Text: Julius Brammer und Alfred Grünwald

P: Apollo-Theater, Wien (Trau) – 9. September 1921 – D: Franz Lehár, R: Emil Rußka, S: Ida Rußka (Manolita/Manoletta), Robert Nästlberger (Cavaletti), Olga Bartos-Trau (Coletta), Josef König (Don Gil), Willy Strehl (Sartrewski) u. a.

UE: *Tangokiralynö.* (Kulinyi Ernö) – Király Színház, Budapest – 23. Juli 1923

Ausgaben: Vollständiges Regie- und Soufflierbuch, KA: – –, Leipzig/Paris/Wien/Bukarest 1913 [*Die Ideale Gattin*]/1921 [*Die Tangokönigin*] (Doblinger; Bühnenvertrieb: Glocken-Verlag) – Autograph: Stadtgemeinde Bad Ischl

ENDLICH ALLEIN. Operette in 3 Akten/Text: Alfred Maria Willner und Robert Bodanzky

UA: Theater an der Wien, Wien (Karczag) – 30. Januar 1914 – D: Franz Lehár, R: Paul Guttmann (auch: Graf Maximilian) B: Kautsky u. Rottonarq, S: Mizzi Günther (Dolly Doverland), Hubert Marischka (Baron Frank Hansen), Mizzi Schütz (Gräfin Dachau), Luise Kartousch (Tilly), Ernst Tautenhayn (Graf Willibald) u. a.

IE: *Finalmento soli!* – Teatro Fossati, Milano – 10. Juli 1914 – B: Cesare Maggi, S: De Simoni (Dolly), Grant (Frank) u. a.

UE: *Végre egyedül.* (Harsányi Zsolt) – Király Színház, Budapest – 20. Februar 1915

DE: Carl Schultze-Theater, Hamburg (Carl Schultze) – 24. Juli 1915 – S: Spewalt-Schultze (Dolly), Eduard Lichtenstein (Frank) u. a.

USE: *Alone at last.* (Edgar Smith u. Joseph W. Herbert) – Shubert Theater, New York (Messrs. Shubert) – 19. Oktober 1915 – D: Gaetano Merola, R: Benrimo, C: Allen K. Forster, S: Marguerite Namara (Dolly Cloverdale, »an American heiress«), John Charles Thomas (Franz von Hansen), Jose Collins (Tilly Dachau, »from the Hoff-Theater, Vienna«), Roy Atwel (Count Wiligard) u. a.

Neufassung: siehe *Schön ist die Welt*

Ausgaben: Vollständiges Regie- und Soufflierbuch, KA: – –, Originalausgabe des Komponisten, Leipzig/Wien/New York 1914 (Karczag; jetzt: Glocken-Verlag) – Autograph: Verbleib unbekannt

Der Sterngucker. Operette in 3 Akten/Text: Dr. Fritz Löhner
UA: Theater in der Josefstadt, Wien (Josef Jarno) – 14. Januar 1916 – D: Franz Lehár, R: Josef Jarno, S: Louis Treumann (Franz Höfer), Elly Clerron (Kitty), Luise Kartousch (Lilly), Alfred Ludwig (Paul), Karl Ettlinger (Diener) u. a.
DE: Montis Operetten-Theater, Berlin (Max Monti) – 22. Januar 1916 – D: Franz Lehár, R: Max Monti, S: Eduard Lichtenstein (Höfer), Gertrude Hesterberg (Kitty), Felsegg (Lilly), Hans Horstens (Paul), Berthold Rosé (Diener) u. a.
UE: *A csillagok bolondja.* – Népopera, Budapest – 10. Oktober 1916
USE: *The Star Gazer.* – Plymouth Theater, New York – 26. November 1917
Bearbeitung: – –./Text: Dr. Fritz Löhner u. Dr. Alfred Maria Willner
P: Theater an der Wien, Wien (Karczag) – 27. September 1916 – D: Franz Lehár, R: Paul Guttmann (auch: Diener), S: Ernst Tautenhayn (Höfer), Betti Fischer (Kitty), Luise Kartousch (Lilly), Hubert Marischka (Paul) u. a.
Neufassungen: siehe *La Danza delle Libellule, Libellentanz, Gigolette*
Ausgaben: Vollständiges Regie- und Soufflierbuch, KA [der Bearbeitung]: –, Leipzig/Wien/New York 1916 (Karzag; jetzt: Glocken-Verlag) – Autograph: Verbleib unbekannt

Wo die Lerche singt. Operette in 4 Bildern/Text: (nach einem Entwurf von Dr. Franz Martos) Alfred Maria Willner und Heinz Reichert [nach Charlotte Birch-Pfeiffers *Dorf und Stadt*]
UA: *A Pacsirta.* (Martos Ferenc) – Király Színház (Königstheater), Budapest (Beöthy László) – 1. Februar 1918 – D: Franz Lehár, R: Czakó, S: Kosáry Emmi (Margitka), Király Ernö (Sandor), Dömötör Ilona (Vilma), Gyárfás Deszö (Török Pál), Nádor Jenö (Pista), Latabár Kálmán (Baron Arpád) u. a.
ÖE: Theater an der Wien, Wien (Karczag) – 27. März 1918 – D: Franz Lehár, R: Paul Guttmann, S: Luise Kartousch (Margit), Hubert Marischka (Sandor), Betti Fischer (Vilma), Ernst Tautenhayn (Pál), Karl Meister (Pista), Melzer (Arpád) u. a.
DE: Theater am Nollendorfplatz, Berlin (Hermann Haller) – 21. Februar 1919 – D: Max Roth, R: Richard Genius (auch: Pál), S: Grete Freund (Margit), Eduard Lichtenstein (Sandor), Agni Wilkes (Vilma) u. a.
USE: (auf Deutsch) – Lexington Opera House, New York (Max Winter) – Dezember 1920
Ausgaben: Vollständiges Regie- und Soufflierbuch, KA: – –, Wien 1917

(Karczag; jetzt: Glocken-Verlag, Wien 1917/37) – Autograph: Stadtgemeinde Bad Ischl

Filme: – *Wo die Lerche singt.* D/CH/U 1936 [Tonfilm] – R: Carl Lamac, DB: Géza von Cziffra, Musik. Leit.: Franz Grothe u. Paul Hühn, S: Marta Eggerth, Alfred Neugebauer, Hans Söhnker, Lucie Englisch, Fritz Imhoff, Tobor von Halmay u. a. (Film A. G. Berna)
– *Wo die Lerche singt.* Ö 1956 [Farbfilm] – R: Hans Wolff, DB: Karl Farkas u. Hugo M. Kreutzendorff, Musik. Bearb.: Bruno Uher, S: Doris Kirchner, Renate Holm, Lutz Landers, Theo Lingen, Oskar Sima, Klaus Löwitsch u. a. (Paula-Wessely-Filmproduktion der Sascha-Film)

Discographie: – GA: Macha/Réthy/Liewehr/Tautenhayn – Großes Wiener Rundfunkorchester; Lehár [1942] (ORF – Radiodokumente 1995)

DIE BLAUE MAZUR. Operette in 2 Akten und 1 Zwischenspiel/Text: Leo Stein und Béla Jenbach

UA: Theater an der Wien, Wien (Karczag) – 28. Mai 1920 – D: Franz Lehár, R: Emil Guttmann (auch: Freiherr von Reiger), S: Betty Fischer (Blanka), Hubert Marischka (Julian Olinski), Luise Kartousch (Gretl Aigner), Ernst Tautenhayn (Adolar von Sprintz) u. a.

DE: Metropol-Theater, Berlin (Friedrich Friedmann-Frederich) – 27. März 1921 – D: Franz Lehár, R: Friedrich Friedmann-Frederich, S: Vera Schwarz (Blanka), Albert Kutzner (Juklian), Grete Freund (Gretl), Kurt Vespermann (Adolar), Hugo Thielscher (Magister) u. a.

UE: *Kék mazur.* (Zágon István) – Király Színház, Budapest – 13. Mai 1921

SE: *La Mazurka Azul* (Carlos Cappenberg u. Julio F. Escobar) – Teatro Marconi, Buenos Aires – 2. November 1921 – D: Travé, S: Aida Arce (Blanca), Parés (Olinski), Concepción Busson (Margarita) u. a.

EE: *The Blue Mazurka.* (Monckton Hoffe, Harry Graham u. Herman Darewski) – Daly's Theatre, London (James White) – 9. April 1927 – S: Gladys Moncrieff (Blanca), Wilfred Temple (Julian) u. a.

FE: *La Mazourka Bleue.* Opérette en 3 Actes (Marcel Dunan) – Théâtre Ba-Ta-Clan, Paris (Jean Casanova) – 8. Februar 1929 – D: Henri Rex, R: Henri Monval, S: Pepa Bonafé (Blanche), Victor du Pond (André de Olinski), Mariette Duchesne (Gaby Deschamps), Jean Sorbier (Gaëtan-Seraphin) u. a.

Ausgaben: Vollständiges Regie- und Soufflierbuch, KA: – –, Leipzig/Wien/New York 1920 (Karczag; jetzt: Glocken-Verlag) – Autograph: Stadtgemeinde Bad Ischl

Discographie: – Ital.: *La mazurka blu* (EDM)

FRÜHLING. Singspiel in 1 Akt (3 Bildern)/Text: Dr. Rudolf Eger
UA: Hölle, Kabarett im Theater an der Wien, Wien (Soyka) – 20. Januar 1922 – R: Soyka, S: Rosy Werginz (Hedwig), Viktor Norbert (Komponist), Viktor Flemming (Dichter), Lisl Frühwirt (Toni)
Bearbeitung: *Frühlingsmädel.* Operette in 3 Akten/Text: Dr. Rudolf Eger [Einlagen: »Komm, die Nacht gehört der Sünde«/Peter Herz; »Wenn eine schöne Frau befiehlt«/Kurt Robitschek]
P: Neues Theater am Zoo, Berlin (Richard Gortner) – 29. Mai 1928 – D: Gérard Jacobsohn, S: Ilse Muth (Hedwig), Carl Jöken (Komponist), Theo Lucas (Dichter), Lilly Flohr (Toni)
Ausgaben: Vollständiges Regie- und Soufflierbuch, KA: – –, Wien o.J. (Karczag [1922]; jetzt: Glocken-Verlag, Wien 1922/40)/Textbuch der Bearbeitung [kein KA]: – –, Berlin o.J. (Drei Masken-Verlag [1928]; jetzt: Glocken-Verlag) – Autograph: Verbleib unbekannt

FRASQUITA. Operette in 3 Akten/Text: Alfred Maria Willner und Heinz Reichert [nach Pierre Louÿs' Roman *La femme et le pantin* (Bühnenadaption: Pierre Frondaie)]
UA: Theater an der Wien, Wien (Karczag) – 12. Mai 1922 – D: Franz Lehár, R: Emil Guttmann (auch: Aristide Girot), S: Betty Fischer (Frasquita), Hubert Marischka (Armand), Henny Hilmar (Dolly), Hans Thimig (Hippolyt) u. a.
IE: – –. – Teatro Lirico, Milano (Compagnia Enrico Valle) – 24. März 1923 – D: Canepa, R: Luciano Ramo, S: Jole Pacifici (Frasquita), Mario de Zucco (Armando), Anita Faraboni (Dolly), Carletto Navarrini (Ippolito) u. a.
DE: Thalia-Theater, Berlin – 19. Januar 1924 – D: Franz Lehár, S: Martha Serak (Frasquita), Hermann Jadlowker (Armand), Lisa Weise (Dolly), Eugen Koltai (Hippolyt) u. a.
UE: *Fraskita.* (Harsányi Zsolt) – Városi Színház, Budapest – 3. März 1925 – S: Karácsonyi Ili (Fraskita), Gábor József (Armand), Ihász Ali (Dolly), Erényi Böske (Hippolyt) u. a.
EE: – –. (Fred de Gresac u. Reginald Arkell) – Prince's Theatre, London (Robert Evett) – 24. April 1924 – S: José Collins (Frasquita), Thorpe Rates (Armand), Amy Audarde (Dolly), Edmund Gwenn (Hippolyt) u. a. [Vorpremiere: Lyceum Theatre, Edinburg – 24. Dezember 1924]
USE: *The (Romany) Love Spell.* – Paron's Theater, Hartford (C.J. Foley u. Dreyfus) – 24. November 1925 – S: Geraldine Farrar (Frasquita) u. a.
AUE: – –. – Her Majesty's Theatre, Sidney (J. C. Williamson) – 16. April 1927 – S: Marie Burke (Frasquita), Herbert Browne (Armand), H. Barett-Lennard (Hippolyt), Marie Eaton (Luisa) u. a.

FE: – –. (Max Eddy u. Jean Marietti) – Théâtre du Havre, Le Havre – Oktober 1931 – S: Fanély Révoil (Frasquita) u. a.

Bearbeitung: *Frasquita*. Opéra comique en 3 actes (Adaption française de Max Eddy et Jean Marietti)
P: Théâtre National de l'Opéra-Comique, Paris (P.-B. Gheusi) – 5. Mai 1933 – D: Paul Bastide, R: Roger Lalande, B: Raymond Deshays, K: Matthieu u. Soltages, C: Carina Ari u. La Joselito, S: Conchita Supervia (Frasquita), Arnoult (Armand), Annie Gueldy (Aimée Girod), Hérent (Hippolyte), La Joselito (Mercédès) u. a.

Ausgaben: Vollständiges Regie- und Soufflierbuch, KA: – –, Zürich/Leipzig/Wien 1922 (Weinberger); Neufassung nach der Aufführung an der Opéra Comique in Paris, Regiebuch/Vollständiger KA: – –, Berlin/Leipzig/Wien 1933 (Weinberger) – Autograph: Stadtgemeinde Bad Ischl

Film: *Frasquita*. D 1934 [Tonfilm] – R: Carl Lamac, B: Dr. C. Klaren, Musik. Leit.: Willy Schmidt-Gentner, S: Jarmila Novotna, Hans Heinz Bollmann, Heinz Rühmann, Charlott Daudert, Hans Moser u. a. (Atlantis-Film)

Discographie: – Franz.: GA mit Supervia (Pacific); Ausz.: (Decca, Véga)

LIBELLENTANZ. Operette in 3 Akten/Text: Carlo Lombardo (Deutsche Fassung: Dr. Alfred Maria Willner) [Neufassung des *Sterngucker*]

UA: *La danza delle Libellule*. Operetta in 3 atti di Carlo Lombardo – Teatro Lirico, Milano (Carlo Lombardo) – 27. September 1922 – D: Carlo Lombardo, R: Giuseppe Lauri, K: Caramba, S: Pietro Zacchetti (Duca di Nancy), Amelia Sanipoli (Vedova Cliquot), Mary Garuffi (Carlotta Pommery), Gisela Pozzi (Tutù), Ricardo Masucci (Bouquet) u. a.

ÖE: Stadttheater, Wien (Herbert Trau) – 30. März 1923 – D: Franz Lehár, R: Herbert Trau u. Arthur Guttmann, S: Otto Storm (Herzog von Nancy), Christl Mardayn (Witwe Cliquot), Lisa Rado (Charlotte Pommery), Olga Bartos-Trau (Toutou), Joseph König (Bouquet) u. a.

UE: *A harom grácia*. (Harsány Zsolt) – Fövárosi Operettszínház, Budapest – 6. Juni 1923 – S: Biller Irén (Cliquot) u. a.

EE: *The Three Graces*. (Ben Travers) – Empire Theatre, London (Joe Sacks) – 25. Januar 1924 – S: Thorpe Bates (Duke), Winifred Barnes (Cliquot), Vera Freeman (Pommery), Sylvia Leslie (Toutou), Johnny Dooley (Bouquet) u. a.

FE: *La Danse des Libellules*. (Roger Ferréol u. Max Eddy) – Théâtre Ba-Ta-Clan, Paris (Mme. B. Rasimi) – 14. März 1924 – D: Nicola Moletti, R: Marcel Pignol u. Félix Oudart (auch: Dieuleveut), B: Deshays u. Arnaud, K: Mme. B. Rasimi, C: Louis Douglas, S: Jacques Vitry (Duc de Follevie), Maria Kousnezoff (Hélène), Marthe Ferrare (Charlotte Baron), Marie Dubas (Zuzu) u. a.

Bearbeitung: *Gigolette.* Operetta in 3 atti/Text: Carlo Lombardo und Giovacchino Forzano

P: Teatro Lirico, Milano (Carlo Lombardo) – 30. Dezember 1926 – D: Carlo Lombardo, S: Nella Regini (Gigolette), Trucchi Ferrini (Coty), Zamboni (Amele), Fineschi (Ives) u. a.

Ausgaben: italienischer Original-KA: *La daza delle Libellule*, Milano [1922] (Casa Editrice Musicale Carlo Lombardo/Karczag)/Regiebuch, KA der deutschen Fassung: – –, Leipzig/Wien/New York 1923 (Karczag; jetzt: Glocken-Verlag) – *Gigolette* nur im italienischen KA: – –, Milano [1926] (Lombardo) – Autograph: Verbleib unbekannt

Die Gelbe Jacke. Operette in 3 Akten/Text: Victor Léon

UA: Theater an der Wien, Wien (Wilhelm Karczag u. Hubert Marischka) – 9. Februar 1923 – D: Franz Lehár, R: Victor Léon u. Emil Guttmann, S: Hubert Marischka (Sou-Chong), Betty Fischer (Lea von Limburger), Karl Tuschl (Kommerzienrat von Limburger), Luise Kartousch (Mi), Joseph König (Claudius von Wimpach), Langer (Oberpriester) u. a.

UE: *A sárga kabát.* – Király Színház, Budapest – 5. Mai 1923 – S: Uray Tiradar (Szu-Csong), Péchy Erszi (Lea), Latabár Arpád (Feri), Rátkai Márton (Tsang), Honthy Hanna (Mi) u. a.

Neufassung: siehe *Das Land des Lächelns*

Ausgaben: Regiebuch, KA: – –, Leipzig/Wien o. J. [1923] (Karczag) – Autograph: Stadtgemeinde Bad Ischl

Cloclo. Operette in 3 Akten/Text: Béla Jenbach [nach dem Schwank von Julius Horst und Alexander Engel *Der Schrei nach dem Kinde*]

UA: Bürgertheater, Wien (Siegfried Geyer u. Oscar Fronz) – 8. März 1924 – D: Franz Lehár, R: Gustav Charlé, S: Luise Kartousch (Cloclo), Ernst Tautenhayn (Severin Cornichon), Gisela Werbezirk (Melousine), Robert Nästlberger (Maxime), Gustav Wilfan (Chablis, Klavierlehrer) u. a.

UE: *Apukam!* (Harsány Zsolt) – Fövárosi Operettszínház, Budapest – 15. April 1924

IE: – –. (Mario Nordio) – Teatro Politeama, Milano (Compagnia Maresca) – 11. Oktober 1924 – D: Franz Lehár, R: Achille Maresca, K: Luciano Ramo, S: Pacifici (Cloclò), Navarrini (Severino Cernichon), Barbetti (Melusina), Zacchetti (Massimo) u. a.

DE: Berliner Theater, Berlin – 8. November 1924 – D: Franz Lehár, R: Franz Groß (auch: Severin), K: Gerson, Prager u. Hausdorf, S: Emmy Sturm (Cloclo), Gisela Werbezirk (Melousine), Alfred Haase (Maxime) u. a.

EE: – –. (Douglas Furber u. Harry Graham) – Shaftesbury Theatre, London – 3. August 1925 – S: Cicely Debenham (Cloclo), Claude Bailey (Maxime), A.W. Baskomb (Severin), Sidney Fairbrother (Melusine) u. a.

Bearbeitung: *Clo-Clo.* [Umstellungen, Striche, Einlagen, u. a. »Komm, die Nacht gehört der Sünde«/Peter Herz]
P: Johann Strauß-Theater, Wien (Erich Müller) – 5. September 1925 – D: Franz Lehár, S: Gisela Kolbe (Clo-Clo), Max Brod (Severin), Pepi Kramer-Glöckner (Melousine), Peter Hoenselaers (Maxime), Fritz Imhoff (Chablis) u. a.

Ausgaben: Regie- und Soufflierbuch, KA: – –, Berlin/Wien/München 1924 (Drei Masken-Verlag; jetzt: Glocken-Verlag) – Autograph: Verbleib unbekannt

Film: *Die ganze Welt dreht sich um Liebe.* Ö 1935 [Tonfilm] – R: Willy Tourjansky, DB: Ernst Marischka, Musik. Bearb.: Willy Schmidt-Gentner, Dialogltg.: Hubert Marischka, S: Marta Eggerth, Leo Slezak, Ida Wüst, Rolf Wanka, Hans Moser, Richard Waldemar u. a. (Standard-Film)

Discographie: – Ital.: (EDM)

Paganini. Operette in 3 Akten/Text: Paul Knepler und Béla Jenbach

UA: Johann Strauß-Theater, Wien (Erich Müller) – 30. Oktober 1925 – D: Franz Lehár, R: Otmar Lang, C: Gertrud Bodenwieser, S: Carl Clewing (Paganini), Emmy Kosáry (Anna Elisa), Peter Hoenselaers (Felice), Max Brod (Bartucci), Fritz Imhoff (Pimpinelli), Gisela Kolbe (Bella) u. a.

DE: Deutsches Künstlertheater, Berlin (Heinz Saltenburg) – 30. Januar 1926 – D: Ernst Hauke, R: Dr. Reinhard Bruck, B: Benno von Arent, C: Heinz Lingen, S: Richard Tauber (Paganini), Vera Schwarz (Anna Elisa), Otto Doege (Felice), Ernst Behmer (Bartucci), Eugen Rex (Pimpinelli), Edith Schollwer (Bella) u. a.

UE: – –. (Kulinyi Ernö) – Városi Színház, Budapest – 7. Mai 1926 – S: Nádor Jenö (Paganini), Alpár Gitta (Anna Elisa) u. a.

IE: Teatro dal Verme, Milano (Compagnia Mauro) – 7. November 1926 – D: Franz Lehár, B: Galli, C: Ramo, S: Campanini (Paganini), Masini Papi (Anna Elisa), Trucchi (Pimpinelli), Zanoncelli (Bella) u. a.

FE: Opérette Romantique en 3 Actes de André Rivoire d'après – –; – Théâtre Gaîté Lyrique, Paris (G. Bravard) – 3. März 1928 – D: Clémand, R: Streliski, C: Stichel, S: André Baugé (Paganini), Louise Dhamarys (Anna Elisa), Henry Julien (Bartucci), Robert Allard (Pimpinelli), Renée Camia (Bella) u. a.

EE: Lyceum Theatre, London (C. B. Cochran) – 20. Mai 1937 – R: Tyrone Guthrie, B: Ernst Stern, S: Richard Tauber (Paganini), Evelyn Laye (Elisa), Bertram Wallis (Duke), Charles Heslop (Bartucci), Esmé Percy (Pimpinelli), Joan Panter (Bella) u. a.

Ausgaben: Vollständiges Regie- und Soufflierbuch, KA: – –, Berlin 1925 (Crescendo Verlag; jetzt: Glocken-Verlag, Wien 1936) – Autograph: WA [Abschrift mit Widmung Lehárs an Dr. Konstantin Horna]

Filme: *Gern hab' ich die Frau'n geküßt.* D 1927 [Stummfilm] – S: Alfons Fryland, Evi Eva, Elisabeth Pinajeff u. a.

– *Paganini* (*Gern hab' ich die Frau'n geküßt*). D 1934 [Tonfilm] – R: E. W. Emo, DB: Georg Zoch, S: Ivan Petrovich, Eliza Illiard, Theo Lingen, Adele Sandrock, Rudolf Klein-Rogge, Maria Beling, Veit Harlan u. a. (Majestic-Film)

Discographie: – GA: Friedrich/Réthy/Niessner/Macha – Großes Wiener Rundfunkorchester; Lehár [1942] (ORF – Rundfunkdokumente 1995)

– Gedda / Rothenberger / Lenz / Sachtleben / Kusche – Bayerisches Symphonieorchester; Boskovsky (EMI 1977)

Ausz.: – Anders/Schlemm/Losch/Hofmann – Kölner Rundfunkorchester; Marszalek (Acanta 1952)

– Schock/Schramm/Gruber/Chryst – Berliner Symphoniker; Stolz (Ariola)

– Theba / Stratas / Koller / Kraus / Heesters – Symphonieorchester Graunke; Ebert (Philips 1974)

Engl.: Hadley/Riedel/Itami/Atkinson – English Chamber Orchestra; Bonynge (Telarc 1995)

Franz.: Dens/Forli/Sautereau/Godin/Pasquier – Societé des concerts du Conservatoire; Pourcel (EMI-Pathé); (Decca, RCA)

DER ZAREWITSCH. Operette in 3 Akten/Text: Heinz Reichert und Béla Jenbach (Frei nach Zapolska-Scharlitt) [nach Gabryela Zapolskas Schauspiel *Carewicz*, in der Übersetzung Bernhard Scharlitts]

UA: Deutsches Künstlertheater, Berlin (Heinz Saltenburg) – 16. Februar 1927 – D: Ernst Hauke, R: Dr. Reinhard Bruck, B: Benno von Arent, C: Heinz Lingen, S: Richard Tauber (Aljoscha), Rita Georg (Sonja), Otto Storm (Großfürst), Paul Heidemann (Iwan), Charlotte Ander (Mascha), Fritz Kampers (Bardolo) u. a.

WE: Johann Strauß-Theater, Wien (Erich Müller) – 18. Mai 1928 – D: Franz Lehár, R: Paul Guttmann (auch: Ministerpräsident), K: Stella Weißenberg, C: Gertrud Bodenwieser, S: Hans Heinz Bollmann (Aljoscha), Emmy Kosáry (Sonja), Otto Storm (Großfürst), Max Willenz (Iwan), Lizzi Holzschuh (Mascha), Hans Lackner (Bardolo) u. a.

UE: *A cárevics.* – Városi Színház, Budapest – 25. Mai 1928

FE: *Le Tzarewitch.* Operétte en 3 Actes de – –, Livret française de Robert Mackiels, Texte chanté de Bertal-Maubon – Théâtre des Célestins, Lyon (Charles Moncharmont) – 16. April 1929 – D: Strony u. Gressier, R: Collard u. Moncharmont, S: Goavec (Le Tzarewitch), Lily Granval (Sonia), Berlioz (Le Grand Duc), Portera (Iwan), Pepee/Clody (Mascha), Rollin (Bordolo) u. a.

Ausgaben: Regie- und Soufflierbuch, Vollständiger KA: – –. Berlin 1927 (Crescendo); Umarbeitung: Regie- und Soufflierbuch, KA: – –. Originalausgabe des Komponisten (Neue Fassung), Wien/New York o.J. [1937] (Glocken-Verlag) – Autograph: Stadtgemeinde Bad Ischl

Filme: – *Der Zarewitsch.* D 1928 [Stummfilm] – R: Julius u. Luise Fleck, S: Ivan Petrovitch, Marietta Millner u. a.

– *Der Zarewitsch.* D 1933 [Tonfilm] – R: Victor Jansen, DB: Georg Zoch, Musik. Leit.: Alfred Strasser, S: Marta Eggerth, Hans Söhnker, Ery Bos, Ida Wüst, Otto Wallburg u. a. (Primaton-Film der Ufa)

– *Der Zarewitsch.* D 1954 [Farbfilm] – R: Arthur Maria Rabenalt, DB: Paul H. Rameau u. Roger Richebe, Musik. Bearb.: Bert Grund, S: Luis Mariano, Sonja Ziemann, Ivan Petrovitch, Hans Richter, Maria Sebaldt, Paul Henckels u. a. (CCC-Film)

Discographie: – GA: Gedda/Streich/Söhnker/Friedauer/Reichart – Symphonieorchester Graunke; Mattes (EMI 1967)

– Kollo/Popp/Rebroff/Orth/Höbarth – Münchner Rundfunkorchester; Wallberg (Ariola 1980)

Ausz.: – Schock/Holm/Lang – Berliner Symphoniker; Stolz (Ariola)

– Ochmann / Stratas / Bruck / Juhnke / Esser – Symphonieorchester Graunke; Mattes (Philips 1974)

– Di Stefano/Holecek/Koller/Hanak – Wiener Operettenorchester; Scherzer (Koch 1992)

– Wunderlich u. a. – Bayerisches Symphonieorchester; Michalski (Laserlight)

Engl.: Hadley/Gustafson/Itami/Atkinson – English Chamber Orchestra; Bonynge (Telarc 1995)

FRIEDERIKE. Singspiel in 3 Akten/Text: Ludwig Herzer und Fritz Löhner

UA: Metropol-Theater, Berlin (Alfred u. Fritz Rotter) – 5. Oktober 1928 – D: Franz Lehár, R: Fritz Friedmann-Frederich, B: Benno von Arent, S: Käthe Dorsch (Friederike), Richard Tauber (Goethe), Eugen Rex (Weyland), Curt Vespermann (Lenz), Hilde Wörner (Salomea) u. a.

WE: Johann Strauß-Theater, Wien (Erich Müller) – 19. Februar 1929 – D: Franz Lehár, R: Straßberg u. Müller, S: Lea Seidl (Friederike), Hans Heinz Bollmann (Goethe), Walter Slezak (Weyland), Otto Storm (Knebel), Max Willenz (Lenz), Marianne Kupfer (Salomea) u. a.

IE: *Federica.* Operetta Lirica (Mario Nordio) – Teatro Lirico, Milano (Compagnia Isaplio) – 24. Mai 1929 – D: Francesco Comerzio, S: Roccabella (Federica), Bergamini (Goethe), Bagnoli (Weyland), Degani (Lenz), Springher (Salomea) u. a.

FE: *Frédérique.* Comédie Lyrique en 3 Actes (André Rivoire) – Théâtre Gaîté Lyrique, Paris (G. Bravard) – 17. Januar 1930 – D: Franz Lehár, S: Louise Dhamarys (Frédérique), René Gerbert (Goethe), André Noel (Weyland), Robert Allard (Lenz), Janie Marese (Salomé) u. a.

EE: *Frederica.* A Musical Play in 3 Acts (Adrian Ross u. Harry S. Pepper) – Palace Theatre, London (Laddie Cliff) – 9. September 1930 – Produktion: Felix Edwardes, D: Jacques Heuvel, R: Cyril Smith, S: Lea Seidl (Frederica), Joseph Hislop (Goethe), William Kendall (Weyland), Roddy Hughes (Lenz), Vera Lennox (Salomea) u. a.

UE: *Friderika.* (Szenes Andor) – Király Színház, Budapest – 31. Oktober 1930 – S: Honthy Hanna (Friderika), Szentmihályi Tibor (Goethe) u. a.

USE: *Frederika.* Operetta in 1 prologue and 3 acts (American adaption: Edward Eliscu) – Imperial Theater, New York (Messrs. Shubert) – 4. Februar 1937 – R: Hassart Short, B: Watson Barrat, K: William Weaver, S: Helen Gleason (Frederika), Dennis King (Goethe), George Trabert (Weyland), Ernest Truex (Lenz), Doris Patston (Salomea) u. a.

Ausgaben: Vollständiges Regie- und Soufflierbuch, KA: – –, Berlin 1928 (Crescendo; jetzt: Glocken-Verlag, New York 1955) – Autograph: Stadtgemeinde Bad Ischl

Film: *Friederike.* D 1932 [Tonfilm] – R u. DB: Fritz Friedmann-Frederich, Musik. Leit.: Eduard Künneke, S: Hans Heinz Bollmann, Mady Christians, Otto Wallburg, Paul Hörbiger, Ida Wüst, Eduard von Winterstein, Adele Sandrock, Veit Harlan, Ferdinand Bonn, Theo Lingen u. a. (Indra G. P. Film)

Discographie: – GA: Donath/Dallapozza/Finke/Fuchs/Kalenberg – Münchner Rundfunkorchester; Wallberg (EMI 1980)

Ausz.: – (engl.) Seidl/Hislop [EE] u. *The Land of Smiles*: (deutsch/engl.) Tauber/Kürthy [EE] u. *Paganini*: (engl.) Tauber/Layne [EE] u. a. – (Pearl [1930-1937])

DAS LAND DES LÄCHELNS. Romantische Operette in drei Akten/Text: Ludwig Herzer und Fritz Löhner nach Victor Léon [Neufassung der *Gelben Jacke*]

UA: Metropol-Theater, Berlin (Alfred u. Fritz Rotter) – 10. Oktober 1929 – D: Franz Lehár, R: Fritz Friedmann-Frederich, B: Walter Bornemann u. Oskar Schott, K: Anton Rado, C: Mesina u. Bruno Arno, S: Richard Tauber (Sou-Chong), Vera Schwarz (Lisa), Fritz Spira (Fürst Lichtenfels), Willi Stettner (Gustav Pottenstein), Adolf Edgar Licho (Tschang), Hella Kürthy (Mi), Ferry Sikla (Haushofmeister) u. a.

UE: *A mosoly országa*. – Magyar Király Operaház, Budapest – 20. September 1930 – S: Székeleyhidy Ferenc (Szu Csong), Nagy Margit (Liza), Orosz Júlia (Mi), Laurisin Lajos (Feri Hatfaludy) u. a.

WE: Theater an der Wien, Wien (Hubert Marischka) – 26. September 1930 – D: Franz Lehár, R: Hubert Marischka, K: Lilian Marischka-Karczag, S: Richard Tauber (Sou Chong), Vera Schwarz (Lisa), Didier Aslan (Gustav), Otto Langer (Tschang), Hella Kürthy (Mi), Fritz Imhof (Obereunuch) u. a.

EE: *The Land of Smiles*. (Harry Graham) – Drury Lane Theatre, London (Alfred Butt) – 8. Mai 1931 – D: Ernest Irving, S: Richard Tauber (Sou Chong), Renee Brullard (Lisa), George Bishop (Lichtenfels), George Vollaire (Captain Gustave), Cronin Wilson (Tschang), Hella Kürthy (Mi), Bruce Winston (Chi Fu) u. a.

FE: *Le Pays du Sourire*. Opérette Romantique en 3 Actes (André Mauprey u. Jean Marietti) – Théâtre Gaîté Lyrique, Paris (Maurice Catriens) – 15. November 1932 [1000. Vorstellung: 17. April 1939] – D: Albert E. Jacobs, R: Maurice Catriens, C: Gontcharowa, S: Willy Thunis (Sou-Chong), Georgette Simon (Lisa), Duvaleix (Comte de Lichtenfels), Paul Darnois (Gustave de Pottenstein), Descombes (Tschang), Cœcilia Navarre (Mi), Negery (Chef des Eunuques) u. a. [Vorpremiere: Théâtre Royale, Ghent – 1. April 1932 – S: Louis Izar (Sou-Chong), Germaine Roumans (Lisa) u. a.]

USE: *The Land of Smiles*. Operetta in 3 acts (Edgar Smith u. Harry Clark) – Shubert Theater, Boston (Messrs. Shubert) – 26. Dezember 1932 – D: Oscar Bradley, R: Benrimo u. J. J. Shubert, S: Charles Hackett (Chu Chang), Nancy McCord (Lisa), John McCauley (Gustave von Poppenstein), John Barclay (Tschang), Marion Saki (Mi), Eddie Garvie (Moy

Young) u. a. / Broadway-Version: *Yours is My Heart.* (Ira Cobb, Karl Farkas, Felix Günther, [Alfred Grünwald]) – Shubert Theater, New York (J.J. Shubert) – 5. September 1946 – S: Richard Tauber (Sou-Chong), Stella Andrewa (Claudette Vernay = Lisa), Lillian Held (Mi) u. a.

Ausgaben: Vollständiges Regie- und Soufflierbuch, KA: – –, Leipzig/Wien/New York 1929 (Karczag; jetzt: Glocken-Verlag, Wien 1929/37 [Im Anhang: Chinesische Ballett-Suite I/IV – siehe: Konzertstücke]) – Autograph: Stadtgemeinde Bad Ischl

Filme: *Das Land des Lächelns.* D 1930 [Tonfilm] – R: Max Reichmann, DB: Leo Lasko, Anton Kuh u. Curt J. Braun, Musik. Gesamtleit.: Paul Dessau, S: Richard Tauber, Mary Loseff, Margit Suchy, Willi Stettner, Hella Kürthy u. a. (Richard-Tauber-Großtonfilm der Emelka-Tauber-Produktion)

– *Das Land des Lächelns.* D 1953 [Farbfilm] – R: Hans Deppe, DB: Axel Eggebrecht u. Hubert Marischka, Musik. Bearb. u. Leit. (Berliner Philharmoniker): Alois Melchar, S: Marta Eggerth, Jan Kiepura, Paul Hörbiger, Walter Müller, Karin Dassel u. a. (Berolina-Farbfilm der Herzog-Film)

Discographie: – GA: Gedda/Schwarzkopf/Kunz/Loose – Philharmonia Orchestra London; Ackermann (EMI 1953)

– Gedda / Rothenberger / Holm / Friedauer – Symphonieorchester Graunke; Mattes (EMI 1967)

– Schock/Schramm/Gruber – Berliner Symphoniker; Stolz (Ariola 1970)

– Jerusalem/Donath/Lindener/Hirte/Finke – Bayerisches Symphonieorchester; Boskovsky (EMI 1982)

Ausz.: – Di Stefano/Goodall/Koller/Holecek – Orchester der Volksoper Wien; Lambrecht (Koch 1967)

– Hoppe/Hallstein/Alexander/Holm – Großes Operettenorchester; Marszalek (Polydor 1967)

– Kollo/Koller/Pitsch-Sarata – Rundfunkorchester Stuttgart; Ebert (Philips 1974)

Engl.: Hadley/Gustafson/Itami/Atkinson – English Chamber Orchestra; Bonynge (Telarc 1995); (HMV)

Franz.: – GA: Dens/Berton/Collart/Devos/Noguera – Orchestre; Carvien (EMI-Pathé 1972) – Ausz.: (Decca, Philips, Polydor)

Ital.: (Fonit-Cetra) u. a. – Ungar.: (Qualiton) u. a.

Film-Soundtrack: Tonfilm von 1930 – Tauber/Loseff/Suchy/Stettner/Kürthy/Mierendorf/John – Filmorchester; Dessau (Koch – Schwann 1998)

Schön ist die Welt. Operette in 3 Akten/Text: Ludwig Herzer und Fritz Löhner [nach Willner u. Bodanzky – Neufassung von *Endlich allein*]

UA: Metropol-Theater, Berlin (Alfred u. Fritz Rotter) – 3. Dezember 1930 – D: Franz Lehár, R: Fritz Friedmann-Frederich, K: Max Becker, S: Richard Tauber (Kronprinz Georg), Gitta Alpar (Elisabeth Prinzessin von und zu Lichtenberg), Hansi Arnstädt (Herzogin), Leo Schützendorf (König), Kurt Vespermann (Graf Karlowitsch), Lizzy Waldmüller (Mercedes del Rossa), Hermann Böttcher (Hoteldirektor) u. a.

WE: Theater an der Wien, Wien (Hubert Marischka) – 21. Dezember 1931 – D: Franz Lehár, R: Hubert Marischka, B: Robert Kautsky, K: Alfred Kunz, S: Hans Heinz Bollmann (Kronprinz), Adele Kern (Elisabeth), Mizzi Günther (Herzogin), Gustav Charlé (König), Kalman Latabar (Karlowitsch), Irene Zilahy (Mercedes), Max Brod (Hoteldirektor) u. a.

UE: *Szép a világ.* – Városi Színház, Szeged – 23. November 1934 – S: Szücs László, Petkós Irma/ab 24. Dezember 1934 als Gastspiel in Király Színház, Budapest

FE: *La Chanson du Bonheur.* Opérette en 3 Actes et 8 Tableaux (Traduction: H. Geiringer; Livret français: André Mauprey) – Théâtre Gaîté Lyrique, Paris (G. Bravard) – 29. Oktober 1935 – D: Gressier, R: Léopold Sachse u. Max de Rieux, C: June Roberts, Max Revol u. Cassavan, S: André Burdino (Prince George), Georgette Simon (Élisabeth), Nina Myral (La Duchesse), Félix Oudart (Le Roi), Roger Tréville (Karlovitch), Lyne Clevers (Mercédès Del Oro), Fraytet (Maître d'hôtel) u. a.

Ausgaben: Vollständiges Regie- und Soufflierbuch; KA, Originalausgabe des Komponisten: – –, Leipzig/Wien/New York 1930 (Karczag; jetzt: Glocken-Verlag) – Autograph: Stadtgemeinde Bad Ischl

Film: *Schön ist die Welt.* D 1957 [Farbfilm] – R: Geza von Bolvary, DB: Maria Osten-Sacken u. Walter Forster, S: Rudolf Schock, Renate Holm, Mady Rahl, Rudolf Vogel, Herta Staal, Willi Millowitsch u. a. (Astra-Film)

Discographie: – GA: Dermota/Kern/Niessner/Gerhold – Großes Wiener Rundfunkorchester; Lehár [1942] (ORF – Rundfunkdokumente 1995) Ausz.: Schock/Geszty – Berliner Symphoniker; Schmidt-Boelcke (Ariola)

Giuditta. Musikalische Komödie in 5 Bildern/Text: Paul Knepler und Fritz Löhner

UA: Staatsoper, Wien (Clemens Krauss) – D: Franz Lehár, R: Hubert Marischka, B: Robert Kautsky u. Alfred Kunz, K: Alfred Kunz, C: Margarete Wallmann, S: Jarmila Novotna (Giuditta), Richard Tauber (Octavio), Knapp (Antonio), Wiedemann (Manuele), Erich Zimmermann (Pierrino), Margit Bokor (Anita), Zec (Martini), Valberg (Barrymore) u. a.

UE: Magyar Király Operaház, Budapest – 8. April 1934

FE: – –. Opéra-Comique en 3 actes et 5 tableaux (André Mauprey) – Théâtre Royal de la Monnaie, Bruxelles (C. de Thoran, J. van Glabbeke u. P. Spaak) – 17. Mai 1935 – D: Maurice Bastin, R: George Dalman, B: Fernand Brumagne u. Jean Delescluze, K: Médard Tytgat, C: Leonid Katchourovsky, S: Käte Walter-Lippert (Giuditta), José Janson (Octavio, capitaine de la Légion Etrangère), Toutenel (Marcelin), Colonne (Manuel), Mayer (Séraphin), Suzanne de Gravre (Anita), Boyer (Cévenol), Parny (Barrymore) u. a.

SE: *Judith.* Opereta (Cuyas de la Vega) – Teatro Calderón, Madrid – 21. März 1936 – D: Acevedo, S: Felisa Herrero (Judith), Faustino Aguirre (Octavio), Marin (Manuel), Manuel Hernandez (Pierrino), Teresa Silva (Anita) u. a.

DE: Schiller Oper, Hamburg – 4. Januar 1939 – S: Emmerich von Godin (Octavio), Brigitte Mira (Anita) u. a.

Ausgaben: Partitur: – –, Leipzig/New York/Wien 1933 (Karczag; jetzt: Glocken-Verlag) – KA, Originalausgabe des Komponisten: – –, Leipzig/New York/Wien 1933 (Karczag; jetzt: Glocken-Verlag, New York 1961) – Vollständiges Regie- und Soufflierbuch: – –, Spieloper in 5 Bildern, Wien/Leipzig 1934 (Karczag; jetzt: Glocken-Verlag) – Autograph: Stadtgemeinde Bad Ischl

Discographie: – GA: Friedrich/Ksirova/Mörwald/Macha/Oeggl/Monthy – Großes Wiener Rundfunkorchester; Lehár [1942] (ORF – Rundfunkdokumente 1995)

– Moser/Gedda/Hirte/Baumann/Hammacher – Münchner Rundfunkorchester; Boskovsky (EMI 1984)

Ausz.: Novotna/Tauber [UA] – Wiener Philharmoniker; Lehár u. *Das Land des Lächelns*: Tauber/Schwarz [UA] – Staatskapelle Berlin; Lehár u. a. in: Composers in Person: Franz Lehár dirigiert Franz Lehár (EMI 1993 [1929-42])

– Geszty/Schock/Gruber – Berliner Symphoniker; Stolz (Ariola)

– Wunderlich u. a. – Bayerisches Symphonieorchester; Michalski (Laserlight 1965)

Engl.: Riedel/Hadley/Itami/Atkinson – English Chamber Orchestra; Bonynge (Telarc 1996)

Ung.: (Qualiton)

2. Fragmente, Nachlaß, Bühnen- und Filmmusik

Fragmente

Der Kürassier. Opernfragment (1891/92)/Text: Gustav Ruthner
Autograph: Verbleib unbekannt

Georg Stromer. Opernfragment (1900)
Autograph: WA – vorhanden: Introduktion

Arabella, die Kubanerin. Operettenfragment (1900)/Text: Gustav Schmidt
Autograph: WA – vorhanden: ein Duett (in der Ouvertüre von *Wiener Frauen* verwendet)

Das Club-Baby. Operettenfragment (1901)/Text: Victor Léon
Autograph: Verbleib unbekannt

Die Spionin. Operettenfragment [ohne Datum; Textdichter: unbekannt; bis zum III. Akt skizziert – Introduktion zum 1. u. 3. Akt (siehe: »Preludium religioso« aus *Rodrigo*), 1 Couplet, 3 Lieder, 2 Duette (darunter Johannestrieb, in *Wiener Frauen* verwendet), 1 Terzett, 1 Quartett, 1 Sextett, Finale I] – Autograph: WA

Nachlaß

Rose de Noël. Opérette à grand spectacle en 2 Actes/Text: Raymond Vincy (Musik: Franz Lehár, adaptiert von Paul Bonneau und Miklos Rekaï) [nach einem zum Teil von Lehár skizzierten Libretto Károly Kristofs, in Budapest angeblich entdeckt von Miklos Rekaï – unter Verwendung anderer Lehár-Nummern, u. a. des *Gold und Silber-Walzers*]

UA: Théâtre de Châtelet, Paris (Maurice Lehmann) – 20. Dezember 1958 – S: André Dassary (Comte Michel Andrássy), Nicole Broisson (Vilma), Henri Chananon (Sándor), Rosine Brédy, Henri Bédex (Popelka) u. a.

Ausgaben: KA: Glocken-Verlag, London 1959 (nur französisch)
Discographie: – Franz.: (Decca, Véga)

Bühnenmusik

Fräulein Lieutenant. Eine historische Begegnung aus Österreichs Ruhmestagen in der Zeit 1794-1801, dramatisch bearbeitet in 3 Aufzügen von Arthur Kolhepp – 3 Vorspiele: 1. Soldatenspiele, 2. Francesca de Scanagatta-Marsch, 3. Hochzeitsklänge/op. 68, Wien 1900 (Glocken-Verlag) – Autograph: WA

Die Spieluhr. Musikalische Komödie mit Schattenbildern von Theo Zasche/Text: Alfred Deutsch-German
UA: Hölle, Kabarett im Theater an der Wien (Siegmund Natzler) – 7. Januar 1911
KA: ––, Wien 1911, (Karczag; jetzt: Glocken-Verlag) – Autograph: WA

Komm' deutscher Bruder! Volksstück/Textdichter: unbekannt – Musikeinlagen: Franz Lehár und Edmund Eysler [1914 – Verbleib unbekannt]

Walzer. Komödie von Georg Ruttkay, Wien 1917 (Krenn; jetzt: Glocken-Verlag) [Walzereinlage – später: *Jarmila*-Walzer; Glocken-Verlag]

14 Tage Arrest. Gesangsposse/Text: Alfred Maria Willner [Einlage: »Man sagt uns schönen Frauen nach...«, Fox Trot/Shimmy Tempo], Wien 1923 (Gabor Steiner; jetzt: Glocken-Verlag)

Der Walzer von heute nacht. Lustspiel von Heinrich Ilgenstein/Text: Fritz Löhner-Beda [Gleichnamiger Walzer als Einlage: »Frau'n, die heimlich sich nach Liebe sehnen«]
UA: Kleines Theater, Berlin – 17. Januar 1930
(Wien 1930, Wiener Bohème Verlag; jetzt: Glocken-Verlag)

Stummfilmmusik

Mit Hand und Herz fürs Vaterland. Ö-U 1915 – S: Hubert Marischka (Ewald), Fr. Heim (Margit Schmidt) u. a. [Verbleib unbekannt]

Bist du's lachendes Glück. Ö-U 1918 – R: Emil Justiz, S: Franz Lehár (Komponist), Wilhelm Karczag (Direktor), Elga Beck, Hektor von Barwick u. a. [Verbleib unbekannt]

Franz Lehár. Ö 1929 – DB: Hans Otto u. Maurice H. Heger, S: Franz Lehár, Liesel Goldarbeiter, Victor Léon u. a. [Verbleib unbekannt]

Tonfilm-Einlagen

Die große Attraktion. D 1931 – R: Max Reichmann, Musik: Franz Lehár u. Bronislaw Kaper, S: Richard Tauber, Margo Lion, Siegfried Arno u. a. (Richard-Tauber-Tonfilm-Gesellschaft):
»Was wär' ich ohne euch, ihr wunderschönen Frau'n«. Tango-Lied/Text: Fritz Rotter (Alrobi-Verlag, Berlin 1931; jetzt: Glocken-Verlag)

Wiener Liebschaften (Ging da nicht eben das Glück vorbei?). F/D 1931 – R: Robert Land, DB: Franz Schultz, Musik: Franz Lehár u. Otto Strausky, S: Georg Alexander, Betty Bird, Max Schipper, Lotte Loning, Fritz Spira u. a. (Roland-Film) – [Verbleib unbekannt]

Frasquita. D 1932 [Verfilmung der Operette, siehe S. 410] – Neukomponiert:

»Nimm mich« – »Sag mir, bist du die Frau«/Text jeweils: Heinz Reichert; »Vielleicht bist du der Traum vom Glück«/Text: Charles Amberg (Weinberger, Wien 1933)

Die ganze Welt dreht sich um Liebe. Ö 1935 [Verfilmung von *Cloclo*, siehe S. 412] – Neukomponiert:

»Die ganze Welt dreht sich um Liebe« – »Schau mich an, sei mir gut«/ Text jeweils: Hans Rameau – Koloratur [Aus *Cloclo* übernommen: Ouverture, »Nur ein einziges Stündchen«, »Feurige Tänzer«, »Pflück' die Rose Dir«; Einlage: »Wenn eine schöne Frau befiehlt«/Text: Kurt Robitschek] (alles Glocken-Verlag, Wien 1936)

Engl.: »Love's Melody« – »So must our Love remain«/Text: Bruce Sievier; Ascherberg (Hopwood & Crew, London 1936)

Franz.: »L' amour vainqueur charme le monde« – »Aime moi, prends mon cœur«/Text: André Mauprey (Choudens, Paris 1936)

Une nuit à Vienne. F 1936 [Verbleib: unbekannt]:

»En Autocar«, Paso doble – »Salut Paris!«. Walzerlied/Text jeweils: Masson u. Marc-Cab (Eschig, Paris 1937)

Originaltonfilmmusik

Es war einmal ein Walzer. D 1932 – R: Victor Janson, DB: Billie Wilder, S: Marta Eggerth, Rolf von Groth, Ernst Verebes, Paul Hörbiger, Ida Wüst u. a. (AAFA- Filmproduktion):

»Es gibt noch Märchen«/Text: Fritz Rotter; »Es war einmal ein Walzer«. Valse moderato (komp. 30. März 1931 in Wien) – Rundfahrtmarsch – Varietémarsch u. a./Text jeweils: Fritz Rotter u. Artur Robinson (Alrobi-Verlag, Berlin 1932; jetzt: Glocken-Verlag)

Engl.: »Where is this Lady?« – »A Waltz of long ago«/Text: Bruce Sievier (Chapell, London 1932)

Großfürstin Alexandra. Ö 1933, R: Wilhelm Thiele, B: Hanns Saßmann, S: Maria Jeritza, Paul Hartmann, Leo Slezak, Szöke Szakáll u. a. (Sascha-Film):

»Darin ist der Mensch dem Tier voran« – »Du und ich sind füreinander bestimmt« (komp. 5. Juni 1933 in Wien) – »Freunde, laßt die Gläser klingen« – »Irgendwo bangt mein Mütterlein« – »Sei wieder gut« – »Servus Wien« – »Wenn sich Verliebte streiten«/Text jeweils: Licco Stein – Russischer Tanz – Revolution – Eisenbahnfahrt – Flucht zum Kahn – Im Wagen – Tango – Polonais und Melodram – Einleitung u. a./komp. 4. Juni – 20. August 1933 [Alte Einlage: Lied des Zarewitsch] – (Material: Doblinger, Wien 1934)

3. Instrumentalkompositionen

Walzer, Tänze und Märsche

Rex Gambrinus. Marsch/Text: Eduard Merkt; Rörich, Wien – Bosworth, Leipzig 1890

Persischer Marsch. Krenn, Wien 1890;/später: *Orientalischer* bzw. *Türkischer Marsch*; Krenn, Wien 1916

Liebeszauber. Salonwalzer; Cranz, Leipzig 1892 (komp. 1890 in Wien)

Wiener Zugvögel (*Viennesi vaganti*). Marsch (op. 4); Schmidl, Triest – Röder, Leipzig 1892

Kaiserhusaren-Marsch. (op. 5); Ricordi, Milano 1892/später als *Marche exotique* in *Sechs Orchesterkompositionen* [s. Konzert- und Violinstücke]

Korallenlippen. Polka-Mazurka (op. 7); Röder, Leipzig 1892

Elfentanz. Konzert-Walzer; Schmidl, Triest – Hofbauer, Wien 1892

Schneidig voran. Marsch des 25. Infanterie-Regiments Freiherr von Purcker (op. 10); Röder, Leipzig 1892

Wiener Lebenslust. Walzer (op. 11); Röder, Leipzig 1892 [später: Glocken-Verlag – identisch mit *Le croix blanc.* Walzer; Manuskript] /auch verwendet in: *Rund um die Liebe.* Altwiener Liebeswalzer; Doblinger, Wien 1911 – später erschienen unter dem Titel: *Aus der guten alten Zeit*; Doblinger, Wien 1919

Lyuk, Lyuk, Lyuk. Ungarischer Marsch (op. 13); Röder, Leipzig 1893

Vásárhely induló. Marsch (op. 14); Röder, Leipzig 1893

Sylphiden-Gavotte. (op. 15); Schmidl, Triest 1893

Backfischchens erstes Herzklopfen (*Primo palpito d'amore*). Polka française (op. 18); Schmidl, Triest – Röder, Leipzig – Ricordi, Milano 1894

Losonczi induló (*Grüße an Losoncz*). Marsch (op. 20); Hoffmanns Witwe, Prag 1894

Szegedi induló. Marsch; Manuskript 1894 [Verbleib unbekannt]

Oberst-Baron-Fries-Marsch. Abschrift 1894 (WA)/später umbenannt: *Auf hoher See*; Manuskript 1896 (WA)

Hochzeitsmarsch. (*Fest-Marsch* – op. 74); Manuskript 1894 (WA)

La belle Polesane (*Klänge aus Pola*). Walzer (op. 24); Reinhardt, Fiume – Schmidl, Triest 1895/später: *Adria Walzer*; Ricordi; Milano o.J.

Palmkätzchen. Walzer (op. 29); Schmidl, Triest 1895

Liebespfand. Polka française (op. 32); Manuskript 1895 (WA)

Herzensgruß. Polka française; Manuskript 1895 (WA)

Oberst-Pacor-Marsch. (op. 40); Manuskript (Komp. 21. Juli 1896 in Pola – WA)

Avancement-Marsch. Manuskript 1896 (WA)

Saïda-Marsch. Manuskript 1896 (WA)

Vergiß mein nicht. Polka française; Manuskript 1896 (WA)

Sangue Triestin. Marsch (op. 56); Schmidl, Triest 1897

Auf nach Kreta. Marsch (op. 55); Hofbauer, Wien 1897

Triumph-Marsch. Zipser & König, Budapest 1898/später: *Kaiserjubiläums-Marsch*; Manuskript o.J. (WA)

Jugendideale (Ideale di giovinezza). Walzer (op. 16); Ricordi, Milano – Röder, Leipzig 1898 (Komp. 17. Oktober 1893 in Losoncz)

Jetzt geht's los! Humoristischer Marsch/T: Alfred Schik von Markenau (op. 17); Ricordi, Milano – Schmidl, Triest 1898 (komp. 1894 in Sarajevo)

102er Regiments-Marsch. Cranz, Leipzig 1898

Michael, Großfürst von Rußland. Marsch des 26. Infanterie-Regiments; Manuskript 1899 (WA)

Helenen-Gavotte. (op. 59); Schmidl, Triest – Hofbauer, Wien 1899/später erschienen als: *Fata Morgana*; Schmidl, Triest 1912

Auf nach China! Kriegliedermarsch der Verbündeten (op. 64); Schmidl, Triest – Ricordi, Milano 1900

Paulinen-Walzer. (op. 70 – gewidmet der Fürstin Pauline Metternich-Sandor); Schmidl, Triest – Hofbauer, Leipzig 1901 (komp. 19. Januar 1901)/auch im Zyklus: *Neues Wiener Walzer Album.* Doblinger, Wien 1902
UA: Rot und Weiß-Redoute der Fürstin Pauline Metternich-Sandor, Sophiensäle, Wien – 5. Februar 1901 – Kapelle des 26. Infanterieregiments, D: Franz Lehár

Concordia-Walzer. (op. 71); Doblinger, Wien – Hofbauer, Leipzig 1901/auch im Zyklus: *Neues Wiener Walzer Album*

Angelika-Walzer. Doblinger, Wien 1901

Stadtparkschönheiten. Walzer (op. 72); Hofbauer, Leipzig 1901 (komp. 12. Januar 1901)/auch im Zyklus: *Neues Wiener Walzer Album*

Asklepius. Walzer (op. 73); Hofbauer, Leipzig 1901/auch im Zyklus: *Neues Wiener Walzer Album*/später umbenannt: *Pikanterien*; Doblinger, Wien 1908

Das Leben ein Traum! Walzer für Klavier; Manuskriptskizze (WA); [komp. 1901 – Hauptthema für *Gold und Silber-Walzer* verwendet]

Mädchenträume. Walzer; Hofbauer, Leipzig 1902/später: Doblinger, o.J.

Ohne Tanz kein Leben. Walzer; Hofbauer, Leipzig 1902

Wiener Humor. Marsch; Manuskript 1902 (WA) [Das Trio im Lied »Wien, du bist das Herz der Welt« verwendet]

Wiener Mädel. Marsch; Weinberger, Wien 1902

Gold und Silber. Walzer (op. 79), Chmel, Wien – Bosworth, Leipzig 1902
UA: Gold und Silber-Redoute der Fürstin Pauline Metternich-Sandor, Sophiensäle, Wien – 27. Januar 1902 – Kapelle des 26. Infanterieregiments, D: Franz Lehár
Discographie: Lehár-Walzer – Johann Strauß-Orchester; Boskovsky (EMI 1982)
– Franz Lehár Gala – Kölner Rundfunkorchester; Froschauer (Capriccio 1996) u. a.

Schlummernde Gluthen. Mazurka (op. 68); erschienen in »Musikblätter« 1904: Bosworth, Leipzig

Liebesfrühling. Walzer (Herrn und Frau Löwenstein gewidmet); Manuskript (WA – komp. Februar 1906)/als *Printemps d'amours* im Album *12 compositions pour piano de Franz Lehár* bei Harris, New York 1909, erschienen

New York-American-Waltz. Manuskript o. J. (WA)/als *Valse Americaine* erschienen im Album *12 compositions pour piano de Franz Lehár* bei Harris, New York 1909

Schwärmerei. Walzer; Karczag, Wien 1909

Wiener Lebensbilder. Walzer; Manuskript 1909 (WA)

Friedl-Walzer. (»Frau Friedl Sonne in Verehrung«); Manuskript für Klavier 1910 (WA)/Instrumentation: Oskar Stalla

Paradies-Walzer. Manuskript 1910 (WA)

Münchner-Marsch. Karczag & Wallner, Wien 1910 (komp. 9. Juni 1910)/ später in 2. Fassung *Der Graf von Luxemburg* von 1937 aufgenommen

Pierrot und Pierette. Faschingswalzer; Siegel, Leipzig 1912

Vater Radetzky ruft. Marsch; Karczag, Wien 1913/auf den Text von Ignaz Schnitzer u. Harsány Zsolt erschienen als *Karpathenwacht*: »Jung Österreich-Ungarns stolze Wacht«; Karczag & Wallner, Wien 1914/daraus: *Kövess-Marsch*, Karczag, Wien 1917

La Plata. Tango; Krenn, Wien 1914

China-Batterie. Marsch; Manuskript (WA – auch: *Chinesischer Marsch* – komp. 30. August 1916)/als 3. Thema für *Chinesische Ballett-Suite* von 1937 verwendet [siehe: Konzert- und Violinstücke]

Wiener Landsturm. Marsch; Manuskript 1917 (WA) [nach Motiven aus der Operette *Der Sterngucker*]

Chodel-Marsch des 13. Landsturmregiments. Manuskript 1917 (WA)

Piave-Marsch des 106. Regiments, Baron Lehár. Text: Szabó Gyula; Manuskript 1917 (WA)/auch: *Lehár Fiuk* (*Lehár Söhne*)

Boroevic-Marsch. Roszavölgyi és Tarsa, Budapest 1917

Horthy-Marsch (*Nemzeti induló*). Text: Szabo Gyula; Krenn, Wien 1918 (komp. 6. Oktober 1907)

Im Zeichen des Frühlings (*Primavera*). Walzer; Sperling, Wien 1920 (komp. 1. Februar 1920)/verwendet als Walzerlied *Signs of Spring*/Text: Sigmund Spaeth; Jos. W. Stern, New York 1920

An der grauen Donau (*Donaulegenden*). Konzertwalzer; Benjamin Rahter, Wien – Berliner Bohème-Verlag, 1921 (Partitur vollendet am 30. Mai 1921 in Wien)

Discographie: Franz Lehár *Symphonic Works* – Radio-Philharmonie Hannover des NDR; Seibel (cpo 1997)

Wilde Rosen (*Chrysanthemum Waltz*). Valse Boston; Berliner Bohème-Verlag – Pierrot-Verlag, Wien 1921 (komp. 17. Januar 1921)

An Saar und Rhein. Walzer/Text: Ernst A. Welisch; Glocken-Verlag, Wien 1939

Beatrice Valse/Bessy Valse/Valse du rêve (*Traumwalzer*)/*Angéla*. Valse Boston; Smyth, Paris o. D.

Catty-Marsch. Doblinger (Herzmansky), Wien o. D.

Jubelfest-Marsch. Weiner-Verlag o. O., o. D.

Liebe und Wein. Polka française; Haslinger, Wien o. D.

Sternennächte (*Weihnachtswalzer*). Walzer; Glocken-Verlag, Wien o. D.

La Fiuminiana. Polka française; Roszavölyi, Budapest o. D.

Wilhelminen-Polka. Polka française; Weiner-Verlag, Wien o. D.

Valse Boston. Manuskript o. D. (WA)

Ach! Wie herzig. Polka française (op. 71); Manuskript o. D. (WA)

Marsch der Kanoniere./Text: Vymetal; Manuskript o. D. (WA)

Liebesbote. Marsch; Manuskript o. D. (WA)

Liebespfand. Polka française; Manuskript o. D. (WA)

Vergiß mein nicht (*Es schläft in der Erinnerung*): »Mein Schatz, vergiß mich nicht«. Polka française; Manuskript o. D. (WA)

Herzblättchen. Walzer; Manuskript o. D (WA)

Bauernpolka. Manuskript o. D. (WA)

Poesie und Prosa. Walzer; Manuskript o. D. (WA)

Flieger-Marschlied. Manuskript o. D. (WA)

Grützner-Walzer (»Herrn Prof. Eduard Grützner in herzlichster Verehrung«). Partitur-Manuskript o. D. (WA)

Athleten-Marschlied; Manuskript o. D. (WA)

Symphonische Werke

Königs-Ouvertüre. Manuskript der Partiturskizze (WA – komp. am 9. September 1893 in Losoncz); später verwendet für *Magyar Király-Hymnus.*/ Text: Maurus Jókai; Manuskript 1894 (WA)

Il Guado (Die Furt). Symphonische Dichtung (frei nach Stecchettis gleichnamigem Gedicht) für Pianoforte mit Orchesterbegleitung; Manuskript (WA) [komp. 1894 in Pola]
UA: Politeama Ciscutti, Pola (Pula) – 5. Januar 1895 – k. u. k. Marine-Musik, D: Franz Lehár

Eine Vision (Meine Jugend). Symphonische Fantasie für Großes Orchester (Huldigungsouvertüre); Doblinger, Wien 1907 (jetzt: Glocken-Verlag) [komp. 1906 in Wien]
UA: Theater an der Wien, Wien – 24. April 1907 (anläßlich der 400. Aufführung der *Lustigen Witwe*) – Auf über 100 Mann vergrößertes Orchester des Theaters an der Wien, D: Franz Lehár

Fieber. Tondichtung für Tenor und Großes Orchester/Text: Erwin Weill; Krenn, Wien 1915 (jetzt: Glocken-Verlag) – Nr. 5 des Zyklus *Aus Eiserner Zeit* [komp. 1915 in Wien]
UA: Akademischer Verband für darstellende Kunst, Wien – 10. März 1917 – D: Franz Lehár

Discographie: *Il Guado, Eine Vision* und *Fieber* in: Franz Lehár *Symphonic Works* – Gambill (Tenor)/Banfield (Klavier) – Radio-Philharmonie Hannover des NDR; Seibel (cpo 1997)

Konzert- und Violinstücke

Idylle. Manuskript-Skizze von 1887 [Prag] (WA)

Capriccio. As-Dur; Manuskript 1888 [Prag – Verbleib: unbekannt]

Violinkonzert h-moll für Klavier und Violine. 1 Satz – Manuskript o. D. (WA) [Von Decsey auf 1888 (Prag) datiert]/1956 von Max Schönherr instrumentiert: *Concertino für Violine und Orchester*; Glocken-Verlag
Discographie: Kurkonzert in Karlsbad – Worlitzsch (Violine) – Kölner Rundfunkorchester; Geese (Deutsche Harmonia Mundi 1990)
– Franz Lehár *Symphonic Works* – Honda-Rosenberg (Violine) – Radio-Philharmonie Hannover des NDR; Seibel (cpo 1997)

II. Violin-Konzert. Manuskript o. D. [Verbleib: unbekannt – Hinweise: Decsey, Peteani]

Grillparzer-Festhymne. Manuskript (WA) [komp. 1890]

Magyar dalok. Potpourri über die besten ungarischen Zigeunerlieder für Violine und Orchester (op. 8); Ricordi, Milano – Röder, Leipzig 1893 (jetzt: Glocken-Verlag)

Magyar noták. (Ungarische Klänge) für Violine und Orchester; Schmidl, Triest 1893

Magyar egyvelek. (Ungarische Liedfolge) für Violine und Orchester; Schmidl, Triest 1893

Le reveil du soldat. Tonstück; Manuskript 1895 (WA)

Der Liebe Allmacht. Hymnus; Manuskript 1895 (WA)

Japanische Serenade. (op. 50, Nr. 1); Manuskript der Partiturskizze 1897 (WA)

Sechs Orchester-Kompositionen. Orchestersuite; Glocken-Verlag 1936: *Fata Morgana.* Gavotte [s. *Helenen-Gavotte* – 1899], *Marche exotique* (op. 5) [s. *Kaiserhusaren-Marsch*; Ricordi, Milano 1892], *Märchen aus 1001 Nacht.* Scène fantastique für großes Orchester (op. 3 – Hofbauer, Wien 1897), *Russische Tänze* [s. UE *Kukuška* – 1899], *Spiegellied* (Karczag & Wallner, Wien 1913), *Zigeunerfest.* Ballettszene (op. 46 – Karczag & Wallner, Wien 1912)

Musikalische Memoiren. (Potpourri) für großes Orchester; Glocken-Verlag, Wien 1937

Chinesische Ballet-Suite (*1000 Takte Chinesisch*). Glocken-Verlag, Wien 1938 [KA vollendet: 15. August 1937; Partitur: 9. September 1937 – komp. als *Chinesisches Bild* für die Revue *Alles um Liebe* von Hubert Marischka u. Ralph Benatzky im Wiener Stadttheater]

Suite de danse (*Farbenrausch*). Ballett-Suite; Glocken-Verlag, Wien 1942 [komp. 1941 als Ballett-Einlage für *Der Graf von Luxemburg* im Metropol-Theater Berlin]

Burleske. Polka (Balletteinlage in *Giuditta*); Glocken-Verlag, Wien o. D.

Buntes aus der Tonwelt für großes Orchester (Potpourri). Manuskript o. D. (WA)

Kammermusik

Sonate in F-Dur für Pianoforte. Manuskript [komp. 30. April 1887 in Prag] (WA)

Scherzo in E-Dur für Pianoforte. Manuskript [komp. 1887/88 in Prag] (WA)

Sonate à l'antique in G-Dur (*Sonatina all'antiqua*) für Klavier. (op. 27 – komp. 1887 in Prag); Hofbauer, Wien 1895 (jetzt: Glocken-Verlag)

Sonate in d-moll für Pianoforte. [Nr. 1] (op. 29); Manuskript [komp. 1887 in Prag] (WA) – das *Scherzo B-Dur* als op. 28 erschienen bei Hofbauer, Wien 1895

Fantasie in As-Dur für Pianoforte. (gewidmet Frl. Marie Prawender – op. 7 – komp. 23. März 1888 in Prag); Manuskript (WA)

Sérénade Romantique für Violine und Streichquintett. [Mittelteil identisch mit Mittelteil der Walzerszene in *Eva*]; Manuskript 1889 (WA)

Piccole Cose. (op. 49, Nr. 1) Klavierstück im 6/8-Takt; Manuskript 1895 (WA)/in der Partiturskizze zu *Sorglose Wanderung*, einer unvollendeten Suite für Großes Orchester, verwendet: Manuskript 1896 (WA)

Magyar ábránd (Ungarische Phantasie) für Violine mit Streichquintett. (op. 45); Hofbauer, Wien – Schmidl, Triest 1897 (jetzt: Glocken-Verlag)

Romanze D-Dur für Violine und Klavier. Cranz, Leipzig 1907/mit unterlegtem Text von Ruthner: Cranz, Leipzig 1925 (jetzt: Glocken-Verlag)

12 compositions pour piano de Franz Lehár. Klavierstücke; Ungarische Verlagsanstalt, Budapest – Harris, New York 1909 (jetzt: Glocken-Verlag): *Caprice.* Valse, *Danse exotique*, *Humeurs d'automne.* Walzer, *Ländler B-Dur*, *Mazurka A-Dur*, *Menuett D-Dur*, *Plaisanterie.* Polonaise, *Polonaise Royale*, *Printemps d'amour* [*Liebesfrühling.* Walzer; Manuskript o. D.], *Sons d'Ischl*, *Valse americaine*, *Valse des fleurs*

Fritz-Kreisler-Serenade A-Dur für Violine und Klavier; Manuskript (WA – komp. 12. Januar 1924 in Wien); Bote & Bock, Leipzig 1925 (jetzt: Glokken-Verlag)

Sonate G-Dur für Klavier (op. 3); Manuskript o. D. [Aus der Prager Zeit 1886-88] (WA)

Scherzo D-Dur für Klavier; Manuskript o. D. [Aus der Prager Zeit 1886-88] (WA)

Weihnachtsstimmung. Walzer für Klavier; Manuskript o. D. [Aus der Prager Zeit 1886-88] (WA)

Pfingstrosen. Walzer für Klavier; Manuskript o. D. [Verbleib: unbekannt]

Song G-Dur (Caprice). Slowfox für Klavier; Manuskript-Skizze o. D. (WA)

4. Vokalkompositionen

Liederzyklen

Karst-Lieder. Worte von Felix Falzari (komp. 1894 in Pola); Ersterscheinung als *Weidmannsliebe.* Ein Liederzyklus für eine Singstimme mit Pianoforte (op. 26) – Jungmann & Lerch, Wien 1894/als *Miramare* bei Hofbauer, Wien 1897/als *Karstlieder* im Chodel-Verlag (Anton Lehár), Wien 1934 (jetzt: Glocken-Verlag)

1. *Schicksalsahnung:* »Ein wogendes Gedränge geht um mich...«
2. *Erfüllung:* »Ich weiß dir nichts zu sagen...«
3. *Was streift mein Blick ...*
4. *Ich drücke deine liebe Hand ...:* »Du siehst die leichten Schwalben wohl...«
5. *Es duften die Blüten ...:* »Es beugen die Kletterrosen...«
6. *Mein Traumschloß versunken ...:* »Das ewige Lied vom Scheiden erklingt...«
7. *Verzaubert...:* »Zu dir! Zu dir! Du holde Pracht...«

Discographie: Franz Lehár, Lieder Vol. 1 – Vermillion (Mezzosopran)/ Garben (Klavier) – (cpo 1998)

Die Liebe zog vorüber ... Ein Liederzyklus. Worte von Otto Eisenschitz; Doblinger, Wien 1906 (jetzt: Glocken-Verlag)

1. *Ich war sein Mädel...*
2. *Das erste Mal.* (Text nach dem Französischen): »Schon ziemlich lange...«
3. *Am Bache im Gras ...*

Discographie: Franz Lehár, Lieder Vol. 2 – Lindner (Sopran)/Garben (Klavier) – (cpo 1998)

Aus eiserner Zeit. Ein Liederzyklus (Seiner Majestät dem Deutschen Kaiser Wilhelm II., König von Preußen in tiefster Ehrfurcht zugeeignet); Krenn, Wien 1915 (jetzt: Glocken-Verlag)

1. *Trutzlied.*/Text: Dr. Fritz Löhner: »Es tönen die Hörner...«
2. *Ich hab' ein Hüglein in Polenland ...* Ein Frauenlied/Text: Dankwart Zwerger
3. *Nur einer...*/Text: Fr. W. Oestéren: »Es reißt der Wind vom Baum ein Blatt...«
4. *Reiterlied 1914.*/Text: Dr. Hugo Zuckermann: »Drüben am Wiesenrand...« – Ungar: *Huszár dal* (*Husarenlied*)/Text: Kalmar Tibor [1917] –

als Lied und Csardas *Liebster, laß dich küssen*; Glocken-Verlag, Wien o. D.

5. *Fieber.* Tondichtung für Tenor und großes Orchester/Text: Erwin Weill: »Licht! Schwester, Licht!...« (siehe Symphonisches)

Discographie: – komplett in: »Auf Wiedersehen«. Songs by Lehár u. Weill – Sojat (Sopran)/Heinzel (Klavier) – (Koch 1996)
– Nr. 3 u. 4 in: Franz Lehár, Lieder Vol. 1 – Sacher (Tenor)/Rossmanith (Sopran)/Garben (Klavier) – (cpo 1998)
– Nr. 1 u. 2 in: Franz Lehár, Lieder Vol. 2 – Elsner (Tenor)/Lindner (Sopran)/Garben (Klavier) – (cpo 1998)

Amours. Poésie de Marcel Dunan; Pierrot-Verlag, Wien 1923 (jetzt: Glokken-Verlag)

1. *Sans Phrases.* Valse lente: »Nous nous aimerons très longtemps...«
2. *Fruit défendu.* Scène chantée: »Elle affectait d'être très farouche...«
3. *Ce soir, la chambre est vide...* Valse lente
4. *A Versailles.* Gavotte: »Versailles s'endort au clair de la lune...«

Les numéros musicaux du roman de Pierre Benoit *Les Compagnons d'Ulisse* [*Benoit-Lieder*]. Paroles de André Mauprey et H. Geiringer; Choudens, Paris 1937

1. *Sur le ch'min creux...* Marche Cavalière [komp. 10. Januar 1937]
2. *La Chanson d'Angélica.* Valse: »Je n'ai jamais dit t'aimer...« [komp. 8. Januar 1937]
3. *L'amour ne peut se tromper...* Duetto bouffe [komp. 9. Januar 1937]
4. *Ma rose blanche.* Romance: »Il est des roses fraîches...« [komp. 17. Januar 1937]
5. *Je lis dans tes regards surpris...* Duo de Manrique et d'Angélica [komp. 24. Januar 1937]

6 a) *Chant et Danse d'Arequipa.* Tango: »Lalala ... Ne refuse plus de me voir...« [komp. 26. Januar 1937] – b) *Tango d'amour* (Reminiszenz von 6 a)

Lieder

Ich fühl's, daß ich tief innen kranke. Text: unbekannt; von Lehár rekonstruiertes Manuskript der ersten 4 Takte – WA (komp. wahrscheinlich 1881)

In stiller Nacht, hörst du nicht flüstern? Text: unbekannt (komp. 1889) [Verbleib unbekannt]

Vorüber! Text: Emanuel Geibel (Baronesse Vilma Fries gewidmet); Schmidl, Triest – Hofbauer, Wien 1890/Ital: *Passa e non dura.* Text: Nelia Fabretto; Schmidl, Triest 1898

Aus längst vergangener Zeit. Text: Baronesse Vilma Fries; Hofbauer, Wien – Röder, Leipzig 1891

Die du mein alles bist. Text: Wolfgang Fischer; Hofbauer, Wien 1891

Ruhe. Text: Komtesse Rosa Cebrian; Hofbauer, Wien 1891

Möcht's jubelnd in die Welt verkünden. Walzerlied/Text: Komtesse Rosa Cebrian; Röder, Leipzig 1892

O schwöre nicht! Text: Baronesse Vilma Fries; Röder, Leipzig 1893 [Orchesterpartitur vollendet am 20. September 1891 in Losoncz]

Liebchen traut. Walzerlied (op. 52)/Text: Anton Lehár; Manuskript WA (komp. 28. Mai 1899)

Der Thräne Silberthau! (op. 63)/Text: Eduard Merkt; Hans Burzer, Leipzig/Wien 1899

Die treulose Anna. Humoreske/Text: Ludwig Bruckner; Manuskript 1901 [Verbleib unbekannt]

Der windige Schneider. Text: Ritter Sonett (Rudolf Hans Bartsch); Manuskript 1901 (WA)

Sujéton (*Verführt*). Text: André Barde (Repertoire Carl Streitmann); Bard & Bruder, Wien 1903 (komp. 12. April 1903)

Ich will nicht vernünftig sein. Text: Graf Adalbert Sternberg; Manuskript 1904 (WA)

Die Näherin. Walzerlied/Text: Carl Lindau; Bosworth, Leipzig 1905 [Melodie aus *Gold und Silber-Walzer*]

Liebesglück. Walzerlied/Text: S. Lehr; Bard & Bruder, Wien 1905

Das gold'ne Ringlein. Text: Ludwig Bruckner; Manuskript 1905 (WA)

Geträumt. Text: Ervin von Egéd; Bard & Bruder, Wien 1905 [Einlage in *Wiener Frauen*]

Im Boudoir. (op. 67)/Text: Eduard Merkt; Bard & Bruder, Wien 1906 [Einlage in *Wiener Frauen*]

Am Klavier. Gavotte-Polka (op. 65)/Text: Eduard Merkt; Hofbauer, Wien/Leipzig 1907 (komp. 2. November 1900)

Nachtlichter-Marsch (*Marche du cabaret*). Text: unbekannt (Op. 55); Chmel, Wien 1907

Messze a nagy erdö. Lied und Csardas/Text: Gábor Andor; Manuskript 1908 (WA)

Mondd mamácskám. Text: Pasztor Arpád; Manuskript 1908 (WA)

Kriegslied. Den verbündeten Armeen!: »Steht auf zum Kampf, ihr Braven«/Text: Ignaz Schnitzer; Doblinger, Wien 1914

Mariska: »Hör ich Cymbalklänge«. Lied und Csardas/Text: Robert Bodanzky; Rondo-Verlag, Berlin 1915/als Einlage in *Zigeunerliebe* verwendet – in die Fassung 1937 als Nr. 16 (Ilona) aufgenommen (Glocken-Verlag)

Sibirische Nacht. Text: Eduard Meier-Halm (Zugunsten der ›Sibirienhilfe‹ für unsere Kriegsgefangnen in Rußland); Verlag der »Mitteilungen der Staatskommission für Kriegsgefangenen- und Zivilinternierten-Angelegenheiten«, Wien 1915

Salve Sancta Barbara. Lied der Artillerie/Text: Hermann A. Funke; Krenn, Wien 1916 (komp. 17. November 1915)

Bukowiner Helden-Marsch. Text: Dr. Anton Norst; Krenn, Wien 1916

Gendarmenlied. Text: Dr. Anton Norst; Krenn, Wien 1916

Nimm mich mit, o Herbst … Text: Fritz Karpfen; Krenn, Wien 1917

Das Vöglein in der Ferne. Koloraturwalzer/Text: Dr. Fritz Löhner-Beda; Pierrot-Verlag, Wien 1921 (komp. 2. Februar 1921)/mit vom Autor leicht verändertem Text als *Das lockende Lied* 1936 im Glocken-Verlag erschienen (Orchesterpartitur vollendet am 16. Februar 1936 in Wien)

Do-Re-La. Walzer-Romanze/Text: Beda; Bote & Bock, Berlin 1921 (komp. für den Film *Dorela* von Victor Léon und Hubert Marischka/in der Rolle der Dorela Perosi: Lily Marischka)

Ein Wiener Mädel. Text: unbekannt; Manuskript WA (komp. 17. Januar 1921)

Um acht beginnt die Nacht. Bummelstep/Text: Artur Rebner – Einlage in die Berliner Erst-Aufführung der *Blauen Mazur* (Metropol-Theater); Drei Masken-Verlag, Berlin 1921 (Orchesterpartitur vollendet am 11. März 1921 in Berlin)/Für *Die Tangokönigin* (Neufassung der *Idealen Gattin*) verwendet, mit geändertem Text von Julius Brammer u. Alfred Grünwald und neuem Titel: *Hallo! Da ist Dodo.* Tabarin-Step; Drei Masken-Verlag, Berlin 1921

Eine klein Freundin. Foxtrott/Text: Artur Rebner – Einlage in die Berliner Erst-Aufführung der *Blauen Mazur* (Metropol-Theater); Drei Masken-Verlag, Berlin 1921 (komp. am 10. März 1921 in Berlin)/Für *Die Tangokönigin* (Neufassung der *Idealen Gattin*) verwendet mit geändertem Text von Julius Brammer u. Alfred Grünwald und neuem Titel: *Schatz, wir woll'n ins Kino gehen!* Foxtrott; Drei Masken-Verlag, Berlin 1921

Das macht doch der Liebe kein Kind! Lied und One-Step/Text: Artur Rebner; Wiener Bohème-Verlag 1922 (Repertoire: Jaques Rotter)/Als Gigolette-Foxtrott in *La danza delle Libellule* (1922/Text: Carlo Lombardo) verwendet – deutsche Version: Dr. A. M. Willner (*Libellentanz,* 1923); Wiener Bohème-Verlag 1923/Als Einlage in *Die Lustige Witwe* von Eric Charell (Metropol-Theater Berlin 1928) für Fritzi Massary von Rudolf Schanzer und Ernst Welisch umgetextet: *Ich hol' dir vom Himmel das Blau.* Lied und Slow Fox; Wiener Bohème-Verlag 1929/Letzte, korrigierte, gleichnamige Version von Ernst A. Welisch (Text); Glocken-Verlag 1943

Morgen vielleicht! Walzerlied/Text: A. M. Willner; Gabor Steiner, New York/Wien 1923 (Orchesterpartitur vollendet am 8. Dezember 1926)

Erste Liebe: »Wenn die Abendglocken leise tönen...«. Valse Boston/Text: Beda; Wiener Bohème-Verlag 1923/Mit gleichem Titel und neuem Text von Ernst A. Welisch; Glocken-Verlag 1943

Sári. Tanzlied-Onestep/Text: Kurt Robitschek; Gabor Steiner, New York 1924

Man sagt uns schönen Frauen nach... Text: Alexander Max Vallas; Fischer & Singer, Wien 1924

Wenn eine schöne Frau befiehlt... Text: Kurt Robitschek; Drei Masken-Verlag, Berlin 1924 (»Meinem lieben Freunde Richard Tauber herzinnigst gewidmet« – Orchesterpartitur vollendet am 25. August 1925)/Als Einlage im *Grafen von Luxemburg* am Metropol-Theater Berlin 1941, für Johannes Heesters umgetextet von Günther Schwenn: *Wann sagst du Ja?* Lied und langsamer Foxtrott; Glocken-Verlag 1942

Kondja. Tango-Foxtrott/Text: Artur Rebner u. Peter Herz; Edition Rebner & Wergo, Berlin 1925 (creiert von Max Hansen anläßlich der Festvorstellung der *Tannhäuserparodie* im Metropol-Theater Berlin am 21. Februar 1925)

Komm zu mir zum Tee! Paso doble/Text: Peter Herz; Weinberger, Wien 1925

Wo mag mein Johnny wohnen? Hawaian Song/Text: Peter Herz; Weinberger, Wien 1925

Kiss me, my darling. Foxtrott – Chanson/Text: Alexander Max Vallas; Weinberger, Wien 1925

Komm, die Nacht gehört der Sünde! Foxtrott (mysterieuse)/Text: Peter Herz; Drei Masken-Verlag, Berlin 1925 (komp. 6. August 1925 in Bad Ischl – Orchesterpartitur 23. August 1925) – verwendet als Einlage in *Frühlingsmädel* u. *Clo-Clo* (Bearbeitung)

Eine schöne Stunde, die man nie vergessen kann! Text: Peter Herz; Weinberger, Wien 1926

Frauenherz – du bist ein kleiner Schmetterling! Text: Peter Herz; Wiener Musik-Verlag 1927 (komp. am 12. Oktober 1925 – »1/2 5 Uhr Früh in Wien«) – mit leichten musikalischen Veränderungen zu neuem Text von Peter Herz: *Hie und da sagt eine Frau zu allem Ja!* English Waltz; Glocken-Verlag 1935 (fertiggestellt am 7. Oktober 1935)

Troppo bello per esser vero. (*Es ist zu schön, um wahr zu sein*) Canzone/Text: Peter Herz; Orfeo, Milano 1928 (komp. 27. August 1928 in Bad Ischl)

Vindobona. Schlaraffenlied/Text: Karl Hotschewer; Manuskript WA (komp. 20. Dezember 1927/Partitur: 19. Januar 1928)

Halt' still! Text: Rudolf Schanzer u. Ernst Welisch; Drei Masken-Verlag, Berlin 1929 (Einlage in *Die Lustige Witwe* von Eric Charell im Metropol-Theater Berlin 1928)

Dir sing ich mein Lied. English Waltz/Text: Peter Herz; Drei Masken-Verlag, Berlin 1932 (komp. am 7. März 1930 – »3 Uhr Früh«) – Franz.: *Je chante pour toi.* Text: André Mauprey u. Robert Mackiels; Eschig, Paris 1935

Ging da nicht eben das Glück vorbei? Ein volkstümliches Lied/Text: Peter Herz; Alrobi, Berlin 1933

Ich liebe dich! Text: Dr. Fritz Löhner-Beda; Glocken-Verlag, Wien 1936/Als Einlage im *Grafen von Luxemburg* am Metropol-Theater Berlin 1941, umgetextet von Günther Schwenn: *Jede Nacht träume ich ...* Lied und langsamer Walzer; Glocken-Verlag 1942

Rotary-Hymne. Text: Dr. Fritz Löhner; Glocken-Verlag 1937 (Orchesterpartitur vollendet 21. Juni 1931)

Sehnsucht, heimliches Verlangen ... Romanze/Text: Ernst A. Welisch; Glokken-Verlag, Wien 1939

Die Welt bekränzt sich mit Rosen ... Tango/Text: Wolfram Krupka; Glocken-Verlag, Wien 1941 [Liedfassung einer Einlage ins 6. Bild der bearbeiteten *Lustigen Witwe* am Deutschen Opernhaus Berlin 1938]

Eine nach der andern! Foxtrott/Text: Günther Schwenn; Glocken-Verlag 1942/Neutextierung von Nr. 14 aus *Cloclo*: »Ich habe La Garçonne gelesen« für Johannes Heesters im *Grafen von Luxemburg* 1941 am Berliner Metropol-Theater

Marsch der Kanoniere: »Mit den besten Geschützen der Welt«. Marschlied (Ritterkreuzträger Oberst Gerloch gewidmet)/Text: Ernst A. Welisch; Glocken-Verlag, Wien 1942

Schillernder Falter. Koloraturpolka/Text: M. C. Krüger; Glocken-Verlag, Wien 1942

Wien – du bist das Herz der Welt! Wienerlied/Text: Ernst A. Welisch; Glocken-Verlag, Wien 1942

Ami elmult/Erre-arra jártam/Ha megehülok, kinyitom a bicskámat/Hogyha a lány mosolyog. 4 ungarische Lieder/Text: Nádor Jozséf; Nádor Kálmán, Budapest o. D.

Du bist die Frau für mich. Text: Peter Herz (bearb. von Frank Fox); Doblinger, Wien o. D.

Heimatland, ade. Text: Rudolf Weys; Manuskript o. D. (WA) – [Einlage ins 2. Bild der bearbeiteten *Lustigen Witwe* am Deutschen Opernhaus Berlin 1938]

Liebe im Plural. Text: Paul Knepler; Glocken-Verlag, Wien o. D. [komp. 1923 für *Paganini*]

Pupperl fein. Text: C. M. Jäger; Glocken-Verlag, Wien o. D. [Parodie auf »Mädel klein« aus *Der Graf von Luxemburg*]

Sag' mir, Mütterchen. Text: Leopold Jacobson; Bárd & Bruder, Wien o. D.

Zigeunertraum. Text: H. Glücksmann; Glocken-Verlag, Wien o. D.

Schlaraffenlied Hymnus. Text: Moriz Wien; Manuskript o. D. (WA)

Walzer à Bonmarie. Walzerlied/Text: Georg Rittkar; Manuskript o. D. [Verbleib unbekannt]

Wär' ich ein heller Stern. Lied für Männerchor/Text: unbekannt; Manuskript o. D. [Verbleib unbekannt]

Devasthymne für Gesang und Klavier/Text: Ritter Seehund II; Manuskript o. D. (WA)

Ich denk' mir nichts Schlimmes dabei. Walzerlied/Text: Dr. Marco Brociner; Manuskript o. D. (WA)

Der Pantoffel. Walzerlied/Text: Phillipi; Manuskript o. D. (WA)

Unbekannte Fee. Text: unbekannt; Manuskript o. D. (WA)

Necktar-Ambrosia. Text: unbekannt; Manuskript o. D. (WA)

Pabekam. Text: unbekannt; Manuskript o. D. [Verbleib unbekannt]

Abendglocken. Duett für Gesang und Klavier/Text: unbekannt; Manuskriptskizze der Gesangsstimmen o. D. (WA)

Bitte, bitte, komm nach Hong Kong. Text: Peter Herz; Manuskript o. D. [Verbleib unbekannt]

Helan går. 5 Stimmungsbilder über ein schwedisches Volkslied; Manuskript o. D. [Verbleib unbekannt]

Discographie: *Aus längst vergangener Zeit/Erste Liebe/Der Thräne Silberthau!/Sehnsucht, heimliches Verlangen/Die du mein alles bist/Das lockende Lied/Schillernder Falter/Ich liebe dich!/Frauenherz – du bist ein Schmetterling/Wenn eine schöne Frau befiehlt/Liebesglück/Geträumt/Die ganze Welt dreht sich um Liebe* in: Franz Lehár, Lieder Vol. 1 – Wolf (Koloratursopran)/Rossmanith (Sopran)/Vermillion (Mezzosopran)/Sacher (Tenor)/Garben (Klavier)/Maintz (Violon-Cello) – (cpo 1998)

– *Dir sing ich mein Lied/Die Näherin/Ruhe/Ging da nicht eben das Glück vorbei?/Ich hol' dir vom Himmel das Blau/Im Boudoir/Nimm mich mit, o Herbst/Vorüber/Sári/Nachtlichter-Marsch/Komm, die Nacht gehört der Sünde* in: Franz Lehár, Lieder Vol. 2 – Elsner (Tenor)/Lindner (Sopran)/Garben (Klavier) – (cpo 1998)

Literaturverzeichnis

Literatur zu Franz Lehár

Bekker, Paul: Die Lustige Witwe und ihre Familie, in: Allgemeine Musikzeitung, 34. Jg., Berlin 20. September 1907, Nr. 38, S. 612-615.

Czech, Stan: Franz Lehár. Sein Leben und sein Werk, Berlin 1940.

–: Franz Lehár. Sein Weg und sein Werk, Wien 1948.

–: Schön ist die Welt. Franz Lehárs Leben und Werk, Berlin 1957.

Dahlhaus, Carl: Zur musikalischen Dramaturgie der Lustigen Witwe, in: Österreichische Musikzeitung, 40. Jg., Wien 1985, Heft 2, S. 657-664.

Decsey, Ernst: Franz Lehár, Wien 1924.

–: Franz Lehár. Mit 15 Text- und 18 Tafelbildern, 12 Notenbeispielen und einer Partiturbeilage, Berlin/München 1930.

Frey, Stefan: Franz Lehár oder das schlechte Gewissen der leichten Musik, Tübingen 1995.

Grun, Bernard: Gold und Silber. Franz Lehár und seine Welt, München/Wien 1970.

Gold, Edward Michael: On the Significance of Franz Lehár's Operettas: A Musical-Analytical Study, New York/Ann Arbor 1993.

–: By Franz Lehár – The Complete Cosmopolitan, London 1995.

Karpath, Ludwig: Wie Franz Lehár wurde. Aus meinen Erinnerungen, in: Neues Wiener Journal, (Wien) 24. Juni 1923.

Knepler, Paul: Erinnerungen an Franz Lehár. Festrede anläßlich der Denkmals-Enthüllung am 6. Juli 1958, gehalten von – – (WA)

Knosp, Gaston: Franz Lehár. Une vie d'artiste, Bruxelles 1935.

Lamb, Andrew: Lehárs Count of Luxemburg, in: The Musical Times, 114. Jg., London, January 1983, Nr. 1679, S. 23-24.

L'Avant Scène. Opéra/Operette/Musique, La Veuve Joyeuse, Paris, Novembre 1982, Nr. 45.

Lehár, Anton von: Lehár-Geschichten, erzählt von – –, in: Erinnerungen, Bd. 1, Wien 1903-1943.

–: Unsere Mutter. Meinem Bruder Franz zum 60. Geburtstage, Wien/Berlin 1930.

Leukelt, Jürgen: Puccini und Lehár, in: Schweizerische Musikzeitung, 122. Jg., Zürich, Februar 1982, Nr. 2, S. 65-72.

Macqueen-Pope, W. und Murray, D. L.: Fortune's Favourite. The Life and Times of Franz Lehár, London 1953.

Marten, Christian: Die Operette als Spiegel der Gesellschaft – Franz Lehárs Die Lustige Witwe: Versuch einer Theorie der Operette, in: Europäische Hochschulschriften: Reihe 36, Musikwissenschaft; Bd. 34, Frankfurt a. M./Bern/New York/Paris 1988.

Peteani, Maria von: Franz Lehár. Seine Musik – Sein Leben, Wien/London 1950.

Scherber, Ferdinand: Franz Lehár. Feuilleton, in: Österreichische Rundschau, Bd. 63, (Wien/München) April-Juni 1920.

Schneidereit, Otto: Franz Lehár. Eine Biographie in Zitaten, Berlin (Ost) 1984.

–: Hinweise eines Regisseurs auf einen unbekannten Operettenkomponisten namens Franz Lehár [Unveröffentlichtes Typoskript/Lehár-Symposion], Bad Ischl 1978.

Schönherr, Max: Franz Lehár. Bibliographie zu Leben und Werk. Beiträge zu einer Lehár-Biographie, Wien 1970.

–: Die Instrumentation bei Lehár. Referat zum Kongreß Franz Lehár (Bad Ischl 14.-16. Juli 1978), Baden bei Wien 1978.

Winzeler, Christoph: Franz Lehár – ein »Fanatiker der Kunst?«, in: Schweizerische Musikzeitung, 121. Jg., Zürich, April 1981, Nr. 4, S. 229-234.

Franz Lehár, Thematischer Index/Thematic Index, London 1985 [nur veröffentlichte Werke – ohne Entstehungs- bzw. Publikationsdaten].

Franz Lehár, Werkverzeichnis [der internationalen Lehár-Gesellschaft], Wien 1995 [ohne Entstehungs- bzw. Publikationsdaten].

Literatur zur Operette

Csáky, Moritz: Ideologie der Operette und Wiener Moderne. Ein kulturhistorischer Essay zur österreichischen Identität, Wien/Köln/Weimar 1996.

Eckertz, Erich: Eine Umfrage und ihre Antworten, in: Neue Musik-Zeitung, 32. Jg., Stuttgart/Leipzig 1911, Heft 9: Gegen die Wiener Operette, S. 189-192.

Fleischer, Hugo: Friedrich Nietzsche über die Operette, in: Merker, 8. Jg., Wien, Juli 1917, Nr. 12-13, S. 470-472.

Gänzl, Kurt: The Encyclopedia of the Musical Theatre, New York 1994.

Gromes, Hartmut: Vom Alt-Wiener Volksstück zur Wiener Operette [Diss.], München 1967.

Grun, Bernard: Kulturgeschichte der Operette, München 1961.

Grünberg, Ingrid: Operette und Rundfunk. Die Entstehung eines spezifischen Typs massenwirksamer Unterhaltungsmusik, in: Argument Sonderband AS 24, Angewandte Musik – 20er Jahre. Exemplarische Versuche gesellschaftsbezogener musikalischer Arbeit für Theater, Film, Radio, Massenveranstaltung. Redaktion: Dietrich Stern, hg. v. Wolfgang Fritz Haug, Berlin 1977.

–: »Wer sich die Welt mit einem Donnerschlag erobern will...« Zur Situation und Funktion der deutschsprachigen Operette in den Jahren 1933 bis 1945, in: Musik und Musikpolitik im faschistischen Deutschland, hg. v. Hanns-Werner Heister u. Hans-Günther Klein, Frankfurt a. M. 1984.

Grunwald, Henry (Hg.): Ein Walzer muß es sein. Alfred Grünwald und die Wiener Operette. Mit Beiträgen von Henry Grunwald, Georg Markus, Marcel Prawy, Hans Weigel, Wien 1991.

Günther, Felix: Operettendämmerung, in: Die Schaubühne (Vollständiger Nachdruck der Jahrgänge 1905-1918, Königstein/Ts. 1980), 9. Jg., (Berlin) 4. September 1913, S. 839-842.

Kahane, Arthur: Die moderne Operette. Eine geistesgeschichtliche Untersuchung, in: Die Scene, 19. Jg., Berlin, März 1929, Heft 3, S. 71-74.

Karczag, Wilhelm: Operette und musikalische Komödie, in: Neues Wiener Journal, (Wien) 12. April 1914.

Keller, Otto: Die Operette in ihrer geschichtlichen Entwicklung. Musik. Libretto. Darstellung. Mit 54 Tafeln, Leipzig/Wien/New York 1926.

Kellerbauer, W.: Die Operette als Kunstform, in: Neue Musik-Zeitung, 32. Jg., Stuttgart/Leipzig 1911, Heft 9: Gegen die Wiener Operette, S. 192-194.

Kieser, Klaus: Das Gärtnerplatztheater in München 1932-1944. Zur Operette im Nationalsozialismus (Europäische Hochschulschriften/Reihe XXX – Theater-, Film- und Fernsehwissenschaften, Bd. 43), Frankfurt a. M./Bern/New York/Paris 1991.

Klotz, Volker: Operette. Porträt und Handbuch einer unerhörten Kunst. Darin: 106 Werke ausführlich dargestellt, München 1991.

–: Wann reden – wann singen – wann tanzen sie? Zur Dramaturgie der Tanzoperette bei Lehár, Kálmán, Künneke und anderen, in: Drama und Theater im 20. Jahrhundert. Festschrift für Walter Hink, hg. v. Hans Dietrich Irmscher u. Werner Keller, Göttingen 1983, S. 105-120.

Klügl, Michael: Erfolgsnummern. Modelle einer Dramarturgie der Operette (Thurnauer Schriften zum Musiktheater, hg. v. Forschungsinstitut für Musiktheater der Universität Bayreuth, Bd. 13), Laaber 1992.

Lichtfuss, Martin: Operette im Ausverkauf. Studien zum Libretto des musikalischen Unterhaltungstheaters im Österreich der Zwischenkriegszeit, Wien/Köln 1989.

Neisser, Arthur: Vom Wesen und Wert der Operette. Mit 26 Bildnissen. Szenen-Bildern und Handschrift-Nachbildungen, in [der Buchreihe]: Die Musik, begr. von Richard Strauss, Leipzig 1923.

Pringsheim, Klaus: Operette, in: Süddeutsche Monatshefte, unter Mitwirkung v. Josef Hofmiller, Friedrich Naumann, Hans Pfitzner, Hans Thoma, Karl Voll, hg. v. Paul Nikolaus Cossmann, 9. Jg., München 1912, Bd. 2, S. 178-187.

Rabenalt, Arthur Maria: Operette als Aufgabe, Berlin/Mainz/Rastatt 1948.

–: Der Operettenbildband. Bühne. Film. Fernsehen, Hildesheim/New York 1980.

Redlich, Hans F.: Zur Typologie der Operette, in: Der Anbruch, 11. Jg., (Berlin) März 1929, Heft 3, S. 97-102.

Renner, Hans: Renners Führer durch Oper, Operette, Musical. Das Bühnenrepertoire der Gegenwart, München/Mainz 1979.

Die Scene (Sonderheft: Krisis der Operette), 19. Jg., (Berlin) Februar 1929, Heft 2.

Scherber, Ferdinand: Die Operette, in: Neue Musik-Zeitung, 26. Jg., Stuttgart/Leipzig 10. November 1904, Nr. 3, S. 46-49.

Schneidereit, Otto: Operettenbuch, Berlin (Ost) 1955.

–: Operette von Abraham bis Ziehrer, Berlin (Ost) 1967.

–: Operettenplaudereien, Berlin (Ost) 1966.

Taubner, Richard: Operetta. A Theatratical History, New York 1983.

Urban, Erich: Die Wiedergeburt der Operette, in: Die Musik, Bd. 9, 3. Jg., Berlin/Leipzig, November 1903, Heft 3, S. 176-186.

Westermeyer, Karl: Die Operette im Wandel des Zeitgeistes von Offenbach bis zur Gegenwart, München 1931.

Wolf, Alfred: Der Operettenmoloch, in: Die Musik, Bd. 20, 9. Jg., Berlin/Leipzig, September 1909, Heft 23, S. 259-271.

Zimmerschied, Dieter: Operette. Phänomen und Entwicklung, in: Materialien zur Didaktik und Methodik des Musikunterrichts, Bd. 15, Wiesbaden 1988.

Sonstige Literatur

Adorno, Theodor W.: Gesammelte Schriften 18 u. 19 – Musikalische Schriften V bzw. VI; hg. v. Rolf Tiedemann und Klaus Schulz, Frankfurt a. M. 1984.
–: Einleitung in die Musiksoziologie, Frankfurt a. M. 1962.
–: Versuch über Wagner, Frankfurt a. M. 1974.
– und Horkheimer, Max: Dialektik der Aufklärung. Philosophische Fragmente, in: Max Horkheimer, Gesammelte Schriften, hg. v. Alfred Schmidt und Gunzelin Schmid Noerr, Bd. 5, Frankfurt a. M. 1987.
Bahr, Hermann: Wien. Mit acht Vollbildern, in: Städte und Landschaften, Bd. 6, Stuttgart 1906.
Benjamin, Walter: Das Kunstwerk im Zeitalter seiner technischen Reproduzierbarkeit. Drei Studien zur Kunstsoziologie, Frankfurt a. M. 1977.
Benn, Gottfried: Das Hauptwerk, Bd. 2 – Essays. Reden. Vorträge, hg. v. Marguerite Schlüter, Wiesbaden/München 1980.
–: Briefe an Tilly Wedekind 1930-55 (Briefe IV), Nachwort von Marguerite-Valerie Schlüter, Stuttgart 1986.
Bernstein, Leonard: Freude an der Musik, München 1963.
Bloch, Ernst: Zur Philosophie der Musik, Frankfurt a. M. 1974.
–: Das Prinzip Hoffnung, Frankfurt a. M. 1978.
–: Briefe 1903-1975, hg. v. Karola Bloch u. a., Gesamtredaktion Uwe Opalka, Frankfurt a. M. 1985.
Bontink, Irmgard: Angebot, Repertoire und Publikum des Musiktheaters in Wien und Graz, Wien 1985.
Brecht, Bertolt: Gesammelte Werke, Bd. 15 (Schriften zum Theater I), Frankfurt a. M. 1967.
Broch, Hermann: Hofmannsthal und seine Zeit. Eine Studie. Mit einem Nachwort von Hannah Arendt, München 1964.
Cahn, Geoffrey S.: Weimar culture and society as seen through American eyes. Weimar music – the view from America [St. John's University, Diss.] Ann Arbor 1982.
Christen, Norbert: Giacomo Puccini. Analytische Untersuchung der Melodik, Harmonik und Instrumentation (Schriftenreihe zur Musik 13), Hamburg 1978.
Dachs, Robert: Sag beim Abschied…, Wien 1997.
–: Willi Forst. Eine Biographie, Wien 1986.
Dahlhaus, Carl: Vom Musikdrama zur Literaturoper. Aufsätze zur neuen Operngeschichte, München/Salzburg 1983.

Döblin, Alfred: Kleine Schriften, Bd. 1, hg. v. Anthony W. Riley, Olten 1985.

Domarius, Max: Hitler. Reden und Dokumentationen 1932-1945, Kommentiert von einem Zeitgenossen, Wiesbaden 1973.

Dostal, Nico: An's Ende deiner Träume kommst du nie. Berichte, Bekenntnisse, Betrachtungen, Innsbruck 1983.

Drewniak, Boguslaw: Das Theater im NS-Staat. Szenarien deutscher Zeitgeschichte 1933-45, Düsseldorf 1983.

Dümling, Albrecht und Girth, Peter (Hg.): Entartete Musik. Dokumentation und Kommentar zur Düsseldorfer Ausstellung von 1938, Düsseldorf 1993.

Eisler, Hanns: Schriften 1924-1948, in: Gesammelte Werke, ausgew. v. Günther Mayer, Leipzig 1983.

–: Gespräche mit Hans Bunge. Fragen Sie mehr über Brecht, übertragen und erläutert von Hans Bunge, Leipzig 1975.

Fröhlich, Elke (Hg.): Die Tagebücher von Joseph Goebbels. Sämtliche Fragmente, hg. v. – – im Auftrag des Instituts für Zeitgeschichte und in Verbindung mit dem Bundesarchiv, München/New York/London/Paris 1987.

Goethe, Johann Wolfgang von: [Werke] – Goethes Werke, hg. im Auftrag der Großherzogin Sophie von Sachsen. Weimarer Ausgabe; Fotomechanischer Nachdruck der Ausgabe Weimar (Böhlau) 1887-1919; München 1987.

Großmann, Stefan: Die Brüder Rotter, in: Freie Presse, (Wien) 28. Januar 1933.

Grünbaum, Fritz: Was das Publikum will und was es nicht will. Grübeleien eines Bühnenschriftstellers, in: Neues Wiener Journal, (Wien) 12. April 1914.

Hadamczik, D./Schmidt, J./Schulze-Reimpell, W.: Was spielten die Theater? Bilanz der Spielpläne in der Bundesrepublik Deutschland 1945-1975, Remagen-Rolandseck 1978.

Hamann, Brigitte: Hitlers Wien. Lehrjahre eines Diktators, München 1996.

Heesters, Johannes: Es kommt auf die Sekunde an, München 1978.

–: Ich bin Gott sei Dank nicht mehr so jung. Aufgezeichnet von Willibald Eser, München 1993.

Herz, Peter: Gestern war ein schöner Tag. Liebeserklärung eines Librettisten an die Vergangenheit, Wien 1985.

Hirschfeld, Ludwig: Das Buch von Wien, München 1927.

Jäckel, Eberhard (Hg.): Hitler. Sämtliche Aufzeichnungen 1905-1924, hg.

v. – – zusammen mit Axel Kuhn, in: Quellen und Darstellungen zur Zeitgeschichte, Bd. 21, Stuttgart 1980.

Jenks, William A.: Vienna and the young Hitler, New York 1960.

Kálmán, Vera: Die Welt ist mein Zuhause. Erinnerungen, München 1980.

Karpath, Ludwig: Begegnung mit dem Genius, Wien 1934.

Klotz, Volker: Bürgerliches Lachtheater. Komödie – Posse – Schwank – Operette, Reinbek 1987.

Korb, Willi: Richard Tauber. Biographie eines unvergessenen Sängers, Wien 1966.

Kracauer, Siegfried: Jacques Offenbach und das Paris seiner Zeit, hg. v. Karsten Witte, Frankfurt a. M. 1976.

Kraus, Karl: Die Fackel, hg. v. – –, (Nachdruck, München 1976), [Wien] 1899-1936.

Krause, Ernst: Puccini. Beschreibung eines Welterfolgs. Mit 39 Abbildungen und 82 Notenbeispielen. Überarbeitete Neuausgabe, München 1986.

Křenek, Ernst: Zur Sprache gebracht. Essays über Musik, München 1958.

Léon, Victor: Regie. Notizen zu einem Handbuch. Mit einem Geleitwort von Hermann Bahr, München 1897.

Lucchesi, Joachim und Shull, Ronald K. (Hg.): Musik bei Brecht, Frankfurt a. M. 1988.

Mahler-Werfel, Alma: Erinnerungen an Gustav Mahler, hg. v. Donald Mitchell, Frankfurt a. M./Berlin/Wien 1978.

–: Mein Leben, Frankfurt a. M. 1981.

Mann, Thomas: Die Bekenntnisse des Hochstaplers Felix Krull. Stuttgart/Zürich/Salzburg 1954.

Marggraf, Wolfgang: Giacomo Puccini, Wilhelmshaven 1979.

Metzger, Heinz-Klaus und Riehn, Rainer (Hg.): Musikkonzepte. Sonderband Arnold Schönberg, München 1980.

–: Musikkonzepte 36. Schönbergs Verein für musikalische Privataufführungen, München 1984.

Nietzsche, Friedrich: Richard Wagner in Bayreuth – Der Fall Wagner – Nietzsche contra Wagner, Stuttgart 1973.

Picker, Dr. Henry: Hitlers Tischgespräche im Führerhauptquartier. Hitler, wie er wirklich war, vollständig überarbeitete und erweiterte Neuausgabe mit bisher unbekannten Selbstzeugnissen Adolf Hitlers, Abbildungen, Augenzeugenberichten und Erläuterungen des Autors, Stuttgart 1976.

Pipers Enzyklopädie des Musiktheaters [PEM]. Oper. Operette. Musical. Ballett, hg. v. Carl Dahlhaus und dem Forschungsinstitut für Musiktheater der Universität Bayreuth unter Leitung von Sieghart Döhring, München 1986.

Prieberg, Fred K.: Musik im NS-Staat, Frankfurt a. M. 1989.

Schneidereit, Otto: Richard Tauber. Ein Leben – eine Stimme, Berlin (Ost) 1976.

Schnitzler, Arthur: Briefe 1913-31, hg. v. Peter Braunwarth/Richard Miklin/Susanne Pertlik/Heinrich Schnitzler, Frankfurt a. M. 1984.

–: Tagebücher 1893-1912, vorgelegt von Werner Welzig, 3 Bd., Wien 1981/1989/1991.

Schönberg, Arnold: Gesammelte Schriften. 1. Stil und Gedanke. Aufsätze zur Musik, Frankfurt a. M. 1976.

Schönherr, Max: Unterhaltungsmusik aus Österreich. Max Schönherr in seinen Erinnerungen und Schriften, hg. v. Andrew Lamb, in: Austrian Culture, Vol. 6, New York/San Francisco/Bern/Frankfurt a. M./Berlin/Wien/Paris 1992.

Specht, Richard: Giacomo Puccini. Das Leben, der Mensch, das Werk. Mit 28 Bildern, Berlin-Schöneberg 1931.

Speer, Albert: Spandauer Tagebücher, Frankfurt a. M./Berlin/Wien 1975.

Sternheim, Carl: Nachträge, Anmerkungen zu den Bänden 1-9, Lebenschronik, hg. v. Wilhelm Endrich, Neuwied/Darmstadt 1976.

Stolz, Robert und Einzi: Servus Du. Robert Stolz und sein Jahrhundert, München 1980.

Richard Strauss – Hugo von Hofmannsthal: Briefwechsel. Gesamtausgabe. Im Auftrag von Franz und Alice Strauss hg. v. Willi Schuh, Zürich 1964.

Richard Strauss – Clemens Krauss: Briefwechsel, ausgew. und hg. v. Götz Kende und Willi Schuh, München 1964.

Stuckenschmidt, Hans Heinz: Schönberg. Leben. Umwelt. Werk. Mit 42 Abbildungen, München 1989.

Thoma, Ludwig: Gesammelte Werke, Bd. 8 – Ausgewählte Gedichte und Aufsätze, München 1956.

Thomas, Walter: Richard Strauss und seine Zeitgenossen, München/Wien 1964.

Tucholsky, Kurt: Gesammelte Werke, hg. v. Mary Gerold-Tucholsky und F.J. Raddatz, Reinbek 1972.

Wagner, Cosima: Die Tagebücher, ediert und kommentiert von Martin Gregor-Dellin und Dietrich Mack, München 1976.

Wessling, Berndt W.: Lotte Lehmann. »Sie sang, daß es Sterne rührte«, Köln 1995.

Wulf, Joseph: Musik im Dritten Reich. Eine Dokumentation, Frankfurt a. M./Berlin/Wien 1983.

Zalampas, Miriam Sheree: Adolf Hitler: A psychological interpretation of his view on architecture, art and music [St. John's University, Diss.], Ann Arbor 1988.

Zweig, Stefan: Tagebücher, in: Gesammelte Werke in Einzelbänden, hg. v. Ursula Michels-Wentz, Frankfurt a. M. 1984.

Nachbemerkung

Für die Unterstützung bei der Arbeit an meinem Lehár-Buch danke ich besonders allen im folgenden Aufgeführten; waren doch, besonders in Österreich, bestimmte Informationen nicht immer leicht zu beschaffen. Vor allem habe ich für den großzügigen Zugang zum Weinberger-Archiv (WA) zu danken, das eine Fülle dokumentarischen Materials enthält, zum Teil noch von Lehár selbst für den Glocken-Verlag zusammengestellt: Susanne L. Rod und Helmut Reikl vom Wiener Verlagszentrum Musik des Weinberger- bzw. Glocken-Verlags. Außerdem Adolf Wilms und Jan Rolf Müller von der deutschen Dependance des Weinberger-Verlags in Frankfurt und Barbara Böhme-Berthold von dessen Bühnenvertrieb Musik und Bühne in Wiesbaden, sowie Richard Toeman vom Glocken-Verlag London; schließlich Franz Lehárs Neffen Dr. Francis Paphazay-Lehár, der von den USA aus jede meiner Fragen geduldig beantwortete. Als Zeitzeugen schilderten mir ihre Begegnungen mit Franz Lehár: Hugo Hofer (Bad Ischl), Prof. Eduard Macku (Wien), Elisabeth Schönherr, die Witwe Prof. Max Schönherrs (Baden), Kitty M. Lederer (Bern), Charles Kalman (München) und – über Vermittlung ihres Neffen Ernst Stankovski – die mittlerweile 101jährige Friedl Weiß, frühere Verlobte Löhner-Bedas. Besonderer Dank gilt auch den privaten Sammlern: Thomas P. Schulz-Hohenstein (Wien), der mit Liebe und Leidenschaft umfangreiches Material zu Louis Treumann zusammengetragen hat und – trotz expliziter Lehár-Antipathie – dem amüsanten und streitbaren Robert Dachs (Wien).

Für die engagierte Beschaffung seltener Dokumente danke ich: Ines Hahn vom Märkischen Museum (Berlin), Christiane Niklew von der Akademie der Künste (Berlin), Simone Langner vom Bundesarchiv (Berlin/Koblenz), Dr. Peter Back-Vega, dem Dramaturgen der Vereinigten Bühnen Wien, besonders aber Michael Bless vom ORF Wien für die Bereitstellung historischer Tondokumente, Maria Sams und Bürgermeister Helmut Haas von der Stadtgemeinde Bad Ischl für die Einblicke in den Lehár-Tresor sowie Dr. Walter Obermaier von der Handschriftensammlung der Wiener Stadt- und Landesbibliothek für seine schnelle, unbürokratische Hilfe. Für instruktive Anregungen: Bernd W. Wessling (Hamburg), Prof. Dr. Volker Klotz (Stuttgart), der mir großzügig die Pforten seines Privatarchivs öffnete und den schwer zu erreichenden, dafür um so unerschöpflicheren Marcel Prawy. Schließlich möchte ich Prof. Dr. Dieter Borchmeyer für die langjährige Unterstützung des Lehár-Projekts danken. Zuletzt für aufmerksames, inspirierendes und geduldiges Korrekturlesen meinem Lektor Eberhard Wesemann und vor allem meiner Frau Susan Scott.

Personenregister

Die kursiv gesetzten Zahlen bezeichnen die Abbildungen

Quellennachweis der Abbildungen

Archiv für Kunst und Geschichte, Berlin: Abb. 36, 48
Bildarchiv des Autors: Abb. 2, 3, 26, 37
Bildarchiv Österreichische Nationalbibliothek, Wien: Abb. 6, 7, 9, 16, 17, 20, 21, 22, 23, 24, 27, 29, 30, 40, 41
Bildarchiv Österreichisches Theatermuseum, Wien: Abb. 14, 49
Bildarchiv Preußischer Kulturbesitz, Berlin: Abb. 28
Bundesarchiv Koblenz: Abb. 1, 39, 53, 54, 59
Hugo Hofer, Bad Ischl: Abb. 58
Sammlung Schulz-Hohenstein, Wien: Abb. 8, 11, 31, 55
Stadtgemeinde Bad Ischl: Abb. 57
Stiftung Stadtmuseum Berlin: Abb. 56
Ullstein Bilderdienst, Berlin: Abb. 45, 46
Weinberger-Archiv, Wien: Abb. 4, 5, 10, 12, 15, 18, 19, 25, 32, 33, 34, 35, 38, 42, 47, 50, 51, 52
Wiener Stadt- und Landesbibliothek (Handschriftensammlung): Abb. 13
Württembergische Landesbibliothek, Stuttgart: Abb. 43, 44

MUSIKBÜCHER IM INSEL VERLAG

Henry-Louis de La Grange

Wien

Eine Musikgeschichte

Aus dem Französischen von
Christina Mansfeld
565 Seiten. Mit 51 Abbildungen
ISBN 3-458-16877-X

Wien – keine andere Stadt der Welt hatte eine solche musikalische Ausstrahlung, weckt die Erinnerung an so viele berühmte Komponisten, an so viele musikalische Ereignisse.
Der Autor dieses Buches will dem Musikwunder Wien nachspüren, das Musikleben dieser Stadt in all seinen Erscheinungsformen vom Hochmittelalter bis in unsere Zeit darstellen. Verfolgt wird der Weg von den Minnesängern zur musica sacra franko-flämischer Provenienz im 15./16. Jahrhundert, von der Vorherrschaft der italienischen Barockoper bis zur Reformoper Glucks und zur Wiener Klassik eines Haydn, Mozart und Beethoven, einer Ära, in der die Donaumetropole zur Welthauptstadt der Musik wird. Die musikalischen Lebensläufe der großen Komponisten in Wien werden umfassend geschildert, von der Klassik über die Spätromantik mit Brahms, Bruckner, Wolf, Mahler bis zur revolutionären Zweiten Wiener Schule von Schönberg, Berg und Webern. Dieser historische Überblick schließt den Siegeszug des Wiener Walzers und der Operette ein, er endet jedoch nicht bei der Zweiten Wiener Schule, sondern führt bis in die Gegenwart, bis zu Gottfried von Einem, bis zur seriellen Musik und zur Aleatorik, bis zu den Kompositionen eines Ligeti, Cerha oder Schwertsik.

Friedrich Dieckmann

Franz Schuber

Eine Annäherung

380 Seiten. Mit 53 Abbildungen

ISBN 3-458-16804-4

Dieses Buch ist ein erzählendes Buch nicht im klassisch-biographischen Sinn. Auf ungewohnten Wegen nähert es sich einem Komponisten, der träumerisch von sich schrieb, daß ihn »die Liebe und der Schmerz« zerteile.

Im ersten, bereits 1980 geschriebenen Kapitel ergründet der Autor Schuberts Land, das Österreich der Zeit nach dem Wiener Kongreß und nach den Karlsbader Beschlüssen; Zeit und Ort erstehen aus den Berichten von Autoren, die als Dissidenten der Monarchie einen scharfen Blick für die Wirklichkeit dieses Musik- und Polizeistaates haben. Im zweiten Kapitel geht er den zahlreichen Bild-Vergegenwärtigungen Schuberts nach, der mit bedeutenden Malern befreundet war; er sondert die zeitgenössischen von den nachgebildeten, die erheblichen von den fragwürdigen und erzählt ihre Geschichten. In den folgenden Kapiteln kommen Arbeitsweise und Lebenform eines Musikers in Sicht, der, als erster seiner Zunft, fast ausschließlich vom Ertrag seiner Kompositionen lebte. Seitenblicke fallen auf Wesen und Entwicklung eines Begriffs, der sich in seinem Dasein und Wirken exemplarisch verkörpert: des Geniebegriffs.

Dieckmanns Annäherung gilt dem Werk und der Gestalt; entstanden ist ein Porträt eigener, ungewöhnlicher Art.

Johannes Forner

Brahms

Ein Sommerkomponist

318 Seiten. Mit 40 Abbildungen

ISBN 3-458-16849-4

Der Leipziger Musikwissenschaftler Johannes Forner, der viele Jahre als Chefdramaturg des Gewandhauses engster Mitarbeiter von Kurt Masur war, erzählt die Lebensgeschichte des Komponisten Johannes Brahms auf besondere Art: Brahms war ein ›Sommerkomponist‹. Im Winter war er oft wochenlang unterwegs: auf Konzertreisen als Pianist, später als Dirigent der eigenen Werke. Im Sommerhalbjahr zog es ihn für Monate hinaus in die Natur. Der Großteil seines kompositorischen Lebenswerkes entstand in der Umgebung Hamburgs, in Lichtenthal bei Baden-Baden, an Rügens Steilküste, in Thun oder in Bad Ischl. Brahms schlenderte nicht auf den Flaniermeilen dieser Orte, er stürmte eher dahin auf verschwiegenen Pfaden, durch Dickicht und unwegsames Gelände – und kam in sein Quartier zurück, mit neuen musikalischen Ideen.

Wie stark das Spezifische der jeweiligen Landschaft und Erlebnisse mit Freunden in den Schaffensprozeß hineingespielt haben, läßt sich im einzelnen kaum dingfest machen. Daß Zusammenhänge aber bestehen, ist unbestritten. Johannes Forner geht diesen Zusammenhängen nach, macht in einer leicht und anschaulich erzählten Bilderfolge nachvollziehbar, auf welchem Erlebnishintergrund das Brahmssche Werk wuchs. Er versteht sein Buch als eine »Liebeserklärung« an den Komponisten und weist mit ihm all denen, die Brahms lieben, einen Weg zum verstehenden Hören seiner Werke.